SANTUÁRIO

Nora Roberts

A Pousada do Fim do Rio
O Testamento
Traições Legítimas
Três Destinos
Lua de Sangue
Doce Vingança
Segredos
O Amuleto
Resgatado pelo Amor

Trilogia do Sonho

Um Sonho de Amor
Um Sonho de Vida
Um Sonho de Esperança

Trilogia do Coração

Diamantes do Sol
Lágrimas da Lua
Coração do Mar

Trilogia da Magia

Dançando no Ar
Entre o Céu e a Terra
Enfrentando o Fogo

Trilogia da Gratidão

Arrebatado pelo Mar
Movido pela Maré
Protegido pelo Porto

Nora Roberts

Santuário

Tradução
A. B. Pinheiro de Lemos

BERTRAND BRASIL

Título original: *Sanctuary*

Capa: Leonardo Carvalho

Editoração: DFL

2007
Impresso no Brasil
Printed in Brazil

CIP-Brasil. Catalogação na fonte
Sindicato Nacional dos Editores de Livros, RJ

R549s Roberts, Nora, 1950-
Santuário/Nora Roberts; tradução A. B. Pinheiro de Lemos. — Rio de Janeiro: Bertrand Brasil, 2007.
532p.

Tradução de: Sanctuary
ISBN 978-85-286-1264-6

1. Romance norte-americano. I. Barcellos, A. B. Pinheiro de (Alfredo Barcellos Pinheiro de), 1938-. II. Título.

CDD – 813
07-2038 CDU – 821.111 (73)-3

EDITORA BERTRAND BRASIL LTDA.
Rua Argentina, 171 – 1º andar – São Cristóvão
20921-380 – Rio de Janeiro – RJ
Tel.: (0xx21) 2585-2070 – Fax: (0xx21) 2585-2087

Às Damas do Salão

PARTE UM

Quando eu volto, abatido pelo tempo...
Meu corpo um saco de ossos, quebrado por dentro...

JOHN DONNE

Capítulo Um

Ela sonhou com Sanctuary. A enorme casa refulgia ao luar, branca como um vestido de noiva, tão imponente e poderosa quanto uma força que desafiava a encosta. Reinava sobre as dunas a leste e o pântano a oeste, como uma rainha em seu trono. O nome era apropriado, pois podia mesmo servir como um santuário, um refúgio. A casa se destacava ali havia mais de um século, um grande tributo à vaidade e ao talento do homem, perto das sombras escuras da floresta de carvalhos-da-virgínia, por onde o rio corria, num silêncio solene.

Ao abrigo das árvores, os vaga-lumes piscavam dourados. As criaturas noturnas agitavam-se, prontas para caçar ou serem caçadas. As coisas selvagens vicejavam ali, nas sombras, em segredo.

Não havia luzes acesas para iluminar as janelas altas e estreitas de Sanctuary. Não havia luzes acesas para irradiar as boas-vindas nas varandas graciosas e portas imponentes. A noite era profunda e uma brisa úmida soprava do mar. O único som que se podia ouvir ali era o farfalhar das copas dos carvalhos e os estalos secos — como se viessem de dedos — das folhas das palmeiras. As colunas brancas eram como soldados guardando a varanda larga. Mas ninguém abriu a porta da frente para recebê-la.

Ao se aproximar, ela podia ouvir o rangido de areia e conchas sob seus pés na estrada. Os sinos de vento retiniam, em pequenos acordes musicais. O balanço da varanda mexeu-se, mas não havia ninguém sentado ali para aproveitar a noite e o luar.

O perfume de jasmim e rosa impregnava o ar, realçado pelo cheiro de maresia. E logo ela começou a ouvir também o murmúrio do mar, derramando-se pela areia, para em seguida voltar.

O ritmo era firme e paciente, lembrando a todos os habitantes de Lost Desire, a ilha do desejo perdido, que o mar podia reclamar a terra e tudo o que nela havia, a seu capricho.

Mesmo assim, ela sentiu-se mais animada ao ouvi-lo, a música do lar, a música que embalara sua infância. Houvera um tempo em que vagueava livre e solta por aquela floresta, como uma corça, explorava o pântano, corria pela areia da praia, com o privilégio despreocupado da pouca idade.

Agora, não era mais uma criança, mas estava outra vez em seu lar.

Passou a andar mais depressa. Subiu os degraus, atravessou a varanda. Estendeu a mão para a enorme maçaneta de latão, que brilhava como um tesouro perdido.

A porta estava trancada.

Ela virou para a direita, depois para a esquerda, e tentou de novo. *Deixem-me entrar,* pensou ela, enquanto o coração começava a bater forte. *Voltei para casa. Estou aqui.*

Mas a porta permaneceu imóvel. Quando pressionou o rosto contra o vidro da janela alta, no lado da porta, não pôde ver nada lá dentro. Só a escuridão.

E sentiu medo.

Correu agora, pelo lado da casa, ao longo do terraço, onde as flores projetavam-se de vasos e os lírios dançavam em fileiras de coristas de cores brilhantes. A música dos sinos de vento tornou-se estridente e dissonante, os estalos das folhas de palmeiras soavam como advertências. Ela lutou com a porta seguinte, chorando enquanto batia com os punhos.

Por favor, não me deixem aqui fora! Quero voltar para casa!

Ela soluçava enquanto descia cambaleando pelo caminho do jardim. Iria para os fundos da casa, entraria pela varanda fechada com tela. Nunca ficava trancada... a mãe dizia que uma cozinha devia estar sempre aberta para as visitas.

Mas ela não conseguia encontrá-la. As árvores afloravam à sua frente, enormes e juntas, os galhos e as cortinas de musgo barrando sua passagem.

Estava perdida. Tropeçava a todo instante nas raízes, em sua confusão. Fazia um enorme esforço para avistar qualquer coisa, agora que o dossel das árvores não deixava o luar passar. O vento aumentou de intensidade, uivando. Atingia seu rosto como se fossem tapas violentos. Folhas serrilhadas de palmeiras projetavam-se em sua direção, como espadas. Ela virou-se para voltar, mas o rio passava agora pelo lugar em que antes ficava o caminho, isolando-a de Sanctuary. O mato alto nas margens balançava vertiginosamente.

Foi nesse instante que ela se viu, parada sozinha, chorando, na outra margem.

E foi também nesse instante que ela compreendeu que havia morrido.

JO FEZ UM TREMENDO ESFORÇO PARA SAIR DO SONHO. QUASE podia sentir as beiras afiadas arranhando sua pele, enquanto se arrastava para a superfície do túnel do sono. Os pulmões ardiam, tinha o rosto molhado de suor e lágrimas. Estendeu a mão trêmula para o abajur na mesinha-de-cabeceira. Em sua pressa para sair da escuridão, jogou no chão um livro e um cinzeiro cheio.

Quando a luz acendeu, ela levantou os joelhos para o peito, passou os braços ao redor e embalou-se até ficar mais calma.

Era apenas um sonho, disse a si mesma. Apenas um pesadelo.

Estava em seu lar, sua própria cama, seu apartamento, a quilômetros da ilha em que ficava Sanctuary. Uma mulher adulta, de vinte e sete anos, não tinha por que se assustar com um sonho absurdo.

Mas ainda tremia quando pegou um cigarro. Precisou de três tentativas para conseguir acender um fósforo.

Três e quinze da madrugada, ela notou ao olhar para o relógio na mesinha-de-cabeceira. Aquilo começava a se tornar típico. Não havia nada pior do que crises de nervosismo às três horas da madrugada. Ela estendeu as pernas pelo lado da cama e abaixou-se para pegar o cinzeiro no chão. Disse a si mesma que limparia a sujeira pela manhã. Ficou sentada na cama, a camiseta enorme caída sobre as coxas, enquanto dava uma ordem para si mesma: trate de se controlar.

Não sabia por que os sonhos levavam-na de volta à ilha de Lost Desire, ao lar de onde escapara aos dezoito anos. Mas Jo calculava que qualquer estudante de psicologia do primeiro ano poderia traduzir o resto do simbolismo. A casa estava trancada porque ela duvidava que alguém pudesse acolhê-la se voltasse agora. Pensara um pouco a respeito nos últimos dias, mas especulara se seria capaz de encontrar o caminho de volta.

E aproximava-se da idade que a mãe tinha quando deixara a ilha. Desaparecera, abandonando o marido e três crianças, sem olhar para trás.

Annabelle alguma vez sonhara em voltar para casa?, especulou Jo. E também descobrira que a porta estava trancada?

Ela não queria pensar a respeito. Não queria lembrar a mulher que partira seu coração, vinte anos antes. Jo lembrou a si mesma que, a esta altura, já deveria ter superado todas essas coisas. Vivera sem a mãe, sem Sanctuary, sem a família. Até crescera... pelo menos em termos profissionais.

Jo bateu a cinza do cigarro, distraída. Correu os olhos pelo quarto. Mantinha-o simples, prático. Embora viajasse bastante, havia poucas lembranças. Exceto pelas fotos. Emoldurara as fotos, em preto-e-branco, escolhendo as que considerava mais repousantes para decorar as paredes do quarto em que dormia.

Ali, um banco de parque vazio, a armação preta de ferro batido descrevendo curvas graciosas. E ali um salgueiro solitário, as folhas rendadas pendendo para um lago pequeno, a superfície parecendo um espelho. Um jardim enluarado era um estudo de sombra e textura de formas contrastantes. A praia deserta, com o sol rompendo no horizonte, tentava o espectador a entrar na foto e sentir a areia sob seus pés.

Pendurara a paisagem marinha na semana passada, depois de voltar de uma viagem às ilhas Outer Banks, na Carolina do Norte. Talvez fosse um dos motivos para que começasse a pensar em Sanctuary, refletiu Jo. Poderia ter viajado mais um pouco para o sul, até a Geórgia, e pego a barca do continente para a ilha.

Não havia estradas para Desire, não havia pontes estendendo-se pelo estreito.

Mas ela não fora para o sul. Completara o serviço e voltara para Charlotte, a fim de se enterrar no trabalho.

E nos pesadelos.

Jo apagou o cigarro e levantou-se. Sabia que não conseguiria mais dormir, e por isso vestiu uma calça de training. Faria algum trabalho no laboratório, para afastar a mente dos problemas.

Era bem provável que a proposta do livro a estivesse deixando nervosa, decidiu ela, enquanto saía do quarto. Era um enorme passo em sua carreira. Embora soubesse que seu trabalho era bom, a oferta de uma grande editora de fazer um livro de arte com suas fotos fora inesperada e emocionante.

Estudos Naturais, de Jo Ellen Hathaway, ela pensou ao entrar na pequena cozinha para fazer um café. Não. Mais parecia um projeto de ciências. *Vislumbres da Vida?* Muito pomposo.

Ela sorriu um pouco, empurrando para trás os cabelos ruivos. Deveria se limitar a fazer as fotos, deixando a escolha do título para os especialistas.

Afinal, sabia quando recuar e quando assumir uma posição firme. Vinha fazendo uma ou outra coisa durante a maior parte de sua vida. Talvez mandasse um exemplar do livro para casa. O que sua família pensaria a respeito? Acabaria ornamentando uma das mesinhas de café, onde um hóspede o folhearia, especulando se Jo Ellen Hathaway tinha algum parentesco com os Hathaway que dirigiam a pousada em Sanctuary?

Seu pai algum dia abriria o livro e veria o que ela aprendera a fazer? Ou se limitaria a dar de ombros, deixaria o livro intocado e sairia para passear por sua ilha? A ilha de Annabelle.

Era duvidoso que ele se interessasse agora pela filha mais velha. E era um absurdo que a filha se importasse.

Jo deu de ombros, descartando o pensamento. Tirou uma caneca azul de um gancho. Enquanto esperava que o café ficasse pronto, olhou pela pequena janela.

Havia algumas vantagens em estar acordada e em pé às três horas da madrugada, refletiu ela. O telefone não tocaria. Ninguém ligaria ou mandaria um fax, ninguém esperaria uma chamada sua. Durante algumas horas, não precisava ser alguém que os outros esperavam nem fazer qualquer coisa. Se sentia o estômago embrulhado ou a cabeça doía, era a única que sabia da fraqueza.

Por baixo da janela da cozinha, as ruas estavam escuras e vazias, molhadas da chuva do final do inverno. Um lampião espalhava uma pequena poça de luz... uma luz solitária, pensou Jo. Não havia ninguém para apreciá-la. A solidão tinha seus mistérios, meditou ela. Possibilidades intermináveis.

Ela se sentiu atraída, como era freqüente com cenas assim. Descobriu-se a ignorar o aroma do café. Pegou a Nikon e saiu descalça para a noite fria, a fim de fotografar a rua deserta.

Tranqüilizou-a, como nenhuma outra coisa era capaz de fazer. Com uma câmera na mão e uma imagem na mente, podia esquecer todo o resto. Os pés compridos pisavam nas poças geladas, enquanto deslocava-se de um lado para outro, experimentando ângulos diferentes. Com uma irritação distraída, empurrou os cabelos para trás. Não estariam caindo em seu rosto se estivessem aparados. Mas não tivera tempo para cortá-los, e era por isso que se projetavam para a frente, numa onda desgrenhada, fazendo-a desejar um elástico.

Tirou quase uma dúzia de fotos antes de ficar satisfeita. Quando se virou, o olhar foi atraído para cima. Deixara as luzes acesas. E nem percebera que havia acendido tantas luzes no percurso do quarto à cozinha.

Os lábios contraídos, atravessou a rua. Tornou a focalizar a câmera. Agachou-se, calculando tudo, e bateu outra foto, registrando as janelas iluminadas no prédio escuro. *O Covil da Insone*, decidiu ela. Depois, com uma meia-risada, que ecoou de uma maneira tão estranha que a fez estremecer, Jo tornou a baixar a câmera.

Talvez estivesse perdendo o juízo. Uma mulher sã estaria na rua às três horas da madrugada, só meio vestida e tremendo de frio, enquanto batia fotos de suas próprias janelas?

Comprimiu os dedos contra os olhos e desejou, mais do que nunca, a única coisa que sempre parecera se esquivar à sua busca. Normalidade.

Você precisava dormir para ser normal, pensou ela. E não tinha uma noite inteira de sono há mais de um ano. Precisava fazer refeições regulares. Perdera quatro quilos nas últimas semanas, o corpo comprido e esguio deixando os ossos à mostra. Precisava de paz de espírito. E não podia lembrar se algum dia já tivera isso. Amigos? Claro que tinha, mas nenhum bastante íntimo que pudesse ligar no meio da noite em busca de conforto.

Família... Tinha uma família, é verdade. Um irmão e uma irmã cujas vidas não combinavam com a sua. Um pai que era quase um estranho. Uma mãe que não via e de quem não tinha notícias há vinte anos.

Não foi culpa minha, pensou Jo, enquanto atravessava a rua. A culpa era de Annabelle. Tudo mudara quando Annabelle fugira de Sanctuary, deixando a família atordoada e desesperada. O problema, na opinião de Jo, era que os outros não haviam superado. Ela conseguira.

Não permanecera na ilha tomando conta de cada grão de areia, como o pai. Não dedicara a vida a dirigir e cuidar de Sanctuary, como o irmão, Brian. E não tentara escapar para as fantasias insensatas ou para uma emoção depois de outra, como a irmã, Lexy.

Em vez disso, estudara, trabalhara, criara sua própria vida. Se agora sentia-se um pouco nervosa, era apenas porque exagerara nos compromissos, deixando que a pressão a dominasse. Estava um pouco cansada. Isso era tudo. Bastava acrescentar algumas vitaminas à sua dieta e recuperaria a forma.

Podia até tirar umas férias, pensou Jo, enquanto pegava a chave no bolso. Fazia três anos — não, quatro — desde que fizera a última viagem sem qualquer plano de trabalho específico. Talvez o México, ou as Índias Ocidentais, algum lugar com um ritmo de vida lento e um sol quente. Para relaxar e esvaziar a mente. Era a maneira de superar aquele pequeno problema em sua vida.

Ao entrar no apartamento, ela chutou um pequeno envelope pardo quadrado que estava no chão. Por um momento, Jo permaneceu imóvel, uma das mãos na porta, a outra segurando a câmera. E ficou olhando para o envelope.

Já se encontrava ali quando saíra? E por que estava ali, em primeiro lugar? O outro envelope chegara um mês antes, esperando na pilha com o resto da correspondência, apenas com seu nome escrito, de uma forma meticulosa.

As mãos começaram a tremer outra vez, enquanto dizia a si mesma para fechar e trancar a porta. Tinha dificuldade para respirar, mas abaixou-se e pegou o envelope. Com todo cuidado, largou a câmera na mesinha e abriu o envelope.

Ao retirar o conteúdo, deixou escapar um gemido baixo e longo. A foto era profissional, cortada com perfeição. Como as outras três. Os olhos de uma mulher, com as pálpebras pesadas, amendoados, pestanas grossas e sobrancelhas arqueadas. Jo sabia que a cor seria azul, um azul profundo, porque os olhos eram os seus. E havia neles um terror intenso.

Quando fora tirada? Como e por quê? Ela comprimiu a mão contra a boca, olhando para a foto. Sabia que seus olhos refletiam a imagem com perfeição. O terror dominou-a. Correu pelo apartamento, até o segundo e menor quarto, que convertera em laboratório. Frenética, abriu uma gaveta, remexendo no conteúdo, até encontrar os envelopes que guardara ali. Havia uma foto em preto-e-branco em cada um, no tamanho de cinco por quinze.

O coração trovejava em seus ouvidos quando alinhou as fotos. A primeira mostrava os olhos fechados, como se tivessem sido fotografados durante o sono. As outras seguiam o processo de despertar. Pestanas que começavam a levantar, mostrando apenas uma insinuação das íris. Na terceira foto os olhos já estavam abertos, mas ainda desfocados, turvados pela confusão.

Haviam-na perturbado, é verdade, deixaram-na inquieta, quando as encontrara no meio de sua correspondência. Mas não a assustaram.

Agora, a última foto concentrava-se nos olhos, bem despertos e brilhando de pavor.

Jo deu um passo para trás, estremecendo. Fez um esforço para manter a calma. Por que apenas os olhos?, perguntou a si mesma. Como alguém chegara tão perto para tirar aquelas fotos sem que ela percebesse? E agora tinha de se perguntar quem chegara tão perto da porta do apartamento.

Impelida por uma nova onda de pânico, ela correu para a sala e verificou as trancas da porta, frenética. O coração batia ainda mais forte quando se encostou na porta. E, depois, a raiva prevaleceu.

Que desgraçado! Ele queria aterrorizá-la. Queria que ela se escondesse naqueles cômodos, em sobressalto com as sombras, não querendo sair, com medo de que ele estivesse lá fora, observando-a. Logo ela, que sempre fora destemida, reagia agora como o homem queria.

Vagueara sozinha por cidades de outros países, percorrera ruas ameaçadoras e vazias, escalara montanhas, atravessara selvas perigosas. Com a câmera como escudo, nunca pensara no medo. E agora, por causa de algumas fotos, sentia as pernas bambas.

O medo fora se acumulando, Jo admitiu. Fora aumentando, ao longo das semanas, pouco a pouco. Fazia com que se sentisse desamparada, exposta, brutalmente sozinha.

Ela afastou-se da porta. Não podia e não viveria assim. Ignoraria as fotos, poria de lado. Enterraria bem fundo. Deus sabia que era uma perita em sepultar traumas, pequenos e grandes. Aquele era apenas mais um.

Tomaria seu café e voltaria ao trabalho.

POR VOLTA DE OITO HORAS DA MANHÃ, ELA COMPLETARA O círculo: resvalara pela fadiga, recuperara-se com a energia nervosa, a calma criativa, e agora tornava a mergulhar no cansaço.

Não podia trabalhar de uma forma mecânica, nem mesmo nas tarefas mais básicas que tinham de ser desempenhadas no laboratório. Insistia em dispensar toda a sua atenção a cada etapa. Para isso, tivera de se acalmar, livrar-se da raiva e do medo. Enquanto tomava a primeira xícara de café, convencera-se de que encontrara o raciocínio por trás das fotos que vinha recebendo. Alguém admirava seu trabalho e tentava atrair sua atenção, empenhar a influência que Jo tinha para promover suas próprias fotos.

Isso fazia sentido.

De vez em quando ela fazia conferências ou realizava oficinas. Além disso, tivera três grandes exposições nos últimos três anos. Não era tão difícil ou tão extraordinário que alguém tirasse uma foto sua... várias fotos, para ser mais precisa.

Era até razoável.

E quem quer que fosse se mostrava criativo. Era só isso. Ampliara a área dos olhos, cortara e enviara as fotos numa espécie de série. Embora as fotos dessem a impressão de terem sido copiadas há pouco tempo, não se podia determinar quando ou onde tinham sido tiradas. Os negativos podiam ter um ano. Ou dois. Ou cinco.

Não restava a menor dúvida de que haviam atraído sua atenção, mas também ela exagerara, levara para termos pessoais.

Ao longo dos últimos dois ou três anos, recebera amostras do trabalho de admiradores seus. Em geral, eram acompanhadas por uma carta, elogiando as fotos de Jo, antes que o remetente pedisse seu conselho ou ajuda. Em uns poucos casos, havia também sugestões de colaboração num projeto.

O sucesso profissional que ela desfrutava ainda era relativamente recente. Não se acostumara com as pressões inerentes ao sucesso comercial nem com as expectativas dos outros, que podiam ser opressivas.

E ela teve de admitir, enquanto ignorava as contrações do estômago e tomava um gole do café já frio, que não estava absorvendo esse sucesso tão bem quanto deveria.

Seria muito melhor, refletiu, girando a cabeça dolorida sobre os ombros doloridos, se todos a deixassem em paz para fazer o que melhor sabia fazer.

As cópias prontas estavam penduradas para secar no lado do laboratório. O último rolo de negativos já fora revelado. Sentada num banco, junto do balcão de trabalho, ela ajeitou uma folha de contatos no painel luminoso. Estudou-os através da lupa, um a um.

Por um momento, sentiu um ímpeto de pânico e desespero. Cada contato examinado estava desfocado, indistinto. Droga! Droga! Como era possível? Teria acontecido com todo o rolo? Ela mudou de posição, contraiu os olhos com força e tornou a verificar a imagem ampliada das dunas e vegetação rasteira, subitamente nítida outra vez.

Jo recostou-se, com um som que se situava entre um grunhido e uma risada.

— Não são as fotos que estão desfocadas, sua idiota, mas você — murmurou em voz alta.

Ela largou a lupa e fechou os olhos para descansá-los. Carecia da energia para se levantar e fazer mais café. Sabia que deveria comer, oferecer alguma coisa sólida ao organismo. E sabia também que deveria dormir. Estender o corpo na cama, desligar tudo e mergulhar no sono.

Mas tinha medo. No sono, perderia até mesmo aquele controle precário.

Já começava a pensar que deveria procurar um médico, tomar alguma coisa para os nervos abalados, antes que se rompessem de uma maneira irreparável. Mas essa idéia fazia-a pensar em psiquiatras. E com certeza eles iam querer sondar e bisbilhotar, desencavar coisas que ela estava determinada a esquecer.

Daria um jeito. Era eficiente em cuidar de si mesma. Ou, como Brian sempre dissera, era boa para afastar a cotoveladas as pessoas que estivessem em seu caminho e cuidar de tudo sozinha.

Que opção tinha... que opção qualquer deles tinha, deixados à deriva naquele fragmento de terra a quilômetros de lugar nenhum?

A raiva que irrompeu dentro dela fê-la estremecer de tão repentina e intensa. Cerrou os punhos no colo e teve de fazer um esforço para reprimir as palavras veementes que queriam aflorar contra o irmão, que nem sequer estava presente.

Era cansaço, ela disse a si mesma. Apenas sentia-se cansada. Só isso. Precisava pôr o trabalho de lado, tomar uma daquelas pílulas para dormir sem receita médica, que comprara e ainda não experimentara, desligar o telefone e mergulhar no sono. Estaria mais firme depois, mais forte.

Quando a mão tocou em seu ombro, ela soltou um grito e largou a caneca.

— Jesus, Jo!

Bobby Banes recuou, aturdido, espalhando pelo chão a correspondência que trouxera.

— O que está fazendo? Que diabo está fazendo?

Jo pulou do banco, derrubando-o, com o maior estardalhaço, enquanto ele a fitava, espantado.

— Eu... você disse que queria começar às oito horas. Só estou uns poucos minutos atrasado.

Jo fez um esforço para respirar. Pôs as mãos na beira do balcão, para conseguir manter o equilíbrio.

— Oito?

Seu assistente, um estudante, acenou com a cabeça em confirmação, cauteloso. Engoliu em seco, mantendo-se a distância. A seus olhos, Jo ainda parecia desvairada, prestes a atacar. Era o segundo semestre de trabalho com ela e pensava que aprendera a antecipar suas ordens, avaliar os ânimos, evitar as explosões. Mas não tinha a menor idéia sobre a maneira de lidar com aquele medo intenso nos olhos de Jo.

— Por que você não bateu? — perguntou ela, ríspida.

— Bati. Mas, como não respondeu, achei que devia estar aqui. Usei a chave que me deu quando viajou em seu último trabalho.

— Devolva-a. Agora.

— Claro, Jo. — Sem desviar os olhos dela, Bobby enfiou a mão no bolso da frente dos jeans desbotados, como era a moda. — Não tinha a intenção de assustá-la.

Jo procurou se controlar, enquanto pegava a chave estendida. Agora, ela compreendeu, o embaraço era tão grande quanto o medo. Para se dar um momento, curvou-se e levantou o banco.

— Desculpe, Bobby. Você me deu um susto. Não o ouvi bater.

— Não tem importância. Quer que eu pegue mais café?

Ela sacudiu a cabeça em negativa. Cedeu aos joelhos bambos, sentando no banco. Conseguiu sorrir para Bobby. Era um bom assistente, pensou Jo... talvez ainda um pouco pomposo em relação ao seu trabalho, mas também tinha apenas vinte e um anos.

Bobby tinha a aparência de um artista que se torna universitário, pensou ela, com os cabelos louros compridos presos num rabo-de-cavalo, uma pequena argola de ouro numa orelha, o rosto comprido e estreito. Os dentes eram perfeitos. Seus pais acreditavam em aparelho, refletiu Jo, que era um pouco dentuça.

Além disso, Bobby tinha um bom olho. E muito potencial. Era por isso que estava ali, no final das contas. Jo estava sempre disposta a retribuir o que recebera.

Como os enormes olhos castanhos ainda a fitavam com uma certa cautela, ela se empenhou ainda mais no sorriso.

— Tive uma noite difícil.

— É a impressão que dá. — Ele também ensaiou um sorriso quando Jo alteou as sobrancelhas. — A arte consiste em perceber o que existe de fato, não é mesmo? E você parece exausta. Não conseguiu dormir?

Vaidade era uma coisa que Jo não tinha. Deu de ombros e esfregou os olhos cansados.

— Quase nada.

— Devia experimentar aquela melatonina. Minha mãe jura que funciona. — Bobby agachou-se para recolher os cacos da caneca. — E talvez pudesse reduzir a quantidade de café.

Ele levantou os olhos, mas Jo não estava prestando atenção. Embarcara outra vez em uma de suas viagens, pensou Bobby. Um novo hábito. Ele quase desistira de persuadir sua mentora a levar um estilo de vida mais saudável. Mas decidiu tentar de novo.

— Vem subsistindo outra vez de café e cigarro.

— É verdade.

Jo começara a divagar, meio adormecida.

— Isso ainda vai matá-la. E precisa de um programa de exercícios. Perdeu quase cinco quilos nas últimas semanas. Com sua altura, deve ter mais peso. E tem ossos grandes... corre o risco de acabar com osteoporose. Tem de reforçar os ossos e fortalecer os músculos.

— Hum-hum...

— E deve procurar um médico. Se quer minha opinião, está anêmica, cada vez mais pálida... e podia levar metade de seus equipamentos nas bolsas sob os olhos.

— É muita gentileza sua notar.

Ele recolheu os cacos maiores e largou-os na cesta de lixo. Claro que ele notara. Afinal, Jo tinha um rosto que atraía atenção. Não tinha importância se ela parecia trabalhar tanto que o resto ficava em segundo plano. Bobby nunca a vira com maquiagem e ela sempre mantinha os cabelos penteados para trás e presos, mas qualquer pessoa com algum bom gosto podia imaginá-los a emoldurar aquele rosto oval, com os ossos delicados, olhos exóticos e boca sensual.

Bobby tratou de se controlar, enquanto sentia o calor espalhar-se pelas faces. Jo riria se soubesse que ele sentira uma extrema atração quando fora contratado. E essa atração física era tão importante quanto a admiração profissional. Mas ele já superara a parte da atração... isto é, quase toda.

Mas não tinha a menor dúvida de que, se ela fizesse alguma coisa para realçar aquela pele cor de magnólia, acrescentasse alguma cor aos lábios generosos e acentuasse aqueles olhos de pálpebras compridas, seria deslumbrante.

— Posso preparar seu café da manhã — sugeriu ele. — Se tiver alguma coisa em casa além de barras de chocolate e pão mofado.

Jo respirou fundo.

— Não se preocupe. Talvez eu pare em algum lugar para comer. Já estou atrasada.

Ela saiu do banco e abaixou-se para recolher a correspondência.

— Não faria mal nenhum se tirasse alguns dias de folga, para se preocupar apenas com você mesma. Minha mãe vai para um spa em Miami.

As palavras de Bobby eram agora apenas um zumbido em seu ouvido. Ela pegou o envelope pardo com seu nome em letras maiúsculas. Teve de limpar uma camada de suor da testa. Havia um nó de medo no fundo do estômago.

O envelope era mais cheio do que os outros, mais pesado. *Jogue-o fora!*, bradou sua mente. *Não abra! Não veja o que tem dentro!*

Mas seus dedos já começavam a puxar a aba. Um som baixo de lamento escapou de seus lábios quando rasgou o papel no pequeno fecho de metal. E desta vez uma avalanche de fotos derramou-se pelo chão. Jo pegou uma. Era bem produzida, em preto-e-branco, doze por dezoito.

Não apenas os seus olhos desta vez, mas ela toda. Jo reconheceu o lugar, uma praça perto do prédio, por onde costumava passar. Outra foto mostrava-a no centro de Charlotte, parada na beira da calçada, a bolsa da câmera pendurada no ombro.

— Ei, é uma boa foto sua!

Quando Bobby se inclinou para pegar uma das fotos, ela deu um tapa em sua mão e disse, ríspida:

— Fique longe! Não toque em nada!

— Jo, eu...

— Fique longe de mim!

Ofegante, ela ficou de quatro no chão, mexendo nas fotos, frenética. Era uma foto depois de outra em que ela fazia coisas corriqueiras, da vida cotidiana. Como sair do supermercado com uma bolsa de compras, embarcar ou saltar do carro.

Ele está por toda parte, observando-me. Aonde quer que eu vá, o que quer que faça. Vem me caçando, pensou ela, enquanto os dentes começavam a bater. Vem me espreitando e não há nada que eu possa fazer. Absolutamente nada, a menos...

E foi nesse instante que tudo dentro dela desligou. A foto em sua mão tremia, como se uma brisa forte tivesse invadido o apartamento. Não podia gritar. Parecia não haver qualquer ar dentro dela.

Simplesmente não podia mais sentir o próprio corpo.

A foto fora produzida com extremo talento, a iluminação e o uso de sombras e texturas eram magistrais. Estava nua, a pele brilhando de maneira sobrenatural. O corpo fora disposto numa pose repousante, o queixo frágil baixado, a cabeça virada num ângulo suave. Um braço estendia-se por sua cintura, o outro por cima da cabeça, numa posição de sono profundo, povoado por sonhos.

Mas os olhos estavam abertos, com um olhar fixo. Olhos de uma boneca. Olhos mortos.

Por um momento, ela foi lançada de volta a seu pesadelo, desamparada, olhando para si mesma, incapaz de lutar para sair da escuridão.

Mas mesmo através do terror, ainda podia perceber as diferenças. A mulher na foto tinha uma massa de cabelos ondulados, espalhados em torno da cabeça. E o rosto era mais suave, o corpo mais maduro do que o seu.

— Mamãe? — sussurrou ela, apertando a foto com as duas mãos. — Mamãe?

— O que foi, Jo? — Abalado, Bobby escutou sua própria voz subir e descer, enquanto fitava os olhos vidrados de Jo. — O que está acontecendo?

— Onde estão suas roupas? — Jo inclinou a cabeça para trás, começando a balançar. Os sons mais variados explodiam em sua mente, incessantes, trovejantes. — Onde ela está?

— Fique calma.

Bobby deu um passo para a frente, estendendo a mão para pegar a foto. Jo levantou a cabeça, num movimento brusco.

— Fique longe! — A cor retornara às suas faces, um vermelho intenso. Alguma coisa que não era muito sã faiscava em seus olhos. — Não me toque! Não toque nela!

Assustado, aturdido, ele tornou a se empertigar, as mãos estendidas, com as palmas para a frente.

— Claro, Jo, claro...

— Não quero que você toque nela. — Ela estava fria, muito fria. Baixou os olhos para a foto. Era Annabelle. Jovem, de uma beleza fantástica e fria como a morte. — Ela não deveria ter nos deixado. Não deveria ter ido embora. Por que ela partiu?

— Talvez ela não tivesse outro jeito — murmurou Bobby.

— Não. Seu lugar era conosco. Precisávamos dela, mas ela não nos queria. Era tão linda... — As lágrimas escorriam pelas faces de Jo, enquanto a foto continuava a tremer em suas mãos. — Era a mulher mais bonita que já conheci. Como uma princesa de contos de fadas. Eu costumava pensar que era mesmo uma princesa. Mas ela nos deixou. Foi embora. E agora está morta.

A visão se tornou turva, a pele ainda mais quente. Jo comprimiu a foto contra os seios, enroscou-se como uma bola no chão e desatou a chorar.

— Venha comigo, Jo — murmurou Bobby, gentilmente, estendendo as mãos para levantá-la. — Vamos procurar ajuda.

— Eu me sinto tão cansada... — Jo deixou que ele a levantasse, como se fosse uma criança. — Quero ir para casa.

— Está bem. Apenas feche os olhos agora.

A foto escapuliu de suas mãos e flutuou até o chão, caindo sobre as outras, virada para baixo. E Jo pôde ler o que estava escrito no verso, em letras grandes:

MORTE DE UM ANJO

Seu último pensamento, enquanto a escuridão a envolvia, foi Sanctuary.

Capítulo Dois

À primeira claridade do amanhecer, o ar era enevoado, como um sonho prestes a se desvanecer. Raios de sol passavam pelo dossel dos carvalhos e faiscavam no orvalho. Os canários-do-brejo e os cardeais, que faziam o ninho com musgo, entoavam sua canção matutina. Um galo-da-campina disparou através das árvores, sem emitir qualquer som, como uma flecha vermelha.

Era o seu momento predileto. Ao amanhecer, quando as demandas ao seu tempo e energia ainda não haviam começado, ele podia ficar sozinho, podia acalentar seus pensamentos. Ou simplesmente ser o que era.

Brian Hathaway nunca vivera em outro lugar, só em Desire. Nunca desejara. Conhecia o continente, visitara cidades grandes. Até viajara para o México em férias uma ocasião, numa decisão impulsiva. Portanto, podia-se dizer que já estivera em outro país.

Mas Desire, com todas as suas virtudes e defeitos, era o seu lugar. Nascera ali, numa noite de vendaval em setembro, trinta anos antes. Nascera na enorme cama de carvalho com baldaquino em que agora dormia, o parto feito pelo pai e por uma preta velha, que fumava um cachimbo de sabugo de milho e cujos pais haviam sido escravos domésticos, pertencentes aos ancestrais de Brian.

O nome da velha era Miss Effie. Quando ele era bem pequeno, Miss Effie gostava de lhe contar a história de seu nascimento. Como o vento uivava, o mar subia em fúria. Dentro da casa, na cama de baldaquino, a mãe dera à luz como uma guerreira, projetando-o para os braços à espera do pai com uma risada.

Era uma boa história. Houvera uma época em que Brian podia imaginar a mãe rindo enquanto o pai esperava, pronto para segurá-lo.

Agora, a mãe já partira há muito tempo e a velha Miss Effie já morrera. E há muito tempo que o pai não queria pegá-lo.

Brian foi andando pela neblina cada vez mais rala, entre as árvores imensas, com líquen vermelho e rosa nos troncos, através da claridade tênue e do ar frio que tanto favoreciam as samambaias e juçaras. Era alto e corpulento, muito parecido com o pai na compleição. Os cabelos eram escuros e desgrenhados, a pele dourada, os olhos de um azul frio. Tinha um rosto comprido que as mulheres achavam melancólico e atraente. A boca era firme, de quem tendia mais a remoer do que a sorrir.

Era outra coisa que as mulheres achavam fascinante... o desafio de fazer aqueles lábios se contraírem num sorriso.

A ligeira mudança na claridade sinalizou que tinha de voltar para Sanctuary. Era tempo de começar a preparar o café da manhã para os hóspedes.

Brian sentia-se tão contente na cozinha quanto ficava na floresta. Era outra coisa que o pai achava esquisita. E Brian sabia — com algum divertimento — que Sam Hathaway especulava se o filho não seria gay. Afinal, se um homem gostava de cozinhar para ganhar a vida, devia haver alguma coisa errada com ele.

Se fossem do tipo de discutir abertamente esses problemas, Brian teria lhe dito que podia gostar de criar um merengue perfeito, mas ainda preferia as mulheres para fazer sexo. Apenas não se sentia propenso a qualquer intimidade.

E essa tendência para se afastar das outras pessoas não era uma característica da família Hathaway?

Brian avançou pela floresta, tão silencioso quanto o cervo que passava por ali. Ele deu uma volta comprida, desviando-se pelo Half Moon Creek, onde a neblina se erguia da água como fumaça branca. Um trio de corças bebia no rio, na claridade tremeluzente, em meio ao silêncio profundo.

Ainda havia tempo, pensou Brian. Sempre havia tempo em Desire. Ele se permitiu a indulgência de sentar num tronco caído para contemplar o desabrochar da manhã.

A ilha tinha apenas pouco mais de três quilômetros no ponto mais largo, cerca de vinte quilômetros de uma extremidade a outra. Brian conhecia cada palmo, a areia esbranquiçada pelo sol das praias, os pântanos ensombreados, com seus antigos e pacientes aligátores. Adorava as depressões entre as dunas, a umidade maravilhosa, as campinas com a relva ondulando, margeadas por pinheiros novos e carvalhos imponentes.

Mas, acima de tudo, amava a floresta, com seus bolsões de escuridão e seus mistérios.

Conhecia a história, sabia que outrora algodão e índigo cresciam ali, cultivados por escravos. Seus ancestrais ganharam fortunas. Os ricos iam se divertir naquele pequeno paraíso isolado, caçando cervos e porcos selvagens, recolhendo conchas, pescando no rio e no mar.

Realizavam bailes animados no salão principal, à luz de velas em candelabros de cristal, jogavam cartas na sala de jogos, enquanto bebiam o melhor bourbon sulista e fumavam enormes charutos cubanos. Entregavam-se à indolência na varanda, durante as tardes quentes de verão, enquanto escravos serviam limonada gelada.

Sanctuary se tornara um enclave do privilégio, um testemunho de um modo de vida condenado ao fracasso.

Mais fortunas ainda haviam entrado e saído das mãos de magnatas do aço e da navegação, que haviam transformado Sanctuary em seu refúgio particular.

Embora o dinheiro não fosse mais como era, Sanctuary ainda resistia. E a ilha continuava em poder dos descendentes daqueles reis do algodão e imperadores do aço. Os chalés eram bem afastados uns dos outros, por trás de dunas, à sombra de árvores, de frente para a faixa extensa do estreito de Pelican. Passavam de geração em geração, garantindo que apenas umas poucas famílias podiam reivindicar Desire como seu lar.

E assim permaneceria.

O pai reagia aos incorporadores imobiliários e ecologistas com a mesma veemência. Não haveria resorts construídos na ilha, e nenhum governo, por mais bem-intencionado que fosse, seria capaz de convencer Sam Hathaway a convertê-la numa reserva nacional.

Era o monumento do pai a uma esposa infiel, pensou Brian. Sua bênção e sua maldição.

Os visitantes apareciam agora, apesar da solidão... ou talvez por causa disso. Para manter a casa, a ilha, o monopólio, os Hathaway haviam transformado parte de sua casa numa pousada.

Brian sabia que Sam detestava, ressentia-se de cada passo dado na ilha por um forasteiro. Era a única causa de uma discussão entre os pais, ao que ele podia lembrar. Annabelle queria abrir a ilha para mais turistas, atrair mais pessoas, instituir o tipo de turbilhão social que seus ancestrais haviam outrora desfrutado. Sam insistia em manter a ilha inalterada, intacta, controlando o número de visitantes e de hóspedes que passavam a noite na pousada, como um avarento que conta moedas. Fora isso, ao final, Brian acreditava, o que afastara a mãe... a necessidade de contato com mais pessoas, mais rostos, mais vozes.

Por mais que o pai tentasse, no entanto, não seria capaz de conter as mudanças, assim como a ilha não podia conter o mar.

Ajustamentos, pensou Brian, enquanto as corças se viravam, como uma unidade, e desapareciam entre as árvores. Ele próprio não queria saber de ajustamentos, mas no caso da pousada haviam sido necessários. E a verdade era que ele gostava de administrá-la, gostava do planejamento, execução, rotina. Gostava dos visitantes, das vozes de estranhos, de observar os diversos hábitos e expectativas, de ouvir de vez em quando as histórias de seus mundos.

Não se importava com as pessoas em sua vida... desde que não tivessem a intenção de ficar. De qualquer forma, não acreditava que as pessoas pudessem ficar a longo prazo.

Annabelle não ficara.

Brian levantou-se, vagamente irritado porque uma cicatriz de vinte anos começara a pulsar inesperadamente. Ignorou o fato, virou-se e seguiu pela trilha sinuosa que subia para Sanctuary.

Quando saiu das árvores, a luz era ofuscante. Atingia os borrifos de um repuxo, transformando cada gota num arco-íris. Ele olhou para os fundos do jardim. As tulipas desabrochavam em profusão, como era de esperar. As alpínias-rosa pareciam um pouco desanimadas e as... como era mesmo o nome daquela flor púrpura? Era um jardineiro medíocre, na melhor das hipóteses, com um esforço incessante para cuidar do terreno. Os hóspedes pagantes esperavam jardins bem cuidados, como também esperavam antiguidades brilhando e boas refeições.

Sanctuary tinha de manter condições excelentes para atraí-los, e isso significava horas intermináveis de trabalho. Sem hóspedes pagantes, não haveria meios de manter Sanctuary. Por isso, pensou Brian, lançando um olhar irritado para as flores, era um ciclo interminável, uma cobra engolindo o próprio rabo. Uma armadilha sem a chave.

— Agerato.

Brian ergueu a cabeça, num movimento brusco. Teve de contrair os olhos contra a claridade do sol para focalizar a mulher. Mas reconhecia a voz. E irritou-se por ela ser capaz de se aproximar por trás dele daquela maneira. Mas também sempre considerara a Dra. Kirby Fitzsimmons como uma pequena irritação.

— Agerato — repetiu ela, sorrindo.

Sabia que o aborrecia e considerava isso um progresso. Levara quase um ano para conseguir obter pelo menos essa reação.

— A flor que você está olhando — acrescentou ela. — Seu jardim precisa de algum trabalho, Brian.

— Vou providenciar.

No instante seguinte, Brian recorreu à sua melhor arma. O silêncio. Nunca se sentira completamente à vontade com Kirby. Não era apenas pela aparência, embora ela fosse bastante atraente para quem gostava do tipo louro e delicado. Brian achava que era por causa de sua atitude, que era o oposto direto da delicadeza. Ela era eficiente, competente e parecia saber um pouco de tudo.

Sua voz transmitia o que Brian julgava ser o modo de falar da alta sociedade da Nova Inglaterra. Ou, quando ele se sentia menos caridoso, de uma droga de ianque. E ela também tinha os malares salientes dos ianques. Realçavam os olhos verdes e o nariz um pouco arrebitado. Os lábios eram cheios... a boca não era grande. Era apenas mais uma coisa irritantemente perfeita em Kirby.

Brian esperava sempre receber a notícia de que ela decidira voltar ao continente, fechar o chalé que herdara da avó e desistir da idéia de manter uma clínica na ilha. Mas ela permanecia, mês após mês, pouco a pouco inserindo-se na estrutura da ilha.

E deixando-o cada vez mais irritado.

Kirby continuou a lhe sorrir, com aquela expressão provocante nos olhos, enquanto empurrava para trás os cabelos cor de trigo, que caíam sobre os ombros.

— Uma linda manhã.

— Ainda é cedo.

Ele enfiou as mãos nos bolsos. Nunca sabia o que fazer com as mãos na presença de Kirby.

— Mas não cedo demais para você.

Ela inclinou a cabeça para o lado. Era mesmo divertido contemplá-lo. Há meses que Kirby esperava fazer mais do que contemplá-lo, mas Brian Hathaway era um dos nativos daquele pedaço de terra que ela tinha dificuldade para conquistar.

— Imagino que o café da manhã ainda não está pronto.

— Não servimos antes de oito horas.

Brian tinha certeza de que ela sabia disso muito bem, pois aparecia com freqüência.

— Acho que posso esperar. Qual é o especial esta manhã?

— Ainda não decidi.

Como não havia meio de se livrar de Kirby, Brian resignou-se quando ela passou a acompanhá-lo.

— Meu voto é por waffles de canela. Eu poderia comer uma dúzia.

Ela esticou-se, entrelaçando os dedos com os braços estendidos por cima da cabeça.

Brian fez um esforço para não notar os seios pequenos e firmes projetando-se contra a camisa de algodão. Não notar Kirby Fitzsimmons passara a exigir um enorme esforço. Ele foi para o lado da casa, passando pelo caminho de conchas esmagadas, entre as flores da primavera.

— Você pode esperar na sala de estar dos hóspedes. Ou na sala de jantar.

— Prefiro sentar na cozinha com você. Gosto de observá-lo cozinhar.

Antes que Brian pudesse pensar em alguma objeção, ela subiu para a varanda cercada de tela e passou pela porta da cozinha.

Como sempre, a cozinha estava impecável. Kirby apreciava essa qualidade num homem, da mesma forma que apreciava um bom tônus muscular e um cérebro bem exercitado. Brian possuía as três qualidades, e era por isso que ela se interessava pelo tipo de amante que ele seria.

Imaginava que acabaria descobrindo, mais cedo ou mais tarde. Kirby sempre se empenhara para alcançar um objetivo. Tudo o que precisava fazer agora era continuar a desgastar sua armadura.

Não era por desinteresse. Ela já percebera a maneira com que Brian a contemplava nas raras ocasiões em que o surpreendia com a guarda baixa. Era pura obstinação. O que ela também apreciava. Os contrastes daquele homem eram mesmo divertidos.

Kirby sabia, ao sentar no banco ao lado do balcão da cozinha, que ele falaria muito pouco, a não ser que fosse estimulado. Era a distância que mantinha para os outros. Sabia também que Brian lhe serviria seu café extraordinário, lembrando que ela tomava puro. Era a sua hospitalidade inata.

Ela deixou-o permanecer em silêncio por algum tempo, enquanto tomava o café, em pequenos goles, da caneca fumegante que Brian pusera na sua frente. Não estava caçoando quando dissera que gostava de observá-lo na cozinha.

Uma cozinha podia ser um reduto feminino tradicional, mas aquela era toda masculina. Assim como o cozinheiro, pensou Kirby, com as mãos enormes e peludas, o rosto decidido.

Ela sabia — porque havia bem pouca coisa que uma pessoa na ilha não conhecia sobre as outras — que Brian reformara a cozinha há oito anos. Fizera o projeto, escolhera as cores e o material. Convertera-a numa cozinha de homem, com balcões de granito e pias reluzentes de aço inoxidável.

Havia três janelas largas, emolduradas apenas por remates de madeira curvos e lavrados. Havia um banco cinza por baixo, com uma mesa, para as refeições da família. Embora os Hathaway, até onde ela sabia, quase nunca comessem como uma família. O chão era de ladrilhos brancos, as paredes brancas e sem ornamentos. Nada de enfeites para Brian.

Havia toques domésticos, é verdade, no brilho das panelas de cobre penduradas com ganchos, os alhos e pimentões secos, a prateleira com utensílios de cozinha antigos. Kirby imaginava que ele pensava naquelas coisas como práticas, sem se preocupar se proporcionavam ou não um clima aconchegante.

Na reforma, Brian deixara a antiga lareira de tijolos. Era o que tornava a cozinha o centro da casa, um lugar para se reunir, para se ficar por horas. Kirby gostava quando ele acendia o fogo na lareira, no inverno, o cheiro de madeira queimando misturando-se de uma forma agradável com os aromas dos ensopados bem temperados e das sopas borbulhantes.

Para ela, as enormes cozinhas comerciais mais pareciam um complexo que exigia um diploma de engenharia para operar. Mas também, diga-se de passagem, sua idéia de cozinhar era tirar uma embalagem do freezer e esquentar no microondas.

— Adoro esta cozinha.

Brian batia alguma coisa numa enorme tigela azul e limitou-se a soltar um grunhido. Kirby considerou que era uma resposta. Saiu do banco e foi se servir de mais café. Inclinou-se, roçando de leve em seu braço, e sorriu ao ver a massa na tigela.

— Waffles?

Ele mudou de posição. O cheiro de Kirby o perturbava.

— Não era o que você queria?

— Era sim. — Ela levantou a caneca, sorrindo por cima da borda. — É sempre bom ter o que você quer. Não concorda?

Seus olhos são incríveis, pensou Brian. Acreditara em sereias quando era pequeno. Todas tinham os olhos como os de Kirby.

— É bastante fácil conseguir se você quer apenas waffles.

Brian recuou, contornou-a e pegou um aparelho de waffles num armário por baixo do balcão. Virou-se, depois de ligá-lo na tomada, e esbarrou em Kirby. Numa reação automática, levantou a mão para seu braço, a fim de ampará-la. E deixou-a ali.

— Está me atrapalhando.

Ela se adiantou, apenas um pouco, satisfeita com o frêmito que percorreu seu corpo.

— Pensei que podia ajudar.

— De que maneira?

Kirby sorriu, deixando o olhar baixar por um instante para os lábios de Brian.

— Qualquer uma. — Por que não?, pensou ela. E pôs a mão livre no peito de Brian. — Precisa de alguma coisa?

Ele sentiu que seu sangue corria mais depressa. Os dedos apertaram o braço de Kirby antes que pudesse se controlar. Pensou a respeito... e como pensava a respeito! Como seria empurrá-la contra o balcão e tomar o que ela insistia em oferecer?

Isso tiraria o sorriso daquele rosto.

— Você está na minha frente, Kirby.

Mas ele ainda não a largara. Era sem dúvida um progresso incontestável, pensou Kirby. Por baixo de sua mão, o coração de Brian estava acelerado.

— Estou atrapalhando você há quase um ano, Brian. Quando pretende fazer alguma coisa?

Ela percebeu que os olhos de Brian faiscaram antes de se contraírem. Sua respiração acelerou em expectativa. *Finalmente,* pensou Kirby. Inclinou-se para ele.

Mas Brian baixou o braço e recuou. O movimento foi tão inesperado e abrupto que ela quase tropeçou.

— Tome seu café, Kirby. Tenho muito trabalho.

Brian teve a satisfação de constatar que apertara um dos botões de controle. O sorriso de Kirby desapareceu. As sobrancelhas delicadas quase se uniram. Por baixo, os olhos se tornaram sombrios e furiosos.

— Qual é o problema, Brian?

Com extrema habilidade, ele despejou a massa no aparelho aquecido de waffles.

— Não tenho nenhum problema.

Ele lançou um olhar rápido para Kirby, enquanto baixava a tampa. Ela estava vermelha, os lábios contraídos. A fúria em pessoa, refletiu Brian. Ótimo.

— O que mais preciso fazer? — Ela bateu com a caneca, o café espirrando sobre o balcão impecável. — Preciso entrar nua aqui?

Ele quase sorriu.

— Uma idéia e tanto, não acha? Eu poderia aumentar as diárias pelo espetáculo extra. — Brian inclinou a cabeça para o lado. — Isto é, se sua nudez for atraente.

— É sensacional e já lhe dei várias oportunidades de descobrir isso pessoalmente.

— Creio que eu gosto de criar minhas próprias oportunidades. — Ele abriu a geladeira. — Quer ovos com os waffles?

Kirby cerrou os punhos. Lembrou a si mesma que fizera o juramento de curar, não de machucar. Virou-se e murmurou, enquanto saía pela porta dos fundos:

— Enfie os waffles no rabo.

Brian esperou até ouvir a porta bater, antes de sorrir. Calculou que levara a melhor naquela pequena batalha de vontades e decidiu se recompensar com os waffles que seriam de Kirby. Passava-os para o prato quando a porta foi aberta.

Lexy posou por um momento. Tanto ela quanto Brian sabiam que era mais por hábito do que uma tentativa de impressionar o irmão. Os cabelos de Lexy eram uma massa emaranhada de cachos que desciam até os ombros, em sua cor predileta no momento, Vermelho Renascença.

Ela gostava da influência de Ticiano e considerava que era uma melhoria em relação à tonalidade de Loura Deslumbrante que usara nos últimos anos. E que era tão difícil de manter.

A cor era apenas um pouco mais clara e mais brilhante do que aquela que Deus lhe dera. Combinava com seu tom de pele, que era leitoso, com uma insinuação de rosa por baixo. Lexy herdara os olhos castanho-esverdeados do pai. Naquela manhã, estavam escuros, da cor de mares turbulentos, já realçados com todo cuidado através de rímel e delineador.

— Waffles... — A voz era um ronronar felino, que ela praticara muito, até se tornar uma característica. — Devem estar uma delícia.

Sem se impressionar, Brian cortou um pedaço e pôs na boca.

— É meu.

Lexy jogou a cabeleira de cigana para trás e adiantou-se, fazendo beicinho, irresistível. Pestanejou e sorriu quando Brian pôs o prato na sua frente.

— Obrigada, querido.

Ela estendeu a mão para a face do irmão e beijou a outra. Tinha o hábito de tocar, beijar e abraçar, no que era diferente do resto da família. Brian podia lembrar que Lexy, depois que a mãe fora embora, passara a se comportar como um cachorrinho, sempre saltando para os braços de alguém, à procura de aconchego. Mas também ela tinha apenas quatro anos na ocasião. Ele deu um puxão nos cabelos da irmã e entregou-lhe a calda.

— Mais alguém já acordou?

— Já sim. O casal no quarto azul está se mexendo. E a prima Kate entrou no chuveiro.

— Pensei que ia atender os hóspedes durante o café da manhã.

— E vou — respondeu Lexy, com a boca cheia.

Brian alteou uma sobrancelha, enquanto olhava para o roupão da irmã, curto, fino, entreaberto, de cores exuberantes.

— É o seu novo uniforme de garçonete?

Ela cruzou as pernas compridas e enfiou outro pedaço de waffle entre os lábios.

— Gostou?

— Poderá se aposentar com as gorjetas.

— Tem razão. — Lexy soltou uma meia-risada, empurrando os waffles no prato. — Esse tem sido o sonho de toda a minha vida... servir comida para estranhos e retirar seus pratos sujos, guardando as moedas que eles me dão para poder me aposentar com todo esplendor.

— Todos nós temos pequenas fantasias.

Brian pôs uma caneca com café ao lado da irmã, acrescentou creme e açúcar. Compreendia a amargura e o desapontamento, mesmo que não concordasse. E, porque a amava, inclinou a cabeça para o lado e perguntou:

— Quer ouvir a minha?

— Provavelmente tem alguma coisa a ver com o concurso de melhor receita de Betty Crocker.

— Bem que isso pode acontecer.

— Eu queria ser alguém, Bri.

— Você é alguém. Alexa Hathaway, Princesa da Ilha.

Ela revirou os olhos, antes de pegar a caneca com o café.

— Não agüentei um ano em Nova York. Nem uma droga de um ano.

— E quem quer ficar lá por mais tempo do que isso?

A própria idéia deixava-o arrepiado. Ruas apinhadas, cheiros por toda parte, ar abafado.

— É um pouco difícil ser atriz em Desire.

— Se quer saber minha opinião, querida, eu diria que está fazendo um ótimo trabalho. E se pretende ficar de mau humor, leve os waffles para seu quarto. Está estragando minha disposição.

— É fácil para você. — Ela empurrou o prato, que Brian pegou antes que caísse do balcão. — Tem o que quer. Viver no meio do nada, dia após dia, ano após ano. Fazendo sempre a mesma coisa. Papai praticamente entregou a casa a você, a fim de poder circular pela ilha durante o dia inteiro, para ter certeza de que ninguém muda de lugar um grão sequer de sua preciosa areia.

Lexy levantou-se, abrindo os braços.

— E Jo tem o que ela quer. Uma fotógrafa famosa, viajando pelo mundo inteiro para tirar fotos. Mas o que eu tenho? O que eu tenho? Um patético currículo, com alguns comerciais, um punhado de pontas e um papel principal numa peça em três atos que saiu de cartaz na noite de estréia em Pittsburgh. Agora, estou outra vez presa aqui, servindo comida para outras pessoas, trocando roupas de cama... coisas que detesto fazer.

Ele esperou um momento, para depois aplaudir.

— Bom discurso, Lex. E você sabe direitinho escolher as palavras certas. Talvez queira desenvolver tudo isso no palco. Devo dizer que os gestos tendem um pouco para o solene.

Os lábios de Lexy tremeram por um instante, mas logo se firmaram.

— Vá se danar, Bri!

Ela ergueu o queixo, abruptamente, antes de se retirar. Brian pegou o garfo que ela deixara no prato. Parecia que não estava agradando naquela manhã, pensou ele, enquanto começava a comer o que a irmã deixara.

UMA HORA DEPOIS, LEXY ERA TODA SORRISO E CHARME SULISta. Era uma garçonete eficiente — o que a salvara da pobreza total durante sua temporada em Nova York — e serviu as mesas com toda a aparência de satisfação e gentileza sem pressa.

Usava uma saia bastante curta para irritar Brian e uma blusa sem mangas que realçava seu corpo da maneira mais favorável. Tinha o corpo atraente e empenhava-se ao máximo para mantê-lo assim.

Era um instrumento do ofício, tanto como garçonete quanto como atriz. O que também acontecia com o sorriso fácil e radiante.

— Quer que eu esquente seu café, Sr. Benson? Está gostando da omelete? Brian é uma maravilha na cozinha, não é mesmo?

Como o Sr. Benson parecia apreciar seus seios, ela se inclinou mais um pouco, a fim de lhe oferecer o máximo de emoção por seu dólar, antes de ir para a mesa seguinte.

— Vão nos deixar hoje, não é mesmo? — Ela olhou radiante para os jovens recém-casados, aninhados numa mesa de canto. — Espero que voltem logo.

Ela circulou pela sala, avaliando quando um cliente queria conversar, quando outro queria ser deixado em paz. Como sempre, numa manhã durante a semana, o movimento era mínimo e ela tinha muita oportunidade para representar.

O que queria mesmo era representar para casas lotadas, os grandes teatros de Nova York. Em vez disso, pensou Lexy, mantendo firme o sorriso do sol de verão, apresentava-se no papel de uma garçonete, numa casa que nunca mudava, numa ilha que nunca mudava.

Fora sempre a mesma, por centenas de anos, pensou ela. Lexy não era uma mulher que apreciasse a história. Para ela, o passado era uma chatice tão insuportável quanto Desire e as poucas famílias que tinham residência ali.

Os Pendleton casavam com os Fitzsimmon ou com os Brodie, ou com os Verdon. As chamadas Quatro Grandes da ilha. De vez em quando um filho ou uma filha se desviava do curso e casava com alguém do continente. Alguns até se mudavam, mas a grande maioria permanecia, vivendo nos mesmos chalés, geração após geração, acrescentando uns poucos aos residentes permanentes.

Era tudo tão... previsível, pensou Lexy, enquanto virava uma folha no bloco de pedidos e olhava radiante para a mesa seguinte.

Sua mãe casara com um homem do continente, e agora os Hathaway reinavam em Sanctuary. Eram os Hathaway que viviam ali, trabalhavam ali, suavam sangue e consumiam seu tempo para manter a casa e proteger a ilha, há mais de trinta anos.

Mas Sanctuary ainda era e sempre seria a casa dos Pendleton, no alto da colina.

E parecia não haver como escapar.

Ela guardou as gorjetas no bolso e recolheu os pratos sujos. Os olhos se tornaram gelados no instante em que entrou na cozinha. Destilara charme como uma serpente que descama a pele. Irritava-a ainda mais saber que Brian era indiferente a seu suplício.

Largou os pratos na pia, pegou o bule de café fresco e voltou à sala.

Há duas horas que servia, removia a louça, arrumava tudo... e sonhava com o lugar em que queria estar.

Broadway! Tinha certeza de que encontraria seu lugar ali. Todos lhe diziam que possuía um talento natural. Claro que isso fora antes de sua partida para Nova York, quando se descobrira a enfrentar centenas de outras jovens a quem haviam dito a mesma coisa.

Lexy queria ser uma atriz séria, não uma idiota desmiolada que posava para anúncios de lingerie e se apresentava como atriz-modelo. Esperava começar por cima. Afinal, tinha inteligência, aparência e talento.

A primeira visão de Manhattan incutira-lhe um senso de propósito e energia. Era como se estivesse à sua espera, pensou ela, enquanto somava a conta para seis pessoas. Muita gente pelas ruas, o barulho, a vitalidade. E as lojas, com suas roupas deslumbrantes nas vitrines, os restaurantes sofisticados, a sensação predominante de que todos tinham alguma coisa para fazer, algum lugar para onde ir às pressas.

Ela também tinha uma coisa para fazer e um lugar para onde ir.

Alugara um apartamento muito caro. Mas não estava disposta a se contentar com um quartinho apertado. Presenteara-se com roupas novas da Bendel's e passara um dia inteiro na Elizabeth Arden. Isso consumira uma parte de seu orçamento, mas considerara um investimento. Queria se apresentar da melhor maneira possível nas chamadas para formação de elenco.

O primeiro mês fora um rude despertar depois de outro. Nunca imaginara deparar com tanta concorrência ou com tanto desespero no rosto das pessoas que entravam em fila para uma audição depois de outra.

Recebera algumas propostas... mas a maioria envolvia audições particulares, deitada de costas. Ela tinha muito orgulho e autoconfiança para aceitar isso.

Agora, o orgulho e a autoconfiança — e também, era obrigada a admitir, sua ingenuidade — haviam efetuado o círculo completo.

Mas era apenas temporário, lembrou Lexy a si mesma. Em pouco menos de um ano, faria vinte e cinco anos e entraria na posse de sua herança. O que restava. Voltaria para Nova York... e desta vez seria mais esperta, mais cautelosa, mais hábil.

Não estava derrotada, concluiu ela. Apenas tirara uma licença. Ainda viria o dia em que entraria num palco para sentir que todo o amor e a admiração da audiência a envolviam. E nesse dia seria alguém.

Não apenas a filha mais nova de Annabelle.

Ela levou os últimos pratos para a cozinha. Brian já estava arrumando tudo. Não havia panelas sujas em sua pia, nem manchas e líquidos derramados no balcão. Mesmo sabendo que estava sendo impertinente, Lexy virou o pulso para derrubar a xícara em cima da pilha de pratos, derramando o resto de café, antes de bater no chão e se espatifar.

— Essa não! — exclamou ela, com um sorriso malicioso, quando Brian virou a cabeça.

— Você deve gostar de bancar a tola, Lex — disse ele, friamente. — É boa nisso.

— É mesmo?

Antes que pudesse se controlar, ela largou o resto da louça. Bateu no chão com o maior estardalhaço, espalhando restos de comida e fragmentos de porcelana por toda parte.

— O que acha disso?

— O que está tentando provar? Que você é tão destrutiva quanto sempre foi? Que sempre virá alguém atrás de você para limpar sua sujeira?

Brian foi até um closet e pegou uma vassoura.

— Limpe você mesma.

Ele estendeu a vassoura para a irmã.

— Não.

Embora já estivesse arrependida do ato impulsivo, ela empurrou a vassoura de volta. A colorida Fiestaware era como um caleidoscópio de cores a seus pés.

— São seus pratos preciosos. Limpe você mesmo.

— Você vai limpar essa sujeira ou juro que usarei a vassoura em você.

— Pois tente, Bri. — Ela postou-se na sua frente. Saber que errara era apenas um catalisador para fazê-la se manter firme. — Apenas tente e arrancarei seus olhos. Estou cansada de ouvir você me dizer o que fazer. Esta é minha casa tanto quanto é sua.

— Ora, ora, estou vendo que nada mudou por aqui.

Os rostos ainda contraídos em fúria, Brian e Lexy se viraram... e tiveram uma surpresa. Jo estava parada na porta dos fundos, as duas malas a seus pés e a exaustão no olhos.

— Compreendi que estava em casa quando ouvi o estrondo, acompanhado por vozes felizes.

Numa mudança de ânimo abrupta e deliberada, Lexy passou o braço pelo de Brian.

— Olhe só, Brian, outra filha pródiga de volta. Espero que ainda reste alguma coisa daquele pernil de bezerro.

— Eu me contento com um café — murmurou Jo, fechando a porta.

Capítulo Três

Jo parou na janela do quarto de sua infância. A vista era a mesma. Lindos jardins, esperando na maior paciência que alguém tirasse o mato, podasse e regasse. Os alissos já estavam dourados e as campânulas azuis balançavam. As violas exibiam seu viço para o sol, guardadas pelas hastes compridas das íris púrpura e pelas alegres tulipas amarelas. As marias-sem-vergonha e as cravinas desabrochavam, como sempre.

Havia palmeiras e mais além os carvalhos frondosos, entre os quais vicejavam as samambaias rendadas e as flores silvestres indiferentes.

A luz era adorável, dourada e perolada, enquanto as nuvens vagueavam pelo céu, projetando sombras suaves. A imagem era de paz, solidão, perfeição de livro romântico. Se tivesse energia, ela sairia agora, captaria em filme, faria com que tudo aquilo se tornasse seu.

Sentira saudade. Era muito estranho, pensou Jo, só compreender agora que sentira saudade da vista pela janela do quarto em que dormira quase todas as noites de seus primeiros dezoito anos de vida.

Passara muitas horas trabalhando no jardim com a mãe, aprendendo os nomes das flores, suas necessidades e hábitos, apreciando a sensação da terra entre os dedos e do sol nas costas. Passarinhos e borboletas, o retinir dos sinos de vento, o lento desfile de nuvens brancas pelo céu azul... eram lembranças preciosas de sua infância.

Aparentemente, esquecera-se de guardá-las, concluiu ela, enquanto se afastava da janela, cansada. Quaisquer imagens que registrara daquele cenário, com a mente ou com a câmera, tinham sido arquivadas e relegadas a um segundo plano há muito tempo.

Seu quarto também pouco mudara. A ala da família em Sanctuary ainda exibia o estilo e o bom gosto de Annabelle. Para a filha mais velha, ela escolhera uma cama de baldaquino, com armação de madeira lavrada. A colcha era de renda irlandesa antiga, um tesouro hereditário da família Pendleton que Jo sempre amara, por causa do padrão e textura. E porque parecia tão resistente e eterna.

No papel de parede, as campânulas azuis desabrochavam numa explosão de alegria sobre o fundo marfim. O remate era acolhedor, numa tonalidade mel.

Annabelle escolhera as antiguidades, os globos das lâmpadas, as mesas de madeira de bordo, as cadeiras refinadas, os vasos em que sempre havia flores frescas. Ela queria que os filhos aprendessem desde cedo a viver com aquelas coisas preciosas, a cuidar delas com carinho. No consolo da pequena lareira de mármore havia velas e conchas. Nas prateleiras na parede oposta havia livros, em vez de bonecas.

Mesmo quando criança, Jo tinha pouco interesse para bonecas.

Annabelle estava morta. Não importava quanto dela ainda persistisse obstinadamente naquele quarto, naquela casa, naquela ilha, Annabelle morrera. Morrera em algum momento dos últimos vinte anos, o que tornava sua deserção completa e irrevogável.

Ó Deus, por que alguém imortalizara essa morte em filme? Jo baixou o rosto para as mãos. E por que haviam enviado as imagens dessa imortalização para a filha de Annabelle?

MORTE DE UM ANJO

Essas palavras estavam escritas no verso da foto. Jo lembrava-se delas com absoluta nitidez. Agora, ela esfregou a base da mão entre os seios, com bastante vigor, para tentar acalmar o coração. Que tipo de doença era aquela?, perguntou a si mesma. Que tipo de ameaça? E quanto era dirigido para ela pessoalmente?

A foto existira, era real. Não importava que tivesse desaparecido quando ela deixara o hospital e voltara ao apartamento. Não podia permitir que isso fizesse alguma diferença. Se admitisse que apenas imaginara, que não passara de uma alucinação, teria de admitir que perdera o juízo.

E como poderia enfrentar essa perspectiva?

Mas a foto não estava mais ali quando voltara. Todas as outras continuavam no mesmo lugar, aquelas imagens cotidianas da própria Jo, ainda espalhadas pelo chão do laboratório, onde as deixara cair, em choque e pânico.

Mas embora procurasse, passasse horas revistando cada palmo do apartamento, não encontrara a foto que causara seu colapso.

Se nunca existira... Ela fechou os olhos e apoiou o antebraço no vidro da janela. Se apenas inventara, se quisera que aquela imagem terrível fosse um fato, que sua mãe fosse exposta daquela maneira, na morte... em que isso a convertia?

O que ela podia aceitar? Sua própria instabilidade mental ou a morte da mãe?

Não pense a respeito agora. Jo pressionou a mão contra a boca, quando sentiu que a respiração começava a prender na garganta. Ponha de lado, como fez com as fotos. Tranque tudo, até que esteja mais forte. Não tenha outro colapso, Jo Ellen, ela ordenou a si mesma. Acabará no hospital, com médicos espetando seu corpo e sua mente.

Trate de se controlar. Ela respirou fundo, para firmar a respiração. Trate de se controlar até que possa fazer as perguntas que precisam ser formuladas, até descobrir as respostas que precisam ser encontradas.

Faria alguma coisa prática, ela decidiu, alguma coisa corriqueira, para tentar manter a farsa de que era apenas outra visita normal.

Já levantara o tampo corrediço da escrivaninha e pusera uma de suas câmeras ali. Mas, enquanto olhava, compreendeu que era o máximo de arrumação de suas coisas que seria capaz de fazer naquele momento. Virou o rosto para as malas em cima da colcha adorável. O pensamento de abri-las, tirar as roupas e pendurar no armário, dobrá-las e guardar nas gavetas era angustiante demais. Em vez disso, Jo sentou numa cadeira e fechou os olhos.

O que precisava fazer agora era pensar e planejar. Trabalhava melhor com uma lista de objetivos e tarefas, registrados na ordem em que seriam mais práticos e eficientes. Voltar para casa era a única solução; portanto, fora uma decisão prática e eficiente. Era o primeiro passo, ela garantiu para si mesma. Só precisava agora esvaziar a mente de alguma forma... limpá-la direito, para determinar o próximo passo.

Mas ela vagueou, quase sonhando.

Parecia que apenas alguns segundos haviam passado quando alguém bateu na porta, mas Jo descobriu-se a despertar com um sobressalto, desorientada. Levantou-se de um pulo, sentindo um embaraço absurdo por ter sido quase surpreendida a cochilar no meio do dia. Antes que ela pudesse alcançá-la, a porta foi aberta e a prima Kate estendeu a cabeça para dentro do quarto.

— Aí está você... e por Deus, Jo, você parece a três dias da morte. Sente-se, tome este chá e me conte o que está acontecendo com você.

Era a mesma Kate de sempre, pensou Jo, franca, objetiva, um pouco mandona. Ela descobriu-se a sorrir, enquanto observava Kate marchar pelo quarto com a bandeja de chá.

— Você parece maravilhosa.

— Sei me cuidar.

Kate pôs a bandeja na mesinha baixa num canto do quarto e acenou com a mão para uma cadeira.

— O que você não tem feito, a julgar por sua aparência. Está muito magra, muito pálida e seus cabelos são um desastre de grandes proporções. Mas daremos um jeito em tudo isso.

Decidida, ela serviu o chá de um bule de porcelana, adornado com raminhos de hera, em duas xícaras iguais.

— Muito bem, pode falar.

Kate recostou-se, tomou um gole do chá, inclinou a cabeça para o lado.

— Estou tirando um tempo de folga. — Jo viera de carro de Charlotte com o propósito expresso de encontrar tempo para inventar razões e desculpas para o retorno. — Umas poucas semanas.

— Jo Ellen, você não pode me enganar.

Nenhum deles jamais conseguira, pensou Jo, desde o momento em que Kate chegara a Sanctuary. Viera poucos dias depois da deserção de Annabelle, para passar uma semana, e continuava ali vinte anos mais tarde.

E Deus sabia que haviam precisado dela, pensou Jo, enquanto tentava calcular o mínimo que teria de contar para satisfazer Katherine Pendleton. Ela tomou um gole do chá, para ganhar tempo.

Kate era prima de Annabelle e a semelhança de família era acentuada nos olhos, na tonalidade da pele, no tipo de corpo. Mas enquanto Annabelle, na lembrança de Jo, sempre parecera de uma feminilidade inata, Kate tinha ângulos retos e era incisiva.

Era verdade, Kate sabia se cuidar, admitiu Jo para si mesma. Usava os cabelos curtos, como os de um menino, uma massa castanho-avermelhada que combinava com o rosto de raposa em estado de alerta e o estilo prático. O guarda-roupa tendia para o informal, mas nunca para o relaxado. Os jeans estavam sempre passados, as camisas de algodão engomadas. As unhas eram curtas e bem cuidadas, nunca sem três camadas de esmalte transparente. Embora já estivesse com cinqüenta anos, mantinha-se esguia; pelas costas podia ser confundida com uma adolescente.

Entrara em suas vidas no momento de maior depressão e nunca vacilara. Sempre disponível, cuidava dos detalhes, pressionava cada um a fazer o que tinha de ser feito em seguida. À sua maneira objetiva e pragmática, insistindo e amando, conseguira estabelecer em suas vidas pelo menos uma ilusão de normalidade.

— Senti saudade de você, Kate — murmurou Jo. — Juro que senti.

Kate fitou-a em silêncio por um momento e alguma coisa aflorou em seu rosto.

— Não vai me amolecer, Jo Ellen. Está metida em alguma encrenca. Pode optar por me contar logo ou deixar que eu arranque tudo. De qualquer forma, acabarei sabendo.

— Eu precisava de algum tempo de folga.

O que era uma verdade indubitável, refletiu Kate; dava para perceber apenas pela aparência da garota. E, conhecendo Jo, ela duvidava muito que tivesse sido um homem quem pusera aquela expressão magoada em seus olhos. Portanto, restava o trabalho. E o trabalho levava Jo a lugares estranhos e distantes, pensou Kate. Muitas vezes eram lugares perigosos, de guerras e desastres. O trabalho que ela sabia que a jovem prima pusera deliberadamente à frente de uma vida e uma família.

Pobre menina, minha pobre e doce menina, pensou Kate. *O que fez com você mesma?*

Kate apertou os dedos na asa da xícara, para evitar que tremessem.

— Alguém a magoou?

— Não foi isso. — Jo largou a xícara na mesinha, para comprimir os dedos contra os olhos doloridos. — Apenas excesso de trabalho... estresse. Acho que assumi compromissos demais nos últimos meses. É apenas a pressão.

As fotos. Mamãe.

Kate juntou as sobrancelhas. A linha que se formou era conhecida, não muito afetuosamente, como a Linha de Fratura Pendleton.

— Que tipo de pressão pode diminuir seu peso e fazer as mãos tremerem, Jo Ellen?

Na defensiva, Jo cruzou as mãos pouco firmes no colo.

— Acho que você poderia dizer que não tenho cuidado de mim. — Jo deu um sorriso fraco. — Mas prometo que farei melhor.

Kate estudou o rosto de Jo, batendo com os dedos no braço da cadeira. O problema era profundo demais para serem apenas preocupações profissionais.

— Está doente?

— Não. — A mentira saiu de sua boca quase tão suave quanto planejara. Deliberadamente, ela bloqueou o pensamento de um quarto de hospital, quase com a certeza de que Kate seria capaz de ler sua mente. — Apenas um pouco esgotada. Não tenho dormido bem ultimamente.

Nervosa, sob o olhar firme de Kate, Jo levantou-se para pegar um cigarro no bolso do casaco que largara numa cadeira.

— Fechei aquele contrato do livro... escrevi sobre isso para você. Acho que me deixou estressada. — Ela acendeu o isqueiro. — É um território novo para mim.

— Deveria se orgulhar, não ficar doente por causa disso.

— Tem toda razão. — Jo soprou a fumaça, enquanto fazia um esforço para reprimir a lembrança da imagem de Annabelle, as fotos. — Foi por isso que decidi tirar um tempo de folga.

Havia mais coisa, pensou Kate, mas aquilo seria suficiente por enquanto.

— Ainda bem que você voltou para casa. Duas semanas da comida de Brian vão acrescentar um pouco de carne em você. E Deus sabe que precisamos de mais ajuda por aqui. A maioria dos quartos e os chalés já estão reservados durante todo o verão.

— Os negócios estão bons assim? — indagou Jo, sem muito interesse.

— As pessoas precisam escapar de suas próprias rotinas e entrar nas de outras. A maioria dos que vêm para cá procura sossego e solidão, caso contrário iria para Hilton Head ou Jekyll. Ainda assim, querem lençóis limpos e toalhas engomadas na mesa.

Kate tamborilou com os dedos por um momento, pensando no trabalho que teria durante a tarde.

— Lexy tem ajudado, mas não é mais confiável do que antes — acrescentou ela. — Pode sumir durante o dia inteiro ou fazer todas as tarefas que precisam ser feitas. Vem sofrendo com alguns desapontamentos e angústias crescentes.

— Lex já tem vinte e quatro anos, Kate. Deveria ter amadurecido a esta altura.

— Algumas pessoas levam mais tempo do que outras. Não é uma falha, mas um fato.

Kate levantou-se, sempre pronta para defender um de seus pintinhos, mesmo que fosse contra as bicadas de outro.

— E algumas nunca aprendem a enfrentar a realidade. Passam a vida culpando todas as outras por seus fracassos e desapontamentos.

— Alexa não é um fracasso. Você nunca foi paciente com ela... assim como ela nunca foi com você. E isso também é um fato.

— Nunca pedi a ela para ser paciente comigo. — Antigos ressentimentos afloraram, como óleo quente em contato com água. — Nunca pedi nada a ela... nem aos outros.

— É verdade, nunca pediu — admitiu Kate, calmamente. — Poderia ter de dar alguma coisa de volta se pedisse. Poderia ter de admitir que precisa dos outros, se permitisse que eles precisassem de você. Pois já é tempo de todos vocês enfrentarem algumas coisas. Dois anos passaram desde a última vez em que os três estiveram juntos nesta casa.

— Sei quanto tempo foi — disse Jo, amargurada. — E não tive uma recepção de Brian e Lexy melhor do que esperava.

— Talvez fosse melhor se você esperasse mais. — Kate ergueu o queixo. — Nem perguntou por seu pai.

Irritada, Jo pegou outro cigarro.

— O que gostaria que eu perguntasse?

— Não use esse tom desdenhoso comigo, mocinha. Se pretende viver sob este teto, precisa ter respeito com seus provedores. E fará a sua parte enquanto estiver aqui. Seu irmão tem arcado com a maior parte do trabalho nos últimos anos. Está na hora de a família ajudar. Está na hora de vocês se tornarem uma família.

— Não entendo nada de pousada, Kate, e não posso imaginar que Brian queira que eu me intrometa em seu negócio.

— Não precisa entender para lavar roupa, polir móveis ou varrer a areia da varanda.

Ao gelo na voz da prima, Jo assumiu uma atitude de defesa e desafio.

— Não falei que não faria a minha parte. Queria apenas dizer...

— Sei exatamente o que você queria dizer, mocinha, e quero que saiba que estou cansada desse tipo de atitude. Vocês três preferem afundar até a cabeça no pântano em vez de pedir ajuda aos outros. E você prefere morder a própria língua antes de perguntar por seu pai. Não sei se faz isso por ser competitiva ou apenas por teimosia, mas quero que pare com isso enquanto estiver aqui. Este é o seu lar. E, por Deus, já é tempo de parecer um lar.

Ela encaminhou-se para a porta.

— Kate...

— Não me chame. Estou zangada demais para falar com você agora.

— Eu só queria...

Quando a porta foi batida, com algum estrépito, Jo deixou o ar escapar dos pulmões, num longo suspiro.

A cabeça latejava, o estômago estava todo contraído e o sentimento de culpa a sufocava, como um cobertor encharcado.

Kate se enganava, refletiu ela. Era exatamente como um lar.

DA ORLA DO PÂNTANO, SAM HATHAWAY OBSERVOU UM gavião sobrevoar seu território de caça. Sam seguira para o interior da ilha naquela manhã, deixando a casa pouco antes do amanhecer.

Sabia que Brian saíra quase na mesma hora, mas não haviam se falado. Cada um tinha os seus próprios hábitos, os seus próprios percursos.

Às vezes Sam pegava o Jeep, mas na maioria das vezes seguia a pé. Havia dias em que ia para as dunas e contemplava o sol nascer sobre o mar, tornando-o vermelho como sangue, depois dourado, depois azul. Quando a praia era toda espaço, luz e brilho, ele podia caminhar por quilômetros, os olhos avaliando atentamente a erosão, à procura de qualquer acumulação recente de areia.

Deixava as conchas nos lugares em que haviam sido jogadas pelas ondas.

Quase nunca se aventurava pelas campinas entre as dunas. Eram frágeis e cada passo poderia causar danos e mudanças. E Sam travava uma luta encarniçada contra a mudança.

Havia dias em que preferia vaguear pela beira da floresta, por trás das dunas, onde os lagos e charcos eram cheios de vida e música. Havia manhãs em que precisava do silêncio e o mínimo de claridade que encontrava ali, em vez do estrondo das ondas e o esplendor do sol nascente. Podia, como a garça paciente esperando pelo peixe descuidado, permanecer imóvel enquanto os minutos passavam.

Havia ocasiões, entre os pequenos lagos, cercados por salgueiros e lentilhas-d'água, em que podia esquecer que existia qualquer mundo além daquele, que era o seu. Ali, o aligátor escondido entre os juncos, enquanto digeria sua última refeição, ou a tartaruga tomando sol em cima de um tronco, talvez a próxima refeição do aligátor, eram mais reais para ele do que as pessoas.

Mas eram raros os dias em que Sam ia além dos pequenos lagos e embrenhava-se nas sombras da floresta. A floresta era o lugar que Annabelle mais amava.

Em outros dias, era atraído para o pântano e seus mistérios. Havia ali um ciclo que podia compreender, crescimento e decadência, vida e morte. Aquilo era a natureza e podia-se aceitar. Nenhum homem era a causa do que acontecia ali, nem podia interferir, enquanto Sam mantivesse o controle.

Nas beiras, ele podia observar os caranguejos ucas, conhecidos como chama-maré, tão ocupados na lama que criavam pequenos estalos, como bolhas estourando. Sam sabia que, no momento em que se afastasse, os guaxinins e outros predadores se esgueirariam pela lama para se banquetearem com os caranguejos.

Tudo isso era parte do ciclo.

Agora, com a primavera chegando, os espartos ondulantes passavam de dourados para verdes e as campinas exibiam as cores das alfazemas e margaridas. Sam já vira mais de trinta primaveras chegarem em Desire... e nunca se cansara.

A terra era da família de sua esposa, passando de geração para geração. Mas se tornara sua no momento em que pusera os pés ali. Assim como Annabelle se tornara sua no momento em que a vira.

Não conseguira manter a mulher, mas ficara com a terra, através de sua deserção.

Sam era um fatalista... ou assim se tornara. Não havia como evitar o destino.

A terra viera para ele por intermédio de Annabelle; cuidava dela com desvelo, a protegia com determinação e nunca a abandonava.

Embora vários anos já tivessem transcorrido desde a época em que passava as noites à procura da esposa, ainda podia encontrá-la em qualquer lugar e por toda parte em Desire.

O que era ao mesmo tempo sua angústia e seu conforto.

Sam podia ver as raízes expostas das árvores nos pontos em que o rio erodia a margem do pântano. Alguns diziam que era melhor tomar providências para evitar que isso continuasse a acontecer. Mas Sam acreditava que a natureza sempre encontrava seu caminho. Se o homem, com boas ou más intenções, se empenhasse em alterar o curso do rio, que repercussões haveria em outras áreas?

Nada disso. Ele achava que tudo deveria permanecer como estava, que era melhor deixar que a terra, o mar, o vento e a chuva travassem sua batalha.

Kate estudava-o a alguns metros de distância. Era um homem alto, esguio e forte, a pele morena e avermelhada, os cabelos escuros começando a pratear. A boca firme era lenta para sorrir, os olhos castanho-claros ainda mais lentos. As rugas espalhavam-se dos cantos daqueles olhos, realçando o rosto, numa projeção de masculinidade.

Tinha mãos e pés enormes, uma característica que passara para o filho. Mas Kate sabia que Sam era capaz de se movimentar com uma graça fantástica e silenciosa, que nenhum habitante de uma cidade grande jamais conseguiria ter.

Em vinte anos, Sam nunca a acolhera, mas também não esperara que ela fosse embora. Kate simplesmente chegara, ficara e preenchera um propósito. Em momentos de fraqueza, Kate permitia-se especular o que ele pensaria, faria ou diria se um dia ela fizesse as malas e partisse.

Mas ela nunca partira, e duvidava que isso pudesse acontecer algum dia.

Fora apaixonada por Sam Hathaway em quase todos os momentos daqueles vinte anos.

Kate empinou os ombros, ergueu o queixo. Embora desconfiasse que Sam já sabia de sua presença, tinha certeza de que ele não diria nada se ela não falasse primeiro.

— Jo Ellen chegou na barca da manhã.

Sam continuou a observar os círculos do gavião. Claro que já percebera a presença de Kate, assim como sabia que ela não iria ao pântano se não tivesse alguma razão que considerasse importante. Kate não era uma grande apreciadora de lama e aligátores.

— Por quê?

Foi tudo o que ele disse, o que arrancou um suspiro impaciente de Kate.

— Aqui é a sua casa, não é mesmo?

A voz de Sam era lenta, como se as palavras se formassem com alguma relutância.

— Não creio que ela pense assim. Há muito tempo.

— Independentemente do que ela pensa, aqui *é* o seu lar. Você é o pai dela e vai querer acolhê-la.

Sam projetou uma imagem da filha mais velha em sua mente. E viu a esposa com uma nitidez que acarretou desespero e indignação ao mesmo tempo. Mas apenas o desinteresse transpareceu em sua voz:

— Estarei em casa mais tarde.

— Quase dois anos se passaram desde que ela esteve aqui pela última vez, Sam. Pelo amor de Deus, vá ver sua filha agora.

Ele mudou de posição, aborrecido e contrafeito. Kate tinha um jeito de despertar essas reações nele.

— Há tempo suficiente, a menos que ela esteja planejando pegar a barca de volta para o continente esta tarde. Ela nunca foi capaz de permanecer no mesmo lugar por muito tempo, pelo que me lembro. E mal pôde esperar para deixar Desire.

— Ir para a universidade, iniciar uma carreira e ter sua própria vida não é uma deserção.

Embora ele não se mexesse nem emitisse qualquer som, Kate sabia que a farpa atingira o alvo. Lamentou ter achado que era necessário lançá-la.

— Ela voltou agora, Sam. Não creio que vá para qualquer lugar durante algum tempo, mas não é essa a questão.

Kate adiantou-se, pôs a mão firme no braço de Sam e virou-o para fitá-la. Havia ocasiões em que era preciso sacudir um ponto óbvio diante dos olhos de Sam para que ele pudesse percebê-lo, pensou ela. Era o que tencionava fazer agora.

— Ela está magoada, Sam. Não parece nada bem. Emagreceu e ficou muito pálida. Diz que não tem nada, mas é mentira. Jo Ellen dá a impressão de que alguém poderia derrubá-la apenas com um pensamento mais agressivo.

Pela primeira vez, uma sombra de preocupação surgiu nos olhos de Sam.

— O problema dela é no trabalho?

Melhor assim, pensou Kate. Mas ela teve o cuidado de não demonstrar sua satisfação.

— A mágoa não parece desse tipo — disse Kate, mais gentilmente. — É uma dor interior. Não consigo determinar o que é, mas tenho certeza de que existe. Ela precisa de seu lar, de sua família. E precisa do pai.

— Se Jo tem um problema, saberá como superá-lo. Sempre conseguiu dar um jeito.

— O que está querendo dizer é que ela sempre teve de agir assim. — Kate teve vontade de sacudi-lo, até afrouxar a tranca que ele pusera em seu coração. — Mas que droga, Sam, você tem de estar presente para ajudá-la!

Ele olhou além de Kate, para o pântano.

— Ela já passou do ponto em que precisa de mim para fazer curativos em seus inchaços e arranhões.

— Não, não passou. — Kate baixou a mão do braço de Sam. — Ainda é sua filha. Sempre será. Belle não foi a única pessoa que partiu, Sam.

Ela observava atentamente o rosto de Sam enquanto dizia isso. Sacudiu a cabeça e acrescentou:

— Brian, Jo e Lexy também a perderam. Mas não deveriam ter perdido o pai.

Sam se contraiu todo. Virou-se para contemplar o pântano, sabendo que a pressão interna seria aliviada se ficasse sozinho de novo.

— Eu disse que estaria em casa mais tarde. Se Jo Ellen tem alguma coisa para me dizer, poderá falar quando eu chegar.

— Um dia desses você vai compreender que tem alguma coisa para dizer a ela... para dizer a todos.

Kate deixou-o sozinho, torcendo para que ele compreendesse isso o mais depressa possível.

Capítulo Quatro

Brian parou na porta do terraço oeste e estudou a irmã. Ela parecia frágil e nervosa. Parecia de alguma forma perdida entre o sol e as flores. Ainda vestia a calça folgada e o suéter enorme e fino com que chegara, mas acrescentara óculos escuros, de aros redondos. Brian imaginou que Jo usava aquele tipo de uniforme quando tirava suas fotos, mas no momento servia apenas para reforçar a impressão geral de que era uma inválida.

Mas ela sempre fora a mais durona dos três, recordou Brian. Mesmo quando criança, insistia em fazer tudo sozinha, encontrar as respostas, resolver os problemas, travar as lutas.

Era destemida, subindo mais alto em qualquer árvore, nadando mais longe depois da arrebentação, correndo mais depressa pela floresta. Apenas para provar que era capaz, refletiu Brian. Parecia-lhe que Jo Ellen sempre tinha alguma coisa para provar.

E depois que a mãe fora embora, Jo se mostrara ainda mais determinada a provar que não precisava de ninguém e de nada, a não ser de si mesma.

Mas ela precisava de alguma coisa agora, decidiu Brian. Ele saiu para o terraço. Não disse nada quando ela virou a cabeça e fitou-o através das lentes escuras. Sentou no balanço, ao lado da irmã, pôs em seu colo o prato que trouxera e disse apenas:

— Coma.

Jo olhou para a galinha assada, a salada de repolho, o biscoito dourado.

— É o almoço especial de hoje?

— A maioria dos hóspedes preferiu sair com lancheira hoje. O dia está muito bonito para comer dentro de casa.

— A prima Kate disse que você tem trabalhado muito.

— Bastante. — Por hábito, ele deu um impulso com o pé e pôs o balanço em movimento. — O que veio fazer aqui, Jo?

— Parecia a coisa certa para fazer na ocasião.

Ela pegou uma coxa de galinha e deu uma mordida. Sentiu o estômago embrulhar, como se decidisse se devia ou não aceitar a comida. Jo persistiu e engoliu, para depois acrescentar:

— Farei a minha parte no trabalho e não vou atrapalhá-lo.

Brian escutou o rangido do balanço por um momento e pensou que precisava pôr um pouco de óleo.

— Não disse que você ia me atrapalhar, pelo que me recordo.

— Então atrapalhar Lexy. — Jo deu outra mordida na galinha. Franziu o rosto, olhando para os gerânios rosa que se derramavam pelas beiras de uma jardineira de concreto, com querubins rechonchudos esculpidos. — Pode dizer a ela que não estou aqui para atrapalhar seu estilo.

— Diga você mesma. — Brian abriu a garrafa térmica que trouxera e despejou a limonada na tampa. — Não quero me intrometer entre vocês duas ou acabarei com o rabo chutado pelos dois lados.

— Pois então fique fora. — Jo sentiu que a cabeça começava a doer, mas pegou a tampa com a limonada e tomou um gole. — Não sei por que ela tem tanto ressentimento de mim.

— Também não posso imaginar. — Brian falou com a voz arrastada, antes de levantar a garrafa térmica e beber direto. — Você é um sucesso, famosa, com independência financeira, uma estrela em ascensão na sua profissão. Todas as coisas que Lexy quer para si mesma.

Ele pegou o biscoito, partiu-o ao meio, entregou metade a Jo, o vapor ainda subindo.

— Não entendo por que isso a deixaria tão irritada.

— Fiz tudo sozinha, por mim mesma. Não trabalhei tanto para chegar a esse ponto só para esnobá-la. — Sem pensar, Jo pôs na boca a metade do biscoito. — Não é minha culpa se ela tem uma fantasia infantil de ver seu nome nos cartazes, as pessoas jogando rosas a seus pés.

— O fato de você considerar infantil não faz com que o desejo seja menos real para ela. — Brian ergueu a mão antes que a irmã pudesse falar. — E não tenho a menor intenção de ficar no meio. Vocês duas podem esfolar uma à outra quando quiserem. Mas eu diria que neste momento ela pode acabar com você sem sequer suar.

— Não quero brigar com ela — murmurou Jo, cansada. Podia sentir a fragrância da glicínia que se derramava da arcada numa treliça próxima... outra lembrança vívida de sua infância. — Não vim para brigar com ninguém.

— Uma mudança e tanto.

O comentário acarretou uma insinuação de sorriso nos lábios de Jo.

— Talvez eu tenha amolecido.

— Milagres acontecem. Coma a salada de repolho.

— Não me lembro de ser tão mandona.

— Também não era moleza.

Com o que podia passar por uma risada, Jo pegou o garfo e espetou um pouco da salada de repolho.

— Conte o que é novidade por aqui, Bri, e o que continua igual.

Traga-me de volta para casa, ela pensou, mas não podia dizer. Traga-me de volta.

— Vamos ver... Giff Verdon construiu outro quarto no chalé da família.

— Que notícia sensacional! — Jo franziu a testa. — Giff, aquele garoto magricela, com um topete. Aquele que vivia se babando por Lex?

— Esse mesmo. Encorpou um pouco e tem a mão firme com o martelo e o serrote. Faz todos os reparos por aqui agora. Ainda é apaixonado por Lexy, mas eu diria que agora ele sabe o que fazer em relação a isso.

Jo riu. Sem pensar, pôs mais salada de repolho na boca.

— Ela vai devorá-lo vivo.

Brian deu de ombros.

— Talvez... mas ela vai descobrir que Giff é mais duro de mastigar do que podia esperar. A garota Sanders, Rachel, ficou noiva de um universitário de Atlanta. Vai se mudar para lá em setembro.

— Rachel Sanders... — Jo tentou projetar uma imagem mental. — Era aquela que só falava ceceando ou a que não parava de soltar risadinhas?

— A garota das risadinhas... tão estridentes que faziam os ouvidos sangrarem.

Satisfeito porque Jo estava comendo, Brian estendeu o braço pelo encosto do balanço e relaxou.

— A velha Sra. Fitzsimmons morreu há mais de um ano.

— A velha Sra. Fitzsimmons... Ela costumava abrir as conchas de ostras em sua varanda, com aquele cachorro preguiçoso dormindo a seus pés, ao lado da cadeira de balanço.

— O cachorro também morreu, pouco depois. Acho que não viu muito sentido em viver sem ela.

— Ela me deixava tirar fotos suas — recordou Jo. — Quando eu era garota e ainda estava aprendendo. Tenho as fotos até hoje. Algumas até que são boas. O Sr. David ajudou-me a revelá-las. Eu devia ser uma chata, mas ela ficada sentada em sua cadeira de balanço e deixava-me praticar.

Jo recostou-se, acompanhando o ritmo do balanço, tão lento e monótono quanto o ritmo da ilha.

— Espero que tenha sido uma morte rápida e sem dor.

— Ela morreu enquanto dormia, na idade avançada de noventa e seis anos. Não podia ser melhor do que isso.

— Não, não podia. — Jo fechou os olhos, a comida esquecida. — O que aconteceu com o chalé?

— Ficou na família. Os Pendleton haviam comprado a maior parte das terras dos Fitzsimmons em 1923. Mas ela continuava a possuir a casa e o pequeno terreno ao redor. A neta herdou. — Brian tornou a levantar a garrafa térmica e desta vez tomou um gole grande da limonada. — Uma médica. Ela abriu uma clínica na ilha.

— Temos uma médica em Desire? — Jo abriu os olhos, alteou as sobrancelhas. — Ora, ora... Muito civilizado. As pessoas costumam procurá-la?

— Parece que sim... pelo menos pouco a pouco. E ela decidiu que não vai mais embora.

— Ela deve ser a primeira nova residente permanente na ilha em... quanto tempo? Dez anos?

— Por aí.

— Não posso imaginar por quê... — A voz de Jo definhou quando lhe ocorreu. — Não é Kirby, é? Kirby Fitzsimmons? Ela passou alguns verões aqui quando éramos crianças.

— Acho que ela gostou tanto que decidiu voltar.

— Essa não! Kirby Fitzsimmons... e uma médica ainda por cima! — O prazer desabrochou, um sentimento surpreendente, que ela quase não reconheceu. — Éramos amigas e sempre estávamos juntas. Lembro o verão em que o Sr. David veio tirar fotos da ilha e trouxe a família.

Animou-a pensar a respeito, a jovem amiga de sotaque nortista, com quem partilhara ou imaginara tantas aventuras.

— Você saía com os meninos e não me deixava participar de suas brincadeiras — continuou Jo. — Quando eu não estava importunando o Sr. David, pedindo para me deixar tirar fotos com sua câmera, saía com Kirby e procurava por encrencas. Isso já tem vinte anos, nem menos um dia. Foi no verão em que...

Brian acenou com a cabeça, enquanto arrematava o pensamento:

— O verão em que mamãe foi embora.

— Tudo parece desfocado... — murmurou Jo, o prazer sumindo de sua voz. — O sol quente, dias compridos, as noites repletas de sons. Todos os rostos.

Ela enfiou os dedos por baixo dos óculos para esfregar os olhos.

— Eu levantava ao amanhecer, para poder acompanhar o Sr. David. Levava sanduíches de presunto e me refrescava no rio. Mamãe desencavou aquela velha câmera para mim... a Brownie... e eu corria para o chalé da Sra. Fitzsimmons para tirar fotos. Ficava por lá até que ela mandava que Kirby e eu fôssemos embora. Horas e horas se passavam até o pôr-do-sol, quando mamãe nos chamava para jantar.

Jo fechou os olhos, apertando-os com força.

— Tantas e tantas imagens... mas não consigo recordar nenhuma com nitidez. E, de repente, ela foi embora. Acordei uma manhã disposta a fazer todas as coisas que costumava fazer num longo dia de verão... e ela não estava mais ali. E não havia absolutamente nada para fazer.

— O verão acabou — disse Brian. — Para todos nós.

— É verdade... — As mãos tremiam de novo. Jo tirou o maço de cigarros do bolso. — Costuma pensar nela?

— Por que eu pensaria?

— Nunca especula para onde ela foi? O que ela fez? — Jo deu uma tragada profunda. Em sua mente, podia ver os olhos de pestanas compridas vazios de vida. — Ou por quê?

— Não tem nada a ver comigo. — Brian levantou-se e pegou o prato. — Nem com você. Ou com qualquer de nós. Já se passaram vinte anos desde aquele verão, Jo Ellen. É um pouco tarde para se preocupar com isso agora.

Ela abriu a boca, mas tornou a fechá-la quando Brian virou-se e voltou para a casa. Mas sentia-se preocupada com isso agora, pensou Jo. E apavorada.

* * *

LEXY AINDA ESTAVA FURIOSA QUANDO SUBIU AS DUNAS A caminho da praia. Jo voltara, ela tinha certeza, para ostentar seu sucesso e sua vida fascinante. E o fato de ter chegado a Sanctuary na esteira do fracasso de Lexy não parecia ser uma mera coincidência.

Jo bateria as asas e arrulharia em triunfo, enquanto Lexy teria de aceitar a humilhação. O pensamento fez seu sangue ferver ao correr através das dunas, a areia voando de suas sandálias.

Não desta vez, ela prometeu a si mesma. Agora manteria a cabeça erguida, se recusaria a ser projetada como inferior diante do último triunfo de Jo, a última viagem, a última maravilha. Não mais assumiria o papel da irmã caçula da grande estrela. Já superara esse papel, assegurou Lexy a si mesma. E era tempo de todos compreenderem isso.

Havia várias pessoas espalhadas pelo crescente largo que era a praia. Haviam delimitado seus territórios com toalhas e guarda-sóis coloridos. Ela notou diversas lancheiras listradas de Sanctuary.

Os cheiros do mar, loções e galinha assada invadiram suas narinas. Um garoto de dois ou três anos jogava areia com uma pá num balde vermelho, enquanto a mãe lia um livro, à sombra de um toldo portátil. Um homem se transformava lentamente numa lagosta ao sol implacável. Dois casais que ela servira naquela manhã partilhavam um piquenique e riam juntos, ouvindo a voz atraente de Annie Lennox pelo rádio portátil.

Ela não queria que aquelas pessoas estivessem ali. Em sua praia, no meio de sua crise pessoal. Para descartá-las, virou-se e afastou-se pela curva da praia.

Avistou-o na água, o brilho nos ombros bronzeados e molhados, os reflexos nos cabelos clareados pelo sol. Giff era uma criatura de hábitos previsíveis, pensou ela. Invariavelmente ia até a praia para nadar um pouco na hora do almoço. E Lexy também sabia que Giff estava de olho nela.

Ele não guardava segredo de seu interesse... e Lexy não era de se ressentir das atenções de um homem atraente. Ainda mais quando precisava que seu ego fosse acariciado. Ela refletiu que um pequeno flerte, com a possibilidade de um sexo sem conseqüências, poderia fazer com que o dia voltasse aos trilhos.

Algumas pessoas diziam que sua mãe tivera um flerte. Lexy não tinha idade suficiente para se lembrar de qualquer coisa além de imagens vagas e fragrâncias suaves em relação a Annabelle, mas acreditava que ela tinha um jeito todo especial para o flerte natural. A mãe gostava de se exibir da melhor forma possível, de sorrir para os homens. E se a teoria de um amante secreto era um fato, Annabelle fizera mais do que sorrir, pelo menos para um homem.

Ou pelo menos fora isso que a polícia concluíra, depois de meses de investigação.

Lexy achava que era boa no sexo; haviam lhe dito isso com bastante freqüência para que considerasse que era uma eficiente habilidade pessoal. Para ela, havia pouca coisa que se comparasse a dissipar a tensão e ser o alvo da atenção total de alguém.

E ela gostava, apreciava todas as sensações intensas e maravilhosas que acompanhavam o ato. Não importava que a maioria dos homens não tinha a menor idéia se uma mulher pensava neles ou no mais recente homem bonito de Hollywood durante o sexo. Desde que ela tivesse um bom desempenho e se lembrasse das palavras certas.

Lexy considerava-se nascida para representar.

E decidiu que estava na hora de abrir as cortinas de veludo para Giff Verdon.

Ela largou na areia compacta a toalha que levara. Não tinha a menor dúvida de que ele a observava. Era o que os homens sempre faziam. Como se estivesse no palco, Lexy pôs seu coração na performance. Parada perto da beira da água, tirou os óculos escuros e deixou-os cair na toalha, despreocupada. Sem pressa, tirou as sandálias. Pegou a bainha do vestido de verão curto e levantou-o, fazendo com que os movimentos fossem de um lento striptease. O biquíni por baixo era pouco mais que uma tanguinha e o sutiã só cobria os mamilos, como as dançarinas costumavam usar.

Ela largou o vestido de algodão, estendeu os cabelos para trás com as duas mãos, depois se encaminhou para o mar, com o balanço dos quadris de uma sereia.

Giff deixou que a onda seguinte passasse por cima dele. Sabia que cada movimento e cada gesto de Lexy era deliberado. O que não parecia fazer qualquer diferença. Não conseguia desviar os olhos, não podia evitar que seu corpo ficasse tenso e ansioso, enquanto a contemplava, com suas curvas sensuais, o corpo de um dourado pálido, os cabelos caindo como chamas beijadas pelo sol.

Enquanto ela andava até o mar, o corpo todo em movimento, Giff imaginou como seria penetrá-la no ritmo das ondas. Notou que Lexy também o observava, os olhos captando o verde do mar, enquanto faiscavam num sorriso.

Ela mergulhou, tornou a se levantar, os cabelos molhados e lustrosos, a água escorrendo na pele. E soltou uma risada alta.

— A água está fria hoje — disse Lexy. — E as ondas mais fortes.

— Você não costuma vir à praia até junho.

— Talvez eu quisesse a água fria hoje. — Ela deixou que uma onda a levasse para perto de Giff. — E as ondas mais fortes.

— O mar estará mais frio e mais forte amanhã. Tem uma chuva chegando.

— Hum... — Lexy boiou de costas por um momento, contemplando o céu azul-claro. — Talvez eu volte amanhã.

Ela começou a bater com os pés na água, observando-o. Acostumara-se com os olhos castanho-escuros de Giff fixos nela, como um cachorrinho, quando eram adolescentes. Eram mais ou menos da mesma idade e haviam sido criados juntos. Mas Lexy já notara que ele mudara um pouco durante o ano que ela passara em Nova York.

O rosto afinara e a boca parecia mais firme e mais confiante. As pestanas compridas, que na juventude levavam os outros meninos a zombar dele, não pareciam mais femininas. Os cabelos castanho-claros eram lisos, com mechas alouradas pelo sol. Quando sorriu para Lexy, as covinhas — outra praga de sua juventude — destacaram-se nas faces.

— Está vendo alguma coisa interessante? — perguntou ele.

— Talvez. — A voz combinava com o rosto, concluiu Lexy. Era adulta e viril. A palpitação em seu estômago era satisfatória... e inesperadamente forte. — É bem possível.

— Imagino que você tenha alguma razão para vir nadar aqui quase nua. Não que eu não aprecie o panorama, mas pode me dizer qual é o motivo? Ou quer que eu adivinhe?

Ela riu, fazendo força contra a correnteza, para manter uma distância provocante entre os dois.

— Talvez eu quisesse apenas me refrescar.

— Foi o que imaginei. — Giff sorriu também, satisfeito por compreendê-la melhor do que ela jamais poderia conceber. — Ouvi dizer que Jo chegou na barca da manhã.

O sorriso desapareceu do rosto de Lexy, os olhos se tornaram frios.

— E daí?

— Você quer descarregar um pouco da tensão? Quer me usar para fazer isso?

Quando ela virou e começou a bater os pés para voltar à praia, Giff agarrou-a pela cintura.

— Eu a atenderei — acrescentou ele, enquanto Lexy tentava se desvencilhar. — Queria mesmo fazer isso há muito tempo.

— Tire as mãos...

O final da exigência perdeu-se num grunhido de surpresa contra a boca de Giff. Ela nunca pensara que o confiável Giff Verdon fosse capaz de se mover tão depressa e com tanta determinação.

Também não imaginara que suas mãos eram tão grandes e tão firmes, que sua boca fosse tão... sensual, enquanto ele a beijava, com o gosto do mar nos lábios. Por uma questão de formalidade, ela empurrou-o. Mas anulou o gesto com um pequeno gemido gutural, os lábios se entreabrindo num convite para mais.

Lexy era exatamente como ele a imaginara, quente e ansiosa, a gatinha sensual com os lábios macios e úmidos. As fantasias que ele projetara, durante mais de dez anos, desfizeram-se por completo e voltaram a se formar, em cores novas e delirantes, impregnadas de um amor desamparado e uma necessidade desesperada.

Quando ela passou as pernas em torno de sua cintura, balançando o corpo contra o dele, Giff se perdeu.

— Eu quero você... — Ele interrompeu o beijo para roçar os lábios pelo pescoço de Lexy, enquanto as ondas os balançavam, num emaranhado de braços e pernas. — Sabe que sempre a desejei, Lexy.

Uma onda passou por cima da cabeça de Lexy, deixando-a com um rugido nos ouvidos. O mar puxava-a para o fundo. Sentia-se atordoada. Mas logo se encontrava outra vez ao sol ofuscante, com a boca de Giff a se fundir com a sua.

— Então tem de ser agora. Neste momento. — Ela ofegava, espantada ao descobrir como sua necessidade era real, intensa, incontrolável. — Aqui mesmo.

Giff a desejara assim por tanto tempo quanto podia se lembrar. Disposta, ansiosa. Seu corpo pulsava de tanta dor pelo desejo de penetrá-la. Mas sabia que se deixasse essa necessidade prevalecer, poderia possuí-la, mas a perderia no instante seguinte.

Em vez disso, ele baixou as mãos da cintura para apertar e acariciar sua bunda. Usou os polegares para atormentá-la, até que ela ficou com os olhos turvos, sem ver mais nada.

— Tenho esperado, Lex — murmurou ele, para largá-la em seguida. — Você também pode esperar.

Ela teve de fazer um esforço para se manter acima das ondas. Cuspiu água enquanto o fitava, aturdida.

— Mas do que está falando?

— Não estou interessado em aliviar sua coceira e depois observá-la se afastar, ronronando. — Ele levantou a mão e empurrou para trás seus cabelos molhados. — Quando estiver preparada, sabe onde pode me encontrar.

— Seu filho-da-puta!

— Trate de descarregar sua raiva, meu bem. Conversaremos depois que você tiver tempo para pensar a respeito com calma. — Ele estendeu a mão para segurá-la. — Quando eu fizer amor com você, terá de ser por nós dois. Você também vai querer pensar assim.

Ela empurrou a mão que a apertava.

— Nunca mais toque em mim, Giff Verdon!

— Farei mais do que tocar em você.

Enquanto ela começava a nadar de volta à praia, Giff acrescentou, alto o bastante para seus próprios ouvidos:

— Ainda vou casar com você.

Ele deixou escapar um longo suspiro, enquanto a contemplava sair da água.

— A menos que eu me mate primeiro.

Para aliviar a vibração em todo o seu corpo, ele afundou. Mas como o gosto de Lexy continuava em sua boca, refletiu que era o homem mais esperto de Desire, ou o mais estúpido.

JO ACABARA DE MOBILIZAR A ENERGIA NECESSÁRIA PARA DAR uma volta. Alcançara a beira do jardim quando Lexy subiu pelo caminho, furiosa. Não se dera ao trabalho de usar a toalha, e por isso o vestido leve estava grudado na pele. Jo ergueu os ombros, alteou uma sobrancelha.

— Como está a água?

— Vá para o inferno! — Ofegante, ainda atormentada pela humilhação, Lexy parou. — Só quero que você vá para o inferno.

— Estou começando a pensar que já cheguei lá. E até agora minha recepção tem sido como eu esperava.

— Por que deveria esperar qualquer coisa? Este lugar nada significa para você... e nenhum de nós tem qualquer importância!

— Como sabe o que significa alguma coisa para mim, Lexy?

— Não vejo você arrumando as camas, tirando as mesas. Quando foi a última vez que você limpou um banheiro ou varreu um chão?

— Era isso o que você fazia esta tarde? — Jo correu os olhos das pernas sujas de areia aos cabelos úmidos da irmã. — O banheiro devia estar muito sujo.

— Não tenho de lhe dar explicações.

— O mesmo acontece comigo, Lex.

Quando Jo fez menção de se afastar, Lexy agarrou seu braço e sacudiu-o.

— Por que voltou?

O cansaço dominou Jo de repente, deixando-a com vontade de chorar.

— Não sei. Mas não foi para magoá-la. Não foi para magoar ninguém. E me sinto cansada demais para brigar com você neste momento.

Surpresa, Lexy fitou-a nos olhos. A irmã que conhecia até aquele instante teria disparado uma saraivada de palavras, esfolado a adversária com sarcasmo. Nunca tivera conhecimento de qualquer ocasião em que Jo tremesse e recuasse.

— O que aconteceu com você?

— Eu a avisarei quando descobrir. — Jo desvencilhou-se da mão que a segurava. — Por enquanto, deixe-me em paz, e farei a mesma coisa com você.

Ela afastou-se apressada pelo caminho, pegou a curva que seguia para o mar. Mal olhou para as depressões entre as dunas, com sua vegetação rasteira, não ergueu o rosto para acompanhar o vôo de uma gaivota que soltava gritos estridentes. Precisava pensar, disse a si mesma. Apenas uma ou duas horas para pensar em paz e com sossego. Decidiria o que fazer, como contar aos outros. Se deveria ou não contar.

Poderia falar sobre o colapso? Poderia revelar a alguém que passara duas semanas no hospital porque seus nervos não agüentaram e alguma coisa em sua mente se rompera? Eles se mostrariam compreensivos, ambivalentes ou hostis?

E que importância isso tinha?

Como poderia falar sobre a foto? Por mais que brigasse com todos, eram a sua família. Como podia submetê-los a isso, desencavar todo o sofrimento do passado? E se alguém quisesse ver, ela teria de dizer que a foto sumira.

Como Annabelle.

Ou nunca existira.

Pensariam que ela enlouquecera. Pobre Jo Ellen, louca como o chapeleiro de Alice.

Poderia contar que passara muitos dias tremendo de medo no apartamento, as portas trancadas, depois que deixara o hospital? Que se descobrira a procurar, frenética, pela foto que provaria que não estava realmente doente?

E que voltara para Sanctuary porque tivera de aceitar o fato de que estava doente. Que se permanecesse trancada no apartamento por mais um dia sequer, nunca teria encontrado a coragem para sair de novo.

De qualquer forma, a foto era muito nítida em sua mente. A textura, os tons, a composição. A mãe era jovem na foto. E não era sempre assim que Jo a lembrava... jovem? Os cabelos compridos e ondulados, a pele suave? Se tivesse alucinações com a mãe, não a veria sempre com aquela idade?

Quase da mesma idade que ela própria tinha agora, pensou Jo. Era provavelmente outro motivo para todos os sonhos, os medos, o nervosismo. Annabelle fora tão irrequieta e nervosa quanto a filha era? Existira um amante, no final das contas? Houvera sussurros a respeito, e até mesmo uma criança fora capaz de ouvi-los. Não houvera qualquer insinuação, nenhuma suspeita de infidelidade, antes da deserção. Mas depois os rumores se multiplicaram, as línguas se tornaram incansáveis e implacáveis.

Por outro lado, Annabelle fora discreta e hábil. Não deixara transparecer qualquer indicação de seus planos de ir embora, mas mesmo assim desaparecera.

O pai não saberia?, especulou Jo. Um homem com certeza sabia se a esposa estava irrequieta, insatisfeita e infeliz. Jo sabia que os dois costumavam discutir sobre a ilha. Teria sido o suficiente para que Annabelle se sentisse tão infeliz que virara as costas à casa, ao marido e aos filhos? Ele não percebera coisa alguma? Ou já era naquele tempo indiferente aos sentimentos das outras pessoas?

Era muito difícil lembrar se algum dia o pai fora diferente. Mas, com toda certeza, houvera um tempo em que soavam risos naquela casa. Os ecos ainda perduravam em sua mente. Imagens fugazes dos pais se abraçando na cozinha, a mãe rindo, os dois passeando pela praia de mãos dadas.

Havia imagens indistintas, esmaecidas pelo tempo, como se fixadas de maneira imprópria, mas inequívocas. Eram reais. Se ela conseguira apagar tantas recordações da mãe de sua mente, também poderia trazê-las de volta. Talvez assim começasse a compreender.

E, depois, decidiria o que fazer.

O barulho de passos a fez levantar os olhos no mesmo instante. O sol estava por trás dele, deixando-o na sombra. Um boné encobria seus olhos. Os passos eram largos e sem pressa.

Outra imagem há muito esquecida aflorou em sua mente. Viu-se como menina, os cabelos esvoaçando, a correr pelo caminho, rindo, gritando, até dar um salto. E os braços do pai estendiam-se para pegá-la, jogá-la para o alto e depois envolvê-la num abraço apertado.

Jo piscou para apagar a imagem e conter as lágrimas que queriam aflorar. O pai não sorriu. Por mais que se empenhasse em negar, Jo sabia que ele via Annabelle nela.

Ela ergueu o queixo e fitou-o nos olhos.

— Olá, papai.

— Jo Ellen...

Ele deu um passo para trás, a fim de avaliá-la. E constatou que Kate tinha razão. A filha parecia mesmo doente, pálida, tensa. Porque não sabia como tocá-la, e de qualquer forma não acreditava que ela recebesse bem o contato, Sam enfiou as mãos nos bolsos.

— Kate me disse que você estava aqui.

— Cheguei na barca da manhã — disse Jo, mesmo sabendo que a informação era desnecessária.

Por um momento difícil, ficaram imóveis, em silêncio, mais constrangidos do que dois estranhos. Sam deslocou o peso do corpo de um pé para outro.

— Está com algum problema?

— Apenas resolvi tirar alguns dias de folga.

— Parece esgotada.

— Tenho trabalhado demais.

O rosto franzido, ele olhou deliberadamente para a câmera pendurada no pescoço da filha.

— Não me parece que está tirando uma folga.

Num gesto distraído, ela pôs a mão em concha por baixo da câmera.

— É sempre difícil romper com os hábitos antigos.

— Tem razão. — Sam deixou escapar um suspiro. — Tem bastante luz no mar hoje e as ondas estão altas. Acho que deve dar boas fotos.

— Vou verificar. Obrigada.

— Não se esqueça de pegar um chapéu na próxima vez. Vai se queimar sem um chapéu.

— É verdade. Não esquecerei.

Sam não pôde pensar em mais nada para dizer. Por isso, acenou com a cabeça e recomeçou a andar, passando pela filha.

— Cuidado com o sol.

— Pode deixar.

Jo afastou-se apressada. Andava às cegas agora, porque sentira o cheiro da ilha no pai, a fragrância sinistra que partia seu coração.

A QUILÔMETROS DE DISTÂNCIA, À LUZ VERMELHA E QUENTE do laboratório, ele enfiou o papel na bandeja com o fluido de revelação. Agradava-o recriar o momento de tantos anos antes, observá-lo se formar no papel, sombra a sombra, linha a linha.

Estava quase concluindo aquela fase. Queria prolongá-la, extrair todo o prazer possível, antes de seguir adiante.

Obrigara-a a voltar para Sanctuary. O pensamento o fez rir e exultar. Nada poderia ser mais perfeito. Era ali que a queria. Se não fosse por isso, já poderia ter cuidado dela antes, pelo menos meia dúzia de vezes.

Mas tinha de ser perfeito. Ele conhecia a beleza da perfeição e satisfação de trabalhar com todo cuidado para criá-la.

Não Annabelle, mas a filha dela. Um círculo perfeito fechando-se. Ela seria seu triunfo, sua obra-prima.

Dominá-la, possuí-la, matá-la.

E cada etapa seria registrada em filme. Ah, como Jo apreciaria aquilo! Mal podia esperar para lhe explicar tudo, a única pessoa que ele tinha certeza de que compreenderia sua ambição e sua arte.

O trabalho de Jo o atraía, e o fato de compreendê-lo fazia com que já se sentisse íntimo dela. E se tornariam ainda mais íntimos.

Com um sorriso, ele levou a cópia da bandeja de revelação para o banho de retenção, antes de passar para o fixador. Cautelosamente, verificou a temperatura do líquido. Esperou paciente até o despertador tocar, quando poderia acender a luz branca e examinar a cópia.

Linda, simplesmente linda. Uma composição adorável. Iluminação dramática... um halo perfeito sobre os cabelos, sombras incríveis para delinear o corpo e realçar os tons da pele. E o tema, pensou ele. A perfeição absoluta.

Quando a cópia estava bem fixada, ele tirou-a da bandeja e pôs debaixo da água corrente. Podia agora permitir-se sonhar com o que aconteceria em breve.

Estava mais próximo dela do que nunca, ligado através das fotos que refletiam a vida de cada um. Mal podia esperar para enviar a foto seguinte. Mas sabia que devia escolher o momento com todo cuidado.

Na bancada de trabalho, ao seu lado, havia um velho diário aberto, as letras precisas esmaecidas pelo tempo.

O momento decisivo é o supremo objetivo em meu trabalho. Captar esse evento breve e fugaz, em que todos os elementos, todas as dinâmicas de um alvo, alcançam o auge. E que momento pode ser mais decisivo do que a morte? E quanto controle mais o fotógrafo pode ter sobre esse momento, sobre o registro num filme, do que planejar, preparar e causar essa morte? Este único ato reúne alvo e artista, faz com que ele seja parte da arte, da imagem criada.

Como só matarei uma mulher, como só manipularei um momento decisivo, tenho de escolhê-la com o maior cuidado.

Seu nome é Annabelle.

Com um suspiro suave, ele pendurou a cópia para secar e acendeu a luz branca para estudá-la melhor.

— Annabelle... tão linda. E a filha é a sua imagem.

Ele deixou Annabelle pendurada ali, com seu olhar fixo, e saiu para completar os planos de sua estada em Desire.

Capítulo Cinco

A barca atravessava o estreito de Pelican seguindo para leste, na direção de Lost Desire. Nathan Delaney debruçava-se na amurada de boreste, como fizera uma vez antes, quando era um menino de dez anos. Não era a mesma barca e ele não mais um menino, mas queria reconstituir aquele momento ao máximo possível.

Era um dia fresco, com a brisa que soprava do mar. A fragrância era intensa e misteriosa. Estava mais quente na ocasião anterior, mas também era final de maio, em vez de meados de abril.

Nathan recordou como ele, os pais e o irmão caçula haviam se agrupado na amurada de boreste de outra barca, ansiosos pelo primeiro vislumbre de Desire e o começo do verão que passariam na ilha.

Não podia perceber muitas diferenças agora. Os imponentes carvalhos, com seu musgo rendado, projetavam-se da terra, assim como as palmeiras. As magnólias de folhas lustrosas ainda não haviam florescido.

Estavam em flor na outra ocasião? Um menino ansioso por aventuras não prestava muita atenção a flores.

Ele levantara o binóculo pendurado no pescoço. O pai ajudara-o, naquela manhã do passado distante, a focalizar o vôo rápido de um pica-pau. Seguira-se a briga esperada, porque Kyle pedira o binóculo e Nathan não quisera entregá-lo.

Nathan recordou a mãe rindo dos dois, o pai se abaixando para fazer cócegas em Kyle, a fim de distraí-lo. Em sua mente, Nathan podia contemplar a imagem da família. A mulher bonita, os cabelos esvoaçando, os olhos escuros faiscando em diversão e excitamento. Os dois meninos, corpulentos e enfezados, discutindo. E o homem, alto e moreno, de pernas compridas, corpo esguio.

Agora, pensou Nathan, ele era o único que restava. De alguma forma, crescera para adquirir o corpo do pai. Passara do menino corpulento para um homem de pernas compridas e quadris estreitos. Podia se contemplar num espelho e ver reflexos do rosto do pai nas faces encovadas e nos olhos de um cinza escuro. Mas tinha a boca da mãe, com arestas bem definidas, e os cabelos castanho-escuros, com insinuações de dourado e vermelho. O pai dizia que era como mogno envelhecido.

Nathan especulou se os filhos seriam mesmo apenas montagens dos pais. E estremeceu ao pensamento.

Sem o binóculo, ele observou a ilha tomar forma. Podia ver as manchas de cores das flores silvestres... rosa e violeta, de tremoços e trevos. Algumas casas eram visíveis, uns poucos trechos de estradas, retos ou sinuosos, o brilho de um rio que desaparecia entre as árvores. O mistério era aumentado pelas sombras da floresta, onde outrora havia porcos e cavalos selvagens, o faiscar dos pântanos, o capim ondulando em reflexos dourados e verdes ao sol da manhã.

Tudo era enevoado pela distância, como um sonho.

E, de repente, ele divisou uma mancha branca numa elevação, o piscar rápido do sol refletido no vidro. Sanctuary, pensou, e continuou a olhar até que a barca virou na direção do cais e a casa sumiu de sua vista.

Nathan deixou a amurada e voltou para o Jeep. Sentado ao volante, tendo apenas o zumbido dos motores da barca por companhia, especulou se não era loucura voltar, explorar o passado, até mesmo repeti-lo, sob alguns aspectos.

Deixara Nova York com tudo o que importava guardado no Jeep. Era surpreendentemente pouco. Mas também nunca tivera uma necessidade arraigada de possuir coisas. O que tornara sua vida mais simples através do divórcio, dois anos antes. Era Maureen quem gostava de colecionar coisas, o que poupara ambos de muito tempo e irritação quando propusera que ela levasse tudo o que quisesse do apartamento no West Side.

Deus sabia que ela até exagerara, deixando-o com pouco mais que suas próprias roupas e um colchão.

Esse capítulo de sua vida estava encerrado e há quase dois anos que ele se dedicava a seu trabalho. Projetar prédios era tanto uma paixão quanto uma carreira. Com Nova York servindo apenas como uma base, viajara por todo o país, estudando locais, trabalhando em qualquer lugar em que pudesse armar a prancheta e o computador. Aproveitara a dádiva do tempo para explorar outros prédios, explorar a arte que continham, das grandes catedrais na Itália e França às casas aerodinâmicas do deserto no sudoeste americano.

Era um homem livre, o trabalho a única exigência que havia em seu tempo e coração.

Até que perdera os pais, de maneira súbita e irremediável. E perdera-se também. Agora, perguntava a si mesmo por que sentia que só podia encontrar os pedaços em Desire.

Mas estava decidido a permanecer pelo menos durante seis meses. Considerara um bom sinal o fato de ter conseguido alugar o mesmo chalé em que sua família ficara naquele verão. Sabia que ouviria os ecos de suas vozes, que as escutaria com os ouvidos de um homem. E veria seus fantasmas com os olhos de um homem.

E voltaria a Sanctuary com o propósito de um homem.

Os filhos de Annabelle se lembrariam dele?

Descobriria muito em breve, refletiu Nathan, quando a barca bateu no cais.

Esperou sua vez, observando os blocos serem removidos dos pneus da picape à frente. Uma família de cinco pessoas, notou Nathan, e pelos equipamentos que podia avistar, acamparia na área de camping oferecida pela ilha. Nathan sacudiu a cabeça, sem entender por que alguém optava por dormir no chão, dentro de uma barraca, e ainda considerava que isso eram férias.

A claridade diminuiu à medida que as nuvens se aproximaram para cobrir o sol. O rosto franzido, ele notou que chegavam depressa, voando do leste. A chuva podia cair de repente. Podia se lembrar de uma chuva torrencial por três dias seguidos na ocasião anterior em que estivera na ilha. No segundo dia, ele e Kyle já estavam se esganando, como jovens lobos.

A recordação o fez sorrir agora. Não sabia como a mãe fora capaz de aturá-los.

Saiu da barca devagar e pegou a estrada esburacada que partia do cais. Com as janelas do carro abertas, podia ouvir os acordes estrondosos e alegres que saíam do rádio da picape. A família de campistas já começava a se divertir, pensou Nathan, com ou sem chuva iminente. Ele estava determinado a seguir o exemplo e aproveitar a manhã.

Teria de enfrentar Sanctuary, é claro, mas faria isso como um arquiteto. Lembrava que seu núcleo era um glorioso exemplo do estilo colonial, com varandas largas, colunas imponentes, janelas altas e estreitas. Mesmo quando criança, já sentia bastante interesse para notar alguns detalhes.

Gárgulas por cima dos canos de escoamento das calhas, ele recordou, que personalizavam em vez de aviltarem o estilo imponente. Costumava apavorar Kyle ao dizer que as gárgulas adquiriam vida à noite e vagueavam pela floresta.

Havia uma torre cercada por uma varanda de viúva, assim chamada porque as esposas do passado observavam o mar lá de cima, à espera do retorno dos navios de seus maridos. As varandas eram salientes, com balaustradas ornamentadas, de pedra e ferro. As chaminés eram de pedras de tons suaves, trazidas do continente. As madeiras da casa eram de ciprestes e carvalhos locais.

Havia um defumadouro que ainda era usado. A antiga senzala estava em ruínas. Fora ali que Brian e Kyle haviam encontrado uma cascavel enroscada num canto escuro.

Havia cervos na floresta e aligátores nos pântanos. Sussurros de piratas e fantasmas povoavam o ar. Era um bom lugar para meninos e grandes aventuras. E para segredos sinistros e perigosos.

Ele passou pelo pântano a oeste com seus lodaçais e pequenos agrupamentos de árvores. O vento aumentara de intensidade, fazendo o capim ondular. Na beira do pântano, duas garças brancas postavam-se em patrulha, as pernas compridas na água rasa, parecendo pernas de pau das brincadeiras de criança.

E, depois, a floresta envolveu-o, exuberante e exótica. Nathan diminuiu a velocidade, deixando que a picape à sua frente se distanciasse. Ali havia silêncio, segredos sombrios. O coração começou a bater forte, desconfortável, as mãos apertaram o volante com toda força. Era uma coisa que viera enfrentar, dissecar, até compreender.

As sombras eram densas e o musgo pendia das árvores como teias de aranhas monstruosas. Para se testar, ele parou o carro e desligou o motor. Não podia ouvir qualquer coisa além das batidas de seu coração e a voz do vento.

Fantasmas, pensou ele. Teria de procurá-los ali. E quando os encontrasse, o que faria? Deixaria que permanecessem onde vagueavam, noite após noite, ou continuariam a atormentá-lo, murmurando palavras em seu sono?

Veria o rosto da mãe ou o de Annabelle? Qual das duas choraria mais alto?

Ele deixou escapar um longo suspiro. Descobriu-se a estender a mão para pegar um cigarro, embora tivesse deixado de fumar há mais de um ano. Irritado, virou a chave na ignição, mas obteve apenas um ronco forçado em resposta. Pisou no acelerador e tentou de novo, com o mesmo resultado.

— Merda! — resmungou ele. — Era o que me faltava.

Nathan recostou-se e tamborilou com os dedos no volante, irrequieto. O que tinha de fazer agora, é claro, era saltar e dar uma olhada debaixo do capô. Sabia o que veria. Um motor. Fios, tubos e correias. Nathan refletiu que sabia tanto sobre motores, tubos e fios quanto de cirurgia cerebral. E enguiçar numa estrada deserta era justamente o que merecia por se deixar persuadir a comprar o Jeep de segunda mão de um amigo.

Resignado, saltou e levantou o capô. Isso mesmo, o que desconfiava. Um motor. Ele inclinou-se, mexeu aqui e ali e sentiu a primeira gota de chuva cair em suas costas.

— Agora ficou ainda pior!

Ele enfiou as mãos nos bolsos da frente dos jeans, a cara amarrada, enquanto a chuva caía em sua cabeça.

Devia ter imaginado que havia algum problema quando o amigo, jovial, entregara uma caixa de ferramentas junto com o Jeep. Nathan pensou em pegar a caixa para bater no motor com uma chave de porcas. Era improvável que desse certo, mas pelo menos seria satisfatório.

Ele recuou... e ficou paralisado quando o fantasma saiu das sombras da floresta para observá-lo.

Annabelle.

O nome aflorou em sua mente e ele sentiu que tudo por dentro se contraía em defesa. Ela parou na chuva, imóvel como uma corça, os cabelos ruivos molhados e emaranhados, os olhos azuis quietos e tristes. Os joelhos de Nathan ameaçaram ceder e ele teve de estender a mão para se apoiar no pára-lama.

E depois ela se moveu, empurrando os cabelos molhados para trás. Começou a avançar em sua direção. Nathan compreendeu que não era um fantasma, mas uma mulher. Não era Annabelle, mas com certeza era a filha dela.

Ele deixou escapar o ar que vinha prendendo nos pulmões até o coração se acalmar.

— Problemas com o carro? — Jo tentou imprimir um tom jovial à voz. A maneira com que ele a fitava fazia com que sentisse vontade de ter permanecido entre as árvores, deixando-o se virar sozinho. — Presumo que não está parado aqui, no meio da chuva, apenas para apreciar a vista.

— Não, não estou. — Ele ficou satisfeito porque sua voz soava normal. Se havia uma sugestão de nervosismo, a situação era causa suficiente para explicar. — O carro não quer pegar.

— Isso é um problema. — O homem parecia vagamente familiar, pensou Jo. Um bom rosto, forte, ossos proeminentes, viril. Se ela tivesse inclinação por retratos, ele seria um bom tema. — Já descobriu o defeito?

Ela tinha uma voz suave, como mel sobre creme, com um fascinante sotaque sulista.

— Descobri o motor. — Nathan sorriu. — Bem no lugar em que eu desconfiava que estaria.

— Ahn... E agora?

— Estou decidindo por quanto tempo devo olhar, como se soubesse o que procurar, antes de sair da chuva.

— Não sabe consertar seu carro? — perguntou ela, com uma surpresa tão óbvia que Nathan ficou irritado.

— Não, não sei. Também tenho sapatos e não faço a menor idéia de como se curte o couro.

Ele começou a fechar o capô, mas Jo estendeu a mão para mantê-lo aberto.

— Darei uma olhada.

— Você é mecânica?

— Não, mas conheço o básico. — Ela empurrou-o para o lado com o antebraço. Verificou primeiro as conexões da bateria. — Parece que isto está em ordem, mas terá de se preocupar com a corrosão, se pretende passar algum tempo em Desire.

— Cerca de seis meses. — Ele inclinou-se ao lado de Jo. — Com que devo me preocupar?

— Isto. A maresia pode ser terrível para os motores. Você está me atrapalhando.

— Desculpe. — Nathan mudou de posição. Obviamente, ela não se lembrava dele, e Nathan decidiu que fingiria que também não se lembrava dela. — Você mora na ilha?

— Não moro mais.

Para evitar que a câmera batesse no Jeep, Jo transferiu-a para as costas.

Nate olhou para a câmera. Era uma Nikon, do tipo mais moderno e sofisticado. Compacta, mais discreta, mais resistente do que outros modelos, era muitas vezes uma escolha profissional. O pai tivera uma. Ele também tinha.

— Estava tirando fotos na chuva?

— Não chovia quando saí — disse ela, distraída. — Terá de trocar a correia do ventilador muito em breve, mas não é esse seu problema agora.

Jo empertigou-se. Parecia indiferente ao aguaceiro.

— Tente fazer o carro pegar, para que eu possa ouvir o som.

— Você é quem manda.

Jo contraiu os lábios enquanto ele voltava a sentar ao volante. Não havia a menor dúvida de que o ego masculino fora abalado. Ela inclinou a cabeça para o lado ao ouvir o barulho do motor. Tornou a se inclinar por baixo do capô.

— Vire de novo! — gritou ela, murmurando em seguida, para si mesma: — Carburador.

— Como?

— Carburador. — Ela abriu a pequena tampa de metal com o polegar. — Vire outra vez.

O motor pegou agora. Com um aceno de cabeça satisfeito, Jo fechou o capô e deu a volta para a janela do motorista.

— O carburador está fechando. Terá de mandar verificar. De qualquer forma, pelo barulho do motor, precisa mesmo de uma regulagem. Quando fez a última revisão?

— Comprei o Jeep há duas semanas. De um ex-amigo.

— Sempre um erro. Mas deve levá-lo agora ao lugar para onde está indo.

Quando ela começou a recuar, Nate inclinou-se pela janela para pegar sua mão. Notou que era estreita, comprida, ao mesmo tempo elegante e competente.

— Quero lhe dar uma carona. Está chovendo muito e é o mínimo que posso fazer.

— Não precisa. Posso...

— Posso enguiçar de novo. — Ele ofereceu um sorriso, encantador, espontâneo, persuasivo. — E com quem poderia contar para consertar o carburador?

Era uma tolice recusar, Jo sabia. E ainda mais tolo sentir-se acuada só porque ele pegara sua mão. Ela deu de ombros.

— Está bem.

Jo retirou a mão e ficou satisfeita quando ele a soltou no mesmo instante. Ela contornou o Jeep apressada e sentou no banco do passageiro, encharcada.

— O interior está em boas condições.

— Meu ex-amigo me conhece muito bem. — Nathan ligou os limpadores do pára-brisa e olhou para Jo. — Para onde vamos?

— Continue por esta estrada e vire à direita na primeira bifurcação. Sanctuary não fica longe... mas também não há nada longe em Desire.

— Isso é ótimo. Também estou indo para Sanctuary.

— É mesmo?

O ar ali dentro era denso e opressivo. A chuva forte parecia isolá-los do resto do mundo, encobrindo as árvores, abafando todos os sons. O que era razão suficiente para se sentir desconfortável, disse Jo a si mesma. E ficou bastante irritada com sua reação. Inclinou a cabeça para o lado, fitou-o nos olhos e perguntou:

— Vai ficar na casa-grande?

— Não. Vou apenas pegar as chaves do chalé que aluguei.

— Disse que vai passar seis meses aqui? — Jo sentiu-se aliviada quando ele deu a partida, pois fez com que desviasse dela aqueles olhos cinza intensos para concentrá-los na estrada. — São férias bastante longas.

— Trouxe trabalho comigo. Queria uma mudança de cenário durante algum tempo.

— Desire fica muito longe de casa. — Jo deu um pequeno sorriso quando ele a fitou. — Qualquer pessoa da Geórgia é capaz de reconhecer um ianque. Mesmo quando permanecem de boca fechada, dá para perceber pela maneira diferente com que se movem.

Ela empurrou os cabelos molhados para trás. Se tivesse continuado a pé, pensou, seria poupada da conversa. Mas até mesmo a obrigação de conversar era melhor do que o silêncio da chuva torrencial.

— Vai ficar no Little Desire Cottage, à beira do rio.

— Como sabe?

— Todo mundo por aqui sabe de tudo. Mas minha família aluga os chalés, administra a pousada e o restaurante. E por acaso fui designada para cuidar de Little Desire. Ontem mesmo levei roupa de cama e todo o resto para o ianque que chegaria hoje para passar seis meses.

— Portanto, você é minha mecânica, senhoria e governanta. Quem eu devo chamar se minha pia entupir?

— Basta abrir o armário e pegar o desentupidor. Se precisar de instruções para o uso, posso escrevê-las. Ali está a bifurcação.

Nathan virou à direita e começou a subir.

— Vamos tentar de novo. Se eu quisesse grelhar dois filés, abrir uma garrafa de vinho e convidá-la para jantar, a quem deveria chamar?

Jo virou a cabeça, com um olhar frio.

— Terá melhor sorte com minha irmã. O nome dela é Alexa.

— Ela sabe consertar carburadores?

Com uma meia-risada, Jo sacudiu a cabeça.

— Não. Mas ela é muito decorativa e gosta de convites de homens.

— E você não gosta?

— Digamos apenas que sou mais seletiva do que Lexy.

— Ai! — Assoviando, Nathan ergueu a mão para massagear o coração. — Acertou em cheio.

— Estou apenas nos poupando de algum tempo perdido. Lá está Sanctuary.

Ele observou a casa surgir através da cortina de chuva, como se flutuasse na neblina que envolvia sua base. Era antiga e imponente, tão elegante quanto uma beldade sulista do passado vestida para um baile. Era definitivamente feminina, pensou Nate, com aquelas linhas suaves, em seu branco virginal. As janelas altas eram amenizadas por remates em arcada. Grades de ferro ornamentadas adornavam as sacadas, onde flores desabrochavam em vasos vermelhos de argila.

Os jardins cintilavam, as flores se curvavam, pesadas da chuva, como fadas em reverência.

— Deslumbrante... — murmurou Nathan meio para si mesmo. — Os acréscimos mais recentes misturam-se de uma maneira perfeita com a estrutura original. Realçam em vez de modernizar. É uma harmonia magistral de estilos, o sulista clássico sem ser típico. Não poderia ser mais perfeita se a ilha fosse projetada para a casa, em vez do contrário.

Nathan parou ao final do caminho, antes de notar que Jo o fitava fixamente. Pela primeira vez, havia curiosidade em seus olhos.

— Sou arquiteto — explicou ele. — Construções como esta me deixam fascinado.

— Neste caso, provavelmente vai querer fazer uma excursão pelo interior.

— Eu adoraria... e lhe deveria pelo menos um jantar de filé por isso.

— Vai querer minha prima Kate como cicerone. Ela é uma Pendleton. — Jo abriu a porta do Jeep. — Sanctuary veio para nós através dos Pendleton. Ela conhece a casa melhor do que eu. Vamos entrar. Você pode se enxugar e pegar as chaves.

Ela subiu os degraus apressada. Parou na varanda, para sacudir a cabeça e espalhar a água da chuva. E esperou que Nathan ficasse ao seu lado.

— Jesus, olhe só para esta porta!

Reverente, Nathan passou as pontas dos dedos pela madeira esculpida. Era estranho que tivesse esquecido, pensou. Mas também costumava passar correndo pela porta de tela na varanda dos fundos e atravessar a cozinha.

— Mogno hondurenho — informou Jo. — Importado no início do século XIX, muito antes de começar a preocupação com o desmatamento das florestas tropicais. Mas é linda.

Ela virou a pesada maçaneta de latão e entrou com ele em Sanctuary.

— Os assoalhos são do pinho mais duro. — Jo bloqueou uma imagem espontânea da mãe encerando pacientemente aqueles assoalhos. — O que também acontece com a escada principal. A balaustrada é de carvalho, fabricada e entalhada aqui mesmo, em Desire, no tempo em que havia uma plantação do algodão de fibras longas conhecido como Sea Island. O lustre é mais recente, um acréscimo comprado na França pela esposa de Stewart Pendleton, o magnata da navegação que reconstruiu a casa principal e fez as alas. Muitos móveis foram perdidos durante a Guerra Civil, mas Stewart e a esposa viajaram bastante e compraram as antiguidades que mais gostavam e mais combinavam com Sanctuary.

— Ele tinha um bom olho — comentou Nathan, correndo os olhos pelo vestíbulo de teto alto, com uma escada reluzente, uma intensa claridade.

— E um bolso amplo — acrescentou Jo.

Ela disse a si mesma para ser paciente, esperar onde estava, deixá-lo vaguear pelo vestíbulo.

As paredes eram de um amarelo-claro suave, que proporcionavam a ilusão de frescura durante as tardes terrivelmente quentes do verão. Eram rematadas com madeira escura, que acrescentavam uma riqueza excepcional ao conjunto. Havia sancas esculpidas ao longo do teto alto.

Os móveis ali eram pesados e grandes na escala, como convinha a uma entrada imponente. Duas cadeiras de braços George II, com o encosto em forma de concha, ladeavam uma mesa hexagonal em que havia uma urna de latão com lírios e flores silvestres perfumando o ambiente.

Embora não colecionasse antiguidades — nem qualquer outra coisa, diga-se de passagem —, Nathan era um homem que estudava todos os aspectos de casas e prédios, inclusive o que havia dentro. Reconheceu o armário flamengo em carvalho esculpido, o espelho de corpo inteiro em madeira dourada, sobre um suporte marchetado, a delicadeza do Queen Anne e a opulência do Luís XIV. E considerou que a mistura de épocas e estilos era inspirada.

— Incrível... — As mãos nos bolsos de trás dos jeans, ele virou-se para Jo. — Eu diria que é um lugar infernal para morar.

— Sob mais de um aspecto.

A voz era seca e só um pouco amarga. Nathan alteou uma sobrancelha, curioso, mas ela não acrescentou nenhuma explicação. Limitou-se a informar:

— Mantemos a recepção na sala da frente.

Ela seguiu pelo corredor e entrou na primeira sala à direita. Alguém acendera o fogo na lareira ali, provavelmente na expectativa da chegada do ianque, e para manter a animação dos hóspedes, presos dentro da pousada num dia chuvoso, se por acaso entrassem na sala.

Jo foi até uma escrivaninha Chippendale enorme e antiga. Abriu a gaveta de cima e tirou os formulários de aluguel dos chalés. Lá em cima, na ala da família, havia um escritório com móveis modernos, inclusive um computador, cujo manejo Kate ainda se esforçava para dominar. Mas os hóspedes nunca eram submetidos a esses detalhes burocráticos corriqueiros.

— Little Desire Cottage — disse Jo, pegando o contrato de locação.

Ela notou que já estava carimbado, com o aviso do recebimento de depósito, e assinado por Kate e um certo Nathan Delaney.

Jo largou o contrato e abriu outra gaveta para tirar as chaves, presas por um clipe em que estava escrito o nome do chalé.

— Esta chave serve para as portas da frente e dos fundos. A menor é de um depósito por baixo do chalé. Eu não guardaria nada importante ali se fosse você. Tão perto do rio, há um risco permanente de inundação.

— Não esquecerei.

— Providenciei ontem a instalação do telefone. Todas as ligações serão cobradas diretamente do chalé e acrescentadas em sua conta mensal. — Ela abriu outra gaveta e tirou uma pasta fina. — Encontrará aqui as informações e respostas habituais. Horários da barca, informações sobre a maré, como alugar um barco ou equipamento de pesca, se quiser. Há um folheto que descreve a ilha... história, fauna, flora... Por que está me olhando desse jeito?

— Tem olhos deslumbrantes. É difícil deixar de contemplá-los.

Jo estendeu a pasta para ele.

— Seria melhor se olhasse para o que tem aqui.

— Está bem. — Nathan abriu a pasta e começou a folhear. — É sempre nervosa assim ou é por minha causa?

— Não estou nervosa, mas impaciente. Tem alguma pergunta a fazer... relacionada com o chalé ou com a ilha?

— Eu a avisarei se tiver.

— As instruções para chegar ao chalé estão na pasta. Se rubricar o contrato aqui, para confirmar o recebimento das chaves e instruções, pode ir para lá.

Nathan sorriu de novo, intrigado pela rapidez com que a hospitalidade sulista definhava.

— Não quero exigir demais da recepção — disse ele, pegando a caneta estendida por Jo. — Já que tenciono voltar.

— O café da manhã, almoço e jantar são servidos na sala de jantar da pousada. Os horários também estão indicados na pasta. Há lancheiras disponíveis para piqueniques.

Quanto mais ela falava, mais Nathan gostava de ouvir sua voz. Ela recendia a chuva e nada mais... e parecia, quando se fitavam aqueles adoráveis olhos azuis, tão triste quanto um passarinho com a asa partida.

— Você gosta de piqueniques? — perguntou ele.

Ela soltou um longo suspiro, arrebatou a caneta de volta e rabiscou suas iniciais por baixo da rubrica dele.

— Está perdendo seu tempo ao flertar comigo, Sr. Delaney. Não tenho o menor interesse.

— Qualquer mulher sensata sabe que uma declaração como essa só pode ser um desafio.

Ele inclinou-se para ler as iniciais, "J.E.H.".

— Jo Ellen Hathaway — informou ela, na expectativa de assim despachá-lo mais depressa.

— Foi um prazer ser salvo por você, Jo Ellen.

Ele estendeu a mão, achando engraçado quando ela hesitou antes de apertá-la.

— Fale com Zeke Fitzsimmons sobre a regulagem. Ele deixará seu Jeep em perfeitas condições. Espero que aprecie sua estada em Desire.

— Já começou de uma maneira muito melhor do que eu esperava.

— Neste caso, suas expectativas devem ser mínimas.

Jo retirou a mão e acompanhou-o até a porta da frente.

— A chuva parou — comentou ela ao abrir a porta para o ar úmido e a neblina. — Não deverá ter qualquer dificuldade para encontrar o chalé.

— Tenho certeza de que não haverá qualquer problema. — Ele se lembrava perfeitamente do caminho. — Tornaremos a nos ver, Jo Ellen.

Tinha de ser assim, por vários motivos.

Ela inclinou a cabeça e fechou a porta sem fazer barulho. Deixou-o parado ali, especulando o que fazer em seguida.

Capítulo Seis

Em seu terceiro dia em Desire, Nathan acordou em pânico. O coração batia forte, a respiração era curta e estrangulada, a pele gelada de suor. Levantou-se da cama de um pulo, os punhos cerrados, os olhos vasculhando as sombras escuras do quarto.

Um sol fraco infiltrava-se pelas ripas das venezianas, projetando uma gaiola no tapete cinza.

A mente permaneceu em branco por um momento angustiante, acuada por trás das imagens que a povoavam. Árvores iluminadas pelo luar, dedos de nevoeiro, o corpo nu de uma mulher, os cabelos escuros espalhados, os olhos arregalados e vidrados.

Fantasmas, ele disse a si mesmo, enquanto esfregava o rosto com força, usando as duas mãos. Já os esperava... e não o haviam desapontado. Apegavam-se a Desire como o musgo aderia a um carvalho.

Ele afastou-se da cama e deliberadamente — como uma criança assumindo o desafio de caminhar pelas rachaduras na calçada — passou pelas barras que o sol criava. No banheiro estreito, entrou na banheira branca, fechou as cortinas listradas e abriu a água quente do chuveiro. Lavou o suor do corpo, imaginando o pânico como um nevoeiro vermelho-escuro que turbilhonava na água e desaparecia pelo ralo.

Havia uma densa nuvem de vapor no banheiro quando ele terminou o banho e começou a se enxugar. Mas a mente estava lúcida de novo.

Vestiu um blusão velho, as mangas curtas esfiapadas e um short que usava na academia. Com a barba por fazer e os cabelos ainda molhados, foi até a cozinha, a fim de esquentar água para um café solúvel. Olhou ao redor. Franziu o rosto para o bule e o coador fornecidos pela pousada. Mesmo que adivinhasse as medidas certas, não se lembrara de trazer filtros de papel.

Naquele momento, seria capaz de pagar mil dólares por uma cafeteira. Pôs a chaleira no queimador da frente de um fogão que era mais velho do que ele. Foi até a área de estar da sala grande, a fim de ligar a televisão no noticiário da manhã. A recepção era péssima e as opções, mínimas.

Não havia cafeteira, não havia *pay-per-view*, pensou Nathan, enquanto sintonizava no noticiário da manhã de um dos três canais abertos disponíveis. Lembrou como ele e Kyle haviam lamentado a falta da diversão pela televisão.

Como poderemos assistir a "O homem de seis milhões de dólares" nesta coisa estúpida? É uma tragédia!

Vocês não estão aqui para ficar de olhos grudados na tela da televisão.

Ah, mamãe!

Tinha a impressão de que o esquema de cores era diferente. Havia uma vaga recordação de cores pastéis nas poltronas largas e no sofá de encosto reto. Agora, estavam cobertos por padrões geométricos, em verdes e azuis profundos, amarelos ensolarados.

O ventilador que pendia do centro do teto rangia alto naquele tempo. Agora, ele sabia por que se sentira compelido a puxar o cordão que o acionava, o ventilador funcionava com um suave zumbido das pás.

Mas era a mesma mesa amarela de pinho que separava as áreas no chalé. Era naquela mesa que a família se reunia para comer, empenhar-se em jogos de tabuleiro, ocupar-se com os mais complicados quebra-cabeças durante aquele verão.

A mesma mesa que ele e Kyle tinham de limpar depois do jantar. A mesa em que o pai permanecia por um longo tempo, em algumas manhãs, tomando café.

Ainda lembrava quando o pai ensinara a ele e a Kyle como abrir buracos na tampa de um pote para pegar vaga-lumes. Era uma noite quente e agradável e a caçada fora inebriante. Nathan recordou agora como o pote ao lado da cama faiscava e luzia, faiscava e luzia, embalando-o para o sono.

Mas pela manhã todos os vaga-lumes dentro do pote estavam mortos, sufocados, pois o livro por cima da tampa tapara todos os buracos. Ainda não podia se lembrar de ter posto o livro ali, aquele velho exemplar de *Johnny Tremaine*. Os corpos escuros no fundo do pote deixaram-no angustiado, com um sentimento de culpa. Saíra do chalé sem falar com ninguém e fora jogá-los no rio.

E não voltara a caçar vaga-lumes naquele verão.

Irritado com a recordação, Nathan afastou-se da televisão. Voltou ao fogão para despejar a água fumegando sobre uma colher de café solúvel. Levou a caneca para a varanda cercada de tela, a fim de contemplar o rio.

Era inevitável que as lembranças aflorassem agora que estava ali, disse a si mesmo. Fora por isso que viera. Para lembrar aquele verão, passo a passo, dia a dia. E para descobrir o que fazer com os Hathaway.

Ele tomou um gole do café e estremeceu um pouco com um gosto falso e amargo. Descobrira que muita coisa na vida era falsa e amarga. Por isso, tomou outro gole.

Jo Ellen Hathaway... Lembrava-se dela como uma garota magricela, cotovelos pontudos, uma trança desleixada e um temperamento estourado. Não tinha muito interesse por garotas aos dez anos de idade e por isso lhe dispensara pouca atenção. Ela era apenas uma das irmãs de Brian.

Ainda era, pensou Nathan. E ainda era magricela. E, ao que tudo indicava, seu temperamento ainda era o mesmo. A trança meio solta desaparecera. Os cabelos mais curtos e eriçados combinavam com sua personalidade, se não mesmo com seu rosto. A negligência do corte, a indiferença à moda. A cor era como o pêlo de uma corça selvagem.

Ele especulou por que Jo Ellen se mostrava tão pálida e cansada. Não parecia ser do tipo que definhava por uma paixão ou relacionamento rompido, mas alguma coisa a fazia sofrer. Seus olhos transbordavam de pesares e segredos.

E era justamente esse o problema, pensou Nathan, com uma meia-risada. Ele tinha uma fraqueza por mulheres de olhos tristes.

É melhor resistir, disse a si mesmo. Imaginar o que estaria acontecendo por trás daqueles olhos azuis, enormes e tristes não podia deixar de interferir com seu propósito. O que precisava agora era de tempo e objetividade, antes de dar o próximo passo.

Tomou mais um gole do café. Disse a si mesmo que se vestiria dali a pouco e iria para Sanctuary, onde tomaria um café decente e comeria alguma coisa. Era tempo de voltar, observar e planejar. Era tempo de evocar mais fantasmas.

Mas, por enquanto, queria apenas ficar parado ali, olhar através da tela fina, sentir o ar úmido, contemplar o sol a dissolver lentamente a neblina perolada que aderia ao solo e deslizava sobre o rio como asas de fadas.

Poderia ouvir o mar se prestasse atenção, um rumor baixo e incessante a leste. Mais perto, podia escutar os cantos dos passarinhos, as monótonas batidas de um pica-pau caçando insetos em algum lugar nas sombras da floresta. O orvalho faiscava como cacos de vidro nas folhas das palmeiras. Não havia vento para agitá-las e fazer com que chocalhassem.

Quem escolhera o lugar para aquele chalé, pensou Nathan, sabia o que fazia. Era um hino à solidão, oferecia vista e privacidade. A estrutura era simples e funcional. Uma caixa de cedro curtido pelo tempo, sobre estacas, uma varanda com tela no lado oeste, um deque estreito e aberto no leste. Dentro, o cômodo principal tinha o teto alto, para aumentar o espaço e a sensação de abertura. Em cada extremidade havia dois quartos e um banheiro.

Ele e Kyle tinham um quarto cada um. Como o mais velho, Nathan reivindicara o quarto maior. A cama de casal fizera com que se sentisse crescido e superior. Pendurara um cartaz na porta: Por Favor, Bata Antes de Entrar.

Gostava de ficar acordado até tarde, lendo seus livros, absorvido em seus pensamentos, escutando o murmúrio das vozes dos pais ou o zumbido da televisão. Gostava de ouvi-los rir de alguma coisa a que assistiam.

A risada rápida da mãe, a gargalhada profunda do pai. Ouvira esses sons com freqüência ao longo de sua infância. E lamentava porque nunca mais os ouviria.

Um movimento atraiu sua atenção. Nathan virou a cabeça. Onde esperava um cervo, avistou um homem, esgueirando-se pela margem do rio, como a neblina. Era alto e magro, os cabelos escuros como fuligem.

Porque sua garganta ficou ressequida, Nathan forçou-se a levantar a caneca e tomar outro gole. Continuou a observar, enquanto o homem se aproximava, os raios de sol inclinados iluminando seu rosto.

Não era Sam Hathaway, compreendeu Nathan, enquanto um princípio de sorriso contraía seus lábios. Brian. Vinte anos haviam feito com que ambos se tornassem homens.

Brian levantou os olhos, contraiu-os, focalizou o vulto por trás da tela. Esquecera que o chalé estava ocupado agora. Fez a anotação mental de se lembrar de dar suas caminhadas pelo lado oposto do rio. Ele ergueu a mão.

— Bom-dia. Não queria incomodá-lo.

— Não incomodou. Eu estava apenas tomando um café horrível e contemplando o rio.

O ianque, Brian recordou, uma locação de seis meses. Quase podia ouvir Kate lhe dizendo para ser polido, sociável.

— É um bom lugar. — Brian enfiou as mãos nos bolsos, irritado por ter inadvertidamente sabotado a própria solidão. — Já se acomodou direito no chalé?

— Já sim. — Nathan hesitou, mas depois deu o passo seguinte: — Você ainda caça o Garanhão Fantasma?

Brian piscou, aturdido. Inclinou a cabeça para o lado. O Garanhão Fantasma era uma lenda que vinha dos dias em que cavalos selvagens vagueavam pela ilha. Diziam que o maior de todos, um enorme garanhão preto, de velocidade incomparável, ainda corria pela floresta. Quem o pegasse, saltasse em seu dorso e partisse a galope teria todos os seus desejos concedidos.

Ao longo da infância, a ambição mais profunda de Brian fora a de capturar e cavalgar o Garanhão Fantasma.

— Ainda mantenho os olhos bem abertos à procura. — Brian aproximou-se. — Eu conheço você?

— Acampamos uma noite no outro lado do rio, numa barraca para duas pessoas, toda remendada, com um cabresto de corda, duas lanternas e um pacote de Fritos. Pensamos ter ouvido o barulho de cascos de cavalo e um relincho alto e selvagem. — Nathan sorriu. — Talvez fosse verdade.

Brian arregalou os olhos, as sombras que havia neles se dissiparam.

— Nate? Nate Delaney? Seu filho-da-puta!

Brian subiu os degraus para a varanda, sorrindo.

— Deveria ter me avisado que viria, que estava aqui. — Brian apertou a mão de Nathan. — Minha prima Kate cuida dos chalés. Puxa, Nate, você parece um náufrago.

Com um sorriso pesaroso, Nathan passou a mão pela barba por fazer no queixo.

— Estou de férias.

— Ora, ora, é uma surpresa e tanto. Nate Delaney... — Brian sacudiu a cabeça. — O que andou fazendo durante todos esses anos? Como está Kyle? E seus pais?

O sorriso vacilou.

— Eu lhe contarei depois. — Só algumas coisas, pensou Nathan. — Primeiro, vamos tomar aquele café horrível.

— Nada disso. Vamos para Sanctuary. Providenciarei um café decente. E alguma coisa para comer.

— Está bem. Espere só um instante, enquanto eu ponho uma calça e sapatos.

— Não posso acreditar que você seja nosso ianque — comentou Brian, enquanto Nathan se virava para entrar no chalé. — Isso me leva de volta ao passado.

Nathan olhou para trás por um instante.

— A mim também.

POUCO TEMPO DEPOIS, NATHAN SENTAVA JUNTO DO BALcão da cozinha de Sanctuary, respirando os aromas divinos de café sendo preparado e bacon frito. Observou Brian cortar, com a maior habilidade, cogumelos e pimentões, para fazer uma omelete.

— Parece que você sabe o que faz.

— Não leu o folheto? Minha cozinha tem uma classificação de cinco estrelas. — Brian estendeu uma caneca com café para baixo do nariz de Nathan. — Beba e exulte.

Nathan tomou um gole. Fechou os olhos, em prazer agradecido.

— Tenho bebido borra de café nos dois últimos dias, o que pode estar me influenciando, mas eu diria que este é o melhor café que já foi feito no mundo civilizado.

— Claro que é. Por que não veio tomá-lo aqui antes?

— Estava me orientando, aprendendo a ser preguiçoso. — Retomando o contato com fantasmas, pensou Nathan. — Mas agora que provei este café, passarei a ser um freqüentador habitual.

Brian despejou os cogumelos e pimentões numa frigideira para dourar, depois começou a ralar o queijo.

— Espere só até provar minha omelete. Mas o que você faz? Ficou tão rico e independente que pode passar seis meses na praia?

— Trouxe trabalho comigo. Sou arquiteto. Enquanto tiver minha prancheta e meu computador, posso trabalhar em qualquer lugar.

— Um arquiteto... — Brian encostou-se no balcão, batendo os ovos. — Você é bom?

— Aposto meus projetos contra seu café qualquer dia.

— Meus parabéns!

Brian tornou a se virar para o fogão, rindo. Com a facilidade da experiência, ele despejou a mistura da omelete, pôs o bacon para escorrer e verificou os biscoitos no forno.

— Como está Kyle? Ficou rico e famoso como queria?

Era um golpe, duro e rápido, no centro do coração. Nathan largou a caneca no balcão e esperou que as mãos e a voz firmassem.

— Ele trabalhava para isso, Brian, mas morreu... há poucos meses.

— Jesus, Nate! — Chocado, Brian virou-se. — Sinto muito.

— Ele estava na Europa. Viveu mais ou menos por lá durante os últimos anos. Aconteceu num iate, em alguma festa. Kyle gostava de festas. — Nathan esfregava a têmpora enquanto falava. — Faziam um cruzeiro pelo Mediterrâneo. O veredicto foi de que ele devia ter bebido demais e caiu no mar. Talvez tenha batido com a cabeça. O corpo não foi encontrado.

— Uma coisa terrível. Sinto muito. — Brian tornou a se virar para a frigideira. — Perder alguém da família arranca um pedaço da pessoa.

— É verdade. — Nathan respirou fundo. — Aconteceu poucas semanas depois que meus pais morreram. Num desastre de trem na América do Sul. Papai estava lá a trabalho. Desde que Kyle e eu fomos para a universidade, mamãe costumava acompanhá-lo nas viagens. E costumava dizer que isso fazia com que se sentissem recém-casados durante todo o tempo.

— Não sei o que dizer, Nate.

— Não precisa dizer nada. — Nathan deu de ombros. — Você sobrevive. Acho que mamãe ficaria perdida sem papai, e não sei como os dois reagiriam à perda de Kyle. Você tem de refletir que tudo acontece por um motivo e assim consegue sobreviver.

— Às vezes a razão é a pior possível — murmurou Brian.

— Na maioria das vezes a razão é a pior possível. O que não muda nada. É bom voltar para a ilha. É bom tornar a vê-lo.

— Tivemos momentos sensacionais naquele verão.

— Alguns dos melhores da minha vida. — Nathan esforçou-se para exibir um sorriso. — Vai me servir logo essa omelete ou pretende me obrigar a suplicar?

— Não precisa suplicar. — Brian pôs a comida num prato. — Mas a genuflexão depois é encorajada.

Nathan pegou um garfo e espetou um pedaço da omelete.

— Agora, conte-me os últimos vinte anos de aventuras de Brian Hathaway.

— Não houve muitas aventuras. Cuidar da pousada exige bastante trabalho. Temos hóspedes durante o ano inteiro agora. Parece que quanto mais apinhada e movimentada se torna a vida no mundo exterior, mais as pessoas querem escapar de lá. E quando fazem isso, nós as alojamos, alimentamos e divertimos.

— Parece uma proposição de vinte e quatro horas por dia e sete dias por semana.

— Seria assim mesmo, no mundo exterior. Mas a vida é mais lenta por aqui.

— Esposa? Filhos?

— Não. E você?

— Tive uma esposa — respondeu Nathan, secamente. — Desistimos um do outro. Sem filhos. Foi sua irmã quem me recebeu aqui... Jo Ellen.

— É mesmo? — Brian levou o bule de café para encher a caneca de Nathan. — Ela voltou para Desire há uma semana. Lex também está aqui. Somos uma família grande e feliz.

Enquanto Brian se virava, Nathan franziu as sobrancelhas pelo tom de sua voz.

— E seu pai?

— Não se pode tirá-lo da ilha nem com dinamite. Ele nem mesmo vai mais ao continente para comprar suprimentos. Pode encontrá-lo vagueando por aí.

Ele virou a cabeça quando Lexy passou pela porta.

— Temos dois pássaros madrugadores ansiosos por um café — anunciou ela.

Nesse instante, Lexy avistou Nathan e parou. Numa reação automática, ajeitou os cabelos, inclinou a cabeça para o lado e ofereceu um sorriso insinuante.

— Temos uma visita na cozinha...

Ela chegou mais perto e fez uma pose, encostada no balcão. Ofereceu-lhe um sopro do perfume Eternity, que passara no pescoço naquela manhã, da amostra grátis que viera numa revista.

— Você deve ser muito especial se Brian deixou-o entrar em seus domínios.

Os hormônios de Nathan efetuaram uma dança rápida e instintiva, o que o levou a ter vontade de rir dos dois. Uma mulher frívola e deslumbrante foi sua primeira impressão, mas revisou-a quando reparou em seus olhos. Eram vigilantes e perceptivos.

— Ele se compadeceu de um velho amigo — disse Nathan.

— É mesmo? — Lexy gostou da aparência rude do estranho, além de exultar com sua expressão de aprovação masculina. — Apresente-me a seu velho amigo, Brian. Não sabia que você tinha algum.

— Nathan Delaney — disse Brian, brusco, indo pegar o segundo bule de café. — Minha irmã caçula, Lexy.

— Nathan... — Lexy estendeu a mão, as unhas pintadas de Vermelho Flamejante. — Brian ainda me vê de trança.

— Privilégio de irmão mais velho. — Nathan ficou surpreso ao descobrir que a mão da sereia era firme e capaz. — Na verdade, também me lembro de você de trança.

— É mesmo? — Um pouco desapontado por ele não ter segurado sua mão por mais tempo, Lexy apoiou os cotovelos no balcão e inclinou-se em sua direção. — Não posso acreditar que eu tenha me esquecido de você. Faço questão de me lembrar de todos os homens atraentes que entraram em minha vida. Mesmo que seja por um breve instante.

— Você mal tinha saído da fralda e ainda não refinara sua rotina de *femme fatale* — interveio Brian, sarcástico, ignorando o olhar furioso da irmã. — Omelete de queijo e cogumelo é o café da manhã especial.

Lexy se controlou antes de começar a rosnar. Contraiu os lábios para um sorriso.

— Obrigada, querido. — Ela pegou o bule estendido. Pestanejou para Nathan. — Não banque o estranho. Temos bem poucos homens interessantes em Desire.

Porque parecia absurdo resistir ao espetáculo e era óbvio que ela esperava por isso, Nathan contemplou a saída de Lexy a rebolar. Só depois é que se virou para Brian, com sorriso lento.

— Você tem uma irmã e tanto, Bri.

— Ela precisa de uma boa surra, por se exibir assim para estranhos.

— Foi um bom acompanhamento para minha omelete. — Mas Nathan ergueu a mão ao perceber a fúria nos olhos de Brian. — Não se preocupe comigo, companheiro. Esse tipo de vibração sempre acarreta grandes dores de cabeça. E já tenho problemas em quantidade suficiente. Pode apostar que vou olhar, mas não tenho a menor intenção de tocar.

— Não é da minha conta — murmurou Brian. — Ela está determinada a não apenas procurar encrencas, mas também a encontrá-las.

— As mulheres com essa aparência quase sempre conseguem se esgueirar das encrencas.

Ele se virou quando a porta foi aberta outra vez. Mas quem entrou na cozinha agora foi Jo.

E mulheres com essa aparência, pensou Nathan, não se esgueiram das encrencas. Abrem caminho a socos.

E ele se perguntou por que preferia esse tipo de mulher... e esse tipo de método.

Jo parou quando o viu. As sobrancelhas se uniram, antes que ela deliberadamente desanuviasse a testa.

— Parece estar em casa, Sr. Delaney.

— É assim que me sinto, Srta. Hathaway.

— Um tratamento bastante formal para um cara que a empurrou para dentro do rio e depois ficou com o lábio sangrando quando tentou tirá-la — comentou Brian, pegando uma caneca limpa.

— Não a empurrei. — Nathan sorriu, enquanto observava as sobrancelhas de Jo se juntarem de novo. — Ela escorregou. Mas deixou meu lábio sangrando e me chamou de porco ianque, pelo que me recordo.

A lembrança se agitou na mente de Jo, quase escapuliu, mas depois aflorou com nitidez. Uma tarde quente de verão, o choque da água fria, a cabeça afundando. Para logo voltar à superfície, debatendo-se.

— É o filho do Sr. David. — O calor espalhou-se pela barriga de Jo, subiu para o coração. Por um momento, seus olhos refletiram essa reação, fazendo o coração de Nathan acelerar. — Qual deles?

— Nathan, o mais velho.

— Isso mesmo. — Ela empurrou os cabelos para trás, não com a sedução deliberada da irmã, mas com uma impaciência distraída. — E você me empurrou. Nunca caí no rio, a menos que quisesse ou alguém me ajudasse.

— Você escorregou e eu a ajudei a sair.

Ela riu, uma risada rápida e sonora, pegou a caneca oferecida por Brian e propôs:

— Acho que podemos esquecer o passado, já que o deixei de lábio inchado... e seu pai me deu o mundo.

A cabeça de Nathan começou a latejar, uma reação imediata e angustiada.

— Meu pai?

— Eu o seguia como uma sombra, atormentava-o com perguntas incessantes sobre como tirava fotos, por que escolhia aqueles temas, como a câmera funcionava. Ele foi muito paciente comigo. Devia levá-lo à loucura por interromper seu trabalho dessa maneira, mas ele nunca me escorraçou. Ensinou-me muita coisa, não apenas os elementos básicos, mas também como olhar e ver. Acho que lhe devo por todas as fotos que já tirei.

O que ele acabara de comer parecia se revolver em seu estômago, como pura gordura.

— Você é fotógrafa profissional?

— Jo é uma grande fotógrafa — declarou Lexy, com alguma amargura na voz, voltando à cozinha. — J.E. Hathaway, a *globe-trotter*, viajando pelo mundo a fotografar a vida de outras pessoas na passagem. Duas omeletes, Brian, duas batatas fritas, uma com bacon, outra com presunto. Os hóspedes do quarto 201 querem o café da manhã lá em cima, Miss Viajante do Mundo. E tem camas para arrumar.

— Saída do palco à esquerda — murmurou Jo, quando Lexy tornou a sair. Ela tornou a se virar para Nathan. — Sou uma fotógrafa, graças em grande parte a David Delaney. Se não fosse pelo Sr. David, eu poderia ser uma pessoa tão frustrada e amargurada quanto Lexy. Como está seu pai?

— Ele morreu. — Nathan levantou-se abruptamente. — Tenho de voltar. Obrigado pelo café da manhã, Brian.

Ele saiu apressado, deixando a porta de tela bater.

— O que aconteceu, Bri?

— Um acidente. Há cerca de três meses. O pai e a mãe morreram. E ele perdeu também o irmão, cerca de um mês depois.

— Ó Deus! — Jo passou a mão pelo rosto. — Mexi numa casa de marimbondos. Volto num instante.

Ela largou a caneca no balcão e saiu correndo pela porta, atrás de Nathan.

— Nathan! Nathan! Espere um instante!

Ela alcançou-o no caminho coberto de conchas que serpenteava pelo jardim, na direção das árvores.

— Desculpe. — Ela pôs a mão em seu braço para detê-lo. — Lamento muito que isso tenha acontecido.

Ele tentou se controlar, com um esforço para pensar claramente, embora as têmporas latejassem.

— Não se preocupe. Ainda estou um pouco sensível.

— Se eu soubesse...

Ela parou de falar e deu de ombros, desamparada. Era bem provável que metesse os pés pelas mãos de qualquer maneira. Sempre fora desastrada nas relações sociais.

— Não sabia.

Nathan conseguiu controlar seus nervos. Apertou de leve a mão de Jo, ainda em seu braço. Achou que ela parecia muito consternada. E não fizera mais do que roçar acidentalmente uma ferida aberta.

— Não se preocupe mais com isso.

— Eu gostaria de ter mantido contato com ele. — Havia agora uma certa ansiedade na voz de Jo. — Gostaria de ter feito um esforço maior para agradecer tudo o que ele fez por mim.

— Não deveria fazer isso. — Nathan se arrependeu no instante mesmo em que falou. Virou-se para ela, os olhos intensos e frios. — Agradecer a alguém pelo lugar em que sua vida foi parar é a mesma coisa que culpá-la por isso. Somos todos responsáveis por nós mesmos.

Apreensiva, Jo deu um passo para trás.

— É verdade, mas algumas pessoas influenciam os caminhos que seguimos.

— Neste caso, é engraçado que ambos tenhamos voltado para cá, não é mesmo? — Nathan olhou além dela, para Sanctuary, as janelas faiscando ao sol. — Por que você voltou, Jo?

— É o meu lar.

Ele contemplou as faces pálidas, as olheiras escuras.

— É o lugar para onde costuma vir quando se sente derrotada, perdida e infeliz?

Jo cruzou os braços como se estivesse com frio. Ela, geralmente a observadora, não gostava de ser observada de maneira tão perceptiva.

— É apenas o lugar para onde eu vou.

— Parece que decidimos vir para cá quase ao mesmo tempo. Destino? Ou sorte?

Nathan deu um pequeno sorriso, porque sua opção era a última. Mas ela tinha outra preferência.

— Apenas coincidência. Por que você voltou?

— Não tenho a menor idéia.

Ele exalou entre os dentes. Tornou a fitá-la. Queria apagar a tristeza e preocupação dos olhos de Jo, queria ouvi-la rir outra vez. E teve a súbita certeza de que isso acalmaria sua alma tanto quanto a dela.

— Mas, já que estou aqui, por que não me acompanha até o chalé? — acrescentou Nathan.

— Conhece o caminho.

— Seria muito mais agradável se tivesse uma companhia... a sua.

— Já lhe disse que não estou interessada.

— Mas eu estou. — O sorriso se alargou quando ele estendeu a mão para ajeitar uma mecha de cabelos por trás da orelha de Jo. — Será divertido descobrir quem cutuca o outro para fora do caminho.

Os homens não flertavam com ela. Nunca. Ou pelo menos ela jamais notara. Mas o fato de que Nathan fazia justamente isso — e ela notava — só servia para irritá-la. A Linha de Fratura Pendleton surgiu entre as sobrancelhas.

— Tenho trabalho a fazer.

— É verdade. Arrumar a cama do 201.

Porque ele se virou primeiro, Jo teve a oportunidade de observá-lo a se embrenhar entre as árvores. Num gesto deliberado, ela sacudiu a cabeça, para que os cabelos caíssem de novo por cima das orelhas. Depois deu de ombros, como se estivesse se livrando de um contato desagradável.

Mas foi obrigada a admitir que já se sentia mais interessada do que queria.

Capítulo Sete

Nathan levou uma câmera. Sentia-se compelido a reconstituir alguns passos do pai em Desire... ou talvez erradicá-los. Escolheu a velha e pesada Pentax, de alcance médio, uma das prediletas do pai. Com toda certeza, David Delaney levara-a para a ilha naquele verão.

Deveria levar também a volumosa Hasselblad e a elegante Nikon, além de uma coleção de lentes e filtros, sem falar nos inúmeros filmes. Nathan trouxera tudo. Os equipamentos estavam guardados no chalé, tudo arrumado com cuidado, como o pai lhe dissera que sempre deveria fazer.

Mas quando o pai partia em suas excursões, à procura de uma foto, quase sempre levava a Pentax.

Nathan escolheu a praia, com suas ondas espumantes e areia cintilante. Pôs os óculos escuros, como proteção contra o brilho intenso do sol, e subiu pelo caminho entre as dunas, através de um mar de aveias marinhas e plantas rasteiras emaranhadas. O vento soprava do mar e desmanchava seus cabelos. Ele parou no alto do caminho, escutando o ritmo do mar, os gritos estridentes das gaivotas, que circulavam e mergulhavam a todo instante.

Havia conchas trazidas pelas ondas ao longo da praia, como lindos bibelôs. Pequenas dunas, sopradas pelo vento, já começavam a se formar por trás delas. Os agitados sanderlingos voavam apressados de um lado para outro, sobre as espumas, como executivos a caminho da próxima reunião. E por trás da arrebentação um trio de pelicanos voava em formação militar, subindo e dando voltas, como uma unidade. Abruptamente, um deles iniciou um mergulho vertiginoso para o mar, logo acompanhado pelos outros. A água espirrou em três pontos diferentes e um momento depois os pelicanos tornaram a alçar vôo, cada um levando sua primeira refeição no bico.

Com a facilidade da experiência, Nathan levantou a câmera, alargou a abertura, aumentou a velocidade para captar movimento e depois focalizou os pelicanos. Seguiu-os enquanto sobrevoavam as cristas das ondas e subiam. E captou-os no mergulho seguinte.

Baixou a câmera, com um pequeno sorriso. Ao longo do tempo, passara períodos prolongados sem praticar seu hobby. Planejava compensar agora, consumindo pelo menos uma hora por dia para recuperar o prazer e melhorar o olho.

Não poderia pedir um princípio mais perfeito. A praia era habitada apenas por aves e conchas. Suas pegadas eram as únicas a desfigurar a areia. O que já era um milagre por si só, pensou ele. Onde mais um homem podia ficar tão completamente sozinho, tomar emprestado aquele tipo de beleza, com tanta paz e solidão?

Precisava dessas coisas agora. Milagres, beleza, paz. Com a mão em concha por cima da câmera, Nathan desceu a inclinação até a areia úmida da praia. Agachou-se ali para examinar uma concha, traçar os contornos de uma estrela-do-mar com a ponta do dedo.

Mas deixou-as onde as encontrara, colecionando apenas em filme.

A brisa do mar e o exercício ajudaram a acalmar seus nervos, que ficaram tensos antes mesmo de sua saída de Sanctuary. Ela era uma fotógrafa, pensou Nathan, enquanto contemplava um lindo chalé, prateado pelo tempo, projetando-se de trás das dunas. O pai soubera que aquela menina para quem bancara o mentor, durante um único verão, empenhara-se em seguir seus passos? Ele teria se importado? Ficaria orgulhoso? Acharia engraçado?

Nathan ainda podia se lembrar da ocasião em que o pai lhe mostrara pela primeira vez como uma câmera funcionava. As mãos enormes cobriam as do filho, pequenas, orientando com extrema gentileza e paciência. O cheiro da loção após barba no rosto do pai, um cheiro forte e penetrante. Brut. Isso mesmo, Brut. Era a que a mãe mais gostava. O rosto do pai, liso e macio, comprimido contra o seu. Os cabelos escuros eram penteados de maneira impecável, em ondas suaves a se estenderem da testa, os olhos cinza suaves e sérios.

Sempre respeite seu equipamento, Nate. Pode querer um dia ganhar a vida com uma câmera. Viaje pelo mundo com uma câmera e verá tudo o que há para ver. Aprenda a olhar e verá mais do que qualquer um. Ou será alguma outra coisa, fará outra coisa e usará a câmera apenas para guardar alguns momentos com você. Serão seus momentos e por isso terão a maior importância. Respeite seu equipamento, aprenda a usá-lo direito e nunca perderá esses momentos.

— Quantos perdemos, de qualquer maneira? — especulou Nathan, em voz alta. — E quantos guardamos que seria melhor se tivéssemos perdido?

— O que disse?

Nathan teve um sobressalto quando a voz interrompeu seus devaneios e a mão tocou em seu braço.

— Como?

Ele deu um passo rápido, em recuo, meio esperando que fosse um dos seus fantasmas. Mas viu uma loura bonita e delicada, fitando-o através de lentes cor de âmbar.

— Desculpe pelo susto. — Ela inclinou a cabeça para o lado, estudando seu rosto, sem piscar. — Você está bem?

— Claro.

Nathan passou a mão pelos cabelos, ignorando a sensação desagradável dos joelhos bambos. Foi menos fácil ignorar o embaraço intenso, enquanto a mulher continuava a estudá-lo, como se ele fosse uma mancha estranha numa lâmina sob o microscópio.

— Não sabia que havia alguém por perto — acrescentou ele.

— Estou terminando minha corrida matutina.

Nathan notou pela primeira vez que a mulher usava uma camiseta cinza suada e justa, por cima de um short vermelho de ciclista.

— E era para o meu chalé que você olhava. Ou através dele.

— Ahn... — Nathan focalizou de novo o chalé, as tábuas de cedro prateadas pelo tempo, o telhado marrom inclinado, com seu deque marrom para tomar banho de sol. — Você tem uma vista sensacional.

— O nascer do sol é a melhor. Tem certeza de que está bem? Desculpe me intrometer, mas quando vejo um homem parado sozinho na praia, dando a impressão de que levou uma trombada de um caminhão e falando sozinho, não posso deixar de estranhar. É o meu trabalho.

— Polícia da praia? — indagou ele, sarcástico.

— Não. — Ela sorriu e estendeu a mão, cordial. — Médica. Doutora Fitzsimmons. Kirby. Tenho uma clínica no chalé.

— Nathan Delaney. Com a saúde perfeita. Não era uma velha que morava ali? Uma mulher pequena, com os cabelos brancos presos num coque.

— Minha avó. Você a conheceu? Não é um nativo.

— Não, não sou. Mas lembro-me dela... ou tenho essa impressão. Passei um verão aqui quando era garoto. As lembranças não param de aflorar. E você me encontrou no momento em que uma surgia.

— Ahn... — Os olhos por trás das lentes cor de âmbar perderam a perspicácia clínica e tornaram-se mais receptivos. — Isso explica tudo. Entendo o que está querendo dizer. Passei vários verões aqui quando era criança e as recordações também surgem durante todo o tempo. Foi por isso que decidi me mudar para cá quando vovó morreu. Sempre adorei esta ilha.

Distraída, ela dobrou a perna e pegou o dedão, o calcanhar encostado na bunda, num alongamento.

— Você deve ser o ianque que alugou o Little Desire Cottage por meio ano.

— As notícias circulam.

— Não é mesmo? Ainda mais quando não precisam ir muito longe. Não há muitos homens sozinhos alugando chalés por seis meses. Muitas mulheres estão intrigadas. — Kirby repetiu o processo com a outra perna. — Acho que me lembro de você. Não eram você e seu irmão que estavam sempre brincando com Brian Hathaway? Lembro-me de vovó comentando que os meninos Delaney e o jovem Brian estavam sempre grudados, como unha e carne.

— Boa memória. Estava aqui naquele verão?

— Foi meu primeiro verão em Desire. Deve ser por isso que me lembro tão bem. Já esteve com Brian?

— Ele acaba de me servir o café da manhã.

— A magia em um ovo. — Foi a vez de Kirby olhar além do chalé. — Soube que Jo voltou. Tentarei ir até a casa depois de fechar a clínica hoje.

Ela olhou para o relógio, antes de acrescentar:

— E como abre dentro de vinte minutos, é melhor eu ir me arrumar. Foi um prazer vê-lo de novo, Nathan.

— O prazer foi meu... doutora.

Nathan fez o acréscimo quando ela já corria na direção das dunas. Com uma risada, Kirby virou-se, mas continuou a correr, de costas.

— Clínica geral — gritou ela. — Do nascimento ao túmulo. Pode me procurar se alguma coisa o afligir.

— Não esquecerei.

Ele sorriu e observou o rabo-de-cavalo balançar de modo atraente enquanto ela corria pelo vale entre as dunas.

Dezenove minutos depois, Kirby vestiu um jaleco branco por cima da calça Levi's. Considerava o jaleco como uma fantasia, projetada para garantir ao paciente relutante que ela era mesmo uma médica. Isso mais o estetoscópio no bolso ofereciam aos ilhéus o impulso de que muitos precisavam para deixar que a neta de vovó Fitzsimmons examinasse seus orifícios.

Ela entrou no consultório, antes a despensa sempre bem abastecida da avó, ao lado da cozinha. Kirby deixara uma parede de prateleiras intacta. Era ali que guardava os livros, pastas e a combinação de fax e copiadora que a mantinha ligada com o continente. Tirara as outras prateleiras, já que não tinha planos de seguir o exemplo da avó, que guardava tudo, de molho de tomate a melancia em conserva.

Ela mesma carregara a pequena e adorável escrivaninha de cerejeira para o escritório. Viajara com ela desde Connecticut, uma das poucas coisas que levara para o sul. Estava equipada com um risque-e-rabisque revestido de couro e uma agenda, presente de despedida dos pais aturdidos.

O pai fora criado em Desire e considerava-se afortunado por ter escapado.

Ela sabia que o pai e a mãe haviam ficado emocionados quando decidira seguir a carreira do pai, ingressando na faculdade de medicina. E presumiram que ela continuaria assim, especializando-se em cirurgia cardíaca. Ao se formar, entraria na próspera clínica do pai, adotando a vida elegante e luxuosa que os dois tanto apreciavam.

Em vez disso, Kirby optara por ser médica de família, instalando-se no chalé curtido pelo tempo da avó e aderindo à simplicidade da vida na ilha.

E não poderia sentir-se mais feliz.

Ao lado da agenda, com suas iniciais em metal dourado, havia um elegante sistema telefônico, inclusive com interfone — para a possibilidade improvável de algum dia precisar de uma assistente —, e uma caixa de Lucite, com vários lápis Ticonderoga.

Kirby passara as primeiras semanas na clínica fazendo pouco mais do que apontar os lápis, para gastá-los em seguida com desenhos no risque-e-rabisque.

Mas insistira e pouco a pouco passara a usar os lápis para anotar consultas. Um bebê com crupe, uma velha com artrite, uma criança com febre alta da rubéola.

Foram os muito jovens ou muito velhos que primeiro confiaram nela. Depois outros a procuraram, para terem suas feridas costuradas, as dores aliviadas, os estômagos acalmados. Agora era a Doutora Kirby, tirando seu sustento da clínica.

Kirby verificou a agenda. Um exame ginecológico anual, o acompanhamento de um caso de sinusite aguda, o menino Matthews com outra dor de ouvido e o bebê Simmons para uma nova rodada de vacinação. A sala de espera não ficaria lotada, mas pelo menos ela se manteria ocupada durante a manhã. E, quem sabe, pensou ela, com uma risada, podia haver duas ou três emergências para animar o dia.

Como Ginny Pendleton era o exame ginecológico, às dez horas, Kirby calculou que teria pelo menos mais dez minutos. Ginny invariavelmente atrasava para tudo. Ela separou a ficha necessária, voltou à cozinha, despejou numa caneca o resto do café que fizera naquela manhã e levou-o para a sala de exame.

O quarto em que outrora sonhava nas noites de verão era agora sua sala de exames, limpa e arrumada. Havia nas paredes brancas cartazes de flores do campo, em vez dos diagramas de sistemas nervosos e canais auditivos que alguns médicos preferiam como ornamentação. Kirby achava que esses diagramas deixavam os pacientes apreensivos.

Depois de meter a ficha no suporte na porta, ela pegou uma das túnicas de algodão sem costas — achava que as túnicas de papel para os pacientes eram humilhantes — e ajeitou na extremidade da mesa de exames. Cantarolava junto com os acordes que saíam do estéreo que ligara. Era uma alegre sonata de Mozart. Kirby descobrira que isso era relaxante até mesmo para os clientes que não apreciavam música clássica.

Já arrumara tudo de que precisaria para o exame anual básico e terminara de tomar o café quando ouviu o pequeno carrilhão que indicava que a porta de entrada da clínica fora aberta.

— Desculpe, desculpe... — Ginny entrou apressada, enquanto Kirby passava para a sala de espera. — O telefone tocou no momento em que eu ia sair.

Ela tinha vinte e poucos anos e Kirby não parava de lhe dizer que sua afeição pelo sol haveria de atormentá-la dentro de dez anos. Os cabelos eram louro-brancos, na altura dos ombros, frisados sempre, clamando por uma tintura nas raízes.

Ginny era de uma família de pescadores. Embora fosse capaz de pilotar um barco como um pirata sorridente, limpar um peixe como um cirurgião e abrir conchas e remover ostras com precisão e uma rapidez vertiginosa, preferia trabalhar no Camping Heron, ajudando os inexperientes a armar uma barraca, determinando os locais para cada um e cuidando dos livros.

Para a consulta com sua médica, enfeitara-se com uma de suas camisas prediletas, ao estilo do Oeste americano, púrpura, com franjas brancas. Kirby especulou, com uma curiosidade ociosa, quantos órgãos internos estariam ofegando para respirar sob os jeans apertados como uma cinta.

— Estou sempre atrasada.

Ginny exibiu seu sorriso radiante e aturdido, o que arrancou uma risada de Kirby.

— E todo mundo sabe disso. Pode entrar. Faça pipi no vidro primeiro. Conhece a rotina. Depois, vá para a sala de exame. Tire tudo e ponha a túnica com a abertura na frente. E me chame quando estiver pronta.

— Está bem. Era Lexy no telefone. — Ginny seguiu apressada pelo corredor, as botas de caubói ressoando. — Ela se sente irrequieta.

— É o seu estado habitual — comentou Kirby.

Ginny continuou a conversar, enquanto deixava o banheiro e passava para a sala de exame.

— Lexy vai aparecer no camping esta noite, por volta de nove horas. — Houve um baque, quando a primeira bota bateu no chão. — O número doze está vago. É um dos meus pontos prediletos. Pensamos em acender uma boa fogueira e tomar dois pacotes de seis cervejas. Não quer aparecer?

— Agradeço o convite. — Houve outro baque. — Pensarei a respeito. Se decidir aparecer, levarei outra embalagem de seis.

— Pensei em convidar Jo, mas sabe como Lexy fica irritada. Mas espero que ela apareça. — A voz de Ginny era agora ofegante, o que levou Kirby a acreditar que ela estava tirando os jeans. — Já esteve com Jo?

— Ainda não. Ia tentar encontrá-la em algum momento hoje.

— Seria ótimo se elas sentassem e fizessem as pazes. Não sei por que Lexy tem tanta raiva de Jo. Mas também parece que ela sente raiva de todo mundo. Ainda falou mal de Giff. Se eu tivesse alguém como Giff me olhando de alto a baixo, como ele olha para Lexy, não sentiria raiva de nada neste mundo. E não estou dizendo isso porque somos primos. A verdade é que se não fôssemos parentes de sangue, eu o atacaria num minuto de Nova York. Estou pronta.

— Sou capaz de apostar que Giff vai vencê-la pelo cansaço. — Kirby entrou na sala de exame, pegando a ficha na porta. — Ele é tão obstinado quanto Lexy. Vamos verificar seu peso. Algum problema, Ginny?

— Nenhum. Tenho me sentido muito bem. — Ginny subiu na balança e fechou os olhos. — Não me diga com quanto estou.

Kirby riu, enquanto deslocava o peso. Cinqüenta e nove quilos. Sessenta e um. Epa!, pensou ela. Sessenta e quatro.

— Tem feito exercícios regulares, Ginny?

Ainda de olhos fechados, Ginny deslocou o peso do corpo de um pé para outro.

— Mais ou menos.

— Aeróbica, vinte minutos, três vezes por semana. E reduza as barras de chocolate. — Porque era mulher, além de médica, Kirby zerou a balança antes de Ginny abrir os olhos. — Vamos para a mesa. Quero tirar sua pressão.

— Sempre digo a mim mesma que tenho de assistir àquele vídeo da Jane Fonda. O que você acha de uma lipo?

Kirby prendeu a braçadeira para tirar a pressão.

— Acho que você deve andar pela praia algumas vezes por semana e imaginar que cenouras são barras de chocolate da Herschey's, pelo menos por algum tempo. Vai perder esses três quilos extras sem muito esforço. A pressão está boa. Quando foi sua última menstruação?

— Foi há duas semanas. Mas veio com quase uma semana de atraso. O que me deixou apavorada.

— Está usando o diafragma, não é mesmo?

Ginny cruzou os braços na cintura.

— Na maioria das vezes. Mas nem sempre é conveniente.

— A gravidez também não é.

— Sempre faço o cara usar camisinha. Sem exceções. E há dois caras muito atraentes no número seis.

Kirby pôs as luvas, suspirando.

— O sexo casual sempre acarreta complicações perigosas.

— Não duvido, mas é muito divertido. — Ginny sorriu para o cartaz de Monet que Kirby pregara no teto. — E eu sempre me apaixono um pouco por eles. Mais cedo ou mais tarde, porém, tenho certeza de que encontrarei o grande amor. O homem certo. Enquanto isso, posso muito bem provar o que vejo em campo.

— Um campo minado — murmurou Kirby. — Você corre grandes riscos.

— Mas é bom. — Ginny tentou se imaginar a caminhar entre as flores imprecisas no cartaz, tamborilando com os dedos de muitos anéis na barriga. — Nunca viu um homem e o desejou tanto que sentiu tudo por dentro se contrair, o corpo estremecer da cabeça aos pés?

Kirby pensou em Brian e fez um esforço para se controlar, antes de suspirar de novo.

— Já sim.

— Adoro quando isso acontece. É tão... primal, não acha?

— Concordo. Mas primal e inconveniente de lado, quero que use sempre o diafragma.

Ginny revirou os olhos.

— Claro, doutora. Ei, por falar em homens e sexo, Lexy diz que encontrou com o ianque e que é carne de primeira.

— Também encontrei com ele.

— E Lexy tem razão?

— Ele é muito atraente.

Gentilmente, Kirby levantou um dos braços de Ginny e começou o exame do seio.

— Ele é um velho amigo de Bri... passou um verão aqui com os pais. O pai era aquele fotógrafo que publicou um livro de fotos sobre as ilhas naquele tempo. Minha mãe ainda tem um exemplar.

— O fotógrafo... Estou lembrando agora. Tinha esquecido. Ele tirou fotos de vovó. Fez uma gravura com uma das fotos e mandou para vovó depois que foi embora. Ainda a tenho em meu quarto.

— A mãe pegou o livro esta manhã, quando lhe contei. É realmente muito bonito.

Kirby ajudou-a a sentar, enquanto ela acrescentava:

— Há uma foto de Annabelle Hathaway e Jo cuidando do jardim em Sanctuary. Mamãe lembrou que ele tirou as fotos no ano em que Annabelle fugiu. Comentei que talvez ela tivesse fugido com o fotógrafo, mas mamãe informou que ele, a esposa e os filhos continuaram na ilha depois que Annabelle desapareceu.

— Isso aconteceu há vinte anos. Era de esperar que as pessoas esquecessem, não falassem mais nisso.

— Os Pendleton são de Desire. Annabelle era uma Pendleton. E ninguém esquece nada na ilha. Ela era realmente linda. — Ginny saltou da mesa. — Não me lembro muito bem dela, mas alguma coisa voltou quando vi a foto. Jo seria muito parecida com a mãe, se fizesse um esforço para isso.

— Imagino que Jo prefere ser parecida com Jo. Você está ótima, Ginny. Pode se vestir. Estarei à sua espera na outra sala quando acabar.

— Obrigada. E dê um jeito de ir ao camping, Kirby. Teremos uma noite só de mulheres. Número doze.

— Veremos.

KIRBY FECHOU A CLÍNICA ÀS QUATRO HORAS DA TARDE. SUA única emergência fora um caso grave de queimadura de sol, de um veranista que dormira na praia. Depois do último paciente, ela passou quinze minutos cuidando da maquiagem, escovando os cabelos e pondo mais água-de-colônia.

Disse a si mesma que era para seu prazer pessoal, mas como ia para Sanctuary, sabia que era mentira. Esperava que sua aparência fosse bastante atraente e o cheiro bastante agradável para fazer Brian Hathaway sofrer.

Kirby saiu pela porta que dava para a praia. Adorava a emoção intensa de ver o mar tão perto de sua casa. Observou uma família de quatro pessoas brincando na água rasa. Dava para ouvir a música estridente das risadas das crianças por cima do zumbido do mar.

Ela pôs os óculos escuros e desceu os degraus. O estreito caminho de tábuas que mandara Giff construir contornava a casa e levava-a para longe das dunas. Havia alguns ciprestes projetando-se da areia, encurvados e afetados pelo vento, que mesmo agora soprava areia em seus tornozelos. Moitas de flores-de-cera e sabugueiro-da-praia cresciam na depressão. Ela acrescentou suas pegadas às muitas que já cruzavam a areia.

Contornou a vegetação das dunas, bastante nativa para conhecer e respeitar sua fragilidade. Em poucos momentos, deixou a claridade quente da areia e do mar e ingressou na caverna escura e fresca da floresta.

Andava rápido, mas sem se apressar, a mente concentrada em seu destino. Estava acostumada aos sussurros e estalidos da floresta, às alterações de som e luz. Por isso, ficou surpresa quando se descobriu a parar, aguçando os ouvidos e escutando o próprio coração bater mais alto, com a sensação de que subia pela garganta.

Virou devagar, um círculo completo, esquadrinhando as sombras. Ouvira alguma coisa estranha, pensou. Sentira alguma coisa diferente. E podia ter de novo agora a sensação angustiante de que era observada.

— Olá? — Ela se detestou por estremecer ao eco vazio da própria voz. — Tem alguém aí?

O estrépito das folhas de palmeiras, o sussurro que podia ser de cervo ou coelho, o silêncio opressivo do ar parado na semi-escuridão da floresta. Idiota, ela disse a si mesma. Claro que não havia ninguém ali. E se houvesse, que importância isso teria? Kirby virou-se, continuou a seguir pela trilha bem conhecida, ordenando a si mesma para caminhar num ritmo razoável.

Um suor frio escorreu pelo meio de suas costas, a respiração começou a se tornar ofegante. Ela fez um esforço para reprimir o medo crescente. Tornou a se virar, convencida de que perceberia um brilho de movimento em sua esteira. Não havia nada, a não ser galhos entrelaçados e musgo pendendo.

Droga, pensou ela, esfregando a mão sobre o coração acelerado. Havia mesmo alguém ali. Agachado por trás de uma árvore, encolhido numa sombra. A observá-la. Devia ser um menino, ou dois, assegurou Kirby a si mesma. Isso mesmo, apenas dois garotos furtivos, empenhados numa brincadeira de mau gosto.

Ela andou para trás, enquanto corria os olhos ao redor. Ouviu de novo, um som fraco e sorrateiro. Tentou gritar outra vez, fazer algum comentário enérgico sobre crianças mal-educadas, mas o terror apertava sua garganta, impedindo a passagem de qualquer som. Numa reação instintiva, virou-se e passou a andar mais depressa.

Quando o som chegou mais perto, ela abandonou todo o orgulho e desatou a correr.

E quem a observava riu contra as mãos e depois soprou um beijo para suas costas afastando-se.

Ofegante, Kirby disparava entre as árvores, os tênis ressoando na trilha num tamborilar frenético. Reprimia um soluço quando viu a luz mudar, a claridade envolvê-la, no instante em que saiu do meio das árvores. Olhou para trás, por cima do ombro, preparada para avistar algum monstro a saltar em seu encalço.

E gritou quando esbarrou num sólido muro de peito e braços, que a envolveram, firmes.

— Qual é o problema? O que aconteceu? — Brian quase a levantou em seus braços, mas ela também o enlaçou, comprimindo o rosto contra o seu peito. — Está ferida? Deixe-me ver.

— Não, não estou ferida. Um tempo... preciso de um tempo.

— Está bem.

Ele suavizou a pressão de seus braços e afagou os cabelos de Kirby. Tirava o mato da beira externa do jardim quando ouvira os sons da corrida em pânico pela floresta. Dava os primeiros passos para investigar o que era quando ela saíra do meio das árvores e se jogara em seus braços.

Agora o coração de Kirby batia forte contra seu peito... e o coração de Brian quase acompanhava o ritmo. Ela deixara-o assustado, com aquela expressão de animal acuado ao olhar para trás, como se esperasse um ataque pelas costas.

— Fiquei assustada — murmurou Kirby, ainda grudada nele, como um carrapicho. — Eram apenas garotos, tenho certeza. Mas senti que era vigiada, seguida, caçada. Eram apenas garotos, mas me deixaram assustada.

— Está tudo bem agora. Recupere o fôlego.

Ela era muito pequena, pensou Brian. Costas delicadas, cintura estreita, cabelos sedosos. Mal consciente do que fazia, ele aconchegou-a em seus braços. Era estranho que ela se ajustasse tão bem contra ele, mas ao mesmo tempo parecesse bastante frágil para que a levantasse em seus braços e a protegesse, sã e salva.

Ó Deus, como ela tinha um cheiro agradável! Brian baixou o rosto para o alto da cabeça dela por um momento. Absorveu a fragrância e a textura dos cabelos, enquanto dissolvia a tensão do pescoço de Kirby, em carícias lentas.

— Não sei por que entrei em pânico daquela maneira. Isso nunca me aconteceu.

E porque a sensação começava a se desvanecer, ela foi tomando conhecimento, pouco a pouco, de que Brian a abraçava. Num abraço bem apertado. Que suas mãos a acariciavam. Com a maior ternura. Que os lábios roçavam em seus cabelos. Gentilmente.

A freqüência cardíaca em queda tornou a acelerar. Mas desta vez nada tinha a ver com pânico.

— Brian...

Ela subiu as mãos pelas costas de Brian, enquanto erguia a cabeça.

— Está tudo bem agora. Não se preocupe.

E antes de pensar no que fazia, ele beijou-a na boca.

Brian sentiu como se tivesse levado um soco na barriga, um golpe que o deixava sem fôlego, o cérebro atordoado, as pernas bambas. E, depois, os lábios de Kirby se entreabriram, quentes e macios, emitindo murmúrios sensuais.

Ele foi mais fundo, alcançando a língua de Kirby, enquanto suas mãos deslizavam pelos jeans justos até a bunda, a fim de moldar calor contra calor.

Kirby parou de pensar no instante em que o beijo começou. A novidade daquela experiência era uma emoção inédita e inebriante. Sempre fora capaz de manter a mente separada, de se manter apartada, orientar e controlar o ato. Mas agora era tragada por um turbilhão, sacudida por uma sensação depois de outra.

A boca de Brian era quente e faminta, o corpo duro, as mãos enormes e exigentes. Pela primeira vez em sua vida, Kirby sentia-se delicada, como se pudesse ser partida ao meio pelo capricho de Brian.

Por motivos que ela não podia compreender, a sensação era insuportavelmente excitante. Ela estendeu as mãos para os ombros de Brian, murmurando seu nome contra aquela boca ansiosa. A cabeça pendeu para trás, inerte. Pela primeira vez com um homem, ela cambaleava à beira da rendição absoluta e incontestável.

Foram a mudança, a súbita docilidade, o pequeno gemido desamparado que o levaram a recuperar o controle. Levantara-a para as pontas dos pés, os dedos comprimiam sua carne e a imagem que aflorava em sua mente era o impulso de arrastá-la para o chão.

No jardim de sua mãe, pelo amor de Deus. Em plena luz do dia. À sombra de sua casa. Repugnado com os dois, Brian afastou-a, num movimento brusco.

— Era isso o que você queria, não é mesmo? — disse ele, furioso. — Deu-se a muito trabalho para provar que sou tão fraco quanto qualquer outro.

As cores ainda se misturavam na cabeça de Kirby.

— Como? — Ela piscou para desanuviar a visão. — Como?

— A encenação da donzela em desgraça deu certo. Um a zero para você.

Kirby voltou à Terra abruptamente. Os olhos de Brian eram tão duros e ardentes quanto a boca se mostrara, mas com um tipo diferente de paixão. Quando ela registrou as palavras e o significado, seus próprios olhos se arregalaram numa indignação chocada.

— Acredita mesmo que encenei isso, que banquei a idiota só para que você me beijasse? Seu filho-da-puta arrogante, pretensioso e estúpido! — Insultada ao máximo possível, Kirby empurrou-o. — Não faço encenações e nem agora nem nunca serei uma donzela de qualquer tipo! E mais ainda, beijá-lo não é um objetivo importante em minha vida!

Ela empurrou para trás os cabelos desgrenhados, empinou os ombros.

— Vim aqui para ver Jo, não você. E por acaso encontrei-o no caminho.

— Imagino que foi por isso que pulou em meus braços e me envolveu como se fosse uma cobra.

Kirby respirou fundo, determinada a assumir uma posição de calma e dignidade.

— O problema aqui, Brian, é que você queria me beijar... e gostou do beijo. Agora tem de me culpar, acusar-me de cometer alguma ridícula artimanha feminina, porque quer me beijar de novo. Quer pôr as mãos em mim como acabou de fazer... e por alguma razão isso o deixa furioso. Mas é problema seu. Vim aqui para ver Jo.

— Ela não está — informou Brian, quase rangendo os dentes. — Saiu com suas câmeras, não sei para onde.

— Pois então dê um recado meu para ela. Camping Heron, nove horas, ponto doze. Uma noite só de mulheres. Acha que pode se lembrar ou quer que eu escreva?

— Direi a ela. Mais alguma coisa?

— Não, absolutamente nada.

Kirby virou-se para ir embora, mas depois hesitou. Com ou sem orgulho, não seria capaz de enfrentar o retorno pela floresta sozinha, pelo menos ainda não. Ela mudou de direção e seguiu pelo caminho coberto de conchas. Seria mais do que o dobro da distância até sua casa, ela pensou, mas uma boa caminhada serviria para descarregar sua fúria no suor.

Brian franziu o rosto para suas costas. Olhou para a floresta. E teve uma súbita certeza de que nada do que acontecera fora uma farsa. E isso, ele concluiu, fizera não apenas com que ele bancasse o idiota, mas também o sórdido ainda por cima.

— Espere um instante que vou acompanhá-la.

— Não, obrigada.

— Eu disse para esperar!

Ele alcançou-a e segurou-a pelo braço. Ficou aturdido com a fúria intensa no rosto de Kirby quando ela se virou.

— Eu o avisarei quando quiser que me toque, Brian, e também avisarei quando quiser qualquer coisa de você. Enquanto isso... — ela desvencilhou-se com um movimento brusco — eu cuidarei de mim mesma.

— Desculpe.

Ele se amaldiçoou no instante mesmo em que falou. Não tinha essa intenção. E as sobrancelhas alteadas e olhos arregalados de Kirby fizeram com que sentisse vontade de ter cortado a língua.

— Com licença, mas você disse alguma coisa?

Era tarde demais para recuar, pensou Brian. Ele engoliu a pílula amarga e murmurou:

— Pedi desculpa. Estava descontrolado. Deixe-me levá-la até em casa.

Ela inclinou a cabeça, altiva, na opinião de Brian, com um sorriso presunçoso.

— Obrigada. Seria ótimo.

Capítulo Oito

— Você deveria levar uma embalagem de seis cervejas, não um vinho de luxo, como uma magnata.

Já disposta a se queixar, Lexy pôs o saco de dormir e o resto de suas coisas no Land Rover de Jo.

— Gosto de vinho.

Jo mantinha a voz suave e usava frases curtas.

— Não sei por que você quer passar a noite na floresta.

Lexy amarrou a cara, enquanto Jo enrolava com todo cuidado seu moderno saco de dormir. Sempre o melhor para Jo Ellen, pensou ela, irritada, enquanto punha as duas embalagens de seis Coors no compartimento de carga do Land Rover.

— Não tem piano-bar, nem serviço de quarto, nem maître para puxar o saco.

Jo pensou nas noites que passara em barracas, em motéis de segunda classe, tremendo de frio dentro de seu Land Rover. Qualquer coisa para conseguir a foto que queria. Ela levou para o veículo o saco com as coisas que pedira a Brian. Empurrou os cabelos para trás.

— Darei um jeito de sobreviver.

— Fui eu quem articulou tudo. E fiz isso porque queria passar uma noite longe daqui. Queria relaxar com amigas. Minhas amigas.

Jo bateu a porta traseira. Rangeu os dentes quando o som ecoou como o estampido de um tiro. Seria mais fácil afastar-se, pensou ela. Virar as costas, voltar para casa e deixar Lexy seguir sozinha para o camping.

Mas ela não optaria pelo mais fácil.

— Ginny também é minha amiga, e não vejo Kirby há anos.

Ela deixou por aí. Deu a volta para o lado do motorista, sentou ao volante e ficou esperando.

A agradável expectativa que sentira antes, quando Brian transmitira o convite de Kirby, já havia desaparecido, deixando em seu lugar o estômago embrulhado. Mas estava determinada a continuar até o fim, sem se deixar intimidar pelo mau humor da irmã.

Teria momentos desagradáveis agora, mas iria de qualquer maneira. E Lexy faria a mesma coisa, pensou ela, quando a irmã bateu a porta.

— Cinto de segurança — ordenou Jo.

Lexy soltou um grunhido exasperado enquanto prendia o cinto de segurança. Jo decidiu acrescentar:

— Por que não tomamos um porre e fingimos que podemos tolerar uma à outra durante uma noite? Uma atriz com sua espantosa competência não deve ter a menor dificuldade para fazer isso.

Lexy inclinou a cabeça para o lado, com um sorriso exuberante.

— Vá se foder, irmã querida.

— Já começou.

Jo ligou o motor. Estendeu a mão para um cigarro, por hábito, no instante em que partiu.

— Não vai fumar no carro, não é?

Jo empurrou o isqueiro.

— O carro é meu.

Ela seguiu para o norte, os pneus cantando na estrada de conchas. O ar entrando pelas janelas era um bálsamo maravilhoso. Ela usava o Land Rover para acalmar os nervos. Não protestou quando Lexy ligou o rádio no volume máximo. Música alta significava que não haveria conversa e a ausência de conversa significava que não haveria discussão, pelo menos durante a viagem até o camping.

Ela guiava depressa, a lembrança de cada curva na estrada aflorando em sua mente. Isso também servia para tranqüilizá-la. Pouca coisa mudara. A escuridão ainda caía muito depressa e a noite trazia os sons do vento e do mar, que faziam a ilha parecer um vasto lugar. Um mundo em que as marés regiam a vida.

Ela se lembrava de ter guiado em alta velocidade por aquela estrada, com o vento desmanchando seus cabelos e o rádio aos berros. Lexy também se encontrava ao seu lado naquela ocasião.

A primavera antes de Jo deixar a ilha, uma primavera suave e fragrante. Tinha dezoito anos na ocasião e Lexy, apenas quinze. As duas não paravam de rir e haviam consumido a maior parte de uma garrafa do vinho Ernest and Julio, para melhorar a disposição. A prima Kate fora visitar a irmã em Atlanta, e por isso não havia ninguém para se preocupar com o paradeiro das duas adolescentes.

Havia liberdade e insensatez, com uma ligação entre as duas que se perdera em algum ponto do caminho, pensou Jo. A ilha permanecera como sempre fora. Mas aquelas duas jovens haviam desaparecido.

— Como está Giff? — perguntou Jo.

— Como vou saber?

Jo deu de ombros. Mesmo naquela época, há tantos anos, Giff já andava de olho em Lexy. E já naquele tempo Lexy sabia disso. Jo apenas especulava se essa situação persistia.

— Não o vejo desde que voltei. Ouvi dizer que ele anda trabalhando com carpintaria e não sei mais o quê.

— Ele é um idiota. Não dou a menor atenção ao que Giff faz ou deixa de fazer. — Lexy olhou pela janela de cara amarrada, ao recordar a maneira como beijara aquele imbecil. — Não estou interessada nos meninos da ilha. Gosto de homens.

Ela tornou a se virar para a irmã, com uma expressão de desafio, e acrescentou:

— Homens com classe e dinheiro.

— Conhece algum?

— Claro que sim. — Lexy estendeu metade do braço dobrado para fora da janela, numa pose de sofisticação casual. — Nova York fervilha de homens assim. Gosto de um homem que sabe das coisas. Como nosso ianque, por exemplo.

Jo sentiu que se empertigava, mas fez um esforço deliberado para relaxar.

— Nosso ianque?

— Nathan Delaney. Ele dá a impressão de que é um homem que sabe o que quer... com as mulheres. Eu diria que ele é exatamente o meu tipo. E rico.

— Por que acha que ele é rico?

— Pode se dar ao luxo de tirar seis meses de férias. Um arquiteto com sua própria firma não pode deixar de ter solidez financeira. É viajado. Os homens que viajaram muito sabem como mostrar lugares interessantes do mundo a uma mulher. É divorciado. Os homens divorciados apreciam uma mulher amável.

— Fez sua pesquisa, não é mesmo, Lex?

— Claro. — Ela esticou-se, sensual. — Eu diria que Nathan Delaney é mesmo o meu tipo. Deve evitar que eu morra de tédio durante algum tempo.

— Até que você possa voltar a Nova York — comentou Jo. — Uma mudança do território de caça.

— Exatamente.

— Interessante... — Os faróis do Land Rover iluminaram a placa discreta do Camping Heron. Jo reduziu a velocidade, deixou a Shell Road, entrando numa terra de valas e capim de pântano. — Sempre pensei que você se dava mais importância do que isso.

— Você não tem a menor idéia do que eu penso a respeito de qualquer coisa, inclusive de mim mesma.

— Parece que não.

O silêncio ali parecia vibrar, rompido apenas pelo coaxar estridente das rãs. Ao ouvir um estalo forte, Jo estremeceu, involuntariamente. Era o som inconfundível de um aligátor mastigando uma tartaruga. Ela pensou que sabia o que a tartaruga sentia naqueles últimos segundos de vida. A sensação de desamparo, de estar acuada por alguma coisa enorme, brutal e faminta.

Porque seus dedos tremiam, ela apertou o volante com mais força. Não fora destruída, lembrou a si mesma. Conseguira escapar. Ganhara algum tempo. Ainda tinha o controle.

Mas o ataque de ansiedade a pressionava, insistente. Ela obrigou-se a inalar e exalar, devagar, normal. Ó Deus, apenas normal! Ela desligou o rádio.

Passou pela cabine de controle, vazia agora, enquanto o sol se punha no horizonte. Concentrou-se em guiar pelo caminho sinuoso, entre uma sucessão de pequenas lagoas. Os clarões de fogueiras piscavam aqui e ali. Acordes musicais saíam de rádios, para desaparecer um instante depois. Quando havia uma abertura entre os arbustos, ela podia divisar o brilho branco das ninféias ao luar.

Voltaria a pé, disse Jo a si mesma, tiraria fotos, absorveria o silêncio e a ausência de outras pessoas. Trataria de se concentrar em ficar sozinha. E segura.

— Lá está o carro de Kirby.

Zumbido demais nos ouvidos, pensou Jo, forçando-se a respirar fundo de novo.

— O que disse?

— Aquele conversível pequeno e elegante. É de Kirby. Estacione atrás.

— Certo.

Jo manobrou o Land Rover para estacionar. Quando desligou o motor, descobriu que o ar transbordava de sons. Os murmúrios e pios do pequeno mundo oculto por trás das dunas e além da beira da floresta. Também havia muitos cheiros, de maresia e vegetação úmida.

Ela saiu do carro, aliviada por encontrar tanta vida.

— Jo Ellen!

Kirby saiu correndo do escuro e envolveu Jo num abraço apertado. Os abraços súbitos e espontâneos sempre pegavam Jo desprevenida. Antes que ela pudesse se firmar, Kirby já estava recuando, as mãos ainda nos braços de Jo, com um enorme sorriso de satisfação.

— Estou tão contente por você ter vindo! Tão contente em vê-la de novo! Temos um milhão de anos para pôr em dia. Ei, Lexy, vamos levar suas coisas e abrir logo algumas cervejas.

— Ela trouxe vinho — informou Lexy, enquanto abria a porta do compartimento de carga.

— O que é ótimo. Vamos abrir também uma garrafa. Temos uma porção de porcarias para acompanhar. Estaremos de porre e empanturradas antes de meia-noite.

Sem parar de falar por um momento sequer, Kirby levou Jo para a traseira do Land Rover.

— Ainda bem que sou médica. O que é isto? — Ela enfiou a mão na bolsa de compras. — Patê! Como conseguiu esse patê?

— Pressionei Brian até que ele me deu — respondeu Jo.

— Boa idéia. — Kirby pegou a sacola de compras e uma embalagem de seis cervejas de Lexy. — Levo isto. Ginny está acendendo a fogueira. Precisam de ajuda com o resto?

— Podemos dar um jeito. — Jo pendurou no ombro a bolsa de câmeras e pegou as garrafas de vinho. — Sinto muito por sua avó, Kirby.

— Obrigada. Ela teve uma vida longa, exatamente como queria. Deveríamos todas ser espertas a esse ponto.

Kirby sorriu radiante para as duas. Concluíra que conseguira dissipar a tensão que pairava no ar entre as irmãs quando haviam chegado.

— Estou morrendo de fome — acrescentou ela. — Não jantei

Lexy bateu a porta traseira do Land Rover.

— Merda! Deixei a lanterna no bolso traseiro. — Kirby virou-se, ergueu um quadril e pediu a Jo: — Pode pegá-la?

Com algumas contorções e o uso flexível dos dedos, Jo conseguiu tirar a lanterna e acendê-la. Seguiram pela trilha estreita em fila indiana.

Já estava tudo preparado e arrumado no ponto doze, uma fogueira ardendo num círculo de areia sem folhas e gravetos. Ginny acendera o lampião Coleman, a chama baixa, e enchera de gelo uma caixa de isopor. Sentava nela, comendo de um saco de batatas fritas e tomando uma cerveja.

— É ela! — Ginny ergueu a lata de cerveja num brinde. — Jo Ellen Hathaway, seja bem-vinda!

Jo largou no chão seu saco de dormir. Pela primeira vez, sentia-se em casa. E sentia-se bem-vinda.

— Obrigada.

— UMA MÉDICA... — JO SENTAVA NO CHÃO, DE PERNAS CRUZADAS, ao lado da fogueira, tomando o Chardonnay de um copo de plástico. Uma garrafa já estava metida na areia pelo gargalo. — Não posso imaginar. Quando éramos crianças, você sempre falava em ser uma arqueóloga ou coisa parecida, uma Indiana Jones feminina, explorando o mundo.

— Em vez disso, resolvi explorar a anatomia. — Num porre agradável, Kirby espalhou mais do excelente patê de pato de Brian numa bolacha Ritz. — E gosto muito.

— Todo mundo sabe de seu trabalho, Jo — disse Kirby, tentando desviar a conversa na direção de Jo. — Mas há alguma coisa especial em sua vida?

— Não. E na sua?

— Tenho trabalhado em seu irmão, mas ele não quer cooperar.

— Brian? — Jo engasgou com o vinho. Respirou fundo. E repetiu: — Brian?

— Ele é solteiro, atraente, inteligente. — Kirby lambeu o polegar. — E faz um patê maravilhoso. Por que não Brian?

— Não sei. Ele é... — Jo gesticulou. — Brian...

— Ele finge ignorá-la. — Lexy sentou e também se serviu de patê. — Mas não é o que acontece.

— Não? — Kirby fitou-a, os olhos contraídos. — Como sabe?

— Uma atriz tem de observar as pessoas, saber como elas desempenham seus papéis. — Lexy acenou com a mão, jovial. — Você o deixa nervoso e ele se sente irritado por isso. O que significa que você o irrita porque ele nota sua presença.

— É mesmo? — Embora já se sentisse tonta, Kirby terminou de tomar o vinho em sua garrafa e serviu-se de mais. — Ele disse alguma coisa a meu respeito? Acha que... Ei, espere um pouco!

Ela ergueu a mão, revirou os olhos e acrescentou:

— Parece até que estamos na escola secundária. Esqueça que eu perguntei.

— Quanto menos fala sobre qualquer coisa, mais Brian pensa a respeito — garantiu Lexy. — E ele mal menciona seu nome.

— É mesmo? — repetiu Kirby, começando a se animar. — Ele é assim? Ora, ora... talvez eu lhe dê outra chance.

Ela piscou ao clarão em seus olhos.

— Por que a foto? — perguntou ela, enquanto Jo baixava a câmera.

— Você parecia muito presunçosa. Chegue perto de Lexy e Ginny. Quero tirar uma foto das três.

— Lá vai ela de novo... — resmungou Lexy, mas empurrou os cabelos para trás e posou assim mesmo.

Jo quase nunca fazia retratos, muito menos de pessoas que não estavam posando. Gostava de deixar que se arrumassem para a câmera, enquadrava-as, ajustava a lente e acionava o clarão do flash para iluminá-las.

As três eram lindas, refletiu ela, cada uma à sua maneira exclusiva: Ginny, com seus cabelos louros frisados e o sorriso largo; Lexy, sempre pensando em si mesma e mal-humorada; Kirby, confiante e classuda.

E eram parte de sua vida, pensou Jo. Cada uma delas, por motivos diferentes. Esquecera isso por tempo demais.

Sua visão ficou turva e ela demorou um instante para compreender que tinha os olhos marejados de lágrimas.

— Senti saudade de todas vocês... muita saudade. — Ela largou a câmera e levantou-se. — Tenho de fazer pipi.

— Irei com ela — murmurou Kirby, enquanto Jo deixava a clareira.

Ela pegou uma lanterna e foi atrás, apressada.

— Ei, Jo! — Kirby teve de andar mais depressa para alcançá-la. Segurou-a pelo braço. — Vai me contar qual é o problema?

— Minha bexiga está cheia. Como médica, você devia reconhecer o sintoma.

Quando Jo fez menção de se desvencilhar, Kirby segurou-a com mais firmeza.

— Estou perguntando como amiga e como médica. Vovó diria que você se encontra no fundo do poço. Deu para perceber, por esse breve encontro, que você está esgotada e estressada. Não quer me dizer qual é o problema?

— Não sei. — Jo comprimiu uma das mãos contra os olhos, porque ameaçavam se encher de lágrimas outra vez. — Não posso falar a respeito. Só preciso de algum espaço.

— Está bem. — A confiança era sempre conquistada passo a passo, pensou Kirby. — Não quer me procurar na clínica? E fazer um exame médico completo?

— Não sei... talvez. Pensarei a respeito. — Jo controlou-se e conseguiu sorrir. — Mas há uma coisa que posso lhe dizer.

— O que é?

— Tenho de fazer pipi.

— Por que não disse logo? — Kirby apontou a lanterna pela trilha, rindo. — Se sair correndo do acampamento sem uma lanterna, pode acabar virando comida de aligátor.

Cautelosa, Kirby correu o facho da lanterna pela vegetação densa que margeava a lagoa próxima.

— Acho que eu poderia andar por esta ilha de olhos vendados. Sentia mais saudade do que imaginava, Kirby, mas ainda tenho a sensação de que sou uma estranha aqui. É uma linha indistinta para cruzar.

— Ainda não tem duas semanas que voltou. Dê para si mesma o tempo que disse que precisa.

— Estou tentando. Eu primeiro.

Jo agachou-se na pequena privada. Kirby começou a rir, mas depois descobriu-se a tremer. No instante em que Jo fechou a porta, ela sentiu-se completamente sozinha e exposta. Os sons pareciam se aproximar, envolvê-la. Sussurros, gritos, batidas. Nuvens encobriram a lua. Ela segurava e apertava a lanterna com as duas mãos.

Isso é ridículo, ela disse a si mesma. Não passava de uma reação retardada à experiência que tivera na floresta naquela tarde. Claro que não estava sozinha. Havia outros locais de acampamento ocupados ao redor. Podia até divisar o brilho de lanternas e fogueiras. E Jo estava separada apenas por uma porta de madeira.

Não havia nada que pudesse assustá-la, ela lembrou a si mesma. Não havia nada nem ninguém na ilha que tivesse a intenção de lhe causar qualquer mal.

E quase soltou um suspiro de alívio quando Jo saiu da privada.

— Pode entrar — disse Jo, ainda abotoando os jeans. — Mas leve a lanterna. Quase caí no buraco. Está escuro como a morte lá dentro, sem falar no cheiro.

— Poderíamos ter ido aos banheiros coletivos.

— Acho que eu não precisaria mais quando chegasse lá.

— Bom argumento. Espere por mim, está bem?

Jo murmurou em concordância. Encostou-se ao lado da porta. Empertigou-se quase no instante seguinte ao ouvir passos à sua direita. Ficou tensa, mas disse a si mesma que a reação era apenas um subproduto da vida na cidade. Observou uma luz balançando aproximar-se.

— Olá.

A voz masculina era baixa, cordial e agradável. Jo fez um esforço para relaxar.

— Olá. Já vamos sair daqui em um minuto.

— Não tem problema. Eu estava apenas dando um passeio ao luar antes de dormir. Estou no ponto dez. — O homem se adiantou por mais alguns passos, mas permaneceu nas sombras. — Uma linda noite. Um lindo lugar. Nunca imaginei que veria também uma linda mulher.

— Nunca se sabe o que se vai encontrar na ilha. — Jo contraiu os olhos pela luz da lanterna em seus olhos. — Isso é parte do charme.

— Tenho certeza. Estou gostando de tudo. Uma aventura em cada passo, não é mesmo? A expectativa do que pode acontecer. Sou um grande fã... da expectativa.

Não, refletiu Jo, a voz não era cordial e agradável. Era como xarope... doce demais, densa demais e tinha aquele sotaque arrastado exagerado com que os ianques, insultuosamente, imitavam a maneira de falar dos sulistas.

— Neste caso, tenho certeza de que não ficará desapontado com o que Desire tem a oferecer.

— Do meu ponto de vista, as ofertas são perfeitas.

Se estivesse com a lanterna, Jo esqueceria as boas maneiras e iluminaria o rosto do estranho. Era o fato de a voz sair do escuro, ela disse a si mesma, que a fazia parecer tão assustadora e perigosa. Quando a porta da privada rangeu, ao seu lado, ela se inclinou e pegou a mão de Kirby, antes mesmo que a amiga acabasse de sair.

— Temos companhia — anunciou Jo, irritada por sua voz soar tão alta e estridente. — Parece que o ponto aqui é bastante popular esta noite. O número dez está de passagem.

Mas quando ela tornou a olhar, levantando a mão de Kirby que segurava a lanterna, não havia ninguém ali. Com um som de pânico em sua garganta, Jo pegou a lanterna, frenética, e iluminou os arbustos e árvores à sua frente.

— Ele estava aqui. Havia alguém aqui. Não imaginei nada. Tenho certeza.

— Está tudo bem. — Gentilmente, Kirby pôs a mão no ombro de Jo, preocupada com o tremor. — Quem era ele?

— Não sei. Apareceu de repente. E conversou comigo. Não ouviu?

— Não, não ouvi nada.

— Ele estava quase sussurrando. Foi por isso. Não queria que você ouvisse. Mas o homem esteve aqui. — Seus dedos apertavam os de Kirby como um torno, o pânico agitava seu estômago. — Juro que ele estava bem ali.

— Acredito em você, querida. Por que não acreditaria?

— Porque ele desapareceu e... — A voz de Jo definhou. Ela balançou por um instante, para recuperar o equilíbrio. — Não sei. Ó Deus, que confusão! Estava escuro e ele me deu um susto. Não pude ver seu rosto.

Ela deixou escapar um suspiro e empurrou os cabelos para trás com as duas mãos.

— Acho que ele me deixou arrepiada.

— Não é nada de mais. Também levei um susto esta tarde quando ia para Sanctuary. E fugi como um coelho assustado.

Jo soltou uma pequena risada. Esfregou as palmas suadas nas coxas dos jeans.

— É mesmo?

— Pulei nos braços de Brian, balbuciando. Isso fez com que ele se sentisse tão grande e forte que até me beijou. Portanto, não foi uma perda completa.

Jo fungou, grata por sentir as pernas outra vez firmes.

— E como foi?

— Maravilhoso. Por isso, estou absolutamente convencida de que ele merece outra chance. — Ela apertou a mão de Jo. — Sente-se melhor agora?

— Muito melhor. Desculpe.

— Não foi nada. Um lugar assustador. — Kirby sorriu. — Vamos voltar e dar um susto em Lex e Ginny.

* * *

QUANDO AS DUAS SE AFASTARAM, DE MÃOS DADAS, ELE observou-as das sombras. Sorriu para si mesmo, apreciando a música de vozes femininas suaves definhando na distância. Fora melhor que ela tivesse vindo com a outra. Poderia ter se sentido compelido a passar para o estágio seguinte se Jo Ellen chegasse tão perto sozinha.

E ainda não estava preparado, não como deveria, para passar da expectativa à realidade. Ainda havia muita coisa para providenciar, muita coisa para aproveitar.

Mas como ele a desejava! Saborear aquela boca firme e sensual, abrir aquelas coxas compridas, fechar as mãos em torno daquela linda garganta branca.

Ele fechou os olhos e deixou que a imagem aflorasse em seu cérebro. A imagem congelada de Annabelle, tão imóvel e tão perfeita, adquirindo vida e tornando-se sua. Virando Jo.

Uma parte do diário projetou-se em sua mente:

O assassinato fascina a todos nós. Alguns negariam, mas são mentirosos. O homem sente uma atração irresistível pelo espelho de sua própria mortalidade. Os animais matam para sobreviver... por alimento, por território, por sexo. A natureza mata sem emoção.

Mas o homem também mata por prazer. Sempre foi assim. Somos os únicos dentre todos os animais que sabem que tirar uma vida é a essência do controle e poder.

Muito em breve experimentarei essa perfeição. E poderei captá-la. Minha própria imortalidade.

Ele estremeceu de prazer.

Expectativa, pensou ele, enquanto acendia a lanterna de novo, para iluminar o caminho. Isso mesmo, ele era um grande fã da expectativa.

Capítulo Nove

O assovio alegre acordou Nathan. Enquanto vagueava pelo mundo logo abaixo da plena consciência, sonhou com um passarinho cantando feliz num galho próximo do bordo junto de sua janela. Encontrara um passarinho assim quando era jovem, um melro que entoava sua canção matutina todos os dias, durante um verão inteiro, saudando-o com tanta precisão que passara a chamá-lo de Bud, o companheiro.

Eram dias quentes e vagos, repletos de atividades importantes, como andar de bicicleta, jogar bola e tomar sorvete.

O canto insistente do amanhecer fazia com que Nathan saudasse todas as manhãs com um sorriso e uma saudação rápida para Bud. Ficara arrasado quando Bud o abandonara ao final de agosto. A mãe lhe dissera que Bud provavelmente partira mais cedo para as férias do inverno.

Nathan virou na cama, achando muito estranho que Bud soubesse assoviar "Ring of Fire". No meio do sonho, Bud pulou para o peitoril da janela, agora um passarinho de desenho animado, um personagem de Disney, com penas pretas lustrosas e o rosto curtido de Johnny Cash, o rosto de quem já estivera em toda parte e fizera tudo.

Quando o passarinho começou a executar uma coreografia que incluía chutes para o ar e giros rápidos, Nathan despertou por completo. Olhou para a janela, meio esperando deparar com alguma extravagância de desenho animado.

— Ó Deus... — Ele passou as mãos pelo rosto. — Nunca mais coma chili em lata à meia-noite, Delaney.

Ele virou de novo e comprimiu o rosto contra o travesseiro. Só então percebeu que o passarinho não estava ali, mas o assovio continuava.

Com um grunhido, saltou da cama e pôs o short de jeans cortados que usava na noite anterior. O cérebro confuso pela falta de sono, ele piscou para o relógio, estremeceu, depois saiu do quarto para descobrir quem se mostrava tão animado às seis e quinze da manhã.

Seguiu o assovio — era "San Antonio Rose" agora —, saiu da varanda cercada de tela, desceu os degraus. Havia uma picape vermelha reluzente parada atrás do seu Jeep. O dono estava por baixo da casa, em cima de uma escada e fazendo alguma coisa com um cano, enquanto assobiava com o maior entusiasmo. Os músculos saltados por fora e por trás da camiseta azul fizeram com que Nathan reajustasse seus pensamentos de assassinato rápido.

Talvez pudesse dominar o Garoto Assobiador, ele pensou. Pareciam ter mais ou menos a mesma altura. Não dava para ver seu rosto, mas o boné, os jeans justos e as botinas de trabalho surradas indicavam juventude.

Pensaria em matá-lo depois do café, decidiu Nathan.

— O que está fazendo aqui?

O Garoto Assobiador virou a cabeça e ofereceu um sorriso rápido e jovial por baixo da pala do boné.

— Bom dia. Tem alguns vazamentos aqui. Preciso subir e dar um jeito antes de começar o tempo de AC.

— Conserta ar-condicionado?

— Conserto tudo.

Ele desceu da escada. Limpou a mão no fundilho dos jeans antes de estendê-la para Nathan.

— Sou Giff Verdon. Conserto tudo.

Nathan estudou os olhos castanhos cordiais, o incisivo torto, as covinhas, os cabelos clareados pelo sol que se derramavam do boné e desistiu dos planos de homicídio.

— Você sabe fazer café? Um café decente?

— Se tem os ingredientes, posso fazer.

— Tem uma coisa parecida com um cone e uma espécie de... — Nathan ilustrou com as mãos, vagamente — bule.

— Conheço o esquema. O café pinga do cone. O melhor sistema. E parece que está bem precisado de um café, Sr. Delaney.

— Nathan. Eu lhe darei cem dólares por um bule de café de verdade.

Giff soltou uma risada e deu um tapa firme e cordial nas costas de Nathan.

— Se está precisando tanto assim, é de graça. Vamos logo fazer esse café.

— Sempre começa a trabalhar de madrugada? — perguntou Nathan, enquanto subia os degraus atrás de Giff.

— Quando se começa cedo, gosta-se mais do dia. — Ele seguiu direto para o fogão. Encheu a chaleira com água da pia. — Tem filtros?

— Não.

— Neste caso, teremos de improvisar.

Giff pegou algumas toalhas de papel, dobrou-as com a maior habilidade e ajeitou-as no cone de plástico.

— Você é arquiteto, não é?

— Sou sim.

Nathan passou a língua pelos dentes e pensou por um instante em escová-los. Depois do café. Mundos podiam ser conquistados, oceanos percorridos, mulheres seduzidas. Valeria a pena viver a vida de novo. Depois do café.

— Eu costumava pensar que seria um.

— Costumava pensar que seria um o quê? — indagou Nathan, enquanto Giff abria o armário por cima da pia à procura de café.

— Um arquiteto. Sempre podia ver esses lugares em minha mente, casas na maioria, as janelas, telhados, paredes. Podia ver até os ornamentos. — Giff tirou o café da lata e despejou no filtro com a precisão descuidada do hábito. — Podia até entrar na casa, revisar a planta. Às vezes pensava em mudar as coisas. O lugar certo para esta escada não é aqui, mas ali.

— Entendo o que está dizendo.

— Mas não tinha recursos para pagar a faculdade, e agora não tenho tempo para largar tudo e estudar. Em vez disso, construo.

Em expectativa, Nate pegou duas canecas.

— Você é um construtor?

— Não sei se poderia se chamar assim. Não chega a esse ponto. Mas faço anexos e conserto coisas. — Ele afagou o cinto de ferramentas, com a mesma confiança com que um pistoleiro do Velho Oeste afagava o revólver no quadril. — Sou competente com o martelo. E como sempre há alguma coisa a consertar por aqui, estou sempre ocupado. Talvez um dia desses eu pegue uma das casas em minha mente e a construa do nada.

Nathan encostou-se no balcão, fazendo um esforço para não babar enquanto Giff despejava a água fervendo no filtro.

— Tem feito algum trabalho em Sanctuary?

— Claro. Uma coisa e outra. Trabalhei na equipe que reformou a cozinha para Brian. Agora Miz Pendleton está querendo acrescentar uma casa de banho. Como um solário. Um lugar em que possa instalar uma Jacuzzi e talvez uma sala de ginástica. As pessoas gostam de fazer essas coisas quando estão de férias. Estou preparando um projeto para ela.

— No lado sul — disse Nathan para si mesmo. — A luz seria a melhor, com acesso direto pelo jardim.

— Foi o que pensei. — O sorriso de Giff se alargou. — Acho que estou no caminho certo, se você pensou a mesma coisa.

— Eu gostaria de ver suas plantas.

— É mesmo? — Giff deixou transparecer toda a sua surpresa e prazer. — Isso é ótimo. Eu as trarei assim que estiverem um pouco mais completas. Um pagamento melhor do que os cem dólares pelo café.

Uma pausa e ele acrescentou, ao notar como Nathan olhava para o bule, enchendo lentamente:

— Demora para coar. As melhores coisas levam algum tempo.

Mais tarde, quando estava no chuveiro, tomando a segunda caneca de café, enquanto a água quente escorria pela nuca, Nathan teve de concordar que Giff tinha razão. Valia a pena esperar por algumas coisas. A mente estava lúcida outra vez, o organismo quase vibrando de contentamento com a cafeína. Ao se vestir e depois de tomar a terceira caneca de café, sentia-se preparado para a ida a pé até Sanctuary, ansioso por uma lauta refeição.

Tanto a picape quanto Giff haviam desaparecido quando Nathan tornou a descer os degraus da varanda. Partiu para consertar outra coisa, concluiu ele. Sabia que Giff achara engraçado quando ele lhe pedira as instruções para fazer o café daquela maneira, passo a passo. Mas Nathan funcionava melhor com instruções precisas.

Descobriu-se a assoviar "I Walk the Line". De volta a Johnny Cash, pensou ele, balançando a cabeça. E nem mesmo gostava de música country.

Quando entrou na floresta, escura e verde, deliberadamente passou a andar mais devagar. Seguiu a suave curva do rio, sob a arcada de galhos e musgo balançando. Porque sempre lhe ocorria que era como entrar numa igreja, parou de assoviar.

Um movimento de cor atraiu sua atenção. Parou para observar uma borboleta amarela que esvoaçava pela trilha. À esquerda, as pequenas palmeiras, trepadeiras emaranhadas e troncos retorcidos formavam uma muralha que se projetava para o alto, oferecendo vislumbres de flores vermelhas, os trechos do céu muito azul avistados através dos galhos.

Embora fosse um desvio, ele continuou pela trilha à beira do rio. Sabia que o rio se alargaria e que penetraria ainda mais no silêncio e frescura da floresta.

Até que a viu, de repente, agachada ao lado de um tronco caído. As mangas do blusão folgado estavam puxadas além dos cotovelos, os cabelos estendidos para trás e presos num rabo-de-cavalo curto. Tinha um joelho na terra úmida, o outro pé bem plantado no chão, para manter o equilíbrio.

Não seria capaz de dizer por que a achava tão atraente. Por que a achava tão... interessante.

Mas permaneceu onde estava, em silêncio, observando Jo se preparar para tirar a foto.

Achava que sabia o que ela procurava. O jogo de luz na água, as sombras das árvores na superfície escura, a tênue neblina se dissipando. Um pequeno milagre, de profunda intimidade. E a maneira com que o rio fazia uma curva, um pouco além, pensou Nathan. A maneira com que desaparecia nessa curva, onde a relva era alta e as árvores grossas, levando a especular o que se poderia ver ali.

Quando ele viu a corça surgir, à esquerda, adiantou-se sem fazer barulho e agachou-se por trás de Jo. Ela teve um sobressalto quando Nathan tocou em seu ombro e por isso ele deu um aperto de leve.

— Não faça barulho — sussurrou ele. — À esquerda. Na posição de dez horas.

Embora seu coração disparasse e batesse forte, Jo deslocou a câmera para a esquerda. Quando focalizou a corça, respirou fundo, para se controlar, e esperou.

Captou a corça, a cabeça erguida, farejando. Tornou a clicar quando a corça esquadrinhou o rio e olhou direto para os dois humanos no outro lado, agachados e imóveis. Seus braços começaram a doer à medida que os segundos foram se transformando em minutos. Mas Jo não se mexeu, pois não queria correr o risco de perder uma foto. A recompensa veio quando a corça avançou graciosa através da relva e o filhote de um ano saiu do meio das árvores e juntou-se à mãe para beber no rio.

A luz penetrava na floresta enviesada, em hastes brancas de sonho, parecendo líquida ao passar pela neblina em movimento. As línguas dos dois animais causavam ondulações suaves e lentas na água escura.

Deixaria uma subexposição, só um pouco, pensou Jo, a fim de acentuar a aura de outro mundo, em vez de procurar a nitidez firme da realidade. As cópias deveriam parecer encantadas, um pouco turvas, como as imagens de contos de fadas.

Ela não baixou a câmera até o filme acabar, e mesmo então se manteve em silêncio, enquanto a corça e o filhote se afastavam pela beira do rio, até desaparecerem além da curva.

— Obrigada. Eu poderia ter perdido a cena.

— Não creio.

Jo virou a cabeça e teve de recorrer a toda sua força de vontade para não recuar abruptamente. Não compreendera que ele se encontrava tão perto, nem que ainda mantinha a mão em seu ombro.

— Você se move sem fazer barulho, Nathan. Não o ouvi.

— Estava completamente absorvida. Tirou a foto que focalizava antes de a corça aparecer?

— Vamos ver se saiu alguma coisa.

— Também gosto de tirar fotos. Um hobby antigo.

— Nada mais natural. Está no sangue.

Nathan não gostou do comentário. Sacudiu a cabeça.

— Não tenho uma paixão pela fotografia. Apenas um interesse de amador. E uma porção de equipamentos.

Jo nunca sabia se era mais fácil falar de tais perdas ou não dizer nada. Por isso, optou por ficar calada.

— Seja como for, tenho agora todos os equipamentos profissionais e uma habilidade mínima — acrescentou ele. — Não é nem um pouco parecida com a sua.

— Como sabe que tenho alguma habilidade se nunca viu meus trabalhos?

— Excelente pergunta. Eu poderia dizer que a opinião vem de observar seu trabalho agora. Você tem a paciência, a graça silenciosa, a imobilidade. A imobilidade é uma qualidade atraente.

— Pode ser, mas fiquei imóvel por tempo demais.

Ela começou a se levantar. Nathan transferiu a mão de seu ombro para o cotovelo e levantou-a junto com ele.

— Não quero atrapalhar seu passeio — acrescentou Jo.

— Se continuar a me escorraçar desse jeito, Jo Ellen, vou acabar complexado.

Ela parecia mais descansada, pensou Nathan. Havia um pouco de cor em suas faces... mas podia ter sido causada pela irritação. Ele sorriu e levantou a câmera de lente sem reflexo, pendurada no pescoço de Jo.

— Também tenho esse modelo.

— É mesmo? — Ao se lembrar da criação de Nathan, Jo absteve-se de dar um puxão na câmera. — Como eu disse, seria difícil para você não ter algum interesse por fotografia. Seu pai ficou desapontado por você não ter seguido a mesma carreira?

— Não. — Nathan continuou a estudar a Nikon, recordando as pacientes instruções do pai sobre abertura, campo de visão. — Meus pais jamais desejaram que eu fosse qualquer outra coisa que não o que quisesse ser. Seja como for, Kyle ganhava a vida com uma câmera.

— Eu não sabia... — Jo recordou abruptamente que Kyle também havia morrido. Sem pensar, tocou na mão de Nathan. — Se é um ponto sensível, não há necessidade de falar a respeito.

— Também não se pode ignorar. — Nathan deu de ombros. — Kyle trabalhava na Europa... Milão, Paris, Londres. Fazia muita fotografia de moda.

— É uma arte independente.

— Claro. E você tira fotos de rios.

— Entre outras coisas.

— Eu gostaria de ver suas fotos.

— Por quê?

— Acabamos de concluir que é um interesse meu. — Ele soltou a câmera. — Dedicarei mais tempo à fotografia enquanto estiver aqui. E gostaria de conhecer seu trabalho. Como você mesma disse... está relacionado com meu pai.

Era o rumo certo. Ele quase podia ver a mente de Jo mudando de idéia, passando da recusa automática para a concordância.

— Trouxe alguma coisa comigo. Acho que você pode dar uma olhada um dia desses.

— Que tal agora? Eu estava mesmo a caminho de Sanctuary.

— Está bem. Mas não tenho muito tempo. Ainda estou prestando serviço de arrumadeira.

Jo começou a se abaixar para pegar a bolsa de equipamentos, mas ele se antecipou.

— Pode deixar que eu levo.

Jo foi andando ao seu lado. Tirou o maço de cigarros do bolso do casaco.

— Isso não é outra cantada, não é mesmo?

— Seria, se eu tivesse pensado nisso. Ainda tenho aquele filé à espera.

— Vai acabar com queimadura de freezer. — Jo soltou um suspiro, enquanto o estudava pelos olhos contraídos. — Por que sua esposa o deixou?

— O que a leva a pensar que ela me deixou?

— Está bem... por que você a deixou?

— Deixamos um ao outro. — Nathan afastou para o lado um musgo pendendo na trilha. — O casamento se perdeu pela falta de interesse. Está tentando avaliar que tipo de marido eu era antes de me deixar lhe oferecer um filé para o jantar?

— Não. — A irritação na voz de Nathan levou-a a contrair os lábios, antes de acrescentar: — Mas teria feito isso, se lembrasse. Por que não pulamos esse assunto? Perguntarei apenas se gostou da primeira semana em Desire.

Ele parou e virou-se para fitá-la.

— Não foi mais ou menos aqui que você caiu na água naquele verão?

Jo alteou uma sobrancelha.

— Não. Foi um pouco mais rio abaixo que você me *empurrou.* E se teve a idéia de repetir a manobra, eu pensaria duas vezes.

— Uma das razões para minha volta é reconstituir alguns daqueles dias e noites. — Nathan deu um passo à frente e ela deu um passo para trás. — Tem certeza de que não foi aqui que você entrou na água?

— Tenho sim.

Ele fez com que Jo desse outro passo para trás. Ela bateu com a mão no peito dele, mas descobriu-se manobrada para mais perto da margem.

— Não tenha tanta certeza.

No instante em que Jo escorregou na relva úmida, ele puxou-a ao encontro de seu peito.

— Epa! — Sorridente, Nathan passou os braços em torno de sua cintura. — Há sempre uma possibilidade, não é?

Jo segurou os braços de Nathan com firmeza, para qualquer eventualidade.

— Já chega.

— Acho que terei de aceitar sua palavra quanto a isso... e esperar a descoberta por mim mesmo. A expectativa é metade da diversão.

— Como? — Jo sentiu que o sangue se esvaía para a sola dos pés. *Sou um grande fã da expectativa.* — O que foi mesmo que disse?

— Que eu aceitaria sua palavra. Ei! — Ele deslocou o peso do corpo de um pé para outro. Puxou-a para mais perto, enquanto ela se debatia. — Tome cuidado ou acabaremos dando um mergulho matutino.

Nathan conseguiu afastá-la da beira do rio. Jo estava branca, tremendo tanto, que a pele vibrava nas palmas de Nathan.

— Fique calma — murmurou ele, tornando a abraçá-la. — Não tive a intenção de assustá-la.

— Sei disso.

O medo viera e passara depressa, deixando-a com a sensação de que era uma tola. Porque seu coração ainda batia forte, deixou que Nathan a abraçasse... e perguntou-se quando fora a última vez em que alguém a abraçara daquele jeito.

— Não foi nada — acrescentou Jo. — Apenas uma estupidez. Encontrei um cara à noite no camping que me disse uma coisa parecida. Ele me assustou.

— Desculpe.

Jo deixou escapar um longo suspiro.

— Não foi culpa sua. Ando com os nervos à flor da pele.

— Ele não a machucou?

— Não. Nem tocou em mim. Apenas me deixou assustada.

Ela encostou a cabeça no ombro de Nathan e começou a fechar os olhos. Seria muito fácil permanecer assim. Ser abraçada. Sentir-se segura. Mas fácil nem sempre era a maneira certa. Ou a mais sensata.

— Não vou para a cama com você, Nathan.

Ele esperou um momento, apreciando a sensação de Jo aconchegada em seus braços, a textura dos cabelos contra seu rosto.

— Neste caso, posso muito bem me afogar no rio neste momento. Acaba de destruir o sonho de minha vida inteira.

Jo teve vontade de rir, mas reprimiu a risada que se formou em sua garganta.

— Estou tentando ser franca com você.

— Em vez disso, por que não mente um pouco? Afague meu ego. — Nathan deu um puxão de leve no rabo-de-cavalo e ela levantou a cabeça. — Podemos começar com uma coisa simples e continuar até as mais complicadas.

Ela observou o olhar de Nathan baixar para sua boca, perdurar, depois subir lentamente para os olhos. Quase podia saborear o beijo, sentir a vibração em seus lábios. Seria simples fechar os olhos e deixar que ele a beijasse. Seria fácil inclinar-se para a frente e recebê-lo no meio do caminho.

Em vez disso, porém, ela ergueu a mão e pressionou os dedos contra a boca de Nathan.

— Não.

Ele suspirou, pegou o pulso de Jo e roçou os lábios pelos dedos.

— Você sabe como fazer um homem se empenhar por seus prazeres, Jo.

— Não serei um dos seus prazeres.

— Você já é. — Sem largar a mão de Jo, ele virou-se para seguir até Sanctuary. — Não me pergunte por quê.

Como ele parecia não esperar um comentário a respeito nem uma conversa inconseqüente, Jo foi andando em silêncio. Teria de pensar sobre aquela... situação, decidiu ela. Não era bastante tola para negar que tivera uma reação a Nathan. Aquele clique físico, visceral, que qualquer mulher reconhecia como desejo básico. Era normal o suficiente a ponto de ser quase tranqüilizador.

Podia estar perdendo o juízo, mas o corpo ainda funcionava em todos os circuitos elementares.

Não sentira o clique com bastante freqüência em sua vida para considerá-lo como uma coisa corriqueira. E quando ecoava de uma forma tão óbvia no homem que a causara... isso era uma coisa em que não se podia deixar de pensar.

Por enquanto, pelo menos, era algo que podia controlar, que podia compreender, analisar, relacionar as opções. Mas ela desconfiava que o problema com os cliques era o fato de que causavam comichões. E problema com as comichões era o fato de que incomodavam até que ela desistia e começava a coçar.

— Terá de ser depressa — avisou ela, enquanto se encaminhava para a porta lateral.

— Sei disso. Você está no serviço de arrumação de camas. Não vou retê-la por muito tempo. Planejo farejar em torno de Brian até ele me alimentar.

— Se não estiver muito ocupado, pode persuadi-lo a sair depois. Para ir à praia, talvez para pescar. Ele passa tempo demais aqui.

— Ele adora esta casa.

— É verdade. — Jo entrou num corredor em cuja parede fora pintado um mural da floresta e do rio. — Mas isso não significa que tem de servir Sanctuary em todas as horas de todos os dias.

Ela empurrou um painel e uma parte do mural abriu.

— É uma maneira estranha de expressar a situação — comentou Nathan, passando pela abertura e subindo a escada para o que fora outrora os aposentos dos criados, mas era agora a entrada particular da ala da família. — Servir Sanctuary.

— É o que ele faz. Suponho que é o que todos nós fazemos quando estamos aqui.

Ela virou à esquerda no alto da escada. Ao passar pela primeira porta aberta, deu uma olhada no quarto de Lexy. A enorme cama de baldaquino estava vazia. E desarrumada, como era de esperar. Havia roupas espalhadas por toda parte... no tapete Aubusson, no assoalho encerado, nas elegantes cadeiras Queen Anne. As fragrâncias de loções, perfumes e talcos pairavam no ar, em celebração feminina.

— Talvez nem todos — murmurou Jo, continuando a andar.

Ela tirou uma chave do bolso e abriu uma porta estreita. Nathan alteou as sobrancelhas em surpresa quando entrou. Era um laboratório fotográfico muito bem equipado e organizado.

Um tapete antigo e puído protegia o assoalho de tábuas de pinho de largura variável; estores grossos estavam arriados e presos, para permanecerem assim, sobre as janelas gêmeas. Prateleiras de metal cinza continham vidros com substâncias químicas e tubos de plástico. Em outras, havia pilhas de caixas de papelão preto, que ele presumiu que continham os papéis de cópias, as folhas de contato e fotos já prontas. Havia uma bancada de trabalho comprida, de madeira, com um banco alto.

— Não sabia que você tinha um laboratório aqui.

— Era um banheiro e quarto de vestir. — Jo acendeu a luz branca. Foi até as fotos que revelara e copiara na noite anterior, ainda penduradas na linha de secagem. — Pressionei a prima Kate até que ela me deixou derrubar a parede e fazer o laboratório. Poupei durante três anos para comprar os equipamentos.

Ela passou a mão pelo ampliador, lembrando o cuidado com que fizera uma pesquisa de preços, contando cada centavo.

— Kate comprou isto para mim como presente de aniversário quando fiz dezesseis anos. Brian me deu as estantes e a bancada. Lex me deu papel e fluido de revelação. Surpreenderam-me com os presentes antes que eu gastasse minhas economias. Foi o melhor aniversário que já tive.

— A família sempre ajuda — comentou Nathan, notando que ela não mencionara o pai.

— Às vezes isso acontece. — Jo inclinou a cabeça para a pergunta que não foi formulada. — Ele permitiu o laboratório. Afinal, não foi fácil para meu pai renunciar a uma parede.

Ela virou-se para pegar uma caixa em cima da máquina de esmaltagem.

— Estou reunindo fotos para um livro que devo lançar. Estas provavelmente são as melhores, embora eu ainda tenha de fazer a seleção final.

— Vai lançar um livro? Maravilhoso!

— Isso ainda tem de ser comprovado. Por enquanto, é apenas uma coisa com que tenho de me preocupar.

Ela deu um passo para trás quando Nathan se adiantou para pegar a caixa. Enganchou os polegares nos bolsos de trás da calça e ficou esperando.

Nathan precisou ver apenas a primeira foto para notar que ela estava muito além de competente. Seu pai fora competente, pensou Nathan, às vezes até inspirado. Mas, se ela se considerava a discípula de David Delaney, então superara em muito seu mentor.

A foto em preto-e-branco vibrava de drama, as linhas tão firmes e nítidas que poderiam ter sido esculpidas com um bisturi. Era um estudo de uma ponte sobre águas agitadas... a ponte branca vazia, o mar escuro revolto, o sol acabando de romper no horizonte.

Outra mostrava uma árvore isolada, os galhos largos, estendendo-se em todas as direções, sem folhas, num campo deserto, recém-arado. Ele poderia contar os sulcos. Foi examinando as fotos lentamente, sem dizer nada, impressionado com o que Jo era capaz de ver, captar e projetar para a eternidade.

Chegou a uma cena noturna, um prédio de alvenaria, as janelas escuras, exceto pelas três de cima, com brilho surpreendentemente intenso. Dava para ver a umidade nos tijolos, uma tênue neblina turbilhonando por cima de poças escuras. E quase podia sentir na pele o ar frio e úmido.

— As fotos são espetaculares. E você sabe disso. Teria de ser absurdamente neurótica e humilde para não conhecer as dimensões de seu talento.

— Eu não diria que sou humilde. — Jo deu um sorriso. — Neurótica, provavelmente. A arte exige neuroses.

— Eu não diria neurótica. — Curioso, ele baixou a última foto, para estudar o rosto de Jo. — Mas solitária. Por que você é tão solitária?

— Não sei do que você está falando. Meu trabalho...

— É brilhante — interrompeu Nathan. — E triste. Em cada uma dessas fotos a impressão é a de que alguém acabou de se afastar e só restou você em cena.

Apreensiva, ela tirou a foto da mão de Nathan e tornou a guardá-la na caixa.

— Não estou interessada em fotografar pessoas. Não é isso o que eu faço.

— Jo... — Ele tocou com as pontas dos dedos o rosto dela e percebeu pelo lampejo em seus olhos que o gesto simples provocara um sobressalto. — Você exclui as pessoas. Faz com que seu trabalho seja visualmente espantoso e emocionante. Mas o que faz com o resto de sua vida?

— Meu trabalho é o resto da minha vida. — Com uma batida brusca, ela pôs a caixa de volta na prateleira. — E agora, como eu disse antes, tenho uma manhã muito ocupada.

— Não vou mais tomar seu tempo.

Mas ele virou-se, sem pressa, e começou a examinar as fotos penduradas na linha de secagem. Quando riu, Jo empinou os ombros e preparou-se para rosnar.

— Para alguém que alega não ter interesse por retratar pessoas, você sabe mostrá-las com perfeição.

Com uma expressão mal-humorada, ela adiantou-se e viu que Nathan olhava para uma das fotos que tirara no camping.

— Isso não é trabalho. É simplesmente...

— Sensacional — arrematou Nathan. — Engraçada, com um clima de intimidade. Essa é a médica com o braço estendido pelos ombros de sua irmã. Quem é a mulher com o sorriso de um hectare?

— Ginny Pendleton. — Jo fez um esforço para não rir. O sorriso de Ginny era assim mesmo, vasto como um hectare, fértil, repleto de promessas. — Ela é nossa amiga.

— São todas amigas. Isso é evidente na foto... a afeição e o vínculo feminino. E é evidente também que há um vínculo da fotógrafa. Ela pode não aparecer na foto, mas sua ligação é inequívoca.

Jo mudou de posição, contrafeita.

— Estávamos de porre. Ou quase.

— Melhor assim. A foto é sem dúvida inadequada para o tema do livro que está preparando, mas deveria considerá-la se fizer outro. Nunca faz mal nenhum misturar um pouco de diversão em sua angústia.

— Está apenas olhando para um bando de mulheres atraentes e meio bêbadas.

— Por que não? — Ele estendeu a mão para o queixo de Jo, levantando-o quando ela quis se desvencilhar. — Eu adoraria ver como faz seu auto-retrato na próxima vez em que estiver tão descontraída.

Os olhos de Nathan eram afetuosos e compreensivos, muito atraentes na maneira com que a fitavam e penetravam fundo em seus olhos. Jo sentiu aquele pequeno clique de novo, mais nítido desta vez.

— Vá embora, Nathan.

— Está bem.

Antes que qualquer dos dois pudesse pensar a respeito, ele inclinou a cabeça e deu um beijo de leve em seus lábios. E logo deu outro beijo, um pouco mais longo, um pouco mais firme. Mais ardente do que ele esperava, pensou Nathan, e mais excitante, já que ela mantivera os olhos abertos e sem piscar.

— Você estremeceu — murmurou ele.

— Não, não estremeci.

Nathan passou o polegar pelo queixo de Jo, antes de baixar as mãos.

— Um dos dois estremeceu.

— Você não vai embora.

— Acho que não. Pelo menos não como você quer.

Ele comprimiu os lábios contra a testa de Jo desta vez. Ela não estremeceu, mas sentiu um solavanco no coração.

— Não... decididamente não como você quer.

Quando ele a deixou, Jo virou-se para a janela. Apressou-se em soltar o cordão do estore, levantá-lo e abrir as janelas. Queria ar, bastante ar, para esfriar o sangue e desanuviar a mente. E no momento mesmo em que respirava fundo divisou a figura parada à beira de uma duna, o vento desmanchando seus cabelos, estufando a camisa.

Sozinha, como seu pai sempre estava sozinho, todas as pessoas mantidas além do muro invisível que ele erguera. Com um movimento brusco, Jo fechou a janela de novo para depois baixar a cortina.

Não era seu pai. Não era sua mãe. Era ela mesma. E talvez fosse por isso que havia ocasiões em que sentia que não era ninguém.

Capítulo Dez

Giff estava assoviando de novo. Nathan tentou identificar a melodia enquanto comia uma torrada francesa, no balcão da cozinha. Mas não conseguiu. Só pôde presumir que Giff embrenhara-se tão fundo pelo território da música country-western que seus conhecimentos restritos não permitiam acompanhá-lo.

Não podia haver a menor dúvida de que o homem era um trabalhador sempre alegre, refletiu Nathan. E aparentemente era mesmo capaz de consertar qualquer coisa. Nathan tinha certeza de que só com uma fé absoluta Brian poderia pedir a Giff para desmontar a lavadora de louça do restaurante no meio do café da manhã na pousada.

Agora, Brian fritava, grelhava e mexia, Giff assoviava e consertava a lavadora, e Nathan comia uma segunda porção de torradas francesas douradas com *chutney* de maçã.

Ele não podia se lembrar de outra ocasião em que tivesse comido uma refeição mais saborosa.

— Como está indo, Giff? — perguntou Brian, enquanto o contornava para pôr um pedido completo na ponta do balcão.

— Mais ou menos.

— Se não puser essa máquina para funcionar até o final do café da manhã, Nate terá de lavar os pratos manualmente.

— É mesmo? — Nathan engoliu um pedaço da torrada. — Mas só usei um prato.

— Regras da casa. Você come na cozinha, tem de ajudar quando é preciso. Não é mesmo, Giff?

— Claro. Mas acho que não vai chegar a esse ponto. Vou consertá-la. — Ele olhou quando Lexy passou pela porta e sorriu. — Ainda vou dominá-la no momento certo.

Ela dispensou-lhe um olhar irritado, contrariada porque Giff conseguia parecer atraente mesmo com aquele boné de beisebol ridículo e a camiseta encardida.

— Mais dois especiais, um com presunto, outro com bacon. Dois ovos com a gema mole, bacon, uma porção de batatas fritas, torrada comum. Giff, tire seus pés enormes do caminho.

Lexy contornou-os para pegar os pedidos já prontos. O sorriso de Giff já era enorme quando ela deixou a cozinha.

— Essa sua irmã é a coisa mais linda que eu conheço, Bri.

— É o que você diz, Giff.

Brian quebrou dois ovos e os despejou em uma frigideira.

— Ela é louca por mim.

— Deu para perceber. A maneira com que ela se mostrou entusiasmada quando viu você foi embaraçosa.

Giff soltou uma risada e bateu com o cabo da chave de fenda na palma da mão.

— É o jeito dela. Lexy quer um homem farejando em sua esteira como um cachorrinho e fica de nariz empinado quando não consegue isso. Mas ela vai dar a volta por cima. Basta compreender como funciona a cabeça de uma determinada mulher.

— E quem sabe como funciona a mente de qualquer mulher? — Brian gesticulou com a espátula para Nathan. — Você sabe, Nate?

Nathan contemplou o pedaço de torrada francesa que ia morder. O molho pingou no prato.

— Não, não posso dizer que sei. E estudei bastante o assunto. Pode-se até dizer que dediquei uma boa parte de minha vida a isso, com resultados duvidosos.

— Não é uma questão de saber como todas funcionam. — Paciente, Giff começou a prender os parafusos. — Você tem de se concentrar em uma. É como um motor. Um não funciona necessariamente da mesma maneira que outro, até quando são da mesma marca e modelo. Cada um tem suas peculiaridades. Alexa, por exemplo...

Ele parou de falar por um instante, enquanto terminava de pôr mais um parafuso e pegava outro.

— Ela é quase bonita demais para o seu próprio bem. Pensa muito a respeito, preocupa-se com isso.

— Ela tem maquiagem suficiente no banheiro para pintar toda uma fileira de coristas de Las Vegas — comentou Brian.

— Algumas mulheres acham que isso é uma responsabilidade. Lex fica furiosa se um homem não se mostra deslumbrado com ela vinte e quatro horas por dia... e se fica deslumbrado vinte e quatro horas por dia, Lex acha que é um idiota, porque não é capaz de perceber nada além da superfície. O segredo é encontrar a linha, depois escolher o momento e o lugar certo para cruzá-la.

Brian pôs os ovos num prato. Lexy era mesmo assim, pensou ele. Contraditória e irritante.

— Parece trabalho demais para mim.

— Ora, Bri, as mulheres sempre dão trabalho. — Giff levantou a pala do boné, as covinhas destacando-se. — Isso é parte da atração.

Ele acenou com a cabeça para a lavadora, enquanto acrescentava:

— Ela vai funcionar agora.

Giff avaliou o tempo e calculou que Lexy voltaria à cozinha a qualquer momento para buscar os pedidos prontos.

— Ginny, eu e alguns outros estamos pensando em fazer um luau esta noite. Lá em Osprey, as dunas da águia-pescadora. Tenho muita lenha que juntei e será uma noite clara. — Quando Lexy passou pela porta, Giff sentiu-se satisfeito. — Pensei que você poderia avisar os hóspedes aqui, falar com turistas nos chalés e no camping.

— Avisar sobre o quê? — perguntou Lexy.

— Sobre o luau.

— Esta noite? — Os olhos de Lexy faiscaram, enquanto ela punha os pratos no balcão. — Onde?

— Em Osprey. — Com todo cuidado, Giff guardou as ferramentas na caixa de metal amassada. — Você vai, não é, Bri?

— Não sei, Giff. Tenho de pôr em dia a contabilidade da pousada.

— Deixe disso, Bri. — Lexy cutucou-o ao passar para pegar os pedidos. — Não seja um chato. Todos nós iremos.

Na esperança de enfurecer Giff, ela ofereceu um sorriso sedutor para Nathan.

— Você também irá, não é? Não há nada como um luau na ilha.

— Não perderia de jeito nenhum.

Ele lançou um olhar cauteloso para Giff, torcendo para que o homem já tivesse guardado o martelo.

— Grande! — Lexy lançou-lhe um sorriso radiante ao passar, o sorriso que reservava para as ocasiões especiais. — Começarei a avisar as pessoas.

Giff coçou o queixo e levantou-se, enquanto Lexy deixava a cozinha.

— Não precisa ficar tão apreensivo, Nate. O flerte é uma iniciativa natural de Lexy.

— Ahn...

Nathan olhou para a caixa de ferramentas, pensando em todas as armas em potencial que havia ali.

— Não me incomoda nem um pouco. — À vontade ali, Giff pegou um biscoito numa tigela e deu uma mordida. — Se um homem decide conquistar uma linda mulher, tem de esperar um pouco de flerte da parte dela, muitos olhares de outros homens. Portanto, pode olhar quanto quiser.

Giff levantou a caixa de ferramentas e piscou, antes de acrescentar:

— Mas se quisesse fazer mais do que olhar, precisaríamos ter outro tipo de conversa. Até esta noite.

Ele saiu assoviando.

— Quer saber de uma coisa, Bri? — Nathan levou seu prato para a pia. — Esse cara tem bíceps mais duros do que pedra. Acho que não vou nem olhar.

— Uma sábia precaução. Agora você pode pagar o café da manhã pondo a louça na lavadora.

— NÃO SINTO A MENOR DISPOSIÇÃO PARA UMA CONFRATERNIZAÇÃO social, Kate. Vou trabalhar um pouco no laboratório esta noite.

— Não vai fazer trabalho nenhum. — Kate foi até a cômoda de Jo, pegou uma escova simples de cabo de madeira e sacudiu-a. — Vai passar um pouco de batom nos lábios, arrumar os cabelos e descer para o luau. Vai dançar na areia, tomar vinho e se divertir um pouco.

Antes que Jo pudesse protestar de novo, Kate ergueu a mão, ao estilo de um guarda de trânsito.

— Poupe seu fôlego, menina. Já tive essa briga com Brian e consegui vencer. É melhor você jogar a toalha no ringue logo de uma vez.

Quando ela jogou a escova, Jo pegou-a antes que acertasse em sua cabeça.

— Não sei por que importa...

— Claro que importa — disse Kate, entre os dentes semicerrados, enquanto abria a porta do armário de pau-rosa. — É importante que as pessoas nesta casa aprendam a se divertir um pouco de vez em quando. Quando acabar com você, vou pressionar seu pai.

Jo soltou uma risada e arriou na cama.

— Não há a menor possibilidade.

— Ele vai ao luau — declarou Kate, com uma expressão determinada, enquanto estudava o que havia no armário. — Nem que eu tenha de bater em sua cabeça para deixá-lo inconsciente e arrastá-lo até a praia. Não tem nenhuma blusa que dê a impressão de que se importa com o que veste, mesmo que remotamente?

Irritada, ela empurrou os cabides para o lado.

— Não tem alguma coisa que seja pelo menos um pouco atraente ou elegante?

Sem esperar por uma resposta, ela foi até a porta e gritou:

— Alexa! Escolha uma blusa para sua irmã e traga até aqui!

— Não quero nenhuma camisa de Lex. — Alarmada, Jo levantou-se de um pulo. — Se eu tivesse de ir, iria com minhas próprias roupas. Mas não importa, porque não vou.

— Vai sim. E trate de ondular os cabelos. Estou cansada de vê-la com os cabelos escorridos.

— Não tenho nada para fazer isso, mesmo que quisesse... e não quero.

— Ah! — exclamou Kate. — Alexa, traga a blusa e os bobes para o quarto de sua irmã!

— Fique fora daqui, Lex! — gritou Jo. — Kate, não tenho mais dezesseis anos.

— Não, não tem. — Kate acenou com a cabeça, decidida, os pequenos pingentes de ouro nas orelhas balançando com o movimento. — É uma mulher adulta e adorável. Já faz muito tempo que não se orgulha disso. Mas agora vai se orgulhar de novo, empenhar algum esforço em sua aparência... e não admito nenhum protesto. Crianças terríveis, sempre brigando comigo por tudo...

Ela entrou no banheiro de Jo.

— Você não tem nem mesmo rímel aqui. Se quer ser uma freira, entre para o convento. O batom não é um instrumento de Satã.

Lexy entrou no quarto com uma blusa pendurada no ombro e uma caixa de bobes na mão. Seu ânimo era o melhor possível, na expectativa da noite pela frente. Por isso, sorriu e alteou as sobrancelhas para Jo.

— Ela está num dos seus ataques?

— E dos grandes. Não quer ondular os cabelos.

— Relaxe, Jo Ellen.

Lexy largou os bobes na cômoda. Contemplou sua aparência no espelho. Mantivera a maquiagem sutil, para combinar com a festa informal. De qualquer forma, a luz da fogueira seria extremamente lisonjeira. A maioria estaria usando jeans, ela sabia, e por isso a saia comprida e larga, coberta com papoulas vermelhas, seria um contraste atraente.

— E não vou usar suas roupas.

— Como quiser. — Lexy virou-se, contraiu os lábios e estudou-a rapidamente. Sentia-se bastante bem para ser cordial. — Hum... O luxo afetado não é o seu estilo.

— Isso é uma novidade. Deixe-me anotar.

Lexy deixou o sarcasmo escorrer de seus ombros perfumados. Deu uma volta lenta em torno da irmã.

— Tem uma camiseta preta que não seja tão larga que duas de você caberiam?

Cautelosa, Jo acenou com a cabeça.

— Devo ter.

— E um jeans preto?

Quando deu de ombros para informar que tinha, Lexy bateu com um dedo em seus lábios.

— É assim que você irá. Elegante e moderna. Talvez com argolas nas orelhas e um cinto como acessório. Mas isso será tudo. E nada de cabelos ondulados.

— É mesmo?

— Mas vai precisar de um novo penteado. — Lexy continuou a bater com o dedo nos lábios, ao mesmo tempo que contraía os olhos e balançava a cabeça. — Posso dar um jeito nisso. Bastam uns pequenos cortes aqui e ali.

— Cortes? — Jo pôs as mãos nos cabelos em defesa. — O que está querendo dizer com isso? Não vou deixá-la cortar meus cabelos.

— Por que se importaria? Estão sempre escorridos.

— É isso mesmo — interveio Kate. — Lexy tem jeito com cabelos. É ela quem apara os meus, se não posso ir ao continente. Lave os cabelos, Jo. Lexy, pegue sua tesoura.

— Está bem. — Derrotada, ela ergueu as mãos. — Talvez até seja melhor assim. Se ela me escalpelar, não terei de passar metade da noite sentada na areia, com um bando de idiotas, ouvindo alguém cantar "Kum Ba yah".

Quinze minutos depois, ela sentou com uma toalha em volta do pescoço, com fios de cabelos caindo.

— Ó Deus! — Jo apertou os olhos com força. — Perdi o juízo. Agora é oficial.

— Pare de se contorcer. — Mas havia mais riso na ordem do que irritação. — Não fiz quase nada... ainda. E pense quanto tempo vai conseguir manter a prima Kate a distância.

— Tem razão. — Jo forçou os ombros a relaxarem. — Esse é um ponto positivo.

— Você tem cabelos maravilhosos, Jo. Uma bom volume, uma ondulação natural. — Lexy contraiu os lábios, contemplando os próprios cabelos no espelho. — Não sei por que tenho de pagar tanto dinheiro para frisá-los. Meus cabelos são retos como um alfinete.

Com um dar de ombros pelos caprichos da vida, ela tornou a se concentrar no trabalho que fazia.

— Você só precisa de um corte decente. Depois que eu acabar, não precisará fazer mais nada.

— Já não faço nada.

— E isso é evidente. Mas agora será diferente.

— Só não quero que corte demais... — Jo arregalou os olhos e sentiu a garganta fechar quando quase dez centímetros de cabelos caíram em seu colo. — Ó Cristo! O que você fez?

— Relaxe. Estou apenas fazendo um franja, mais nada.

— Franja? Franja? Não pedi nenhuma franja!

— Mas vai ter. Uma linda franja, descendo até as sobrancelhas. Dá uma aparência casual, que combina com você. — Lexy continuou a passar o pente e cortar, dar um passo para trás, franzir o rosto, cortar mais um pouco. — Eu gosto. E gosto muito.

— Melhor para você — murmurou Jo. — Pode usar.

— Vai me dever um pedido de desculpas. — Lexy espremeu um pouco de gel na palma, esfregou as mãos e passou-as pelos cabelos úmidos da irmã. — Só precisa de um pouco disso. Mais ou menos do tamanho de uma moeda de dez centavos.

Jo olhou para o tubo e amarrou a cara.

— Não vou usar essa coisa gordurosa nos cabelos.

— Terá de usar. Só um pouco. — Lexy ligou o secador de cabelos. — Pode deixar secar naturalmente, mas isto lhe dará um pouco mais de volume. Não precisará de mais do que dez minutos pela manhã para cuidar dos cabelos.

— Não levo nem dois minutos agora. Qual o sentido?

Jo disse a si mesma que não se importava com o corte. Apenas sentia-se cansada de ficar sentada durante tanto tempo com alguém cuidando de seus cabelos. Não estava nervosa.

— Pronto. — Lexy desligou o secador e tirou-o da tomada. — Tudo o que você tem de fazer agora é bancar a chata e encontrar defeitos. Pode começar a reclamar, como uma megera. Não estou ligando.

Ela deixou o quarto batendo os pés. Jo arrancou a toalha com um movimento brusco.

Mas parou assim que viu seu reflexo no espelho. Deu um passo para a frente. Parecia... atraente, ela refletiu. Levantou a mão para roçar pelas pontas. Em vez de penderem, os cabelos se inclinavam na direção das orelhas e para trás da cabeça. Proporcionavam-lhe uma aparência alegre. E a franja até que não era tão ruim assim, no final das contas. Hesitante, ela sacudiu a cabeça. Tudo caiu mais ou menos no lugar. Nada despencou até os olhos para deixá-la irritada.

Ela pegou a escova e passou pela cabeça, observando os cabelos subirem e caírem, as pontas bem cortadas. O que era ótimo. Não exigia muito trabalho, mas tinha classe. Isso mesmo, tinha de admitir que era um corte de classe... e que essa classe lhe era favorável.

E lembrou-se de quando sentava-se na beira da cama, enquanto a mãe escovava seus cabelos.

Seus cabelos são lindos, Jo Ellen. Densos e macios. Serão a sua maior glória.

São da mesma cor que os seus, mamãe.

Sei disso. E Annabelle riu e abraçou-a. Você será minha gêmea pequena.

— Não posso ser sua gêmea, mamãe — sussurrou Jo agora. — Não posso ser como você.

Não era por isso que ela nunca fizera nada com seus cabelos além de prendê-los atrás da cabeça com um elástico? Não era por isso que não havia rímel no banheiro? Era a teimosia, especulou Jo, ou o medo que a impedia de gastar mais de cinco minutos por dia com sua aparência? De se contemplar de verdade no espelho?

Se pretendia se manter sã, pensou Jo, precisava aprender a enfrentar o que via no espelho todos os dias. E para enfrentar, ela compreendeu, teria de aprender a aceitar.

Ela respirou fundo para se controlar, saiu para o corredor e foi até o quarto de Lexy.

Encontrou a irmã no banheiro, escolhendo um batom entre os inúmeros cosméticos no balcão.

— Desculpe. — Como a irmã não dissesse nada, Jo deu o último passo à frente. — Sinto muito, Lexy. Você estava absolutamente certa. Banquei a chata, procurando defeitos.

Lexy olhava para o pequeno tubo dourado, observando o batom vermelho subir e descer.

— Por quê?

— Tenho medo.

— De quê?

— De tudo. — Era um alívio finalmente admitir. — É verdade, tudo me assusta hoje em dia. Até mesmo um novo corte de cabelo.

Ela conseguiu exibir um sorriso para acrescentar:

— Até mesmo um corte de cabelos espetacular.

Lexy foi apaziguada o suficiente para retribuir o sorriso quando seus olhos se encontraram no espelho.

— Está mesmo sensacional. E ficaria ainda melhor se você acrescentasse alguma cor, realçasse os olhos.

Jo suspirou. Olhou para o vasto estoque pessoal de cosméticos.

— Por que não? Posso usar algumas dessas coisas?

— Qualquer coisa aqui daria certo. Somos mais ou menos do mesmo tipo. — Lexy tornou a se concentrar em sua imagem no espelho e passou batom nos lábios com todo cuidado. — Jo... você tem medo de ficar sozinha?

— Não. Eu me sinto muito bem sozinha. — Jo pegou o blush. — É praticamente a única coisa que não me assusta.

— Engraçado... é a única coisa que me assusta.

AS CHAMAS SUBIAM DA FOGUEIRA, PROJETAVAM-SE DA AREIA branca na direção de um céu escuro, cravejado de diamantes. Como algum ritual druida do fogo, pensou Nathan, enquanto tomava uma cerveja gelada, observando o fogo. Podia imaginar figuras em túnicas dançando ao redor, oferecendo sacrifícios a algum deus primitivo e faminto.

E de onde isso viera? Ele tomou outro gole da cerveja para dissipar a imagem.

A noite era fresca, a fogueira quente e a praia quase sempre deserta transbordava de pessoas, som e música. Ainda não se sentia preparado para ser parte daquilo. Ficou observando os casais na dança de acasalamento, o fluxo e refluxo de masculino e feminino, tão básico quanto a maré.

E ele pensou nas fotos que Jo lhe mostrara naquela manhã, aqueles fragmentos congelados de solidão. Talvez fosse isso, ele refletiu, que o levara a perceber como se tornara solitário.

— Oi, lindo. — Ginny arriou na areia, ao seu lado. — O que faz sozinho aqui?

— Procuro pelo significado da vida.

Ela vaiou, jovial.

— Isso é fácil. É viver. — Ela ofereceu-lhe um salsichão que acabara de tirar da fogueira, um pouco queimado. — Coma.

Nathan deu uma mordida. Sentiu o gosto de carvão e areia.

— Hum...

Ginny soltou uma risada. Apertou o joelho dele, num gesto de cordialidade.

— Fazer comida ao ar livre não é um dos meus pontos fortes. Mas posso preparar um sensacional café da manhã, ao melhor estilo sulista, se algum dia... passar por perto da minha casa.

Como uma manobra de sedução, era óbvia e fácil. Lá estava o sorriso de um hectare, um pouco torto agora, da tequila que ela andara bebendo. Nathan não pôde deixar de sorrir.

— É uma oferta muito atraente.

— Ora, meu bem, não há uma única mulher sozinha na ilha, entre dezesseis e sessenta anos, que não adoraria preparar seu café da manhã. Quero apenas ficar na frente da fila.

Sem saber direito como deveria responder agora, Nathan coçou o queixo.

— Gosto muito de café da manhã, mas...

— Não se preocupe com isso. — Desta vez ela apertou o braço dele, como se testasse e aprovasse o bíceps. — Sabe o que você tem de fazer, Nathan?

— O que é?

— Tem de dançar.

— É mesmo?

— Claro que é. — Ginny levantou-se de um pulo e estendeu a mão. — E dançar comigo. Vamos, lindo, vamos levantar um pouco de areia.

Nathan pegou a mão de Ginny. Descobriu-a tão quente e viva que foi fácil sorrir.

— Está bem.

— Ginny conseguiu pegar o ianque — comentou Giff, observando-a levar Nathan na direção da areia úmida.

— É o que parece. — Kirby lambeu o marshmallow do polegar. — Ela sabe mesmo como se divertir.

— Não é tão difícil.

Com uma cerveja pendendo entre os dedos, Giff correu os olhos pela praia. Algumas pessoas dançavam ou balançavam, outras se refestelavam em torno da fogueira, ainda outras afastavam-se pela escuridão para ficarem a sós. Crianças corriam e berravam. Os mais velhos sentavam em cadeiras de praia, trocando fofocas e observando os mais jovens.

— Nem todo mundo quer se divertir.

Kirby tornou a lançar um olhar para as dunas, mas não avistou ninguém vindo da direção de Sanctuary.

— Você está com olhos atentos à espera de Brian, enquanto eu aguardo ansioso por Lexy. — Giff passou o braço pelos ombros de Kirby, num gesto cordial. — Por que não dançamos? Podemos ficar de olho juntos.

— É uma boa idéia.

Brian passou sobre as dunas, Lexy de um lado, Jo no outro. Parou lá em cima, contemplando a cena.

— E isso, minhas crianças, tudo isso, será um dia de vocês.

— Ora, Bri, não seja tão mal-humorado — protestou Lexy, dando-lhe uma cotovelada de leve.

Ela avistou Giff no mesmo instante e sentiu uma pontada de ciúme ao vê-lo nos braços de Kirby para uma dança lenta.

— Estou ansiosa por um siri — disse ela, jovial, começando a descer para a praia.

— Provavelmente poderíamos escapar agora — sugeriu Jo. — Kate ainda está arrastando papai. Seguiríamos para o norte, daríamos a volta e estaríamos em casa antes que ela chegasse aqui.

— Kate nos obrigaria a pagar por isso mais tarde. — Resignado, ele enfiou as mãos nos bolsos traseiros da calça. — Por que acha que somos tão deficientes nas ocasiões sociais, Jo Ellen?

— Temos Hathaways demais.

— E poucos Pendletons — arrematou Brian. — Acho que Lexy ficou com toda a nossa quota.

Ele acenou com a cabeça para o ponto da praia em que a irmã se encontrava, já no meio da agitação, cercada por muitas pessoas, e acrescentou:

— Vamos acabar logo com isso.

Mal haviam alcançado a praia quando Ginny foi correndo até eles. Saudou-os com beijos estalados.

— Por que demoraram tanto? Já estou meio acesa. Nate, vamos pegar uma cerveja para esses dois, a fim de que possam nos alcançar.

Ela virou-se para ir buscar as cervejas, esbarrou em alguém e deu uma risada.

— Ei, Morris, não quer dançar comigo? Vamos embora!

Nathan soltou um suspiro.

— Não sei de onde ela tira tanta energia. Quase me deixou esgotado. Querem aquela cerveja?

— Pode deixar que eu vou pegar — disse Brian, afastando-se.

— Gosto dos seus cabelos. — Nathan levantou um dedo para roçar na franja de Jo. — O corte ficou ótimo.

— Foi Lexy quem cortou.

— Está adorável. — Ele passou a mão pelo ombro de Jo, desceu pelo braço, até pegar a mão dela. — Isso é um problema para você?

— Não, eu... Não comece nada comigo, Nathan.

— Tarde demais. — Ele chegou mais perto. — Já comecei.

Nathan aspirou a fragrância de Jo, envolvente, intrigante, e murmurou:

— Você está usando perfume.

— Lexy...

— Eu gosto. — Ele inclinou-se e deixou-a atordoada ao farejar seus cabelos, seu pescoço. — E gosto muito.

Jo sentia dificuldade para respirar. Irritada, ela deu um passo para trás.

— Não é por isso que estou usando.

— Gosto assim mesmo. Quer dançar?

— Não.

— Ótimo. Também não quero. Vamos sentar perto da fogueira e trocar algumas carícias.

Era tão absurdo que Jo quase riu.

— Vamos apenas sentar perto da fogueira. Se tentar qualquer coisa, pedirei a meu pai que pegue sua arma e acabe com você. E como é um ianque, ninguém vai se importar.

Ele riu e passou o braço pela cintura de Jo. Ignorou a reação, pois já compreendera que ela reagia com um sobressalto instintivo ao ser tocada.

— Está bem, ficaremos sentados quietinhos.

Nathan pegou uma cerveja e um espeto com um salsichão para ela e foi se acomodar ao seu lado.

— Vejo que trouxe a câmera.

Num movimento automático, ela pôs a mão sobre a velha bolsa de couro na cintura.

— Uma questão de hábito. Esperarei um pouco antes de usá-la. Às vezes uma câmera afasta as pessoas... mas depois que tomam bastante cerveja, não se importam tanto.

— Pensei que não tirava retratos.

— Como regra geral, não tiro. — A conversa sempre fazia com que se sentisse pressionada. Ela meteu a mão no bolso para tirar um cigarro. — Você não precisa persuadir os objetos inanimados com lisonja ou bebida para tirar uma foto.

— Só tomei uma cerveja.

Nathan pegou o isqueiro, protegeu-o com a mão em concha contra a brisa que soprava do mar e acendeu o cigarro.

— E você não tentou me persuadir com lisonjas — acrescentou ele. — Mas pode tirar minha foto quando quiser.

Jo estudou-o através da fumaça. Ossos fortes, olhos fortes, boca forte.

— Talvez eu tire. — Ela pegou o isqueiro de volta e guardou-o no bolso. O que veria através da lente? E qual seria sua reação ao que visse? — É bem possível.

— Você se sentiria constrangida se eu dissesse que estava à sua espera?

Ela fitou-o de novo, mas logo desviou os olhos.

— Ficaria sim... e muito constrangida.

— Então não vou mais tocar no assunto nem dizer que a observei parar lá em cima, entre as dunas, e pensei: lá está ela. Por que demorou tanto?

Jo ajeitou o espeto entre os joelhos, a fim de liberar a mão para a cerveja. Podia sentir as palmas úmidas com o nervosismo.

— Não demorei tanto assim. A fogueira não está acesa há mais de uma hora.

— Não estou falando desta noite. E acho que também não deveria mencionar que sinto uma profunda atração por você.

— Não creio...

— Portanto, falaremos sobre outra coisa.

Ele sorriu para Jo, deliciado com a expressão aturdida em seus olhos, a boca adorável um pouco contraída.

— Há muitos rostos para estudar por aqui — acrescentou Nathan. — Você poderia fazer outro livro só com isso. Os rostos de Desire.

Ele mudou de posição. Os joelhos esbarraram. Jo fitou-o, surpresa com a suavidade de suas insinuações. E com certeza era só isso, apenas insinuações. Qualquer homem podia fazer com que o coração de uma mulher disparasse com algumas palavras sugestivas e um sorriso que continha muitas insinuações.

— Ainda não acabei o livro para o qual fui contratada, muito menos pensei em outro.

— Mas acabará pensando, mais cedo ou mais tarde. Tem muito talento e ambição para não pensar sobre isso. Mas, por enquanto, por que não satisfaz minha curiosidade e me fala sobre essas pessoas?

— Quem o deixa curioso?

— Todos. E qualquer um.

Jo virou o espeto em cima das chamas, observou a gordura subir e borbulhar.

— Aquele é o Sr. Brodie... o velho com o boné branco e o bebê no colo. Deve ser o seu bisneto, o quarto pelas minhas contas. Seus pais foram criados em Sanctuary, no início do século XX. Ele nasceu em Desire, foi criado aqui.

— E cresceu na casa?

— Passava muito tempo ali, mas sua família ganhou um chalé e um pedaço de terra, por seus serviços longos e leais. Ele lutou na Segunda Guerra Mundial, como artilheiro. Trouxe a esposa de Paris. Ela se chamava Marie Louise e viveu aqui com ele até morrer, há três anos. Tiveram quatro filhos, dez netos e até agora quatro bisnetos. Ele sempre anda com dropes de hortelã no bolso. — Ela virou o rosto para Nathan. — Era isso o que queria saber?

— Era exatamente isso. — Ele se perguntou se Jo sabia que sua voz se animara ao contar a história. — Escolha outra pessoa.

Jo suspirou. Achava que aquilo era uma tolice. Mas pelo menos não a deixava nervosa.

— Aquela é Lida Verdon, minha prima pelo lado Pendleton. É a mulher grávida e com cara de cansada que está ralhando com a criança de dois ou três anos. É seu terceiro filho em quatro anos. O marido, Wally, é bonito como seis demônios... e não presta. É motorista de caminhão e se ausenta em longas viagens. Ganha muito bem, mas Lida não vê a cor do dinheiro.

Uma criança passou correndo, com gritos de alegria, o pai indulgente em seu encalço de brincadeira. Jo apagou o cigarro na areia e enterrou-o.

— Quando Wally está em casa, passa a maior parte do tempo de porre ou bebendo para ficar. Ela já o expulsou de casa duas vezes, mas aceitou-o de volta. E tem um bebê ainda aprendendo a andar e outro de colo como provas das reconciliações. Somos da mesma idade, Lida e eu, nascemos com apenas dois meses de diferença. Tirei fotos em seu casamento. Ela aparece linda, feliz e jovem nas fotos. Agora, quatro anos depois, está acabada. Nem tudo em Desire é um conto de fadas.

— Sei disso. — Nathan passou o braço pelos ombros de Jo. — Nem tudo é conto de fadas em qualquer lugar. Fale-me sobre Ginny.

— Ginny? — Com uma risada rápida, Jo correu os olhos pela praia. — Não é preciso dizer qualquer coisa sobre Ginny. Basta olhar para ela. Está vendo como ela faz Brian rir? Ele quase nunca ri assim. Só Ginny consegue levá-lo a esse ponto.

— Você cresceu com ela.

— Isso mesmo. Quase como irmãs, embora ela seja mais ligada a Lexy. Ginny foi sempre a primeira de nós a experimentar qualquer coisa, especialmente se fosse proibida. Mas nunca havia qualquer mal nisso, ou nela. É apenas uma questão de Ginny gostar de tudo, e gostar muito. E também... ei, aposto que foi ela quem provocou aquilo!

Ele estava absorvido demais a contemplar Jo para notar. Tudo nela se animara e relaxara.

— O que aconteceu?

— Está vendo ali? — Jo recostou-se no braço de Nathan e apontou para a beira da água. — Lex e Giff estão brigando. Os dois vivem às turras desde que usavam fraldas. Ginny gosta de ambos e provavelmente fez alguma coisa para que eles brigassem esta noite.

— Ela queria que os dois brigassem?

— Não, seu cabeça de minhoca. — Jo tirou o salsichão da fogueira, rindo. Enfiou o espeto na areia. — Ela quer que os dois façam as pazes.

Nathan pensou um pouco a respeito. Franziu o rosto quando Giff suspendeu Lexy e carregou-a pela praia — ela esperneando e xingando — ao melhor estilo de Rhett Butler.

— Se isso dá certo, terei de conversar com Ginny para que provoque uma briga entre nós.

— Sou muito mais difícil de conquistar do que minha irmã — comentou Jo, secamente.

— Pode ser. — Nathan tirou o salsichão do espeto e jogou-o de uma mão para outra, a fim de fazê-lo esfriar. — Mas pelo menos já consegui fazer com que você cozinhasse para mim.

* * *

APESAR DE A MULHER ESTAR SE DEBATENDO EM SEUS BRAÇOS, Giff manteve um ritmo firme, até que a fogueira se tornou um brilho tênue a distância. Convencido de que tinham tanta privacidade quanto podiam conseguir, ele pôs Lexy no chão.

— Quem você pensa que é? — gritou ela, empurrando-o com as duas mãos.

— A mesma pessoa que sempre fui — disse ele, calmamente. — É tempo de você dar uma boa olhada.

— Já olhei para você antes e não vi alguém que tivesse o direito de me carregar quando eu não queria. — Por mais emocionante que seja, ela disse a si mesma. Por mais romântico que seja. — Eu estava apenas conversando.

— Não estava não. Flertava com aquele cara só para me irritar. E desta vez conseguiu.

— Apenas me mostrei polida e cordial com um homem a quem Ginny me apresentou. Um homem atraente de Charleston. Um advogado que veio passar alguns dias na ilha, acampado com amigos.

— Um advogado de Charleston que estava prestes a babar em seu ombro. — Os olhos normalmente suaves de Giff pareciam cuspir fogo agora. — Você teve tempo para fazer o que queria, Lexy, e eu não me intrometi. Mas, agora que voltou, é tempo de crescer.

— Crescer? — Ela pôs as mãos nos quadris, ignorando a água que espumava na areia, a poucos centímetros de seus pés. — Já sou crescida e você é apenas um dos muitos que ainda não tiveram o bom senso de percebê-lo. Faço o que eu quero, quando eu quero e com quem eu quero.

Ela virou-se e começou a se afastar, o nariz empinado. Giff coçou o queixo e disse a si mesmo que não deveria ter perdido o controle, mesmo que Lexy tivesse se engraçado com um advogado de Charleston. Mas o dano já fora causado.

Ele se moveu depressa. Quando Lexy ouviu-o se aproximar e virou-se, só teve tempo de gritar antes que ele a derrubasse:

— Estragou minha saia, seu idiota de cérebro de minhoca! — Furiosa agora, Lexy usou os cotovelos, joelhos, dentes, rolando com ele pela areia, enquanto as ondas os cobriam e encharcavam. — Eu odeio você! Odeio tudo em você, Giff Verdon!

— Não, Lexy, sei que não me odeia. Você me ama.

— Pode me puxar o saco, beijar meu rabo em súplica, que isso nunca vai acontecer!

— Terei o maior prazer, querida. — Ele imobilizou os braços de Lexy e ergueu-se por cima dela com um sorriso. — Mas acho que é bom começar de cima.

Giff baixou a cabeça. Quando Lexy virou o rosto de lado, ele roçou os lábios sobre a pele logo abaixo da orelha.

— E este é um bom lugar para começar.

Tremores percorriam o corpo de Lexy, que parecia se derreter de tão quente.

— Eu odeio você! Já disse que odeio você!

— Sei o que disse. — Ele foi descendo pelo pescoço de Lexy, devagar, mordiscando, emocionado com a maneira pela qual aquele corpo de mulher se tornava inerte, por baixo do seu. — Pode me beijar, Lexy.

Com um soluço, ela virou o rosto. As bocas se encontraram.

— Aperte-me, Giff. E me acaricie. Ah, como eu odeio você por me fazer desejá-lo!

— Conheço o sentimento. — Giff acariciou os cabelos, o rosto, enquanto ela murmurava e ficava tensa. — Não se preocupe. Eu nunca a machucaria.

Desesperada, Lexy agarrou-o pelos cabelos e puxou com força.

— Dentro de mim. Preciso de você dentro de mim. Estou tão vazia...

Ela ergueu o corpo, gemendo. Giff estendeu a mão para um seio. Um instante depois, cedendo à sua fome, puxou a blusa, para poder beijá-lo.

O gosto de Lexy, quente, úmida, pungente, espalhou-se por seu sangue como uísque. Queria ser lento e terno, mas esperara durante toda a sua vida por aquilo. E ela se mexia ansiosa por baixo, as mãos o puxando, apertando, acariciando. Quando a beijou na boca, Giff não pôde mais pensar. Mal conseguia respirar. Era tudo gosto e som.

Ele ofegava enquanto tentava arrancar a saia molhada. Puxou o tecido fino e grudado no corpo, até que a mão pôde deslizar pela coxa, até que a encontrou, já úmida. Ela comprimiu-se contra sua mão e gozou, antes que ele pudesse fazer mais do que gemer.

— Jesus, Lexy...

— Agora, Giff! Eu o matarei se você parar! Juro que matarei!

— Não vai precisar... — ele conseguiu balbuciar. — Eu já estaria morto. Tire logo essas roupas.

Ele puxou a saia com uma das mãos, os próprios jeans com a outra.

— Pelo amor de Deus, Lexy, ajude-me!

— Estou tentando! — Ela ria agora, presa numa saia encharcada, ainda voando no orgasmo rápido e intenso, o sangue latejando tão alto que mal podia ouvir o barulho do mar. — Eu me sinto inebriada. Eu me sinto maravilhosa. Depressa!

— Ora, que se dane!

Ele jogou seus jeans para o lado, arrancou a própria camisa e jogou-a para longe na água. Deu um puxão na saia.

— Mas o que está fazendo? A saia é nova!

— Comprarei outra. Comprarei uma dúzia. Mas, pelo amor de Deus, deixe-me penetrá-la logo de uma vez!

Ele arrancou a saia pela cintura elástica e penetrou-a quase antes mesmo que Lexy pudesse se livrar por completo.

Ela gritou em choque e prazer. Passou as pernas em torno de Giff, cravou os dedos em seus ombros e observou seu rosto. Olhos escuros, nunca se desviando dos seus, vendo-a apenas.

Quando a onda a encobriu, por dentro e por fora, Lexy comprimiu-se contra ele. Sabia que Giff sempre a traria de volta.

— Eu amo você... — murmurou ele, enquanto seu corpo se precipitava para o orgasmo. — Eu amo você, Lexy.

Giff se largou. Estremeceu junto com ela, até que os dois corpos ficaram completamente inertes. Depois, ele abraçou-a com firmeza e deixou que as ondas os empurrassem de um lado para outro. Fora perfeito, pensou, livre, simples e certo. Como sempre tivera certeza que seria.

— Ei, vocês!

Giff olhou, indolente. Avistou uma figura na praia, acenando com os dois braços. Soltou uma risada e comprimiu os lábios contra os cabelos de Lexy.

— Oi, Ginny.

— Vi algumas roupas espalhadas por aí que pareciam familiares. Vocês estão nus?

— É o que parece.

Ele sorriu, sentindo o tremor da risada de Lexy.

— Ginny, ele afogou minha saia.

— Já não era sem tempo. — Ginny soprou beijos efusivos para os dois. — Vou dar uma volta. Para desanuviar a cabeça. Lexy, Miz Kate trouxe seu pai para a festa. Ele está sentado junto da fogueira. Se eu fosse vocês, não me esqueceria de arrumar alguma coisa para vestir antes de voltar.

A cambalear mais do que um pouco, sem parar de rir para si mesma, Ginny foi andando pela praia. Sentia-se feliz em seu coração ao ver os dois juntos daquele jeito. Afinal, o pobre Giff vinha sonhando com ela há anos, enquanto Lexy... ora, Lexy se limitava a correr atrás do próprio rabo, à espera de que Giff a alcançasse.

Ginny teve de parar por um momento e esperar que a cabeça girando tornasse a assentar sobre os ombros. Deveria ter evitado as doses puras de tequila, disse a si mesma. Mas, por outro lado, a vida era muito curta para se evitar as coisas.

Um dia ela encontraria o homem certo para segurá-la. E até que isso acontecesse, iria se divertir muito a procurá-lo.

Como se ela tivesse conjurado, um homem atravessou a areia em sua direção. Ginny alteou um quadril, ofereceu um sorriso.

— Oi, lindo. O que está fazendo por aqui sozinho?

— Estava à sua procura, linda.

Ela sacudiu os cabelos para trás.

— Não é uma coincidência?

— Nem tanto. Prefiro pensar como destino.

Ele estendeu a mão. Ginny apertou-a, pensando que era sua noite de sorte.

Apenas embriagada o suficiente para tornar tudo mais fácil, pensou ele, enquanto a levava para a escuridão. E sóbria o suficiente para fazer com que fosse... divertido.

PARTE DOIS

Que ferida jamais curou
sem ser pouco a pouco?

SHAKESPEARE

Capítulo Onze

Pela primeira vez em semanas, Jo acordou descansada e com apetite. Sentia-se calma e controlada, refletiu, quase feliz. Kate tinha razão, decidiu Jo, enquanto passava os dedos pelos cabelos, como se fossem uma escova. Precisara da noite fora, o companheirismo, a música, a distração. E não fazia mal nenhum passar algumas horas na companhia de um homem que aparentemente a achava atraente. Na verdade, Jo começava a pensar que não faria mal nenhum passar um pouco mais de tempo em companhia de Nathan.

Ela passou pelo laboratório. Por uma vez, não pensou no envelope com fotos que escondera no fundo de uma gaveta do arquivo. Por uma vez, não pensou em Annabelle.

Em vez disso, pensou em descer outra vez até o rio, na possibilidade de esbarrar com Nathan. Por acaso. Estava ficando tão terrível quanto Ginny, concluiu ela com uma risada. A tramar maneiras de fazer um homem notá-la. Mas se dava certo para Ginny, talvez desse certo para ela também. O que havia de errado em flertar um pouco com um homem que a interessava? Que a deixava excitada?

Pronto. Jo parou na escada, bastante curiosa para avaliar a situação. Não era tão difícil assim admitir que ele a excitava... pela atenção dispensada, a maneira descontraída com que pegava sua mão, a maneira deliberada com que a fitava nos olhos. A maneira calma e confiante com que a beijara. Apenas se inclinara, recordou Jo, provara, aprovara e recuara. Como se soubesse que haveria muitas oportunidades para mais, no tempo e lugar que ele escolhesse.

Deveria tê-la enfurecido, pensou Jo. A clamorosa arrogância masculina. E, no entanto, ela descobrira que a atraíra, no mais primitivo dos níveis. Especulou como seria seu desempenho no jogo do amor e se demonstraria alguma habilidade.

Ela sorriu e continuou a descer. Tinha o pressentimento de que poderia surpreender Nathan Delaney. E a si mesma.

— Eu bem que poderia ir, Sam, mas tenho uma saída de hóspedes esta manhã. — Kate olhou quando Jo entrou na cozinha. Passou a mão pelos cabelos e ofereceu um sorriso distraído. — Bom-dia, querida. Levantou cedo.

— Todo mundo, ao que parece.

Jo olhou para o pai ao se encaminhar para o bule de café. Ele estava parado na porta, com metade do corpo fora. O desejo de escapar era óbvio.

— Algum problema? — perguntou ela, jovial.

— Um pequeno problema. Temos alguns campistas chegando na barca da manhã e outros partindo na volta da barca. Acabo de receber um telefonema de uma família que já arrumou tudo e está pronta para ir embora, mas não há ninguém para acertar as contas.

— Ginny não está no escritório?

— Ela não atende ao telefone ali, nem em sua casa. Imagino que dormiu demais. — Kate sorriu com um ar de cansaço. — Em algum lugar. Tenho certeza de que prolongou a festa até tarde.

— A festa ainda estava animada quando fui embora, por volta de meia-noite.

Jo tomou um gole do café, o rosto franzido na tentativa de recordar se vira Ginny por perto antes de ir embora.

— Se ela tivesse uma noite de sono decente, em sua própria cama, não teria qualquer dificuldade para se apresentar no trabalho — resmungou Sam.

— Você sabe muito bem que Ginny não costuma fazer isso, Sam. Ela é tão confiável quanto o nascer do sol. — O rosto franzido em preocupação, Kate olhou para o relógio. — Talvez ela esteja passando mal.

— Ou seja, de ressaca.

— Como acontece com alguns seres humanos em vários momentos de suas vidas — protestou Kate, em tom brusco. — Mas isso não é relevante. O problema é que temos pessoas saindo do camping e outras chegando. Não posso sair daqui esta manhã. E mesmo que eu pudesse, não sei nada sobre armar barracas e banheiros portáteis. Você terá de abrir mão de duas horas de seu tempo precioso para cuidar disso.

Sam piscou, aturdido. Era raro Kate assumir aquele tom mordaz com ele. E parecia que vinha ouvindo com bastante freqüência ultimamente. Porque queria paz mais do que qualquer outra coisa, Sam deu de ombros.

— Irei até lá.

— Jo irá com você — disse Kate, abruptamente, o que fez com que os dois a fitassem, surpresos. — Você pode precisar de ajuda.

Ela passou a falar depressa, a decisão tomada. Se pudesse forçá-los à companhia um do outro durante a manhã, talvez mantivessem uma conversa de verdade.

— Jo, você pode aproveitar a ida ao camping para verificar como está Ginny. Talvez seu telefone não esteja funcionando, ou ela tenha passado mal. Deixarei para me preocupar a respeito até que você faça contato.

Jo transferiu a câmera para o outro ombro, vendo seus planos para a manhã se dissiparem.

— Está bem.

— Avisem-me depois que tudo for resolvido. — Kate afugentou-os pela porta afora. — E não se preocupe com a arrumação da casa. Lexy e eu daremos um jeito.

Como os dois estavam de costas, Kate deu um sorriso largo e esfregou as mãos. Pronto, pensou ela. Agora vocês têm de tratar um com o outro.

Jo sentou no banco do passageiro da velha Blazer do pai e prendeu o cinto de segurança. O veículo tinha o cheiro do pai. Areia, mar e floresta. O motor pegou sem dificuldade, com um ronco suave. Sam nunca deixara que qualquer coisa sua sofresse por negligência, pensou ela. Exceto os filhos.

Irritada consigo mesma, Jo tirou os óculos escuros do bolso da frente da túnica e ajeitou no rosto.

— Foi uma boa festa ontem à noite — murmurou Jo.

— Preciso verificar se aquele garoto cuidou da praia.

O garoto era Giff, Jo sabia; e ambos sabiam que Giff não deixaria um único invólucro de comida para desfigurar a areia.

— A pousada parece que está bem. Tem muitos hóspedes para esta época do ano.

— Propaganda — disse Sam, lacônico. — Kate cuida disso.

Jo teve de fazer um esforço para não deixar escapar um suspiro.

— Eu diria que a divulgação boca a boca também é forte. E o restaurante é uma atração com a comida de Brian.

Sam limitou-se a soltar um grunhido. Nunca poderia compreender, em toda a sua vida, como um homem era capaz de se amarrar a um fogão. Não que entendesse as filhas melhor do que compreendia o filho. Uma delas viajava para Nova York, querendo ser famosa por lavar os cabelos em comerciais de TV, enquanto a outra viajava por toda parte para tirar fotos. Havia ocasiões em que ele pensava que o maior enigma do mundo era como os filhos podiam ter saído dele.

Mas não podia esquecer que eram também filhos de Annabelle.

Jo deu de ombros e desistiu. Baixou a janela e deixou que o ar acariciasse seu rosto. Ficou escutando o barulho dos pneus na estrada e os sons no labirinto de mato que abrigava a vida à beira do pântano.

— Pare!

Sem pensar, ela estendeu a mão para tocar no braço de Sam. Quando ele freou, Jo apressou-se em saltar, deixando o pai a observá-la com o rosto franzido.

Ali, numa elevação, uma tartaruga tomava sol, a cabeça erguida, de tal forma que os lindos padrões do pescoço refletiam-se com perfeição na água escura. O animal não lhe prestou qualquer atenção quando ela se agachou para bater a foto.

Depois houve um farfalhar e a tartaruga recolheu a cabeça, com um estalo súbito. Jo prendeu a respiração quando uma garça alçou vôo, como um fantasma todo branco, numa elevação quase vertical, sem qualquer esforço. Um momento depois, a garça abriu as asas, agitando o ar. Voou sobre a sucessão de pequenas lagoas e ilhotas, até mergulhar além das árvores.

— Eu costumava imaginar como seria fazer isso, voar pelo céu como magia, ouvindo apenas o som das asas batendo no ar.

— Lembro que você sempre gostou mais das aves — comentou Sam, por trás dela. — Mas não sabia que pensava em voar.

Jo sorriu.

— Eu sempre imaginava. Mamãe me contou a história da Princesa Cisne, a linda jovem transformada em cisne por um feiticeiro. Sempre achei que era a melhor de todas.

— Ela conhecia uma porção de histórias.

— É verdade.

Jo virou-se e examinou o rosto do pai. Ainda o angustiava, ela especulou, lembrar a esposa? Doeria menos se ela pudesse lhe dizer que achava que Annabelle havia morrido?

— Eu gostaria de poder lembrar todas aquelas histórias — murmurou ela.

E desejava também poder se lembrar da mãe com bastante nitidez para saber o que fazer. Jo respirou fundo, para se controlar.

— Papai, alguma vez ela o avisou para onde foi ou explicou por que partiu?

— Não. — O calor que surgira em seus olhos, enquanto observava o vôo da garça com Jo, deu lugar ao gelo. — Não precisava.

Não estava aqui e foi embora porque quis. Agora, precisamos ir para o camping.

Ele virou-se e voltou para a Blazer. Seguiram em silêncio pelo resto do caminho.

JO TRABALHARA NO CAMPING DURANTE A JUVENTUDE. APRENdendo tudo sobre o empreendimento da família, como dizia Kate. O procedimento pouco mudara ao longo dos anos. O mapa grande pregado na parede do pequeno escritório detalhava os locais de acampamento, as trilhas, as instalações sanitárias. Os alfinetes de cabeça azul estavam espetados nos pontos já ocupados, os vermelhos nos locais reservados, enquanto os verdes indicavam os que haviam sido desocupados. Os pontos verdes precisavam ser verificados.

Os banheiros e chuveiros também eram examinados, duas vezes por dia, lavados, e os suprimentos, renovados. Como era improvável que Ginny tivesse feito qualquer coisa ali desde o luau, Jo resignou-se ao trabalho de faxineira.

— Pode deixar que eu cuido dos banheiros — disse ela a Sam, enquanto ele preenchia os documentos necessários para que um grupo de impacientes campistas fosse embora. — Depois, irei até a cabana de Ginny para descobrir o que aconteceu.

— Vá primeiro à cabana — disse Sam, sem levantar os olhos. — Cuidar dos banheiros é trabalho dela.

— Está bem. Não devo demorar mais de uma hora. Virei encontrá-lo aqui.

Jo seguiu a trilha para leste. Se fosse uma garça, pensou ela, com um pequeno sorriso, estaria batendo na porta de Ginny num piscar de olhos. Mas pelas voltas que a trilha dava, esgueirando-se entre as pequenas lagoas e contornando o mato alto, era uma caminhada de quase meio quilômetro.

Ela passou por uma área de acampamento com uma barraca ainda fechada. Era evidente que as pessoas ali não eram madrugadoras. Um par de guaxinins correu pela trilha. Os dois animais olharam para ela com expressões astutas e continuaram em sua busca pela primeira refeição.

A cabana de Ginny era uma pequena caixa de cedro, espremida entre as árvores. Era animada por dois enormes vasos vermelhos, cheios de flores de plástico, nas cores mais exuberantes. Estavam nos lados da porta, guardados por um velho par de flamingos rosa. Ginny gostava de dizer que adorava as flores e os animais, mas a variedade de plástico era a mais conveniente.

Jo bateu na porta uma vez, esperou um instante e depois entrou. A única sala da cabana tinha menos de dez metros quadrados, com a área da cozinha separada da área de estar por um balcão estreito. A falta de espaço não impedia Ginny de colecionar coisas. Havia bugigangas em todas as superfícies lisas. Globos cheios de água, cinzeiros de suvenir, mulheres de porcelana em vestidos ornamentados, poodles de cristal.

As paredes eram pintadas com um rosa brilhante e cobertas por gravuras de mau gosto... naturezas-mortas na maior parte, de flores e frutas. Jo ficou ao mesmo tempo comovida e surpresa ao ver uma de suas fotos em preto-e-branco, no meio das gravuras. Era uma foto simples, de Ginny dormindo numa rede de cordas em Sanctuary, tirada quando eram adolescentes. Jo sorriu ao se virar para o quarto.

— Ginny, se você não está sozinha aí, trate de se cobrir porque vou entrar.

Mas não havia ninguém no quarto. A cama continuava desarrumada; e tanto a cama quanto boa parte do chão estavam cobertas de roupas. A julgar pelas aparências, refletiu Jo, Ginny tivera a maior dificuldade ao escolher a roupa certa para o luau.

Ela deu uma olhada no banheiro, só para ter certeza de que a cabana estava mesmo vazia. A prateleira de plástico, por cima da pequena pia de pedestal, tinha uma porção de cosméticos. Ainda havia uma camada de pó-de-arroz na pia. Três vidros de xampu se destacavam na beira da banheira, um deles ainda lacrado. Uma boneca sorria do alto da caixa de água do vaso sanitário, uma peça de crochê branco e rosa cobrindo um rolo extra de papel higiênico.

Era típico de Ginny.

— Na cama de quem você foi dormir esta noite, Ginny? — murmurou Jo.

Com um pequeno suspiro, ela deixou a cabana, pronta para limpar os banheiros coletivos.

Ao chegar ali, Jo tirou as chaves da bolsa para abrir o pequeno depósito. Lá dentro o material de limpeza e os suprimentos para os banheiros estavam arrumados em perfeita ordem. Era sempre uma surpresa constatar como Ginny podia ser disciplinada no trabalho, quando o resto de sua vida parecia ser tão imprevisível, até uma confusão cômica.

Armada com esfregão e balde, detergentes e desinfetantes, panos de chão e luvas de borracha, Jo entrou primeiro no banheiro feminino. Uma mulher de cinqüenta anos escovava os dentes numa das pias. Jo ofereceu-lhe um sorriso distraído e começou a encher o balde. A mulher enxaguou a boca, cuspiu.

— Onde está Ginny?

— Hum... — Jo piscou contra os vapores fortes do desinfetante borbulhando no balde. — Ao que tudo indica, figura entre os desaparecidos.

— Excessos de festa. — A mulher soltou uma risada jovial. — Meu marido e eu adoramos... tanto que levantamos tarde esta manhã.

— É para isso que as férias servem, diversão e acordar tarde.

— Mas é difícil convencê-lo da segunda parte. — A mulher tirou um pequeno tubo da bolsa de viagem, esguichou a loção hidratante nas pontas dos dedos e começou a espalhar pelo rosto. — Dick é obsessivo com horários. E estamos quase uma hora atrasados para a nossa caminhada matutina.

— A ilha não vai a lugar nenhum.

— Diga isso a Dick. — Ela riu de novo, para depois cumprimentar uma jovem e uma menina em torno de três anos que entraram no banheiro. — Bom-dia, Meg. E como está a linda Lisa hoje?

A menina correu para a mulher e começou a conversar.

Jo usou as vozes como música de fundo, enquanto limpava o banheiro. A mulher mais velha era Joan e parecia que ela e Dick ocupavam a área de acampamento ao lado da área de Meg e o marido, Mick. Haviam consolidado, nos dois últimos dias, aquela amizade estranhamente íntima de pessoas em férias. Combinaram um jantar de peixe frito e depois Meg entrou num dos boxes de chuveiro com a menina.

Jo ouviu a água cair e a voz da criança ecoar, enquanto limpava o chão. Refletiu que era isso que Ginny apreciava, colecionar os pequenos fragmentos da vida de outras pessoas. Mas Ginny também era capaz de se integrar, de participar com as outras. As pessoas lembravam-se dela. Tiravam fotos com ela e a incluíam em seus álbuns de família. Chamavam-na pelo nome e os visitantes pela segunda vez ou mais sempre perguntavam por Ginny.

Porque ela não se escondia das coisas, pensou Jo, apoiando-se no esfregão. Porque não desaparecia em segundo plano. Era muito parecida com suas flores de plástico de cores brilhantes. Alegre e ousada.

Talvez fosse tempo de ela própria se adiantar alguns passos, pensou Jo. Sair do segundo plano. Ficar sob a luz dos refletores.

Ela recolheu o material de limpeza e deixou o banheiro das mulheres. Contornou o prédio para a porta do banheiro dos homens. Usou primeiro o lado do punho cerrado para bater na porta, três batidas firmes. Esperou alguns segundos e repetiu. Com um pequeno tremor, abriu a porta e gritou:

— Hora da limpeza! Tem alguém aí?

Anos antes, quando ajudava Ginny, Jo entrara no banheiro dos homens para deparar com um idoso enrolado numa toalha de rosto. O velho deixara o aparelho de audição na barraca. Ela não queria repetir a experiência. Não ouviu nada lá dentro... nenhum som de água correndo, nenhuma indicação de mictório ou vaso sendo usado. Mesmo assim, fez o máximo de barulho ao entrar.

Como precaução final, deixou a porta aberta e pendurou à plena vista o cartaz de plástico que dizia FAZENDO LIMPEZA EM SEU

BANHEIRO. Satisfeita, levou o balde até uma pia e despejou o desinfetante. Vinte minutos, trinta no máximo, ela disse a si mesma, e teria acabado. Para passar o tempo, ela começou a planejar o resto de seu dia.

Pensou em pegar o carro e ir até a praia do norte. Havia ali ruínas de uma antiga missão espanhola, construída no século XVI e abandonada no XVII. Os espanhóis não tiveram muita sorte na conversão dos índios ao cristianismo, e o povoado que fora planejado, como os historiadores desconfiavam, nunca chegara a ser concretizado.

Era um dia agradável para ir até lá. A luz seria excelente, no meio da manhã, para fotografar as ruínas e os terraços de conchas deixados pelos índios. Ela especulou se Nathan não gostaria de acompanhá-la. Um arquiteto não se interessaria pelas ruínas de uma antiga missão espanhola? Ela pediria a Brian para preparar um almoço de piquenique e passariam algumas horas entre os fantasmas de monges espanhóis.

Jo teve de se perguntar: a quem queria enganar? Não estava nem um pouco interessada nos monges ou nas ruínas. Era o piquenique que ela queria, a tarde sem qualquer responsabilidade, sem compromissos, sem prazos para cumprir. Era Nathan que ela queria. Empertigou-se e comprimiu a mão contra a barriga, sentindo uma agitação rápida. Queria algum tempo a sós com ele, talvez como um teste para os dois. Para descobrir o que aconteceria se por acaso tivesse a coragem de se soltar. De ficar com ele. De ser Jo.

E por que não?, pensou ela. Iria até o chalé de Nathan quando voltasse. Como uma visita casual. Improvisada. Sem qualquer planejamento. O que tivesse de acontecer, aconteceria.

Quando as luzes apagaram, ela soltou um grito e derramou água nos pés. Virou-se, o esfregão levantado, como uma lança, e ouviu o barulho da pesada porta sendo fechada.

— Olá? — O som da própria voz, tênue e trêmula, fez com que estremecesse. — Quem está aí?

À claridade mínima que entrava pela única janela do banheiro, no alto da parede, de vidro fosco, Jo encaminhou-se para a porta, que resistiu ao primeiro empurrão. O pânico surgiu do nada, atacando-a pela garganta. Empurrou a porta de novo, depois bateu. Virou-se abruptamente, o coração trovejando nos ouvidos. Tinha certeza de que alguém entrara no banheiro e se postava atrás dela.

Não viu nada... apenas as baias vazias, o brilho opaco do chão molhado. E só podia ouvir a própria respiração, acelerada. Ainda assim, encostou-se na porta, apavorada demais para virar as costas ao banheiro. Os olhos deslocavam-se para a esquerda e a direita, à procura de qualquer movimento nas sombras.

O suor começou a escorrer pelas costas, o suor frio do pânico. Não conseguia sorver ar suficiente, por mais que tentasse. Parte de sua mente manteve-se firme, procurando orientá-la: Você conhece os sinais, Jo Ellen, não deixe que prevaleçam, não se deixe vencer. Se tiver um colapso, voltará para o hospital. Trate de se controlar. De qualquer maneira.

Ela comprimiu a mão contra a boca, a fim de reprimir os gritos, mas saíram assim mesmo, em lamúrias. Podia sentir que começava a perder o controle, o terror a pressioná-la, implacável, até que virou o rosto para a porta e bateu, com a palma, sem muita força.

— Por favor, por favor, deixe-me sair. Não me deixe sozinha aqui dentro.

Jo ouviu o barulho de passos na trilha e abriu a boca para gritar. Foi nesse instante que o medo se tornou monstruoso, empurrando-a para trás, a cambalear. Os olhos estavam arregalados e fixos na porta, a pulsação batia dolorosa contra a pele. Ela ouviu um rangido e uma imprecação. Virou-se de novo, atordoada, ficou ofuscada quando a porta foi aberta e o sol brilhante entrou no banheiro.

Viu a silhueta de um homem. Os joelhos bambos, estendeu o cabo do esfregão, como se fosse uma espada.

— Não chegue perto de mim!

— Jo Ellen? O que aconteceu?

— Papai?

O esfregão caiu no chão com um estrépito. Ela quase caiu também, mas o pai estendeu as mãos para segurá-la e levantá-la.

— O que aconteceu aqui?

— Não consegui sair. Não podia. Ele me vigiava. E eu não tinha como escapar.

No momento, Sam sabia apenas que a filha estava pálida como a morte, tremendo tanto que quase se podiam ouvir os ossos chocalharem. Por instinto, pegou-a nos braços e levou-a para o sol.

— Está tudo certo agora, meu bombom. Não precisa mais se preocupar com nada.

Era uma antiga palavra de carinho que ambos haviam esquecido. Jo comprimiu o rosto contra o ombro do pai. Continuou a apertá-lo com força quando ele sentou num banco de pedra, mantendo-a em seu colo.

Ela era muito pequena e retraída, pensou Sam, surpreso. Como era possível, já que sempre parecia tão alta e competente? Sempre que tinha pesadelos, quando era criança, ela aninhava-se em seu colo daquela maneira, recordou Sam. Sempre o procurava ao sentir medo em seus sonhos.

— Não tenha medo. Não precisa mais ter medo de nada.

— Eu não conseguia sair.

— Sei disso. Alguém prendeu a porta com um pedaço de madeira. Crianças, só isso. Uma brincadeira de mau gosto.

— Crianças... — Jo estremeceu, apertando-se contra o pai. — Crianças numa brincadeira de mau gosto... É isso mesmo. Apagaram a luz e me trancaram lá dentro. Entrei em pânico.

Ela manteve os olhos fechados por mais um momento, enquanto se concentrava em fazer a respiração voltar ao normal.

— Nem mesmo tive o bom senso de fazê-los parar com a brincadeira. Simplesmente não pude mais pensar.

— Levou um susto. Não costumava se assustar com tanta facilidade.

— Tem razão. Não costumava me assustar desse jeito.

Jo abriu os olhos agora.

— Houve um tempo em que você derrubaria aquela porta e arrancaria o couro de quem fez a brincadeira.

Isso quase a fez sorrir, a imagem dela que o pai tinha em sua memória.

— É mesmo?

— Sempre teve uma veia impetuosa. — Porque ela havia parado de tremer e era agora uma mulher adulta, não mais a criança que ele outrora confortava, Sam afagou seu ombro, contrafeito. — Acho que você amoleceu um pouco.

— Mais do que um pouco.

— Não sei não. Cheguei a pensar por um momento que você ia me espetar com aquele esfregão. Quem a vigiava?

— Como?

— Você disse que ele a vigiava. A quem se referia?

As fotos, pensou ela. Seu próprio rosto. O rosto de Annabelle. Jo apressou-se em sacudir a cabeça e mudar de posição. Não agora, foi tudo o que ela pôde pensar. Ainda não.

— Eu estava apenas dizendo besteiras, de tão apavorada. Desculpe.

— Não precisa se desculpar. Ainda está branca como um lençol. Vamos voltar para casa.

— Deixei todas as coisas lá dentro.

— Pode deixar que eu cuido disso. Fique sentada aqui até sentir as pernas firmes de novo.

— Está bem.

Mas quando Sam começou a se levantar, ela segurou-o pela mão.

— Papai... obrigada por afugentar os monstros.

Ele olhou para as mãos juntas. A mão de Jo era fina e branca... a mão da mãe, pensou Sam, com uma tristeza insuportável. Mas fitou aquele rosto e viu a filha. E porque se sentiu subitamente embaraçado, largou a mão de Jo e deu um passo para trás.

— Guardarei tudo e depois voltaremos para casa. Provavelmente você precisa comer alguma coisa.

Não é isso, pensou Jo, enquanto ele se afastava. Precisava do pai. E até aquele momento não imaginara quanto precisava.

Capítulo Doze

Jo não tinha mais qualquer disposição para um piquenique. Sentia o estômago embrulhado só de pensar em comida. Sairia sozinha, decidiu. Iria até o pântano de água salgada ou desceria até a praia. Se tivesse energia suficiente, poderia se apressar e pegar a barca da manhã para o continente. E poderia se perder entre as multidões em Savannah por algumas horas.

Ela lavou o rosto com água fria e ajeitou um boné de beisebol sobre os cabelos. Mas quando passou agora pelo laboratório, sentiu-se compelida a entrar, abrir a gaveta do arquivo, tirar o envelope. As mãos tremiam um pouco quando espalhou as fotos sobre a bancada de trabalho.

Mas a foto de Annabelle não reaparecera num passe de mágica. Havia apenas Jo, uma foto depois de outra. E os olhos, os estudos hábeis de seus olhos, em diversas expressões. Ou os olhos de Annabelle. Como podia ter certeza?

Recebera uma foto da mãe. Tinha certeza. Uma foto da morte. Não poderia ter imaginado. Ninguém seria capaz de imaginar uma coisa assim. Isso faria com que fosse insana, delusória. O que ela não era. Não podia ser. Vira mesmo a foto. Estivera em suas mãos.

Com um esforço da vontade, ela obrigou-se a parar, fechar os olhos, contar as respirações, o ar entrando e saindo, devagar, até o coração parar de dançar dentro do peito.

Lembrava com toda nitidez a sensação de desmoronar, de perder o controle de si mesma. Não permitiria que isso acontecesse de novo.

A foto não estava ali. Isso era um fato. A foto existira. Isso era um fato também. Portanto, alguém a levara. Talvez Bobby percebesse que a deixara transtornada e decidira se livrar da foto. Ou alguém arrombara o apartamento enquanto ela se encontrava no hospital e pegara a foto. A mesma pessoa que mandara a foto voltara para levá-la embora.

Rapidamente, Jo guardou as fotos de volta no envelope pardo. Não importava que parecesse um absurdo, mas tinha de se apegar a essa idéia. Alguém se empenhava numa brincadeira cruel; e ao se manter obcecada, ela permitia que a pessoa vencesse.

Levou o envelope para a gaveta do arquivo, fechou-a com uma batida brusca e deixou o laboratório.

Mas podia confirmar ou eliminar uma possibilidade com um único telefonema. Voltou a seu quarto, pegou o caderninho de endereços na escrivaninha e folheou-o depressa. Apenas perguntaria, mais nada, ela disse a si mesma, enquanto ligava para o apartamento que Bobby Banes partilhava com dois amigos da universidade. Podia se mostrar casual e apenas indagar se ele levara a foto.

Seus nervos já estavam tensos ao terceiro toque da campainha.

— Alô?

— Bobby?

— Não. Aqui é Jack. Mas estou disponível, querida.

— Aqui é Jo Ellen Hathaway — disse ela, incisiva. — Gostaria de falar com Bobby.

— Ahn... — O jovem limpou a garganta, embaraçado. — Desculpe, Srta. Hathaway. Pensei que fosse uma das... Mas ele não está.

— Pode pedir a ele para entrar em contato comigo? Darei o número onde conseguirá me encontrar.

— Claro. Mas não sei exatamente quando ele voltará, nem onde está. Bobby viajou logo depois das provas finais. Uma expedição fotográfica. Foi uma boa idéia tirar fotos antes do próximo semestre.

— Deixarei o número assim mesmo. — Jo deu o número. — Se ele ligar, dê o meu número, está bem?

— Claro, Srta. Hathaway. Tenho certeza de que ele gostará de receber notícias suas. Bobby ficou preocupado com... Isto é, não sabia se retomaria o estágio no próximo outono. Ahn... Como se sente agora?

Não houve a menor dúvida na mente de Jo de que o companheiro de apartamento de Bobby tomara conhecimento de seu colapso. Ainda acalentara uma esperança, mas era um absurdo pensar que poderia ser de outra forma.

— Estou bem, obrigada. — A voz era fria, cortando qualquer possibilidade de mais alguma pergunta. — Se falar com Bobby, avise que é muito importante que ele me ligue.

— Pode deixar, Srta. Hathaway. Ahn...

— Adeus, Jack.

Jo desligou, lentamente. Fechou os olhos. Não importava que Bobby tivesse partilhado seu problema com os amigos. Ela não podia permitir que isso tivesse alguma importância, não podia se sentir constrangida ou transtornada por esse motivo. Era esperar demais que ele mantivesse em segredo quando sua instrutora enlouquecia de repente em sua presença e era levada às pressas para o hospital.

Seu orgulho teria de resistir, decidiu Jo. Com um esforço para descartar a vergonha que ainda persistia, ela desceu. Se tivesse um pouco de sorte, Bobby telefonaria em algum momento das duas próximas semanas. E, com isso, ela teria pelo menos uma resposta.

Ao se aproximar da cozinha, ouviu vozes lá dentro. Parou, com a mão na porta.

— Há alguma coisa errada com ela, Brian. Está diferente. Por acaso conversou com você?

— Kate, Jo nunca conversa com ninguém. Por que conversaria comigo?

— Você é seu irmão. A família.

Jo ouviu o barulho de pratos e sentiu o cheiro persistente de carne grelhada, do café da manhã. Uma porta de armário foi aberta e fechada.

— Que diferença isso faz?

A voz de Brian era irritada, impaciente. Jo quase podia vê-lo tentando se livrar de Kate.

— Deve fazer toda a diferença. Se ao menos tentasse, Brian, ela poderia se abrir com você. Estou preocupada com ela.

— Jo me parecia muito bem ontem à noite, no luau. Ficou com Nathan por duas ou três horas, tomou uma cerveja, comeu um salsichão.

— E voltou do camping esta manhã mais branca do que um lençol. Está com esses altos e baixos desde que chegou à ilha. E veio sem avisar, inesperadamente. Não quer falar sobre sua vida, não diz quando vai voltar. E você não vai me dizer que não notou como... ela anda trêmula.

Jo não queria ouvir mais. Recuou apressada, virou-se e saiu pela frente da casa.

Agora vigiavam-na, pensou ela, cansada. E especulavam se iria ou não ter um colapso. Se lhes dissesse que isso já acontecera, haveria acenos de cabeça e murmúrios compreensivos... e insinuantes.

Ora, que se danasse tudo! Ela saiu de casa, para o sol. Respirou fundo. Poderia dar um jeito em tudo. E daria. E se não conseguisse encontrar paz ali, se não a deixassem em paz, partiria de novo.

E para onde iria? O desespero envolveu-a. Para onde se ia ao deixar o último lugar?

Sua energia foi esvaindo-se, pouco a pouco. Arrastava os pés ao descer os degraus da varanda. Admitiu para si mesma que se sentia cansada demais para ir a qualquer lugar. Foi até a rede de cordas, à sombra de dois carvalhos, e refugiou-se ali. Era como entrar num útero, pensou Jo, enquanto os lados da rede ajustavam-se para acomodá-la e o balanço começava.

Às vezes, nas tardes quentes, ela encontrava a mãe ali. Deitava junto na rede. Annabelle contava histórias, a voz lenta e suave. Tinha um cheiro agradável, de muito sol. Ficavam balançando, contemplando os fragmentos de sol através das folhas verdes.

As árvores eram mais altas agora. Tiveram mais de vinte anos para crescer... e ela também. Mas onde estava Annabelle?

ELE CAMINHAVA PELA BEIRA DA ÁGUA EM SAVANNAH, IGNOrando as lojas atraentes e os turistas apressados. Não fora perfeito. Não fora nem quase perfeito. Era a mulher errada. Claro que ele já sabia disso. E sabia mesmo quando a pegara.

Fora excitante, mas apenas por um momento. Um lampejo e depois terminara... como gozar cedo demais.

Ele parou, olhando para o rio, e acalmou-se. Um pequeno jogo de manipulação mental que diminuiu a freqüência cardíaca, firmou a respiração, relaxou os músculos. Estudara aqueles exercícios de controle da mente sobre o corpo em suas viagens.

Não demorou muito para deixar que os sons tornassem a invadi-lo... pouco a pouco. O retinido de uma bicicleta de passagem, o zumbido de pneus no calçamento. As vozes dos turistas, a risada exultante de uma criança que saboreava um sorvete.

Estava calmo de novo, outra vez sob controle. Sorriu sobre a água. Era uma imagem atraente e sabia disso... os cabelos esvoaçando um pouco à brisa, um homem de rosto bonito e corpo bem trabalhado, que gostava de atrair a atenção feminina.

Como atraíra a atenção de Ginny.

Ela se mostrara mais do que disposta a acompanhá-lo pela praia escura e sobre as dunas. Meio embriagada, flertando com ele, o sotaque sulista engrolado pela tequila.

Ginny nunca soubera o que a atingira. Literalmente. Ele teve de reprimir uma risada ao pensar a respeito. Um golpe curto e rápido, atrás da cabeça, e ela caíra. Não precisara de muito esforço para carregá-la até as árvores. Sua expectativa era tão intensa que ela parecia não ter peso. Despi-la fora... estimulante. Era verdade que Ginny tinha um corpo mais exuberante do que ele queria. Mas também não podia esquecer que ela fora apenas um exercício preparatório.

Ainda assim, ele fora apressado demais. Podia admitir isso agora, podia analisar. Fora precipitado, atrapalhara-se com os equipamentos, na ansiedade em tirar as primeiras fotos. Ginny nua, com as mãos amarradas por cima da cabeça, presa a uma árvore nova, mas resistente. Ele não tirara um tempo para espalhar os cabelos, procurar a melhor iluminação, os melhores ângulos.

Nada disso. Estava dominado pelo poder do momento e estuprara-a assim que ela recuperara a consciência. Planejara conversar primeiro, captar o medo crescente nos olhos, enquanto Ginny começava a compreender o que ele tencionava fazer.

Como acontecera com Annabelle.

Ela se debateu, tentou falar. Movimentou com toda força as pernas compridas e adoráveis. Arqueou as costas. E eu me sentia calmo, podia controlar cada momento.

Ela era o tema. E eu era o artista.

Como acontecera com Annabelle, ele pensou de novo. Como deveria ter acontecido agora, desta vez.

Mas o primeiro orgasmo fora um desapontamento. Tão... corriqueiro, refletiu ele agora. Nem mesmo tivera vontade de estuprá-la de novo. Fora mais uma tarefa do que um prazer, recordou ele. Nada mais que um passo adicional para manipular a imagem final.

Mas quando tirara o lenço de seda do bolso, passara em torno do pescoço, apertara várias vezes, observara os olhos se esbugalharem, a boca se contorcer em busca de ar, para soltar um grito...

Isso fora muito melhor. E tivera um orgasmo maravilhoso, brutal, longo, satisfatório.

E achava que a última imagem de Ginny, aquele momento decisivo, podia ter sido um dos seus melhores.

Dera o título de *Morte de uma Vagabunda*; afinal, o que mais ela fora? Nunca um de seus anjos. Fora vulgar e ordinária. Absolutamente descartável.

Era por isso que não chegara nem perto da perfeição. Não fora culpa sua, mas de Ginny. E isso o deixou bastante reanimado, agora que tudo era evidente. O defeito era dela... do tema, não do artista.

Mas ele a escolhera e atraíra.

Teve de lembrar a si mesmo, mais uma vez, que não passara de um exercício. Todo o incidente não fora mais do que um ensaio, com uma substituta no lugar da atriz principal.

Seria perfeito na próxima vez. Com Jo.

Com um pequeno suspiro, ele apalpou a pasta de couro que continha as fotos, reveladas nos aposentos que alugara, ali perto. Era tempo de voltar a Desire.

COMO LEXY NÃO PODIA SER ENCONTRADA EM PARTE ALGUMA, Brian saiu para o jardim, a fim de arrancar mais um pouco de ervas daninhas. Lexy prometera que faria isso, mas ele tinha certeza de que a irmã escapara para procurar Giff, a fim de seduzi-lo para uma diversão na hora do almoço. Vira os dois na noite anterior, da janela de seu quarto. Molhados, cobertos de areia e rindo como crianças, enquanto subiam pelo caminho. Era óbvio, até mesmo para seu cérebro cansado, que haviam feito mais que dar um mergulho à meia-noite. Ele achara engraçado, até sentira um pouco de inveja.

Parecia fácil para eles desfrutar um ao outro, viver o momento. É verdade que imaginava que Giff tinha em mente muito mais do que o momento e que Lexy sapatearia em seu coração antes de sair de cena.

De qualquer forma, Giff era um homem inteligente e paciente, e era possível fazer com que Lexy acabasse dançando de acordo com sua melodia. Brian refletiu que seria muito interessante observar. A uma distância segura.

Isso era tudo o que ele realmente queria, pensou Brian. Uma distância segura.

Ele olhou para as aqüilégias, as flores lavanda e amarelas, em forma de trombeta, abertas, em celebração. Eram bonitas, alegres e cabia a ele cuidar para que continuassem assim. Enfiou a mão no bolso do avental curto de lona, que pendurara na cintura para trabalhar no jardim. E foi nesse instante que ouviu uma lamúria.

Olhou para ver a mulher na rede. E seu coração parou. Os cabelos eram de um vermelho escuro na sombra verde. A mão que pendia para fora da rede era esguia, pálida e elegante. O choque o fez dar um passo à frente, mas depois virou a cabeça, angustiado, e recuou.

Não era a mãe, pelo amor de Cristo. Sua irmã. Era impressionante quanto ela parecia às vezes com Annabelle. No ângulo certo, com a luz certa. Era difícil suspender as recordações... evitar a angústia. A mãe adorava balançar na rede durante uma hora, nas tardes quentes de verão. E se Brian passava por ali, sentava no chão, de pernas cruzadas, ao seu lado, a mãe punha a mão em sua cabeça, desmanchava os cabelos, perguntava que aventuras ele tivera naquele dia.

E sempre escutava. Ou pelo menos era o que Brian outrora pensava. Era mais provável que estivesse entregue a seus devaneios enquanto ele falava. Sonhava com o amante, como fugiria, abandonando o marido e os filhos. Sonhava com a liberdade, que deveria querer mais do que ao próprio filho.

Mas era Jo quem estava deitada na rede agora e tudo indicava que não tinha um sono sereno.

Uma parte de Brian — uma parte que ele considerava com desdém, com um sentimento próximo do ódio — queria se virar, afastar-se, deixar a irmã entregue a seus próprios demônios. Mas ele foi até a rede, a testa franzida em preocupação, enquanto Jo se agitava e gemia no sono.

— Jo... — Ele pôs a mão no ombro da irmã e sacudiu-a. — Vamos, querida, acorde...

No sonho, o que a perseguia através da floresta, com suas árvores fantasmas e vento selvagem, alcançou-a e cravou as garras afiadas em sua carne.

— Não! — Ela fez um movimento brusco, desvencilhando-se. — Não me toque!

— Calma, calma... — Brian sentira o vento do punho roçando em seu rosto e não sabia se ficava impressionado ou preocupado. — Não quero acabar com o nariz quebrado.

A respiração ofegante, atordoada, Jo abriu os olhos.

— Brian... — Os tremores prevaleceram e por isso ela tornou a arriar na rede e fechar os olhos. — Desculpe. Um pesadelo.

— Foi o que imaginei.

Era mesmo preocupação, no final das contas, e mais do que ele esperava. Kate tinha razão, como sempre. Havia de fato alguma coisa muito errada ali. Brian correu um risco e acomodou-se na beira da rede.

— Quer alguma coisa? Água?

— Não.

A surpresa transpareceu nos olhos de Jo quando os abriu e descobriu a mão de Brian sobre a sua. Não podia se lembrar da última vez em que Brian pegara na sua mão. Ou ela tomara a iniciativa.

— Não se preocupe. Estou bem. Foi apenas um sonho.

— Também tinha pesadelos terríveis quando era criança. Acordava aos gritos, chamando papai.

— Isso mesmo. — Jo deu um sorriso desanimado. — Acho que a gente nunca deixa tudo para trás.

— Ainda tem muitos pesadelos?

Brian tentou dar a impressão de que era uma pergunta sem importância, mas viu o brilho nos olhos da irmã.

— Pelo menos não acordo mais gritando por ninguém.

— Não pensei que pudesse fazer isso.

Ele teve vontade de levantar-se, afastar-se. Os problemas da irmã não tinham deixado de ser problemas seus há muitos anos? Mas ele continuou onde estava, balançando a rede, gentilmente.

— Não é um defeito ser auto-suficiente, Brian.

— Tem razão.

— E não é um pecado querer resolver sozinho seus problemas.

— É isso o que você está fazendo, Jo? Cuidando de seus problemas? Pois pode ficar tranqüila. Já tenho problemas em quantidade suficiente para não ter de assumir os seus.

Mas ainda assim ele não a deixou. Continuou a balançar a rede, na sombra verde. O conforto deixou Jo com os olhos ardendo. Cautelosa e carente, ela deu um passo experimental.

— Tenho pensado muito em mamãe ultimamente.

Os ombros de Brian ficaram tensos no mesmo instante.

— Por quê?

— Tenho visto mamãe na imaginação. — A foto que não estava mais onde deveria. — E sonhado com ela. Acho que mamãe morreu.

As lágrimas haviam aflorado sem que qualquer dos dois percebesse. Quando Brian olhou e viu as lágrimas escorrendo pelas faces da irmã, sentiu o estômago se contrair.

— Qual é o sentido, Jo Ellen? De que adianta ficar angustiada por uma coisa que aconteceu há vinte anos e não pode ser mudada?

— Não posso evitar... e não posso explicar. Simplesmente acontece.

— Ela nos deixou e conseguimos sobreviver. É só isso.

— Mas o que acontece se ela não nos deixou por vontade própria? Se alguém a levou à força? Se alguém...

— E se ela foi seqüestrada por alienígenas? — O tom de Brian era ríspido. — Pelo amor de Deus! A polícia manteve o caso aberto durante mais de um ano. Não havia nada, nenhuma evidência de seqüestro, nenhuma evidência de crime. Ela foi embora. Ponto final. Pare de se levar à loucura.

Jo tornou a fechar os olhos. Talvez fosse mesmo isso que estivesse fazendo, levando a si mesma, lentamente, à insanidade.

— É melhor pensar que era mentira cada vez que ela dizia que nos amava? Isso é mais estável, Brian?

— É melhor deixar tudo como está.

— E continuarmos sozinhos — murmurou Jo. — Cada um de nós. Porque outra pessoa pode dizer que nos ama e isso ser também uma mentira. É melhor deixar como está. É melhor não correr o risco. É melhor ficar sozinho do que ser deixado sozinho.

O comentário atingiu o alvo com impacto suficiente para fazê-lo se eriçar.

— É você quem tem pesadelos, Jo, não eu. — Brian tomou uma decisão súbita e levantou-se antes de poder mudar de idéia. — Venha comigo.

— Para onde?

— Daremos uma volta de carro. Vamos.

Ele tornou a pegar a mão da irmã, levantou-a e puxou-a na direção de seu carro.

— O que é? Para onde vamos?

— Apenas faça o que estou dizendo, por uma vez.

Ele a fez sentar no banco do passageiro, bateu a porta e constatou com satisfação que ela estava surpresa demais para tentar sair.

— Já tenho Kate em cima de mim o tempo todo — murmurou ele, sentando ao volante e virando a chave na ignição. — E agora você começa a chorar. É demais. Tenho de cuidar de minha própria vida.

— Eu entendo. — Jo fungou e passou o dorso da mão pelas faces, para remover as lágrimas. — Mas você está mesmo vivendo, Brian?

— Apenas fique quieta e espere. — As rodas rangeram, enquanto ele fazia a manobra e descia pela estrada. — Você volta muito branca, parecendo um saco de ossos. Mas agora vamos até o fundo. Talvez assim todos fiquem em seus cantos e me deixem em paz.

Os olhos contraídos agora, Jo segurou a maçaneta da porta.

— Para onde vamos?

— Você vai fazer uma consulta médica.

— De jeito nenhum! — A surpresa guerreava com o alarme doentio. — Pare esse carro agora mesmo e me deixe saltar!

Brian contraiu os lábios, numa expressão sombria, e acelerou.

— Você terá uma consulta. E se for necessário eu a carregarei até lá. Descobriremos se Kirby é pelo menos metade tão boa quanto pensa que é.

— Não estou doente.

— Então não deve ter medo de deixar que ela a examine.

Ele entrou no caminho. Parou na frente do chalé de Kirby, com os pneus rangendo. Virou-se e pôs a mão no ombro da irmã. Os olhos ardiam em fúria.

— Você pode entrar com seus próprios pés ou embaraçar a nós dois, obrigando-me a carregá-la no ombro. Mas vai entrar de uma maneira ou de outra. A escolha é sua.

Trocaram olhares impregnados de raiva. Jo calculou que seu temperamento estourado igualava o do irmão. Numa batalha verbal, tinha uma boa possibilidade de derrotá-lo. Mas, se Brian decidisse passar para o terreno físico — e ela se lembrava da juventude que isso era sempre possível —, não teria a menor chance. Ela optou pelo caminho mais fácil e deu preferência ao orgulho.

Sacudiu a cabeça, saltou do carro e subiu os degraus para o chalé de Kirby. Foram encontrá-la no balcão da cozinha, passando manteiga de amendoim numa fatia de pão.

— Oi.

Ela lambeu o polegar e deixou que seu sorriso de recepção persistisse, enquanto examinava primeiro um rosto com uma fúria fria, depois o outro. Era estranho como a semelhança de família tornava-se subitamente forte, refletiu Kirby.

— Querem almoçar? — indagou ela.

— Tem algum tempo para um exame físico? — perguntou Brian, empurrando a irmã para a frente.

Kirby deu uma pequena mordida no pão, enquanto Jo virava-se para Brian com um grunhido de protesto.

— Claro que sim. Minha próxima consulta está marcada para uma e meia. — Ela sorriu, jovial. — Qual dos dois vai se despir para mim hoje?

— Ela está almoçando — disse Jo para Brian, altiva.

— Manteiga de amendoim não é almoço, a menos que você tenha seis anos de idade. — Ele deu outro empurrão em Jo. — Vá para a sala de exames e tire as roupas. Não vamos sair daqui enquanto Kirby não examiná-la, da cabeça aos pés.

— Pelo que vejo, esta é a minha primeira consulta por seqüestro. — Kirby olhou para Brian, pensativa. Imaginava que ele se tornara bastante preocupado com a irmã para se tornar rude, mas não tinha certeza. — Pode ir, Jo. A sala de exame é meu antigo quarto. Estarei lá num instante.

— Não há nada de errado comigo.

— Ótimo. Isso tornará meu trabalho mais fácil e lhe dará uma desculpa para punir Brian depois. — Ela deu outra mordida no pão e sorriu de novo. — Eu a ajudarei.

— Combinado.

Jo virou-se e afastou-se pelo corredor, ainda furiosa.

— O que está acontecendo, Brian? — murmurou Kirby, depois que a porta foi batida.

— Ela tem pesadelos e não come. Voltou do camping esta manhã branca como um lençol.

— O que ela foi fazer no camping?

— Ginny não apareceu para trabalhar hoje.

— Ginny? Ela não é de fazer isso. — Kirby franziu o rosto, mas logo descartou esse assunto. Era uma preocupação diferente. — Fico contente que você a tenha trazido. Há algum tempo que desejo examiná-la.

— Quero saber o que há de errado com ela.

— Posso fazer um exame clínico, Brian. Se ela tiver algum problema físico, eu descobrirei. Mas não sou uma psiquiatra.

Frustrado, ele enfiou as mãos nos bolsos.

— Apenas descubra o que há de errado com ela.

Kirby acenou com a cabeça. Entregou-lhe o resto do pão.

— Tem leite na geladeira. Pode se servir.

Quando ela entrou na sala de exames, Jo ainda estava vestida, andando de um lado para outro.

— Escute, Kirby...

— Você confia em mim, não é, Jo?

— Isso não tem nada...

— Vamos acabar logo com isso e assim todos se sentirão melhor. — Kirby pegou uma túnica limpa. — Vá para o banheiro, no outro lado do corredor, e faça pipi no vidro.

Ela pegou uma ficha limpa e um formulário, enquanto Jo a fitava com o rosto franzido.

— Vou precisar do histórico médico... última menstruação, problemas físicos, remédios receitados que está tomando, alergias, essas coisas. Pode começar a preencher isto depois de vestir essa peça da última moda, enquanto eu faço a análise da urina.

Ela inclinou-se para escrever o nome de Jo na ficha.

— É melhor ceder facilmente — murmurou Kirby. — Brian é maior do que você.

Jo deu de ombros uma vez, antes de ir para o banheiro.

— A PRESSÃO ARTERIAL ESTÁ UM POUCO ALTA. — KIRBY removeu a braçadeira. — Mas não chega a ser grande coisa. É provável que seja decorrente de uma ligeira oscilação de humor.

— Muito engraçado.

Kirby esquentou o estetoscópio entre as mãos, para depois comprimi-lo contra as costas de Jo.

— Respire fundo, exale. De novo. Você tem também uma pequena deficiência de peso. O que deixa a mulher em mim ficar verde de inveja e leva a médica sensata a protestar.

— Tenho sentido pouco apetite.

— A comida em Sanctuary deve resolver este problema. — E se não resolvesse, Kirby tencionava fazer uma reavaliação. Ela pegou o oftalmoscópio e começou a examinar os olhos de Jo. — Sente dores de cabeça?

— Agora ou sempre?

— As duas coisas.

— Agora eu sinto, mas diria que é uma conseqüência direta do envolvimento com Brian, o Carrasco. — Jo suspirou. — Acho que venho sentindo mais dores de cabeça nos últimos meses do que o habitual.

— Uma dor pequena e latejante ou intensa e lancinante?

— Quase sempre da variedade pequena e latejante.

— Vertigem, desmaio, náusea?

— Eu... não, não realmente.

Kirby empertigou-se, deixando uma das mãos no ombro de Jo.

— Não ou não realmente? — Quando Jo deu de ombros, Kirby largou o instrumento. — Querida, sou médica e sou sua amiga. Preciso que seja franca comigo. E quero que saiba que tudo o que disser nesta sala ficará entre nós.

Jo respirou fundo. Cruzou as mãos no colo.

— Tive um colapso nervoso. — O ar escapou dos pulmões de Jo num suspiro, em parte por medo, em parte por alívio. — Cerca de um mês antes de minha vinda para cá. Simplesmente desmoronei. Não pude evitar.

Sem dizer nada, Kirby pôs as duas mãos nos ombros de Jo e massageou-os gentilmente. Jo ergueu a cabeça e viu apenas compaixão naqueles olhos verdes suaves. Seus próprios olhos se encheram de lágrimas.

— Isso faz com que me sinta uma tola.

— Por que deveria?

— Nunca me senti tão desamparada. Sempre fui capaz de lidar com as situações, Kirby, à medida que aconteciam. E de repente tudo foi se acumulando, o peso cada vez maior. Não tinha mais certeza se apenas imaginava as coisas ou se aconteciam de fato. Até que tive um colapso. Desabei.

— Procurou ajuda?

— Não tinha opção. Sofri o colapso na presença de meu assistente. Ele me levou para o hospital e passei alguns dias internada. Um colapso mental. Não me importa que já estejamos no século

XXI. Não me importa que seja uma época intelectualizada. Sintome envergonhada.

— Posso garantir que não há do que se envergonhar. Você tem todo o direito de sentir qualquer coisa que quiser.

Os lábios de Jo contraíram-se um pouco.

— Ou seja, não preciso me envergonhar de estar envergonhada.

— Exatamente. Como era sua agenda de trabalho na ocasião?

— Apertada, mas eu gostava assim.

— E sua vida social?

— Inexistente, mas eu gostava assim. E isso se aplica também à minha vida sexual. Não me sentia deprimida, definhando por causa de um homem... ou pela ausência de um homem. Mas tenho pensado muito em minha mãe. Tenho quase a mesma idade que ela quando foi embora... quando tudo mudou.

E sua vida desmoronou, pensou Kirby.

— E se preocupou com a possibilidade de tudo mudar de novo, além de seu controle. Não sou uma psicanalista, Jo, mas apenas uma antiquada clínica geral. Qual foi o prognóstico quando você teve alta?

— Não sei exatamente. — Jo mudou de posição, o papel estendido na mesa de exame estalando. — Eu mesma me dei alta.

— Entendo. Não indicou nenhum remédio no formulário.

— Não estou tomando nenhum. E não me pergunte o que os médicos indicaram. Não peguei nenhuma receita. Não quero tomar drogas... e não quero conversar com um analista.

— Está bem. Por enquanto, cuidaremos de tudo à maneira antiga. Vamos eliminar qualquer causa física. Receitarei ar fresco, descanso, refeições regulares... — Uma pausa e Kirby acrescentou, com um sorriso: — ... e um pouco de sexo bom e seguro, se puder obter.

— Sexo não é uma das minhas prioridades.

— Neste caso, querida, você está mesmo louca.

Jo piscou, surpresa, depois soltou uma risada, enquanto Kirby passava álcool na parte interna de seu cotovelo.

— Obrigada.

— Não cobro nada pelos insultos. E a última parte da receita é conversar. Comigo, com sua família, com qualquer outra pessoa em quem confie para ter uma conversa. Não deixe que as coisas se acumulem de novo. Você se preocupa demais, Jo. Descarregue um pouco.

Ela sacudiu a cabeça e acrescentou, antes que Jo pudesse falar qualquer coisa:

— Seu irmão se importa o suficiente para arrastá-la até aqui... um lugar que tem evitado como a peste desde que me mudei. E se sou juíza de caráter, aposto que ele está andando de um lado para outro lá fora, apavorado com a possibilidade de que eu saia para informar que sua irmã só tem mais três semanas de vida.

— Seria uma lição bem merecida. — Jo deixou escapar um suspiro profundo. — Mesmo que eu me sinta melhor agora do que em muitas semanas.

Ela viu a seringa e arregalou os olhos.

— Para que isso?

— Só preciso de um pouco de sangue. — A agulha levantada, Kirby sorriu. — Não quer gritar para descobrir quanto tempo ele leva para entrar aqui correndo?

Jo desviou os olhos, prendeu a respiração.

— Eu não daria essa satisfação a Brian.

DEPOIS QUE JO SE VESTIU, KIRBY ENTREGOU-LHE UM RECIpiente de plástico.

— São apenas vitaminas. De alta potência. Se começar a comer direito, não vai mais precisar. Mas servirão para lhe proporcionar um certo vigor por enquanto. Avisarei quando o laboratório mandar os resultados do exame de sangue. Mas todo o resto está dentro dos parâmetros normais.

— Agradeço por tudo.

— Pois então demonstre, cuidando de si mesma e me procurando sempre que precisar.

— Farei isso. — Era sempre um pouco estranho fazer um movimento afetuoso ostensivo, mas ela adiantou-se para dar um beijo no rosto de Kirby. — Pode ter certeza. E falei sério quando disse que me sentia melhor do que em muito tempo.

— Ótimo. Siga as recomendações da doutora Kirby e vai se sentir ainda melhor.

Ela levou Jo para a outra sala, guardando as preocupações para si mesma. Encontraram Brian fazendo exatamente o que ela previra, andando de um lado para outro, irrequieto. Ele parou e fitou-as com o rosto franzido. Kirby respondeu com um sorriso jovial:

— Teve uma menina forte e saudável de cinqüenta quilos, papai. Meus parabéns.

— Muito engraçado. — Ele olhou para Jo. — O que há de errado com você?

Jo inclinou a cabeça para o lado, fitando-o com os olhos contraídos.

— Pode ficar com raiva de mim — sugeriu Jo, enquanto se encaminhava para a porta. — Vou embora. Obrigada por espremer em sua agenda os caprichos desse idiota, Kirby.

— Venho me esforçando para fazer isso há vários meses.

Ela riu, enquanto a porta de tela era batida.

— Quero saber o que há de errado com minha irmã.

— Ela sofre de irmãotite aguda no momento. Embora muito irritante, quase nunca é fatal.

— Quero uma porra de uma resposta objetiva.

Brian estava quase rosnando. Kirby balançou a cabeça em aprovação.

— Gosto ainda mais de você quando é humano. — Ela se virou para a cafeteira, satisfeita em constatar que ele se mostrara útil, preparando um café fresco. — Muito bem, respostas objetivas. Não quer sentar?

Ele sentiu um frio no estômago.

— É grave?

— Nem tanto quanto você aparentemente pensa. Toma o café puro, não é mesmo? Como um homem de verdade.

Kirby prendeu a respiração quando ele pegou seu braço, apertando com firmeza.

— Não estou com ânimo para brincadeiras.

— Está bem. Já vi que meus comentários espirituosos não vão relaxá-lo. Os resultados dos exames só deverão chegar daqui a duas semanas. Mas posso dar minha opinião abalizada pelo exame físico. Jo está exausta. Sente-se nervosa e estressada, irritada consigo própria por estar nervosa e estressada. Precisa exatamente do que você demonstrou que pode dar. Apoio... mesmo quando ela protestar.

A primeira pontada de alívio atenuou a pressão no peito de Brian.

— Isso é tudo?

Kirby virou-se para servir o café.

— Há uma confidencialidade no relacionamento entre médica e paciente. Jo tem o direito à sua privacidade e à minha discrição.

— Jo é minha irmã.

— É verdade. Num nível pessoal, fico feliz por saber que você leva esse relacionamento a sério. Não tinha certeza se isso acontecia. Tome aqui. — Ela entregou uma caneca a Brian. — Jo voltou porque precisava estar em casa. Precisava de sua família. Portanto, esteja disponível para ela. Isso é tudo o que posso lhe dizer. Qualquer coisa mais tem de partir da própria Jo.

Ele afastou-se, tomando o café sem perceber. Muito bem, pensou, Jo não sofria de qualquer das doenças misteriosas e letais que imaginara enquanto esperava. Apenas esgotara sua energia. Não era um câncer ou um tumor no cérebro.

— Muito bem. — Desta vez ele disse em voz alta. — Acho que posso pressioná-la a comer regularmente e ameaçar Lexy para não provocar brigas.

— Você é muito doce — murmurou Kirby.

— Não sou não.

Brian largou a caneca abruptamente e recuou. Agora que sua preocupação se desvanecera, podia ver Kirby com clareza. A maneira com que aqueles olhos de sereia sorriam para ele. A maneira com que ela ficava parada ali, toda fria e controlada, toda rosa e dourada.

— Estou apenas cuidando de mim mesmo — acrescentou ele. — Quero minha rotina de volta, e isso não será possível enquanto ela não tiver se recuperado.

Com uma expressão afetuosa nos olhos, Kirby adiantou-se.

— Mentiroso. Impostor. Coração mole.

— Fique longe de mim.

— Ainda não.

Ela pegou o rosto de Brian entre as mãos. Ele atiçara mais do que seu desejo desta vez e Kirby não podia resistir.

— Você contratou a consulta médica para Jo e ainda não pagou a conta. — Ela ergueu-se nas pontas dos pés. — Meus serviços não são baratos.

Kirby roçou os lábios pelos dele. As mãos de Brian seguraram a cintura de Kirby. O gosto daquela mulher inundou-o.

— Estou lhe dizendo para ficar longe de mim. — Ele inclinou a cabeça, aprofundou o beijo. — Por que não me escuta?

A respiração de Kirby já começava a faltar, deixando-a sem fôlego. Uma gloriosa sensação.

— Sou teimosa. Persistente. E estou certa.

— Você é agressiva. — Os dentes de Brian mordiscaram o lábio inferior de Kirby, apertaram um pouco. — Não gosto de mulheres agressivas.

— Hum... gosta sim.

— Não, não gosto.

Ele empurrou-a de costas até o balcão e comprimiu seu corpo, duro e quente, contra ela. A boca ansiosa encontrou a de Kirby, ardente, devoradora.

— Mas eu quero você, Kirby. Sente-se feliz agora?

Ela inclinou a cabeça para trás. Deixou escapar um gemido quando a boca de Brian desceu por seu pescoço.

— Dê-me cinco minutos para cancelar todas as consultas da tarde e garanto que ambos ficaremos extasiados. Me acaricie, Brian, pelo amor de Deus!

— Não será fácil.

Ele mordiscou a orelha, onde um botão de esmeralda faiscava no lóbulo. Os lábios ansiosos voltaram à boca de Kirby, para um beijo intenso, até que ela cravou as unhas em seus ombros. Brian viu-se a possuí-la ali mesmo, onde estavam, abrindo seu zíper, baixando a calça impecável de Kirby, arremetendo até se livrar daquela necessidade desesperada, até superar aquela terrível frustração.

Mas ele não a tocou, não a possuiu. Em vez disso, usou a dor que se agitava dentro dele para controlar os dois. Levantou a mão para o pescoço de Kirby, empurrou sua cabeça para trás, até que os olhos dos dois se encontraram. Os olhos de Kirby eram verdes como mares revoltos, convidando-o a mergulhar.

— Será à minha maneira. E você terá de aceitar isso.

Os nervos estremeceram através do desejo.

— Escute...

— Não. Já acabamos com isso. E acabamos também com os jogos. Você poderia ter recuado, mas não o fez. Agora, será à minha maneira. Quando eu voltar, vamos terminar o que começamos.

A respiração de Kirby estava acelerada, o sangue parecia cada vez mais quente. Por um momento, odiou-o por ser capaz de fitá-la com olhos tão frios e controlados.

— Pensa que me assusta?

— Não creio que você tenha juízo suficiente para deixar que isso a assuste. — Brian sorriu, um sorriso lento e perigoso. — Mas deveria. Quando eu voltar.

Ele deu um passo para trás, antes de acrescentar:

— E não vou querer saber se você está pronta ou não.

Kirby fez um esforço para se controlar, tentando manter o mínimo de orgulho.

— Seu desgraçado arrogante!

— Tem toda razão.

Brian encaminhou-se para a porta, torcendo para conseguir sair antes que o anseio por ela o levasse a gemer em voz alta. Lançou-lhe um último olhar, contemplando os cabelos desarrumados, iluminados pelo sol, os olhos que faiscavam a raiva de emoções perigosas, a boca ainda inchada dos beijos.

— Eu trataria de me arrumar um pouco, doutora. Seu próximo paciente acaba de chegar.

Ele saiu, deixando a porta de tela bater.

Capítulo Treze

O Little Desire Cottage não era um desvio muito longo na volta para Sanctuary. E de qualquer forma, pensou Jo, com um esforço para justificar, a caminhada lhe faria bem.

Talvez tirasse algumas fotos do rio à tarde, verificasse quantas flores silvestres haviam desabrochado. E como passaria por perto, seria uma grosseria se não parasse para cumprimentá-lo.

Além do mais, era propriedade da família.

Ela até desenvolveu uma desculpa, de que estava apenas de passagem, e fez um ensaio mental para encontrar o tom casual. Por isso, foi uma decepção quando chegou ao chalé e descobriu que o Jeep de Nathan não estava ali.

Parou na base da escada para a varanda, sem saber se entrava ou não. Acabou subindo, apressada, antes que pudesse mudar de idéia. Não havia nada de errado em entrar, apenas por um instante, deixar um bilhete. Não incomodaria ninguém, não bisbilhotaria. Queria apenas... Droga! A porta estava trancada.

Foi outro pequeno choque. As pessoas em Desire quase nunca trancavam suas portas. Curiosa demais agora para se preocupar com as boas maneiras, ela encostou o rosto no vidro e espiou.

Na mesa comprida na área da cozinha havia um laptop, fechado, o que era uma frustração. Uma impressora do último modelo estava ao lado. Tubos compridos, que ela presumiu que continham plantas de arquitetura, empilhavam-se em seguida. Um quadrado de papel grande fora desenrolado, preso nos cantos por um pote de café solúvel, um cinzeiro e duas canecas. Mas independente da posição que assumia ou de como virava a cabeça, não dava para ver o que estava escrito ali.

De qualquer forma, não é da minha conta, ela lembrou a si mesma, esforçando-se em ver. Ao barulho de folhas pisadas, ela recuou apressada e olhou para trás. Um peru selvagem saiu do meio das árvores, soltou seu gluglu e tratou de fugir, meio desajeitado. Com um revirar dos olhos, Jo apalpou seu coração disparado. Seria demais se o próprio Nathan saísse do meio das árvores e a surpreendesse a espionar sua casa.

Jo refletiu que havia dezenas de coisas que podia fazer, dezenas de lugares a que podia ir. Não era tão importante assim que tivesse se desviado de seu caminho para vê-lo.

Provavelmente era melhor não o ter encontrado, ela disse a si mesma, enquanto deixava a varanda e tomava o rumo de Sanctuary. Pegou a Trilha das Palmeiras, que seguia a curva do rio, passando por áreas escuras, de densa vegetação, onde as muscadíneas e as samambaias da ressurreição formavam uma autêntica selva exuberante.

Não precisava no momento daquele tipo de distração, do tipo de complicação que Nathan Delaney inevitavelmente acarretaria em sua vida. Mal começava a se recuperar.

Se mantivesse um relacionamento com ele, teria de lhe contar sobre... coisas. E se contasse, isso seria o fim do relacionamento. Quem haveria de se envolver com uma mulher louca em suas férias?

A trilha era sinuosa, repleta das pequenas palmeiras típicas do Sul dos Estados Unidos, a *Serenoa repens,* que lhe davam o nome. Ouviu de novo o chamado do peru e o canto longo de um passarinho. A bolsa da câmera batia em seu quadril, enquanto acelerava os passos e argumentava consigo mesma.

Ao não começar qualquer coisa, ela apenas poupava aos dois algum tempo e embaraço.

Mas por que ele não estava em casa?

— Psiu... — Giff pôs a mão na boca de Lexy ao ouvir passos na trilha, perto da clareira que era protegida por carvalhos e euriales. — Alguém está passando.

— Oh... — Num movimento rápido, Lexy pegou a blusa descartada e cobriu os seios. — Pensei que havia dito que Nathan passaria o dia no continente.

— E ele foi mesmo. Encontrei-o a caminho da barca.

— Então quem... ahn... — Lexy soltou uma risadinha, enquanto espiava entre as folhas. — É apenas Jo. E parece irritada com o mundo, como sempre.

— Fique quieta. — Giff abaixou a cabeça de Lexy, junto com a sua. — Prefiro que sua irmã não me pegue de calça arriada.

— Mas é tão bonito seu...

Ela estendeu a mão para pegá-lo e os dois lutaram, com risadinhas abafadas, até que Jo desapareceu.

— Você é terrível, Lex.

Giff imobilizou-a, sorrindo. Ela ainda usava o sutiã — não houvera tempo para tirá-lo — e ele gostava da sensação do tecido liso roçando em seu peito.

— Como eu poderia explicar se ela nos encontrasse?

— Se Jo não sabe o que está acontecendo, é tempo de alguém lhe mostrar.

Com um balanço de cabeça, Giff inclinou-se para beijá-la na ponta do nariz.

— Você é muito dura com sua irmã.

— Eu sou dura com ela? — Lexy soltou uma risada. — Experimente o contrário. É muito mais apropriado.

— Talvez cada uma seja dura demais com a outra. Mas tenho a impressão de que ultimamente Jo passou por momentos muito difíceis com alguma coisa.

— Jo tem uma vida perfeita para ela. — Lexy fez uma cara de contrariada e girou uma mecha dos cabelos de Giff entre os dedos. — Tem seu trabalho, todas aquelas viagens. As pessoas se babam por suas fotos, como se fossem bebês recém-nascidos. Ou estudam-nas como se fossem compêndios idiotas. E ganha muito dinheiro, o suficiente para não ter de se preocupar com seus fundos de investimentos miseráveis.

O amor o envolvia quando roçou os dedos pelo queixo de Lexy.

— Meu bem, é puro desperdício de tempo sentir inveja de Jo.

— Inveja? — Ao choque do insulto, os olhos de Lexy se tornaram sombrios e arregalados. — Por que eu haveria de sentir inveja de Jo Ellen?

— Exatamente. — Giff beijou-a de leve. — Vocês duas estão atrás da mesma coisa. A maneira de vocês serem e como procuram são tão diferentes quanto a noite e o dia, mas o objetivo é o mesmo.

— Acha isso? — A voz era tão suave quanto leite fresco. — E qual seria esse objetivo?

— Ser feliz. No fundo, é o que a maioria das pessoas quer. E deixar sua marca. Mas só porque ela conseguiu antes de você não significa que a sua seja menos importante. E, no final das contas, ela tem três anos de vantagem.

Não apaziguou Lexy nem um pouco. A voz passou de suave para gelada:

— Não sei por que você me trouxe aqui se tudo o que queria era falar sobre minha irmã.

— Foi você quem me trouxe, meu bem. — Ele sorriu e a manteve imobilizada, apesar de Lexy se debater com evidente irritação. — Pelo que recordo, você apareceu no Sand Castle Cottage, onde eu cuidava da minha vida, trocando as telas. Sussurrou alguma coisa em meu ouvido... e como já tinha esta manta em sua mochila, o que um homem podia fazer?

Ela ergueu o queixo, alteou uma sobrancelha.

— Não sei, Giff. O que um homem pode fazer?

— Acho que terei de lhe mostrar.

Ele não se apressou. Ao final, deixou-a um pouco fraca e trêmula. Na noite anterior, tudo acontecera num ímpeto ardente. A necessidade prevalecendo sobre o prazer, o prazer atropelando a necessidade. Mas agora, ao ar fresco e na claridade difusa da clareira, as mãos de Giff foram lentas, os calos roçando de leve sobre a pele de Lexy, os dedos pressionando, deslizando. E embora a boca fosse ardente, não demonstrava qualquer pressa. Procurava a boca de Lexy, muitas e muitas vezes, como se fosse o único sabor de que precisava.

Quando Lexy suspirou, veio lá do fundo.

Podia ser seduzida tanto quanto possuída. Esperara durante a vida inteira para fazer as duas coisas, para observar a si mesma a deixá-lo fazer as duas coisas. Não havia nada nela que não fosse uma coisa preciosa para Giff. Agora, ele podia lhe mostrar, centímetro por centímetro. Um dia, muito em breve, ele diria tudo, palavra por palavra.

Quando ele a penetrou, o gemido de recepção foi doce e suave. Ele se preparou para dar mais, tirar mais, num ritmo tão lento e suave quanto o rio que corria ali perto. Lexy gemeu de novo quando ele baixou a cabeça para chupar os seios.

— Você goza primeiro — murmurou Giff. — Para que eu possa ver.

Ela não seria capaz de se controlar. Tinha a sensação de que era arrastada como folha na correnteza do rio. O orgasmo envolveu todo o seu corpo, interminável, adorável, profundo. Mal pôde sussurrar o nome de Giff, enquanto todo o seu organismo vibrava.

Ele tornou a beijá-la na boca, e um instante depois também gozou.

— Hum...

Isso foi tudo o que Lexy conseguiu dizer, enquanto se virava e aconchegava a cabeça no peito de Giff. Nunca tivera um orgasmo assim... que a envolvesse por completo.

E ele parecia ter mantido um controle absoluto, uma percepção total de Lexy. Somente o trovejar de seu coração, sob o rosto de

Lexy, indicava que se encontrava tão atordoado quanto ela. Lexy sorriu de novo e virou os lábios para o peito dele.

— Você deve ter praticado muito.

Giff manteve os olhos fechados, apreciando o ar em seu rosto e os cabelos de Lexy em sua mão.

— Acredito firmemente que se deve praticar uma habilidade até fazê-la da maneira certa.

— Eu diria que você já faz da maneira certa.

— Eu a desejei durante toda a minha vida, Lexy.

Alguma coisa dentro dela estremeceu ao ouvi-lo dizer isso, tão simples, tão fácil. Na exultação posterior, ela ergueu a cabeça. Quando o fitou, sentiu de novo o estremecimento.

— Acho que, lá no fundo, também sempre o desejei.

Quando ele abriu os olhos, a expressão ali deixou-a com a boca ressequida, levou-a a oferecer um sorriso provocante.

— Mas você era magricela demais.

— E você tinha o peito liso. — Ele estendeu a mão para tocar em seus seios, fazendo-a rir. — As coisas mudam.

Lexy ergueu-se e montou em cima dele.

— E você costumava puxar meus cabelos.

— Mas você costumava me morder. Ainda tenho as marcas de seus dentes no ombro esquerdo.

Lexy soltou uma risada e jogou os cabelos para trás. Seria difícil desembaraçar os cabelos depois, mas ela tinha de admitir que valera a pena.

— Não tem não.

— Claro que tenho. Mamãe diz que é a marca Hathaway.

— Quero ver.

Ela puxou-o até que o pôs de lado. Aproximou o rosto para espiar, contraiu os olhos, embora pudesse ver com bastante nitidez a cicatriz esbranquiçada. Sua marca. Ela sentiu uma estranha emoção ao saber que ele a carregava.

— Onde? Não vejo nada. — Lexy abaixou mais o rosto. — Ah... está falando dessa coisinha de nada? Posso fazer muito melhor agora.

Antes que Giff pudesse se defender, ela cravou os dentes em seu ombro. Ele gritou, derrubou-a, rolou para o outro lado, os dois embolados. As mãos de Giff apertaram aqui, apertaram ali, até que Lexy ficou ofegante do desejo renovado, tanto quanto do riso.

— Eu diria que é tempo de pôr minha marca em você.

— Não se atreva a me morder, Giff! — Ela riu, debateu-se, rolou para o lado. — Ui! Droga!

— Ainda não mordi você.

— Alguma coisa me mordeu.

Giff moveu-se depressa, visões de cobras aflorando em seu cérebro. Levantou-se, pegou-a no colo, numa fração de segundo. Ela ficou boquiaberta ao fitar os olhos dele, subitamente duros e frios, esquadrinhando o chão.

— Puxa!

Isso foi tudo o que ela conseguiu balbuciar, o coração romântico disparando.

Não havia nada a rastejar ou andar ao redor. Mas ele avistou um brilho prateado. Pôs Lexy em pé e virou-a. Havia um tênue arranhão vermelho nas costas, quase na altura do ombro direito.

— Você rolou em cima de alguma coisa, só isso. — Ele deu um beijo no arranhão, depois abaixou-se para pegar o objeto prateado — O brinco de alguém.

Os olhos faiscando, Lexy estendeu a mão para trás e esfregou distraída a área em que sentia um pouco de dor. Giff a pegara no colo como se ela não pesasse nada, pensou Lexy, sonhadora. E dera a impressão de que a defenderia contra um dragão cuspindo fogo.

Imagens de Lancelote e Guinevere, de castelos envoltos por brumas, afloraram em sua mente, antes que ela conseguisse focalizar o brinco que Giff segurava. Havia uma fileira de pequenas estrelas prateadas.

— Esse brinco é de Ginny. — O rosto um pouco franzido, ela pegou-o. — De seu par predileto. Não entendo como veio parar aqui.

Giff alteou as sobrancelhas.

— Tenho a impressão de que não somos os primeiros a usar a floresta para outra coisa além de um passeio pela natureza.

Com uma risada, Lexy tornou a sentar na manta. Pôs o brinco ao seu lado, com todo cuidado, antes de pegar o sutiã.

— Acho que você tem razão. Mas esta clareira fica bem distante do camping e de seu chalé. Ela usava os brincos ontem à noite?

— Não costumo prestar atenção às orelhas de minha prima — comentou Giff, sarcástico.

— Tenho quase certeza...

Lexy parou de falar, fazendo um esforço para recordar a cena. Ginny vestia uma camisa vermelha com tachões prateados, uns jeans bastante justos, com um cinto de caubói. E isso mesmo, concluiu Lexy, quase com certeza ela usava seus brincos prediletos, das estrelas prateadas. Ginny gostava de como balançavam e refletiam a luz.

— Ora, não importa. Devolverei para ela. Se conseguir encontrá-la.

Giff sentou para vestir a cueca.

— Como assim?

— Ela deve ter encontrado alguém muito interessante no luau. Não apareceu para trabalhar esta manhã.

— Não apareceu? Ginny nunca falta.

— Mas faltou esta manhã. Eu soube quando desci para o trabalho em Sanctuary. — Lexy tirou uma escova da mochila e iniciou o árduo processo de desembaraçar os cabelos. — Ui... droga! Havia uma porção de gente entrando e saindo do camping, sem a presença de Ginny. Kate mandou papai e Jo até lá para cuidarem de tudo.

Giff vestiu os jeans e levantou-se para fechá-los.

— Verificaram em sua cabana?

— Acabei o serviço e saí antes que eles voltassem, mas presumo que foram até lá. Kate ficou furiosa.

— Ginny não é de se comportar assim. Pode ser impetuosa, mas nunca deixou Kate nessa situação.

— Talvez ela tenha passado mal. — Lexy esfregou o brinco entre os dedos, antes de guardá-lo no bolso do short mínimo, que vestira para levar Giff à loucura. — Estava tomando tequila sem parar.

Ele acenou com a cabeça, em concordância. Mas sabia que Ginny, mesmo de ressaca, iria trabalhar, ou providenciaria alguém para substituí-la. Recordou como ela parecia, cambaleando pela praia, no escuro, acenando para ele e Lexy, soprando beijos.

— Vou verificar como ela está.

— Faça isso. — Lexy levantou-se, adorando como ele admirou suas pernas. — E talvez mais tarde...

Ela abraçou-o, antes de acrescentar:

— ... você possa me verificar também.

— Também pensei nisso. Achei que seria uma boa se fosse jantar na pousada. E deixar... você me servir.

— Ahn... — Os lábios de Lexy contraíram-se num sorriso felino, enquanto ela recuava, ajeitando os cabelos encaracolados. — Foi essa a sua idéia?

— Foi sim. E pensei também que depois poderia subir, talvez descobrir seu quarto... Poderíamos experimentar numa cama, para variar.

— Hum... — Ela passou a língua pelo lábio superior. — Talvez eu esteja disponível esta noite... dependendo do tipo de gorjeta que você oferecer.

Giff sorriu e captou aqueles lábios umedecidos num beijo, que a deixou atordoada. Quando conseguiu respirar de novo, Lexy soltou um suspiro e murmurou:

— É um bom começo.

Ela abaixou-se para pegar a manta, virando deliberadamente para provocá-lo, as nádegas saltando no short apertado. Olhou para trás e acrescentou:

— Vou lhe oferecer... um excelente serviço.

DE VOLTA À PICAPE, NA ESTRADA PARA O CAMPING, GIFF sentiu o coração quase voltando ao normal. Aquela mulher era dinamite, pensou, e a vida com ela seria uma incessante aventura. Calculava que Lexy ainda não estava preparada para ajustar suas noções à perspectiva de passar o resto da vida com ele, mas pretendia trabalhar para chegar a esse ponto.

Ele sorriu para si mesmo. Ligou o rádio e ouviu Clint Black murmurar pelos alto-falantes. Tinha tudo planejado, refletiu Giff. O namoro... que progredia muito bem, em sua opinião. O pedido de casamento, o casamento, a vida conjugal.

Assim que a convencesse de que ele era exatamente o que ela precisava, estaria tudo resolvido. Enquanto isso, poderiam se divertir ao máximo.

Ele entrou no camping. Franziu o rosto ao ver o adolescente dentro da cabine, no lugar de Ginny.

— Oi, Colin. — Giff parou a picape. Inclinou-se pela janela. — Guarnecendo o posto hoje?

— Isso mesmo.

— Viu Ginny?

— Nem de longe. — O garoto tentou uma piscadela lasciva. — Ela deve ter passado uma noite bastante animada.

— Imagino... — Mas Giff sentiu um frio desconfortável no estômago. — Vou dar uma olhada na cabana, para descobrir o que aconteceu.

— À vontade.

Giff foi guiando devagar, preocupado com a possibilidade de uma criança surgir correndo na sua frente. Com o verão se aproximando, ele sabia que mais pessoas iriam para a ilha, armariam barracas no camping, ocupariam os chalés, estenderiam toalhas na praia. As pessoas nos chalés fritariam ao sol durante metade do dia e depois ligariam o ar-condicionado ao máximo. O que significava, em geral, que ele ficaria ocupado com os consertos.

Não que ele se importasse. Era um trabalho bom e honesto. E embora sonhasse com algo mais desafiador, imaginava que seu dia chegaria.

Parou ao lado da cabana de Ginny e saltou. Esperava encontrá-la na cama, gemendo, com a cabeça numa bacia. Isso explicaria o silêncio. Quando estava em casa, Ginny tinha sempre o rádio ligado a todo o volume, a televisão também, sua própria voz alteada numa canção ou numa discussão com um dos programas de entrevistas em que era viciada. Os sons colidiam na maior alegria. Ela alegava que isso a impedia de se sentir solitária.

Mas Giff nada ouviu agora, exceto os estalos das folhas de palmeiras e o barulho das rãs na água. Foi até a porta. Como se sentia tão à vontade ali quanto em sua própria casa, não se deu ao trabalho de bater.

Teve um sobressalto quando abriu a porta e deparou com um homem à sua frente.

— Deus Todo-Poderoso, Bri! Assim você me mata de susto!

— Desculpe. — Brian sorriu. — Ouvi a picape e pensei que poderia ser Ginny.

Ele olhou por cima do ombro de Giff, enquanto perguntava:

— Ela veio com você?

— Não. Acabei de saber que ela não foi trabalhar e vim descobrir o que aconteceu.

— Ela não está aqui. Parece que não veio em casa hoje, embora seja difícil saber com certeza. — Brian olhou para trás. — A mulher é tão desarrumada quanto três adolescentes se arrumando para uma festa.

— Talvez ela esteja em um dos pontos de acampamento.

Brian esquadrinhou as árvores em torno dos tufos de capim dourado do pântano. Havia dois ou três patos de rabo pontudo descansando na água, em sua extensa rota de migração ao longo do Atlântico. Um gavião do pântano voava em círculos, sem pressa. Perto da trilha estreita, onde as tradescâncias se emaranhavam, um trio de borboletas amarelas esvoaçava alegremente.

Mas ele não avistou qualquer sinal do habitante humano daquele pequeno canto da ilha.

— Estacionei perto do número um e dei a volta completa para chegar aqui. Perguntei por Ginny, mas ninguém a viu desde ontem.

— Há alguma coisa errada. — O frio no estômago de Giff se transformou em dor. — Alguma coisa muito errada, Bri.

— Concordo com você. Já passa de duas horas da tarde. Mesmo que ela tivesse dormido em outro lugar, já teria aparecido a esta altura. — A preocupação era como um punho pressionando sua nuca. Brian esfregou-a, distraído, enquanto tornava a correr os olhos pela bagunça que era a cabana de Ginny. — Acho que está na hora de começarmos a telefonar para as pessoas.

— Falarei com minha mãe. Ela fará meia dúzia de ligações antes que qualquer de nós consiga completar a primeira. Vamos embora. Eu o deixarei em seu carro.

— Obrigado.

Enquanto se acomodava ao volante, Giff comentou:

— Ela estava no maior porre ontem à noite. Eu a vi... Lexy e eu a vimos. Estávamos na água... dando um mergulho.

— Um mergulho... posso imaginar.

Giff deixou passar um instante, antes de puxar a pala do boné.

— Como posso lhe dizer que estou transando com sua irmã?

Brian comprimiu os dedos contra os olhos.

— Acho que essa foi uma maneira. É um pouco difícil para mim dizer a palavra "parabéns" nas circunstâncias.

— Quer saber quais são minhas intenções?

— Não, não quero. — Brian ergueu a mão. — Juro que não quero.

— Vou casar com ela.

— Agora nunca mais poderei lhe dizer a palavra "parabéns". — Ele mudou de posição no banco, fitando Giff com um olhar curioso. — Você enlouqueceu?

— Eu a amo. — Giff engrenou a ré e partiu. — Sempre a amei.

Brian imaginou Lexy sorridente a chutar o coração ainda sangrando de Giff do alto de um penhasco.

— Você já é crescidinho, Giff. Sabe em que está se metendo.

— Isso mesmo... e também sei que você e o resto de sua família nunca deram a Lexy o crédito que ela merece. — A voz normalmente suave de Giff assumia um tom defensivo firme, o que levou Brian a altear as sobrancelhas. — Ela é inteligente, forte, tem um coração tão grande quanto o mar e, quando se eliminam as frivolidades, é tão leal quanto qualquer outra pessoa.

Brian deixou escapar um longo suspiro. A irmã era também temerária, impulsiva e egocêntrica. Mas as palavras de Giff haviam tocado um ponto sensível e deixaram-no envergonhado.

— Você tem razão. E se alguém pode acentuar as melhores qualidades de Lexy, eu diria que é você.

— Ela precisa de mim. — Giff tamborilou com os dedos no volante. — Eu agradeceria se você não mencionasse a nossa conversa. Ainda não chegamos a essa parte.

— Pode ter certeza de que a última coisa sobre o que eu gostaria de conversar com Alexa seria sua vida amorosa.

— Melhor assim. Mas desviei-me do assunto. Como eu dizia, vi Ginny ontem à noite. Deve ter sido por volta de meia-noite. Eu não prestava muita atenção na ocasião. Ela seguia para o sul, pela praia... parou e acenou para nós.

— Estava sozinha?

— Estava. Disse que precisava desanuviar a cabeça. Não notei se ela voltou... fiquei ocupado com outras coisas.

— Se ela apagou na praia, alguém já a teria encontrado a esta altura. Portanto, deve ter voltado ou cortou caminho pelas dunas.

— Encontramos um de seus brincos naquela clareira junto do rio, no lado de Sanctuary.

— Quando?

— Há pouco tempo. — Giff parou a picape ao lado do carro de Brian. — Lexy e eu estávamos...

— Por favor, não ponha essa imagem em meu cérebro. O que vocês são? Coelhos? — Brian sacudiu a cabeça. — Tem certeza de que o brinco era de Ginny?

— Lexy tinha certeza... e também tinha certeza de que Ginny usou o brinco ontem à noite.

— É o tipo de coisa que Lex costuma notar. Mas é um caminho estranho para Ginny seguir, se estava voltando para casa.

— Foi o que pensei. Mas ela podia estar com alguém na ocasião. Ginny não tem o hábito de deixar uma festa antes que termine... a menos que tenha outra espécie de festa planejada.

— Nada disso é típico de Ginny.

— Tem toda razão. Estou começando a ficar preocupado, Brian.

— Eu também. — Brian saltou da picape, virou-se e apoiou-se na janela. — Fale com sua mãe para começar a telefonar. Darei um pulo até o cais. É possível que ela tenha encontrado o homem de seus sonhos e pegou a barca com ele para Savannah.

ÀS SEIS HORAS, UMA BUSCA INTENSIVA FORA INICIADA. ATRAVÉS dos caminhos na floresta, ao longo das acidentadas trilhas de excursões para o norte, pela curva da praia, nas sendas sinuosas que contornavam as pequenas lagoas. Alguns dos participantes da busca podiam lembrar-se de outra busca, por outra mulher.

Vinte anos não haviam ofuscado a lembrança. E embora procurassem por Ginny, muitos comentavam sobre Annabelle.

Era provável que ela tivesse partido, como Belle fizera. Era o que alguns pensavam. Ela sempre tivera uma ânsia de aventura e decidira satisfazê-la. A garota Pendleton sempre fora desenfreada. Não, não Annabelle, ressaltavam as pessoas, mas Ginny. Annabelle era como as correntezas profundas, enquanto Ginny era como as ondas arrebentando na praia.

Mas as duas haviam partido.

Nathan ouviu uma das conversas no cais, enquanto largava sua pasta no banco do passageiro e guardava os suprimentos atrás.

Fez seu coração bater um pouco mais depressa, com mais vigor. Deixou o estômago embrulhado. Ouviu o nome de Annabelle ser pronunciado várias vezes e sentiu um zumbido nos ouvidos. Viera para enfrentar a realidade, Nathan lembrou a si mesmo, e depois tentara ignorá-la. Também não tinha certeza do que mais podia fazer. Ou se seria capaz de conviver com o curso que tivesse de tomar.

Ele seguiu para Sanctuary.

Avistou Jo sentada nos degraus da varanda, a cabeça apoiada nos joelhos levantados. Ela ergueu o rosto ao ouvir o Jeep e Nathan divisou todos os fantasmas em seus olhos.

— Não conseguimos encontrá-la. — Jo comprimiu os lábios. — Ginny desapareceu.

— Já soube.

Sem saber o que mais fazer, ele sentou ao lado de Jo. Passou o braço por seus ombros, a fim de que ela pudesse se aconchegar.

— Acabo de sair da barca.

— Procuramos por toda parte. Durante muitas horas. Ela desapareceu, Nathan, simplesmente desapareceu, como...

Jo não podia dizer. Não diria. E decidiu, enquanto respirava fundo, fechar a porta ao pensamento.

— Se ela estivesse na ilha, alguém já a teria visto, alguém já a teria encontrado.

— É muito terreno para cobrir.

— Não é não. — Jo sacudiu a cabeça. — Se ela estivesse tentando se esconder, é claro que poderia se manter um passo à frente. Ginny conhece a ilha tão bem quanto qualquer um, cada enseada, cada trilha. Mas não havia razão para se esconder. Ela simplesmente foi embora.

— Não a vi na barca da manhã. É verdade que dormi durante a maior parte da viagem, mas Ginny não conseguiria passar despercebida.

— Já verificamos isso. Ela não pegou a barca.

— Muito bem. — Ele subiu e desceu a mão pelo braço de Jo, enquanto tentava pensar. — Barcos particulares. Há muitos na ilha... de pessoas que moram aqui e pessoas de fora.

— Ginny sabe pilotar um barco, mas nenhum dos nativos comunicou o desaparecimento de sua embarcação. E ninguém se apresentou para dizer que a levou ao continente.

— Não poderia ser alguém que só veio passar o dia aqui?

— É possível. — Jo balançou a cabeça, tentando aceitar. — É o que a maioria das pessoas começa a pensar. Ela é impetuosa e pode ter partido com alguém. Já fez isso antes, mas nunca sem dar um aviso... muito menos quando tinha trabalho no dia seguinte.

Nathan recordou a maneira que Ginny lhe sorrira. *Oi, lindo.*

— Ela bebeu bastante tequila ontem à noite.

— Estão falando sobre isso também. — Jo desvencilhou-se, num movimento brusco. — Ginny não é uma bêbada vulgar e irresponsável.

— Eu não disse isso, Jo, nem tive a intenção.

— É muito fácil dizer que ela não se importava, não ligava para nada. Que simplesmente partiu sem avisar a ninguém, sem pensar em ninguém. — Jo levantou-se de um pulo, enquanto as palavras continuavam a sair, incontroláveis: — Deixou sua casa e sua família, todas as pessoas que amava, sem pensar duas vezes, sem imaginar como todos ficariam preocupados e magoados.

Os olhos faiscavam em fúria, a voz se elevava. Jo não se importava mais se era de sua mãe que falava agora. Não se importava mais se percebia, pela expressão séria e compadecida em seus olhos, que Nathan compreendia tudo.

— Não acredito nisso. — Ela respirou fundo e deixou escapar o ar lentamente. — E nunca acreditei.

— Sinto muito.

Nathan também se levantou. Abraçou-a. Embora Jo o empurrasse, tentasse se desvencilhar, ele não cedeu.

— Sinto muito, Jo.

— Não quero sua compaixão. Não quero nada de você, nem de qualquer outra pessoa. Largue-me.

— Não.

Ela fora deixada de lado por muitas pessoas, com muita freqüência, pensou Nathan. Ele comprimiu o rosto contra os cabelos de Jo e esperou que a fúria passasse. Até que ela parou de se debater. Abruptamente, Jo abraçou-o também.

— Oh, Nathan, estou com tanto medo... É como passar por tudo de novo, e ainda sem saber por quê.

Nathan olhou por cima de sua cabeça, para a profusão de bocas-de-leão e campânulas no jardim.

— Faria alguma diferença? Ajudaria saber por quê?

— Talvez não. Às vezes penso que tornaria ainda pior. Para todos nós. — Jo baixou o rosto para o pescoço de Nathan, sentindo uma gratidão patética por ele estar ali, por ser tão sólido. — Detesto ver meu pai se lembrar... e Brian e Lexy. Não falamos a respeito... parece que não somos capazes de falar a respeito. Mas o problema existe. Sempre nos pressiona e acho que nos afastou uns dos outros durante a maior parte de nossas vidas.

Ela deixou escapar um longo suspiro, embalado pelo ritmo firme do coração de Nathan.

— Eu me descubro a pensar mais em mamãe do que em Ginny e me detesto por isso.

— Não fique assim.

Ele roçou os lábios pela têmpora, pela face e depois na boca de Jo.

— Não fique assim — repetiu ele.

E aprofundou-se no beijo mais do que tencionava. Ela não se desvencilhou; em vez disso, abriu-se para ele. O mero conforto transformou-se em algo mais com a pressão da urgência. Nathan ergueu as mãos, emoldurou o rosto dela, tornou a baixá-las, numa carícia lenta e longa, que fez o estômago de Jo despencar para os joelhos.

A necessidade que a envolveu nesse instante era doce, madura, imensa. Acima de tudo, Jo queria se entregar. De onde vinha aquilo?, pensou ela, atordoada. E para onde poderia ir? Ela desejou subitamente, com toda a força de seu coração, que pudessem ser apenas duas pessoas se afogando uma na outra, naquele beijo lento e interminável, enquanto o sol mergulhava pelo céu e as sombras se tornavam mais longas e profundas.

— Não posso fazer isso — murmurou ela.

— Mas eu tenho de fazer.

Nathan mudou o ângulo do beijo. Quando Jo baixou os braços, inertes, ele murmurou:

— Abrace-me de novo, apenas por um instante. Precise de mim outra vez, apenas por um instante.

Ela não podia resistir, não podia negar aos dois. Por isso, apertou-o com força e deixou que o momento os envolvesse. Vagamente, ouviu o barulho de pneus na estrada. A realidade se insinuou e Jo recuou.

— Tenho de ir.

Nathan estendeu as mãos, segurou-a pelas pontas dos dedos.

— Volte comigo. Vamos para casa. Escape de tudo isso por algum tempo.

As emoções afloraram nos olhos de Jo, fizeram com que se tornassem ainda mais azuis.

— Não posso.

Ela subiu correndo os degraus, entrou em Sanctuary e fechou a porta, sem olhar para trás.

Capítulo Quatorze

Trinta e seis horas depois de Ginny ter deixado de aparecer para o trabalho, Brian entrou na sala de estar da família e estendeu-se no sofá antigo. Estava exausto e não havia mais nada que pudesse fazer. A ilha fora vasculhada em todas as direções, inúmeros telefonemas foram dados. Finalmente, a polícia fora avisada.

Não que os policiais parecessem muito interessados, pensou Brian, enquanto estudava as rosetas de gesso no teto em arcadas. Afinal, a desaparecida era uma mulher de vinte e seis anos... e uma mulher com uma reputação. Uma mulher que era livre para ir e vir como quisesse, não tinha inimigos conhecidos e sempre demonstrara uma atração por incursões pela chamada vida airada.

Brian já sabia que as autoridades dariam ao caso apenas um exame superficial, fariam o básico e depois o arquivariam.

Haviam feito um pouco mais do que isso vinte anos antes, ele recordou, quando outra mulher desaparecera. Haviam trabalhado com mais afinco e por mais tempo para encontrar Annabelle. Os policiais revistaram toda a ilha, fizeram perguntas, tomaram nota, pareciam preocupados. Mas havia dinheiro envolvido naquele caso... fundos de investimentos, propriedades, heranças. Brian levara algum tempo para compreender que a polícia investigava o caso como um crime. E que seu pai fora, por um breve instante, o principal suspeito.

O que o deixara apavorado.

Mas nenhum indício de crime jamais fora encontrado e o interesse acabara se desvanecendo. Brian calculava que o interesse no caso de Ginny Pendleton se desvaneceria muito mais depressa.

E, agora, ele esgotara tudo o que podia fazer.

Pensou em pegar o controle remoto, ligar a televisão ou o estéreo e sair de circulação durante uma hora. A sala de estar — ou sala da família, como Kate insistia em chamá-la — quase nunca era usada.

Fora Kate quem escolhera os móveis casuais e confortáveis, misturando as poltronas grandes e profundas, as mesas pesadas e antigas, o sofá em que se podia deitar para tirar um cochilo. Kate também espalhara almofadas coloridas pelo chão, diante da perspectiva, Brian imaginava, de que um dia a sala poderia receber tanta gente que nem todos teriam um assento tradicional.

Na maioria das vezes, no entanto, a sala era ocupada por uma única pessoa de cada vez.

Os Hathaway não eram pessoas que tinham o hábito de formar grupos para assistir ao principal noticiário da noite na televisão. Eram solitários, pensou Brian, todos eles, encontrando mais pretextos para se manterem separados do que para permanecerem juntos.

O que tornava a vida menos... complicada.

Ele sentou, mas carecia da energia para se distrair com as notícias de outra pessoa. Em vez disso, levantou-se e foi até a geladeira pequena, por trás do bar de mogno. Era outra das fantasias obstinadas de Kate, manter aquele bar e a geladeira bem abastecidos. Como se a família pudesse se encontrar ali depois de um longo dia de trabalho, partilhar um drinque, alguma conversa, um pouco de diversão. Brian soltou uma pequena risada, enquanto abria uma cerveja.

Não havia a menor possibilidade.

Com esse pensamento ainda amargurando-o, ele levantou a cabeça e deparou-se com o pai na porta. Não dava para saber quem se mostrara mais surpreso.

O silêncio pairou no ar, daquele tipo denso e opressivo que só pode ocorrer dentro da família. Ao final, Brian levantou a cerveja e tomou um gole longo. Sam deslocou o peso do corpo de um pé para outro, enganchou os polegares nos bolsos da frente e perguntou a Brian:

— Já acabou por hoje?

— É o que parece. Não há mais nada a fazer. — Como apenas ficar em pé ali fazia com que se sentisse um tolo, Brian indagou: — Quer uma cerveja?

— Não me importaria.

Brian pegou outra garrafa na geladeira e abriu-a, enquanto o pai atravessava a sala. Sam tomou um gole. Ficou calado. Sua intenção era relaxar um pouco com uma partida de beisebol pela televisão, talvez tomar um bourbon para ajudá-lo a dormir.

Nunca passara por sua cabeça tomar uma cerveja com o filho.

— A chuva chegou — murmurou ele, tateando.

Brian podia ouvir o barulho nas janelas.

— Tem sido uma primavera bonita e seca.

Sam acenou com a cabeça e tornou a deslocar o peso do corpo de um pé para outro.

— O nível da água está muito baixo em algumas das lagoas menores. A chuva vai ajudar.

— Os forasteiros não vão gostar.

— Não vão mesmo. — O rosto franzido de Sam era um reflexo. — Mas precisamos da chuva.

O silêncio voltou a prevalecer. Prolongou-se até que Brian inclinou a cabeça para o lado e disse:

— Parece que já esgotamos o tempo como assunto. Qual será o próximo? Política? Esporte?

Sam não deixou de perceber o sarcasmo, apenas optou por ignorá-lo.

— Não pensei que você tivesse interesse por qualquer das duas coisas.

— Tem toda razão. O que eu poderia saber sobre esses assuntos tão viris? Afinal, cozinho para viver.

— Não foi isso que eu quis dizer. — Sam sentia os nervos à flor da pele, mais próximo de uma explosão do que lhe agradava. Concentrou-se em não perder a calma. — Apenas não sabia que você se interessava.

— Você não tem a menor idéia do que me interessa. Não sabe o que eu penso, o que eu quero, o que eu sinto. Porque isso nunca o interessou.

— Brian Hathaway! — A voz de Kate era incisiva. Ela entrou na sala, junto com Lexy. — Não fale com seu pai dessa maneira!

— Deixe o garoto falar. — Sam manteve os olhos no filho, enquanto largava a cerveja numa mesinha. — Ele tem esse direito.

— Mas não tem o direito de ser desrespeitoso.

— Kate... — Sam lançou-lhe um olhar firme, depois acenou com a cabeça para o filho. — Se tem alguma coisa entalada na garganta, fale agora.

— Levaria anos para dizer tudo e não mudaria nada.

Sam foi para trás do bar. Queria mesmo tomar um uísque, no final das contas.

— Por que não começa assim mesmo?

Ele serviu-se três dedos de Jim Bean, num copo pequeno. Depois de um breve momento de hesitação, despejou o uísque num segundo copo, que estendeu sobre o bar para Brian.

— Não bebo bourbon. O que provavelmente também faz com que eu seja menos que um homem.

Sam sentiu uma pontada de dor no coração. Levantou seu copo.

— A escolha da bebida de um homem é da sua própria conta. E você já é adulto há algum tempo. Por que deveria se importar com o que eu penso?

— Levei trinta anos para chegar aqui. Onde você estava durante os últimos vinte anos?

A tranca que ele pusera nas perguntas e o sofrimento por trás delas deram lugar à frustração. A tranca partiu-se, como se estivesse enferrujada, esperando apenas pelo último golpe para arrebentar.

— Você foi embora, como ela fez. Só que fez pior, porque nos obrigou a saber, em todos os dias de nossas vidas, que não tínhamos a menor importância para você. Éramos apenas acessórios, que relegou para os cuidados de Kate...

— Escute aqui, Brian William Hathaway...

— Deixe-o falar. — Sam mantinha a voz fria, para disfarçar as agulhas em brasa que espetavam sua garganta. — Pode terminar, Brian. Sei que tem mais a dizer.

— Que diferença isso faria? Voltaríamos ao passado e você estaria presente quando dois garotos de fora me encheram de porrada só para se divertirem? Ou quando eu tinha quinze anos e passei mal com a primeira cerveja? Quando eu tinha dezessete anos e fiquei apavorado, porque sentia medo de ter engravidado Molly Brodie, quando perdemos a virgindade juntos?

Brian mantinha os punhos fechados nos lados do corpo, sentindo uma raiva que não sabia que existia dentro dele.

— Você nunca estava presente. Era sempre Kate. Era ela quem limpava os vômitos e segurava minha cabeça. Era ela quem me confortava quando eu precisava, quem me ensinou a guiar, quem me passava sermões e me elogiava. Nunca você. Nem uma única vez. Nenhum de nós precisa de você agora. E se tratava mamãe com a mesma desatenção egocêntrica, não é de admirar que ela tenha ido embora.

Sam encolheu-se todo ao ouvir isso, a primeira demonstração de emoção durante o longo fluxo de amargura. Sua mão tremia um pouco quando a estendeu para pegar o copo. Mas antes que ele pudesse falar, Lexy gritou da porta:

— Por que está fazendo isso? Por que está fazendo isso agora? Aconteceu alguma coisa com Ginny! — A voz se desmanchou num solo, enquanto ela avançava pela sala. — Foi alguma coisa terrível, tenho certeza, mas tudo o que você pode fazer é ficar parado aqui, dizendo essas coisas horríveis!

As lágrimas escorriam pelas faces. Ela comprimiu as mãos contra os ouvidos, como se assim pudesse bloquear tudo.

— Por que não pode deixar tudo isso em paz, fingir que não tem a menor importância?

— Porque tem. — Furioso pelo fato de a irmã não ser capaz de ficar do seu lado nem mesmo agora, Brian virou-se para ela: — Porque importa que não passemos de um arremedo patético de uma família, que você tivesse de fugir para Nova York e tentasse preencher com homens o buraco que ele abriu em sua vida. Que Jo ficasse doente e eu não consiga ficar com uma mulher sem pensar que acabarei afastando-a, como ele fez com mamãe. Importa e importa muito, porque nenhum de nós sabe como ser feliz.

— Sei como ser feliz! — A voz de Lexy se elevara, estridente. Sua reação instintiva era gritar em negação, pois assim faria com que tudo fosse mentira. — E serei feliz! Terei tudo o que quero!

— O que está acontecendo aqui?

Jo pôs a mão no batente da porta e parou. As vozes alteadas haviam-na trazido de seu quarto, onde tentava cochilar, para compensar o sono que perdera na preocupação com Ginny.

— Brian é odioso!

Com um soluço desesperado, Lexy virou-se e correu para os braços da irmã.

O choque da cena, a visão do irmão e do pai fitando-se através do bar, como pugilistas à espera da campainha, deixou Jo atordoada. Kate estava parada no meio, chorando baixinho.

— O que está acontecendo aqui? — repetiu Jo, a cabeça começando a latejar. — É por causa de Ginny?

— Eles não se importam com Ginny. — Perdida em sua dor Lexy soluçava no ombro de Jo. — Eles não se importam.

— Não tem nada a ver com Ginny. — Doente agora de fúria e culpa, Brian saiu de trás do bar. — É apenas uma típica noite Hathaway. E já me cansei.

Ele saiu, parando por um instante ao lado de Lexy. Levantou a mão, como se fosse afagar os cabelos da irmã, mas logo tornou a baixá-la, sem chegar a fazer o contato. Jo engoliu em seco.

— O que foi, Kate?

Kate removeu as lágrimas das faces.

— Querida, pode levar Lexy para o quarto? Estarei lá dentro de um instante.

— Está bem.

Jo lançou um olhar rápido para o pai, que mantinha o rosto impassível, os olhos enigmáticos. Decidiu que era melhor guardar as perguntas para depois.

— Vamos, Lexy — murmurou ela. — Venha comigo.

Depois que elas saíram, Kate tirou um lenço do bolso e assoou o nariz.

— Não que isso seja desculpa para o comportamento dele, mas Brian está doente e exausto de tanta preocupação — comentou ela. — Todos nós estamos, mas ele vem falando com a polícia e ainda por cima tem de cuidar da pousada. Ele está apenas esgotado, Sam.

— E também está certo. — Sam tomou um gole do uísque, especulando se o álcool tiraria o gosto amargo da vergonha de sua garganta. — Não tenho sido um pai para eles desde que Belle nos abandonou. Deixei tudo aos seus cuidados.

— Sam...

Ele fitou-a.

— Vai me dizer que isso não é verdade?

Kate suspirou. Depois, porque suas pernas pareciam cansadas demais para sustentá-la por mais um minuto, sentou num banco do bar.

— Não direi isso. Não há sentido em mentir.

Sam soltou um grunhido que podia passar por uma risada.

— Você sempre foi honesta até demais. É uma qualidade admirável... e irritante.

— Não pensei que você prestasse muita atenção. Há anos que venho entoando uma variação um pouco mais polida do que Brian acaba de dizer. — Ela inclinou a cabeça para o lado. Embora seus olhos estivessem injetados, eram firmes quando se encontraram com os dele. — Jamais causou a menor impressão em você.

— Causou alguma.

Sam tirou os óculos para passar as mãos pelo rosto. Talvez fosse porque estivesse cansado e deprimido, talvez porque recordasse com muita nitidez o que já deveria ter se desvanecido, mas as palavras que não fora capaz de dizer antes afloraram sem esforço:

— Não queria que as crianças precisassem de mim. Não queria que ninguém precisasse. E também não queria precisar das crianças.

Ele fez menção de se retirar em seguida. Era mais do que jamais dissera para qualquer pessoa antes, exceto para si mesmo. Mas Kate observava-o com tanta paciência, com tanta compaixão, que Sam se descobriu a dizer o resto:

— A verdade, Kate, é que Belle partiu meu coração. Quando comecei a superar, você estava aqui e as coisas pareciam correr bastante bem.

— Se eu não tivesse ficado...

— As crianças não teriam ninguém. Fez um bom trabalho com elas, Kate. Não sei se compreendia isso até que aquele garoto me acertou um direto entre os olhos, há poucos minutos. Era preciso coragem para fazer isso.

Kate fechou os olhos.

— Nunca compreenderei os homens, nem que viva mais meio século. Está orgulhoso de Brian por gritar com você... por insultá-lo?

— Respeito Brian por isso. Ocorre-me que não tenho demonstrado o respeito apropriado que um homem adulto merece.

— Aleluia...

Kate pegou o copo com bourbon que Brian deixara intacto e bebeu. E engasgou.

Os lábios de Sam se contraíram. Kate parecia muito bonita, pensou ele, sentada ali, batendo com o punho fechado na altura do coração, o rosto vermelho, os olhos arregalados.

— Você nunca foi de tomar uísque.

Ela respirou fundo, gemendo porque o uísque ardia como o fogo do inferno.

— Resolvi abrir uma exceção esta noite. Estou exausta.

Sam tirou o copo de sua mão.

— Só vai passar mal com isso.

Ele abriu a geladeira e encontrou a garrafa aberta do Chardonnay que Kate preferia. Enquanto servia, ela fitava-o com uma expressão de surpresa.

— Nunca imaginei que você soubesse o que gosto de beber.

— Não se pode viver com uma mulher durante vinte anos sem perceber alguns de seus hábitos. — Ele compreendeu o que acabara de dizer e sentiu o calor subir pelo pescoço. — Isto é, viver na mesma casa.

— Ahn... O que pretende fazer em relação a Brian?

— Tenho de fazer alguma coisa?

— Sam... — Impaciente, ela tomou um gole rápido do vinho, para tirar o gosto de bourbon da boca. — Vai desperdiçar esta chance?

Lá estava ela de novo, pensou Sam, pressionando-o, quando ele queria apenas um pouco de paz.

— Ele estava furioso e deixei-o dizer o queria. Agora acabou.

— Não, não acabou. — Kate inclinou-se para a frente, por cima do bar, segurando-o pelo braço, antes que ele pudesse se esquivar. — Brian apenas abriu a porta, Sam. Agora, você tem de ser pai e homem suficiente para entrar.

— Ele não tem qualquer utilidade para mim.

— Essa é maior bosta que já ouvi. — Ela sentia-se tão furiosa que nem notou que a tosse de Sam encobria uma risada. — Como vocês têm a cabeça dura! Acho que cada fio branco que tenho na cabeça foi conseqüência da teimosia Hathaway.

Sam correu os olhos pelos impecáveis cabelos castanho-avermelhados.

— Você não tem nenhum fio branco.

— E pago um bom dinheiro para manter assim. — Ela deixou escapar um suspiro. — Agora, Sam, quero que preste toda atenção.

Mantenha os ouvidos bem abertos, por uma vez. Não quero saber qual é a idade de seus três filhos, pois eles ainda precisam de você. E já está mais do que na hora de você dar, para eles e para si mesmo, o que deixou de dar há muitos anos. Compaixão, atenção e afeição. Se essa horrível jogada de Ginny fez isso aflorar, então quase me sinto contente. E juro que não ficarei de braços cruzados vendo vocês quatro se afastarem uns dos outros de novo.

Kate levantou-se, pegou seu copo e acrescentou:

— Agora tentarei acalmar Lexy, o que deve me ocupar por metade da noite. Isso lhe dá tempo suficiente para procurar seu filho e começar a reparar os erros passados.

— Kate...

Quando ela parou na porta e virou-se para fitá-lo, com os olhos faiscando, o nervosismo levou-o a estender a mão para a garrafa de Jim Beam, para largá-la em seguida.

— Não sei por onde começar.

— Seu idiota... — Ela falou com tanta afeição que Sam sentiu o calor subir no pescoço pela segunda vez. — Você já começou.

BRIAN SABIA EXATAMENTE PARA ONDE IA. NÃO SE ILUDIU com a suposição de que estava apenas dando uma longa volta para esfriar. Poderia ter contornado toda a ilha a pé e ainda assim seu sangue continuaria quente. Sentia-se furioso consigo mesmo por ter perdido a calma, por dizer coisas que não adiantava. Censurava-se por ter feito Lexy e Kate chorarem.

A vida era mais simples quando se guardava as coisas, concluiu Brian, quando apenas se convivia com os outros e só se cuidava dos próprios problemas.

Não fora isso o que o pai fizera durante todos aqueles anos?

Brian curvou os ombros contra a chuva, irritado por ter saído sem uma capa e estar agora todo molhado. Podia ouvir o mar quebrando forte, enquanto caminhava pela areia encharcada entre as dunas. Havia luzes acesas por trás das janelas dos chalés e ele usava-as como uma bússola, no escuro.

Ouviu os acordes de música clássica ao subir os degraus para o chalé de Kirby. Avistou-a através do vidro da porta, salpicado pela chuva. Ela usava um training azul, folgado, e estava descalça. Os cabelos pendiam para a frente, formando uma cortina diante do rosto, enquanto se inclinava para a geladeira, um pé de unhas pintadas de rosa batendo no ritmo da música.

O súbito ímpeto de desejo foi bastante satisfatório. Brian abriu a porta sem bater. Ela empertigou-se no mesmo instante, soltando um grito abafado:

— Oh, Brian! Não ouvi você se aproximar. — Surpresa, ela pôs a mão na porta aberta da geladeira. — Alguma notícia de Ginny?

— Não.

— Pensei...

Os nervos vibravam nas pontas dos dedos quando ela passou-os pelos cabelos. Os olhos de Brian eram sombrios e francos. Algo indubitavelmente perigoso fumegava neles. O coração de Kirby subiu pela garganta.

— Você está encharcado.

— Chove lá fora.

Ele se adiantou.

— Eu... ahn... — Não importava quanto ela dissesse a si mesma que isso era ridículo, o fato é que seus joelhos começaram a tremer. — Eu ia tomar um vinho. Você podia servir, enquanto pego uma toalha.

— Não preciso de uma toalha.

— Está bem. — Ela podia agora sentir o cheiro de chuva em Brian... e o calor. — Vou pegar o vinho.

— Mais tarde.

Brian estendeu a mão e fechou a porta da geladeira. Espremeu-a contra a porta com seu corpo, esmagou sua boca com um beijo ansioso e ardente.

Mesmo enquanto o gemido ficava estrangulado na garganta de Kirby, ele enfiou as mãos por baixo do blusão e cobriu os seios. Seus dentes mordiscaram a língua de Kirby, fazendo com que pequenos frêmitos de medo e dor percorressem seu corpo. Ele desceu as mãos, agarrou sua bunda, levantou-a do chão por alguns centímetros, o brim molhado e esticado comprimindo-se contra a ânsia entre as coxas de Kirby.

Ela conseguiu deixar escapar um suspiro trêmulo quando os lábios de Brian grudaram em seu pescoço.

— Chega de conversa... — Sôfrega, ela atacou a orelha. O gosto da mordida fez com que desejasse mais. — O quarto fica no final do corredor.

— Não preciso de uma cama. — Com um sorriso selvagem, ele ergueu a cabeça e fitou-a nos olhos. — Ao meu jeito. E faço meu melhor trabalho na cozinha.

Os pés de Kirby tornaram a tocar no chão antes que ela pudesse piscar. Ele ergueu os braços dela por cima da cabeça, segurando os pulsos com uma das mãos, enquanto tornava a comprimi-la contra a porta da geladeira.

— Olhe para mim.

Brian enfiou a outra mão por dentro da cintura da calça do training e estendeu os dedos para penetrá-la.

Ela soltou um grito abafado... choque e prazer colidindo numa investida brutal sobre o sistema que a fazia movimentar os quadris, acompanhando o ritmo implacável de Brian, numa reação instintiva. A visão de Kirby tornou-se turva, a respiração saía em ofegos curtos, até que ela gozou, num fluxo explosivo.

Ela já estava molhada. Brian descobriu-a escorregadia e pronta, e só isso foi suficiente para provocar um tremendo excitamento. Mas quando Kirby ficou com os olhos vidrados e seu fluxo deixou-o com a mão encharcada, a necessidade fez todo o corpo de Brian estremecer. Sua respiração era quase um rosnado quando arrancou o blusão pela cabeça, para depois cobrir um seio com a boca.

Era pequeno, firme e tinha gosto de pêssego. Brian queria devorá-lo, até ficar saciado ou morto. Seus murmúrios de aprovação misturavam-se com ameaças que nenhum dos dois podia compreender. As mãos de Kirby passaram pelos cabelos de Brian, puxaram a camisa molhada, os dedos sempre competentes atrapalhando-se em sua pressa. A própria falta de controle acrescentava uma camada ao excitamento de Brian.

— Mais... — murmurou ele, empurrando para baixo a calça do training. — Quero mais.

Quando Brian baixou a boca, ela segurou-o pelos ombros e soluçou:

— Você não pode... eu não posso... Ó Deus, o que está fazendo comigo?

— Eu a estou possuindo.

No instante seguinte, a boca alcançou-a e lábios e dentes levaram-na além da sanidade. A cabeça de Kirby pendeu para trás, contra a porta da geladeira que não parava de zumbir, enquanto o calor espalhava-se por todo o seu corpo, cobrindo a pele de suor. A força do orgasmo foi como um trem em disparada passando pelo túnel em que ele a mantinha acuada e desamparada.

O corpo de Kirby estava inerte, a cabeça pendendo, quando ele a levantou. Nada mais a chocava agora, nem mesmo quando ele a estendeu na mesa da cozinha, como o prato principal que preparara para satisfazer seu apetite.

Ele tirou a camisa, sem desviar os olhos dela em momento algum. Apoiou um pé na beira da mesa, tirou um tênis, depois o outro, jogou os dois para o lado. Desabotoou os jeans, baixou o zíper.

Os olhos de Kirby começavam a desanuviar. Melhor assim, pensou Brian. Queria vê-los ficarem vidrados de novo. Ao tirar os jeans, ele contemplou-a de novo. Pele rosada e úmida, curvas delicadas, os cabelos espalhados sobre a madeira escura. Ela era linda, deslumbrante. Diria isso quando tivesse certeza de que poderia formar palavras. Montou-a e sorriu ao sentir que ela tremia.

— Quero que diga "possua-me, Brian".

Ela tinha de se concentrar em sugar ar suficiente para sobreviver. Deixou escapar um gemido quando os polegares roçaram em seus mamilos.

— Diga.

Sem pensar, ela ergueu o corpo.

— Possua-me, Brian. Pelo amor de Deus.

Ele penetrou-a, num movimento rápido e firme, levando os dois à beira do orgasmo. Brian viu aqueles olhos de sereia ficarem vidrados de novo.

— Agora é você quem tem de me possuir, Kirby.

— Está bem.

Ela ergueu a mão para o rosto de Brian, envolveu-o com as pernas e exultou na viagem vertiginosa.

Brian estava ofegante quando arriou em cima dela. Pela primeira vez em dias, sentia tanto o corpo quanto a mente relaxados. Podia senti-la ainda tremendo por baixo, na esteira do sexo maravilhoso. Esfregou o rosto nos cabelos de Kirby, aspirando a fragrância.

— E isso foi apenas para abrir o apetite.

— Ó meu Deus...

Ele riu e ergueu-se. Ficou exultante ao vê-la sorrir.

— Você tem gosto de pêssego.

— Havia acabado de tomar um banho de essência quando você apareceu para me estuprar.

— Escolhi o momento mais oportuno.

Ela estendeu a mão para afastar os cabelos do rosto de Brian... um gesto afetuoso que deixou os dois intrigados.

— Acho que foi mesmo. Você parecia muito perigoso e excitante quando chegou.

— Eu me sentia perigoso. Tivemos uma briga de família em Sanctuary.

— Sinto muito.

— Não é problema seu. Bem que eu gostaria de tomar aquele vinho agora.

Brian virou-se, saiu da mesa e foi até a geladeira. Kirby permitiu-se admirar a cena. Como médica, podia lhe dar nota dez por se manter em forma. Como sua amante, podia sentir-se grata por seu corpo esbelto e firme.

— Os copos de vinho estão no segundo armário à esquerda — informou ela. — Vou pegar um roupão.

— Não precisa se incomodar — disse Brian, no momento em que ela se levantava.

— Não vou ficar em pé nua na cozinha.

— Claro que vai. — Ele serviu os dois copos, generoso, antes de tornar a fitá-la. — E, de qualquer maneira, não ficará em pé por muito tempo.

Surpresa, ela alteou uma sobrancelha.

— Não?

— Não. — Ele entregou-lhe um copo. Bateram de leve. — Calculo que o balcão a deixará na altura apropriada.

Ela sentiu-se grata por ainda poder tomar um gole do vinho.

— No *balcão* da cozinha?

— Isso mesmo. E ainda tem o chão.

Kirby olhou para o linóleo branco de que a avó tanto se orgulhara ao instalar três anos antes.

— O chão...

— Calculo que poderemos chegar à cama... se você está mesmo decidida a ser tradicional... dentro de duas ou três horas. — Brian olhou para o relógio em cima do fogão. — Temos tempo suficiente. Não servimos o café da manhã antes de oito horas.

Kirby não sabia se ria ou se engolia em seco.

— Você é extremamente confiante em sua capacidade de permanência, não é?

— Tenho confiança absoluta. E você?

A emoção de um desafio a fez sorrir.

— Eu o acompanharei passo a passo, Brian... e mais do que isso, cuidarei para que ambos sobrevivamos ao esforço. — Seus olhos sorriram para Brian por cima do copo de vinho. — Afinal, uma médica serve para essas coisas.

— Neste caso...

Brian largou seu copo. Kirby soltou um grito estridente quando ele segurou-a pela cintura... e outro quando sua bunda encostou na fórmica.

— Ei, está frio!

— Neste caso... — Brian mergulhou um dedo em seu copo de vinho e deixou pingar no mamilo. Inclinou-se para a frente e lambeu delicadamente. — ... teremos de esquentar as coisas.

Capítulo Quinze

Sam concluiu que era um mau sinal quando um homem precisava tomar coragem para conversar com o próprio filho. E era pior quando finalmente tomava coragem, mas não conseguia encontrar o filho em parte alguma.

A cozinha estava vazia, sem sinal de café sendo feito ou biscoitos no forno. Sam parou ali por um momento, sentindo-se desajeitado e contrafeito no que persistia em pensar como uma área de mulher.

Sabia que Brian sempre fazia uma caminhada no início da manhã, mas também que ele começava a preparar o café e a massa de biscoito ou pão especial antes de sair. De qualquer forma, Brian já teria voltado àquela hora. Mais trinta ou quarenta minutos e as pessoas começariam a entrar na sala de jantar, querendo comer.

Só porque Sam não passava muito tempo na casa — e o mínimo possível junto dos hóspedes — isso não significava que ignorava o que acontecia ali.

Sam revirou o boné entre as mãos, detestando o fato de que a preocupação começava a dominá-lo. Acordara em outra manhã para descobrir que uma pessoa de sua família desaparecera. Também sem qualquer preparativo. Sem aviso. E agora não havia café no bule nem massa de biscoito crescendo na grande tigela azul, sob um pano branco.

Afugentara o filho? E teria agora mais anos pela frente para especular se era o responsável por afastar outra pessoa de Sanctuary e de si mesmo?

Ele fechou os olhos por um momento, até se livrar do terrível sentimento de culpa. Não, não assumiria aquela culpa. Brian era adulto, assim como Annabelle também era adulta na ocasião. As decisões que haviam tomado eram suas. Sam pôs o boné na cabeça e encaminhou-se para a porta.

E sentiu pontadas de alívio e ansiedade quando ouviu o assobio aproximando-se pelo caminho do jardim.

Brian parou de assobiar — e parou de andar — quando viu o pai passar pela porta da varanda fechada por tela. Ressentiu-se por seu ânimo passar abruptamente da luz para a desolação. E ressentiu-se pela súbita interrupção de seus últimos momentos de solidão.

Ele acenou com a cabeça, passou por Sam e entrou na cozinha. Sam permaneceu parado onde estava por um momento, indeciso. Não era difícil para um homem perceber quando outro passara a noite com uma mulher, empenhado num sexo ardente. Ver aquela expressão relaxada e satisfeita nos olhos do filho fizera com que se sentisse tolo... e invejoso. E Sam pensou que seria muito mais fácil para ele se continuasse a andar e deixasse as coisas como estavam.

Com um grunhido, ele tirou o boné da cabeça e tornou a entrar.

— Preciso falar com você.

Brian olhou para o pai. Já pusera um avental comprido e despejava grãos de café no moedor.

— Estou ocupado agora.

Sam assumiu uma posição decidida.

— Preciso conversar com você mesmo assim.

— Neste caso, terá de falar enquanto trabalho. — Brian ligou o moedor, povoando a cozinha com o barulho e o aroma. — Estou um pouco atrasado esta manhã.

— Hum...

Sam tornou a revirar o boné entre as mãos. Decidiu esperar até que o moedor parasse, em vez de tentar falar mais alto. Observou Brian medir o pó de café, medir a água em seguida e pôr a enorme Bunn Omatic para funcionar.

— Fiquei surpreso por você não estar aqui.

Brian pôs uma tigela grande no balcão e começou a pegar os ingredientes para os biscoitos.

— Não bato um relógio de ponto para ninguém, a não ser para mim mesmo.

— Não pensei nisso.

Sam não tivera mesmo essa intenção. Desejou saber como falar com um homem que usava um avental e preparava massa de biscoito.

— Eu queria falar sobre ontem... sobre a noite passada.

Brian despejou leite, calculando a quantidade no olho.

— Eu disse tudo o que tinha a dizer e não vejo sentido em repetir.

— Portanto, você acha que pode dizer o que quiser, mas eu não tenho o direito de falar.

Brian pegou uma colher de pau, aninhou a tigela no braço, por hábito, e começou a bater. A exultação sonhadora em decorrência do sexo durante a noite inteira já se dissipara.

— O que eu penso agora é que você teve a vida inteira para falar... e no momento tenho trabalho a fazer.

— Você é um homem difícil, Brian.

— Aprendi pelo exemplo.

Era um dardo bem disparado, para atingir o alvo em cheio. Sam reconheceu e aceitou. Depois, cansado de bancar o suplicante, ele largou o boné no balcão.

— Vai escutar o que tenho a dizer e assim acabaremos logo com isso.

— Pode falar. — Brian pôs a massa na tábua coberta de farinha de trigo e começou a amassar com toda a força. — E acabaremos logo com isso.

— Você estava certo. — Sam sentiu uma pressão na garganta e engoliu em seco. — Tudo o que disse ontem à noite era certo e verdadeiro.

Os punhos afundados na massa de biscoito, Brian virou a cabeça para fitar o pai, aturdido.

— Como?

— E o respeito por ter a coragem de dizer.

— Como?

— Entrou farinha de trigo em seus ouvidos? — indagou Sam, impaciente. — Eu disse que você estava certo e tinha todo o direito de falar. Quanto tempo leva para essa engenhoca fazer uma xícara de café?

Sam olhava para a máquina com uma expressão acusadora. Lentamente, Brian voltou a amassar a massa, mas sem desviar os olhos do pai.

— Pode tirar uma xícara, se precisar.

— Eu preciso.

Sam abriu um armário e franziu o rosto ao descobrir que só havia copos e taças ali.

— As xícaras e canecas de café não são guardadas aí há oito anos — informou Brian, a voz suave. — Duas portas para a esquerda... por cima da área de preparação de café.

— Área de preparação de café... — murmurou Sam. — Nomes de fantasia para bebidas de fantasia quando tudo o que um homem quer é uma xícara de café puro.

— Nossos cappuccinos e lattes são bastante populares.

Sam sabia o que era cappuccino... ou quase. Mas não tinha a menor idéia do que era *latte*. Soltou um grunhido. Pegou o bule de vidro com todo cuidado para despejar café na caneca. Tomou um gole, sentiu-se um pouco melhor, tomou outro gole.

— É um bom café.

— Por causa dos grãos.

— Acho que moer na hora faz alguma diferença.

— Toda a diferença do mundo. — Brian largou a massa na tigela, cobriu-a e foi até a pia para se lavar. — Creio que estamos tendo agora uma conversa de verdade pela primeira vez em... durante a maior parte de minha vida.

— Não fiz o que era certo com você. — Sam olhava para o líquido preto em sua caneca. — Desculpe.

Brian parou de enxugar as mãos, outra vez atordoado.

— Como?

— Não vou continuar a repetir tudo. — Sam levantou a cabeça, num movimento brusco, os olhos cheios de frustração. — Estou apresentando um pedido de desculpa e você deve ter a grandeza de aceitá-lo.

Brian ergueu a mão, antes que a conversa se deteriorasse para uma discussão, como costumava acontecer.

— Você me pegou desprevenido. E me deixou espantado. — Brian foi até a geladeira, a fim de pegar frios e ovos para o café da manhã. — Talvez eu pudesse aceitar melhor se soubesse pelo que está pedindo desculpa.

— Por não estar ao seu lado quando tinha doze anos e levou uma surra. Quando tinha quinze anos e vomitou ao tomar sua primeira cerveja. Quando tinha dezessete anos e era tão estúpido que não sabia como fazer amor com uma garota sem se tornar pai.

Mais do que um pouco trêmulo, Brian pegou uma frigideira.

— Kate me levou a Savannah para comprar camisinhas.

— Não é possível! — Se o filho batesse em sua cabeça com um salame, Sam ficaria menos chocado. — Kate comprou camisinhas para você?

— Comprou. — Brian descobriu-se a sorrir da recordação, enquanto esquentava a frigideira. — Aproveitou para fazer um sermão sobre responsabilidade, comedimento, abstinência. E depois me comprou um pacote de Trojans e disse que, se eu não pudesse controlar o impulso, então era melhor usar uma proteção.

— Doce Jesus! — A risada escapou enquanto Sam encostava no balcão. — Não dá nem para imaginar!

Ele se empertigou, limpou a garganta e acrescentou:

— Eu é que deveria ter-lhe dito essas coisas.

— Isso mesmo, deveria ter sido você. — Como se o arranjo fosse vital, Brian ajeitou salsichas na frigideira. — Por que não foi?

— Não tinha sua mãe para me dizer que era melhor conversar com aquele menino, que estava com algum problema na cabeça. Ou que Lexy queria exibir os sapatos novos. Via essas coisas pessoalmente, mas me acostumei a contar com sua mãe para me levar a agir. E depois, quando não a tive mais, larguei tudo. — Sam pôs a caneca em cima do balcão. Enfiou as mãos nos bolsos. — Não estou acostumado a me explicar. E não gosto.

Brian pegou outra tigela. Quebrou o primeiro ovo para a massa de panqueca.

— A opção é sua.

— Eu a amava. — As palavras pareciam rasgar a garganta e Sam sentiu-se grato porque o filho continuava concentrado em seu trabalho. — Não é fácil para mim dizer isso. Talvez não tenha dito o suficiente a ela... o sentimento vinha com mais facilidade do que as palavras. Eu precisava dela. Sam, o sisudo... era assim que sua mãe me chamava. Não me deixava permanecer desse modo por muito tempo. Ela amava a companhia de novas pessoas, gostava de conversar sobre todos os assuntos. Amava esta casa, amava esta ilha. E, por algum tempo, também me amou.

Brian pensou que provavelmente nunca ouvira um discurso tão longo de Sam Hathaway. Sem querer interromper o fluxo, ele não disse nada, enquanto despejava na tigela a manteiga que derretera.

— Tínhamos os nossos problemas. Não vou fingir que não havia nenhum. Mas sempre conseguíamos superá-los. Na noite em que você nasceu... Jesus, fiquei apavorado! Mas Belle não ficou. Era tudo uma grande aventura para ela. E quando acabou, quando você estava aninhado em seus braços, mamando, ela recostou-se nos travesseiros, com um sorriso. "Veja que lindo bebê nós fizemos, Sam. Teremos de fazer muitos outros." Um homem não pode deixar de amar uma mulher assim. Nem sequer tem uma opção.

— Não pensei que você a amava.

— Amava e muito. — Sam tornou a pegar a caneca com café. Falar tanto deixara-o com a garganta ressequida. — Levei anos vivendo sem ela até parar de amá-la. Talvez eu a tenha afastado, mas não sei como foi. O fato de não saber me deixou angustiado por muitos anos.

— Peço desculpa. — Brian viu o brilho de surpresa nos olhos do pai. — Pensava que isso não importava para você. Pensava que não estava realmente interessado.

— Claro que me importava. Depois de algum tempo, no entanto, você aprende a viver com o que tem.

— E você tinha a ilha.

— Era com a ilha que podia contar, o que podia cuidar. E me impediu de enlouquecer. — Sam respirou fundo. — Mas um homem melhor deveria estar presente para segurar a cabeça do filho quando ele vomitou de um excesso de Budweiser.

— Löwenbräu.

— Uma cerveja importada? Não é de admirar que eu não o compreenda.

Sam soltou um suspiro e avaliou o homem que o filho se tornara. Um homem que usava um avental para trabalhar e fazia tortas. Um homem, ele corrigiu, com olhos frios e firmes, os ombros largos e bastante fortes para carregarem mais do que o próprio peso.

— Ambos dizemos o que queríamos e não sei se isso fará alguma diferença. Mas me sinto contente porque falamos.

Sam estendeu a mão, torcendo para que fosse a coisa certa.

Jo entrou na cozinha nesse instante, para deparar com a cena surpreendente do pai e o irmão trocando um aperto de mãos na frente do fogão. Ambos olharam para ela com idênticas expressões de embaraço. Mas no momento Jo sentia-se muito cansada e irritada para analisar.

— Lexy não está se sentindo bem. Vou substituí-la durante o café da manhã.

Brian pegou um garfo e apressou-se em virar as salsichas, antes que queimassem.

— Vai servir as mesas?

— Foi o que eu disse.

Jo pegou um avental curto num gancho, vestiu-o e deu um laço atrás.

— Quando foi a última vez em que serviu mesas? — perguntou Brian.

— Na última vez em que estive aqui e estava com deficiência de pessoal.

— É uma péssima garçonete.

— Mas sou tudo o que tem, companheiro. Lexy chora sem parar de tanta dor de cabeça, e Kate foi até o camping para tentar endireitar a confusão por lá. Não tem outro jeito que não me aceitar.

Sam pegou seu boné e encaminhou-se para a porta. Lidar com o filho era uma coisa, e já fora bastante difícil. Não tinha a menor intenção de encarar uma filha no mesmo dia.

— Tenho coisas a fazer...

Sam quase estremeceu quando a filha lançou-lhe um olhar gelado.

— Eu também tenho, mas estou servindo as mesas porque vocês dois decidiram se engalfinhar, e Kate e eu tivemos de passar metade da noite escutando Lexy chorar e se lamentar. Agora, pelo que vejo, os dois trocaram um aperto de mãos, como homens de verdade. Portanto, está tudo em ordem. Onde estão os blocos de pedidos?

— Na gaveta de cima, por baixo da caixa registradora. — Pelo canto do olho, Brian viu o pai passar pela porta. Típico, pensou ele, pondo as salsichas para escorrer. — Já trabalhou com uma caixa registradora computadorizada, Jo?

— Por que deveria? Não sou uma vendedora, não sou uma garçonete. Sou apenas uma fotógrafa.

Brian esfregou a nuca. Seria uma longa manhã.

— Suba, enfie uma aspirina pela goela de Lexy e traga-a para cá.

— Se você quer Lexy, vá buscá-la. Já me enchi de Lexy e sua rotina de rainha do drama. Ela estava se espojando. — Jo bateu com os blocos no balcão e foi pegar o bule de café. — O centro das atenções, como sempre.

— Ela ficou transtornada.

— Talvez tenha ficado mesmo, até que começou a gostar do papel. De qualquer forma, não foi culpa minha. E fui eu quem teve de aturá-la. Já passava de duas horas da madrugada quando Kate e eu conseguimos acalmá-la um pouco e pude ir para meu quarto. — Jo esfregou com força o meio da testa. — Tem alguma aspirina aqui?

Brian tirou uma garrafa de um armário e pôs em cima do balcão.

— Leve o bule e sirva a primeira rodada de café. As panquecas de *blueberry* são as especiais. Se tiver de amarrar a cara, faça-o aqui. Lá fora, sorria sempre. Diga seu nome aos clientes e finja que pode ser simpática. Deve compensar o serviço lento.

— Não enche!

Jo quase rosnou, mas pegou o bule de café, um bloco de pedidos e deixou a cozinha.

A situação não melhorou.

Brian cortava uma *grapefruit* e rangia os dentes para os dois pedidos esperando para serem levados às mesas há cinco minutos. Mais dois minutos, pensou ele, e teria de jogar tudo fora, para começar de novo.

Onde estava Jo?

— Uma manhã movimentada. — Nathan entrou pela porta dos fundos. — Dei uma olhada na sala de jantar pelas janelas. Parece que tem a casa cheia.

— Manhã de domingo. — Brian virou o que calculava ser a milionésima panqueca do dia. — As pessoas gostam de um farto café da manhã aos domingos.

— Eu também gosto. — Nathan sorriu para a grelha. — Panquecas de *blueberry* são um grande pedido.

— Entre na fila. Droga, o que ela está fazendo lá fora? Construindo as pirâmides? Você entende de computadores?

— Sou o orgulhoso proprietário de três. Por quê?

— Porque vai agora ficar na caixa registradora. — Brian sacudiu o polegar para trás. — Não posso parar o que estou fazendo aqui cada vez que ela traz uma conta.

— Quer que eu trabalhe na caixa registradora?

— Não quer comer?

— Por que não trabalho na caixa registradora?

Nathan foi estudar a máquina. Jo entrou apressada na cozinha nesse instante, os braços carregados de pratos.

— Ela devia saber como seria o dia de hoje. Vou matá-la se conseguir sobreviver. O que está fazendo aí, Nathan?

— Ao que tudo indica, entrei na folha de pagamentos. — Nathan observou-a largar os pratos na pia e pegar os pedidos à espera. — Está muito graciosa hoje, Jo Ellen.

— Não enche!

Ela empurrou a porta com o ombro e saiu.

— Imagino se ela está sendo simpática assim com os clientes.

— Não destrua minha fantasia, Bri. Gosto de pensar que ela reserva esses agrados só para mim.

— Vai empurrá-la de novo no rio?

— Ela escorregou... e estou pensando em outra coisa para mim e Jo Ellen.

Brian passou a mão pelo rosto.

— Não quero que me diga. E também não quero essa imagem em minha mente.

— Apenas achei que você deveria conhecer o rumo que pretendo seguir.

Para ilustrar, Nathan agarrou-a quando ela tornou a passar pela porta. Beijou a boca contraída e surpresa.

— Ficou maluco?

Ela deu uma cotovelada na barriga de Nathan para se desvencilhar. Pôs pedidos, dinheiro e cartões de crédito em suas mãos, enquanto acrescentava:

— Cuide disso.

Jo foi pegar um bule de café fresco. Largou os novos pedidos no balcão.

— Duas porções de especiais, ovos mexidos, uma porção de bacon, torrada de trigo integral. Não me lembro de uma coisa, mas está escrita aí, e os biscoitos e o creme estão quase acabando. E se o monstrinho da mesa três derramar seu suco mais uma vez, vou estrangulá-lo, junto com os pais idiotas.

Nathan sorriu, enquanto ela tornava a sair.

— Bri, acho que pode ser amor.

— É mais provável que seja insanidade. E por enquanto mantenha as mãos longe de minha irmã e cuide dessas notas, ou não vou alimentá-lo.

ÀS DEZ E MEIA, JO ENTROU CAMBALEANDO EM SEU QUARTO e caiu de cara na cama. Tudo doía. As costas, os pés, a cabeça, os ombros. Ninguém que não tivesse passado por aquilo, pensou ela, poderia saber como era árduo o trabalho de garçonete. Escalara montanhas, vadeara rios, passara dias escaldantes no deserto... e faria tudo isso de novo pela imagem certa.

Mas cortaria os pulsos com um sorriso se algum dia tivesse de trabalhar de novo como garçonete.

E detestava ter de admitir que Lexy não apenas não era uma fingida preguiçosa, mas também fazia com que o trabalho parecesse fácil.

Ainda assim, se não fosse por Lexy, Jo não perderia a luz difusa e gloriosa que ocorrera naquela manhã, depois da chuva. Não estaria com os olhos pesados do sono de três horas. E os pés não estariam protestando daquela forma.

Ela rangeu os dentes quando sentiu o colchão afundar sob o peso de outra pessoa.

— Saia daqui, Lexy, ou posso encontrar a energia para matá-la.

— Não precisa se incomodar. Ela não está aqui.

Jo virou a cabeça, fitando Nathan com os olhos contraídos.

— O que está fazendo aqui?

— Você não pára de me perguntar isso. — Ele estendeu a mão para empurrar os cabelos de Jo para trás da orelha, a fim de ter uma visão clara de seu rosto. — Neste momento, vim apenas verificar como você está. Uma manhã difícil, hem?

Ela gemeu e fechou os olhos.

— Vá embora.

— Dez segundos de massagem nos pés e você vai me suplicar para ficar.

— Massagem nos pés?

Jo tentou recolher a perna, mas ele segurou-a pelo tornozelo, com firmeza. Tirou o sapato.

— Dez, nove, oito...

E quando Nathan passou a base da mão pela arcada, um prazer intenso espalhou-se por todo o corpo de Jo, levando-a a gemer.

— Não falei? Apenas relaxe. Pés felizes são a chave para o universo.

— Galileu?

— Carl Sagan — disse ele, com um sorriso. — Comeu alguma coisa lá embaixo?

— Se eu olhar para outra panqueca, juro que vomitarei.

— Foi o que pensei. Trouxe outra coisa.

Jo abriu um olho.

— O quê?

— Hum... Você tem pés muito atraentes. Longos, estreitos, um peito do pé alto e elegante. Um dia desses vou começar a mordê-los, de leve, e passarei a subir... Ah, sim, queria saber o que eu trouxe para você comer. — Nathan pressionou os dedos sobre o peito do pé e desceu até o calcanhar. — Morangos com creme, os biscoitos milagrosos de Brian com geléia de fabricação caseira e uma porção de bacon pela proteína.

— Por quê?

— Porque você precisa comer. — Nathan ergueu o rosto para fitá-la. — Ou quer saber por que vou morder seus pés?

— Não importa.

— Está bem. Por que você não vira, senta na cama e come?

Jo fez menção de dizer que não sentia fome... uma reação automática. Mas lembrou as ordens de Kirby para não deixar de comer. E a perspectiva dos morangos exercia uma certa atração. Sentou na cama. Tentou não se sentir tola quando Nathan acomodou-se na sua frente, de pernas cruzadas, com os pés dela em seu colo. Pegou a tigela e tirou um morango com os dedos.

Estudou-o em silêncio por um momento. Nathan não se dera ao trabalho de fazer a barba naquela manhã. Além disso, os cabelos precisavam ser aparados. Mas o estilo um pouco descontraído combinava com ele, assim como o dourado que o sol da ilha estava acrescentando aos cabelos castanhos.

— Não precisa se dar a todo esse trabalho, Nathan. Estou mesmo pensando em ir para a cama com você.

— Isso tira um fardo de minha mente.

Ela deu uma mordida num morango. O gosto era tão doce e inesperadamente estimulante que ela sorriu.

— Acho que estou um pouco irritada esta manhã.

— É mesmo? — Ele pegou os dedos do pé de Jo, movendo-os para a frente e para trás, gentilmente. — Nem notei.

— O que é a sua maneira ianque insidiosa de dizer que sou sempre uma chata.

— Nem sempre. E acho que a palavra que escolheria no caso seria "perturbada".

— Um legado Hathaway. — Como os morangos haviam despertado seu apetite, ela pegou uma fatia de bacon e deu uma mordida. — Tivemos uma briga de família ontem à noite. Foi por isso que Lexy ficou na cama, com a cabeça debaixo das cobertas, enquanto eu servia as mesas.

— Você sempre cobre as faltas?

Surpresa, ela sacudiu a cabeça em negativa.

— Não. Quase não cubro nada. Raramente estou aqui.

— E quando está, serve as mesas, troca as roupas de cama, limpa os banheiros.

— Como soube disso?

A voz era ríspida agora, o que deixou Nathan perplexo.

— Você me contou. Que estava no serviço de faxina aqui na pousada.

— Ah, isso...

Sentindo-se uma tola, Jo pegou um biscoito e partiu-o ao meio.

— Aconteceu alguma coisa?

— Nada de mais. Alguns garotos fizeram uma brincadeira de mau gosto comigo há dois dias. Trancaram-me no banheiro dos homens no camping. Fiquei um pouco nervosa.

— Não tem nada de engraçado.

— Na ocasião, também não achei engraçado.

— Conseguiu pegá-los?

— Não. Eles já haviam desaparecido quando meu pai abriu a porta. Não foi nada de mais, apenas uma coisa irritante.

— Portanto, podemos acrescentar a faxina no banheiro dos homens à lista das faltas que você não costuma cobrir. E nos intervalos de tudo isso você está preparando um livro de fotografia e ainda encontra tempo para tirar novas fotos. O que me diz da diversão?

— A fotografia é uma diversão para mim. — Quando ele apenas alteou uma sobrancelha, Jo pegou outro morango e acrescentou: — Fui ao luau.

— E ficou quase até meia-noite. Uma mulher desregrada.

Uma linha se formou entre as sobrancelhas de Jo.

— Não gosto muito de festas.

— O que aprecia além de fotografia? Livros, filmes, artes plásticas, música? Isto é o que se costuma chamar de ciência de conhecer melhor um ao outro.

Como ela permanecesse calada, Nathan continuou:

— É muito conveniente, ainda mais quando se pretende levar a outra pessoa para a cama. — Ele inclinou-se para a frente. Achou engraçado quando ela recuou. — Vai partilhar esses morangos?

Jo ordenou que sua pulsação se acalmasse. Como ele ainda massageava seus pés, pôs um morango em sua boca.

Ele pegou as pontas dos dedos de Jo entre os dentes e sugou-os também. Soltou-os, sorrindo.

— Isto é o que se chama de estimulação sensorial subliminar. Ou, como é mais conhecido, vou gozar com você.

— Essa parte eu já entendi.

— Ótimo. Vamos continuar. Cinema?

Jo tentou se lembrar se já conhecera outro homem que a desconcertasse com tanta facilidade e com tanta freqüência. A resposta foi um não categórico.

— Gosto dos filmes antigos, em preto-e-branco, em particular o *film noir*. A luz e as sombras são incríveis.

— *Relíquia Macabra?**

— O melhor dos melhores.

— Veja só. — Ele bateu de leve no pé de Jo. — Uma coisa em comum. O que acha do cinema contemporâneo?

— Neste caso, prefiro a ação direta. Os filmes de arte quase nunca me agradam. Prefiro ver Schwarzenegger surrar cinqüenta inimigos a ouvir um punhado de pessoas expressando sua angústia em outra língua.

— É um grande alívio para mim. Nunca poderíamos criar cinco filhos e golden retrievers se eu tivesse de suportar filmes de arte.

Isso a fez rir, um som meio rouco, que Nathan achou absurdamente excitante.

— Se essas são minhas opções, posso reconsiderar as indicações.

— Sua cidade predileta, em qualquer parte.

— Florença — respondeu Jo, antes de saber se era verdade. — O sol claro, as cores.

— Os prédios. A idade e grandiosidade. O palácio Pitti, o palazzo Vecchio.

* *The Maltese Falcon?* (N.T.)

— Tenho uma foto maravilhosa do Pitti, pouco antes do pôr-do-sol.

— Eu adoraria vê-la.

— Não a trouxe — respondeu ela, distraída, recordando o momento, a inclinação dos raios do sol, o barulho no ar quando os pombos alçaram vôo. — Deixei em Charlotte.

— Posso esperar. — Antes que ela tivesse tempo de reagir, Nathan apertou seu pé. — Quando terminar o café da manhã, que tal me levar para uma excursão de verdade pela ilha?

— Hoje é domingo.

— Já ouvi um rumor sobre isso.

— Estou querendo dizer que a maioria dos hóspedes deixa os chalés no domingo. É preciso limpá-los e reabastecê-los para os novos hóspedes, até às três horas da tarde.

— Mais cuidados domésticos. Como eles fazem quando você não está aqui?

— Kate perdeu as duas garotas que cuidavam dos chalés na semana anterior à minha vinda. Elas arrumaram emprego no continente. E como estou aqui, junto com Lexy, ela ainda não se deu ao trabalho de substituí-las.

— Quantos chalés estão na sua lista?

— Seis.

Nathan pensou por um momento, acenou com a cabeça, levantou-se.

— Neste caso, é melhor nós começarmos logo.

— Nós?

— Isso mesmo. Sei usar um aspirador de pó e um esfregão. Com isso você acabará mais depressa e poderemos encontrar um trecho sossegado da praia para uns amassos.

Jo sentou na cama, pôs os pés nos sapatos... pés incrivelmente felizes, ela teve de admitir.

— Talvez eu conheça alguns trechos assim... se você for tão eficiente com o aspirador quanto é com a reflexologia.

— Jo Ellen... — Ele pôs as mãos nos quadris de Jo, num gesto que ela achou muito íntimo. — Há uma coisa que você precisa saber.

Ele ainda era casado. Estava sob indiciamento federal. Preferia o sadomasoquismo ao sexo normal. Jo deixou escapar um pequeno suspiro, espantada consigo mesma. Não sabia que tinha tanta imaginação.

— O que é?

— Também estou pensando em ir para a cama com você.

Ela soltou uma risada.

— Nathan, isso tem sido um peso em minha mente desde que você voltou para Desire.

ELE SENTIA-SE MUITO FELIZ POR TER VOLTADO, POR ESTAR tão perto dela. O simples fato de observá-la provocava uma pontada de expectativa pelo que ia acontecer. No momento oportuno.

Pensou que poderia prolongar o prazer. Afinal, planejara com todo cuidado. Dinheiro não era problema. Dispunha de todo o tempo do mundo. Seria ainda mais satisfatório embalá-la para a complacência, observá-la relaxar pouco a pouco. E depois a arrastaria de volta, um súbito puxão na corrente que ela não sabia que os ligava.

Ela teria medo. Ficaria confusa. E se tornaria ainda mais vulnerável por causa da serenidade que ele permitira antes de rearrumar a composição.

Isso mesmo, ele podia esperar. Desfrutaria o sol e o mar. Não levaria muito tempo para conhecer a rotina de Jo. Tanto quanto conhecera seus hábitos em Charlotte.

Deixaria que ela se distraísse, talvez até que se apaixonasse um pouco. O que seria uma fascinante ironia.

E durante todo o tempo Jo não teria a menor idéia de que ele se encontrava ali para controlar seu destino, para cumprir seu próprio destino. Para tirar a vida de Jo.

Capítulo Dezesseis

— Não sei por que você não pode tirar um dia de folga, apenas um, e passar algum tempo comigo.

Giff baixou sua pistola de pregos, ficou de cócoras e estudou o rosto mal-humorado de Lexy. Era um desses caprichos maliciosos da natureza, pensou ele, que aquela expressão de contrariedade fosse tão atraente para um homem.

— Meu bem, eu disse que teria uma semana bastante ocupada. E ainda estamos na terça-feira.

— Que diferença o dia pode fazer? — Lexy ergueu as mãos. — Cada dia por aqui é igual aos outros.

— Pois eu direi que diferença faz para mim. — Giff passou a mão pela beira do deque que acabara de completar. — Prometi a Miss Kate que teria este acréscimo da varanda pronto e fechado com tela no sábado.

— Pode entregar no domingo.

— Eu disse que seria no sábado. — Para Giff, isso dizia tudo. Mas como era com Lexy que conversava, recorreu a toda a sua paciência para explicar o resto: — O chalé está reservado para a próxima semana. Como ela precisa de Colin no camping em tempo integral agora, e Jed ainda tem uma semana na escola antes das férias de verão, terei de fazer tudo sozinho.

Ela não tinha o menor interesse pela droga da varanda. De qualquer forma, o chão estava quase pronto. Quanto tempo levaria para fazer um telhado e cercar com tela?

— Só um dia, Giff. — Ela agachou-se ao seu lado, pondo todo o charme na voz ao dizer, depois de beijá-lo no rosto: — Apenas umas poucas horas. Podemos pegar seu barco e ir até o continente. Almoçar em Savannah.

— Não posso perder esse tempo, Lex. Mas se eu conseguir aprontar tudo, podemos ir no sábado. Adiarei alguns serviços e aproveitaremos todo o fim de semana, se você quiser.

— Não quero ir no sábado. — A voz perdeu o charme, tornou-se obstinada. — Quero ir agora.

Giff tinha uma prima de cinco anos que se mostrava tão insistente assim para conseguir tudo o que queria... e sempre queria tudo na hora. Mas refletiu que Lexy não gostaria da comparação.

— Não posso ir agora — disse ele, paciente. — Pode pegar o barco, se está tão ansiosa em ir, fazer compras.

— Sozinha?

— Leve sua irmã, uma amiga.

— Não penso em ninguém com quem gostaria menos de passar o dia do que Jo. E não tenho mais nenhuma amiga, agora que Ginny foi embora.

Ele não precisava ver as lágrimas escorrerem dos olhos de Lexy para saber que essa era a raiz do problema, a maior causa de seu novo descontentamento. Mas não havia nada que ele pudesse fazer a respeito, como também não havia nada que pudesse curar a ferida em seu coração desde o desaparecimento de Ginny.

— Se quer ir comigo, terá de esperar até sábado. Deixarei o fim de semana livre. Podemos reservar um quarto no hotel e eu a levarei para um jantar de luxo.

— Você não entende nada! — Lexy bateu com o punho no ombro dele, enquanto se levantava. — Sábado não é hoje e eu acabarei enlouquecendo se não sair daqui! Por que você não pode arrumar mais tempo para ficar comigo?

— Estou fazendo o melhor que posso.

Até mesmo sua enorme paciência começava a se esgotar. Giff pegou a pistola de pregos e fez um disparo.

— Você não pode nem mesmo parar de trabalhar e prestar atenção por cinco minutos. Dá um jeito de me espremer entre os serviços. E agora uma varanda estúpida é mais importante do que minha companhia.

— Dei minha palavra de que aprontaria a varanda. — Giff levantou-se, pegou outra tábua e estendeu-a sobre o cavalete para medir. — E cumpro o que prometo, Lexy. Se ainda quiser ir para Savannah no fim de semana, eu a levarei. É o melhor que posso fazer.

— Não é suficiente. E tenho certeza de que não haverá a menor dificuldade em encontrar alguém que ficará feliz em me levar hoje.

Ele passou o lápis pela tábua, para fazer a marca, depois fitou-a com os olhos frios e contraídos. Reconhecia a possibilidade concreta de que ela consumasse a ameaça.

— Não fará isso. — A voz era calma e contida. — Mas a decisão é sua.

Foi como um tapa. Lexy esperava que ele se enfurecesse, tivesse um acesso de ciúme, dissesse o que faria se ela olhasse para outro homem. Teriam uma briga acirrada e satisfatória, antes que ela o arrastasse para o chalé vazio, onde haveria um momento de sexo para fazerem as pazes.

E depois ela o convenceria a levá-la para Savannah.

A cena que ela ensaiara mentalmente se dissolveu. Porque queria chorar, Lexy sacudiu a cabeça e virou-se.

— Muito bem, pode continuar a construir sua varanda, e eu farei o que tiver de fazer.

Giff não disse nada, enquanto ela descia os degraus provisórios. Teve de esperar que a raiva intensa se dissipasse antes de pegar a serra elétrica. Sabia que a fúria poderia custar caro e não queria ter de pagar com um dedo. Precisaria de todos, refletiu, se Lexy estivesse mesmo empenhada em cumprir a ameaça.

Isso mesmo, precisaria de todos os dedos para o punho fechado com que arrebentaria a cara de alguém.

Lexy ouviu o zumbido da serra e rangeu os dentes. Um filho-da-puta egoísta... Giff não passava disso. Não se importava com ela. Lexy foi andando depressa pela areia, os olhos ardendo, a respiração ofegante. Ninguém se importava com ela. Ninguém a compreendia. Nem mesmo Ginny...

Ela teve de parar por um instante quando os músculos da barriga se contraíram. Ginny partira. Fora embora. Todas as pessoas de quem gostava sempre a deixavam, de um jeito ou de outro. Ela nunca tinha importância suficiente para que ficassem.

A princípio, tivera certeza de que alguma coisa terrível acontecera com Ginny. Fora seqüestrada, ou caíra bêbada em uma lagoa, sendo devorada por um aligátor.

O que era um absurdo, é claro. Levara dias, mas Lexy acabara se resignando ao fato de que fora abandonada de novo. Porque ninguém ficava, não importava quanto ela precisasse.

Mas desta vez... Lexy lançou um olhar desafiador para trás, na direção do chalé em que Giff trabalhava. Desta vez ela partiria primeiro.

Ela seguiu para a linha das árvores. O sol era muito quente em sua pele, a areia arranhava os pés nas sandálias. Naquele momento, odiava Desire e tudo o que havia ali, com uma paixão intensa e irracional. Odiava as pessoas que faziam as refeições na pousada, esperando que ela as servisse e tirasse a mesa depois. Odiava sua família por pensar nela como uma sonhadora irresponsável. Odiava a praia, com o sol branco ofuscante e as ondas intermináveis desmanchando-se na areia. E a floresta, com seus bolsões de sombras escuras e o silêncio clamoroso.

E, acima de tudo, odiava Giff, porque estivera pensando em se apaixonar por ele.

Não mais o faria. Não lhe daria essa satisfação. Em vez disso, pensou Lexy, enquanto deixava o sol para a sombra, concentraria sua atenção em outro homem, para fazer Giff sofrer.

Quando avistou o Little Desire Cottage, com um vulto sentado na varanda, ela sorriu. Não sabia por que não pensara nisso antes. Por que não pensara nele.

Nathan Delaney... Ele era perfeito. Bem-sucedido, sofisticado, culto. Já estivera em muitos lugares e fizera coisas. E era um prazer contemplá-lo... um homem tão deslumbrante que até Jo notara.

Podia apostar que Nathan Delaney sabia como tratar uma mulher.

Lexy abriu a pequena bolsa vermelha que trazia junto do corpo. Pôs na boca um Lifesaver de cereja para adoçar o hálito. Pegou o estojo de maquiagem e empoou o nariz e a testa com todo cuidado. Como estava rosada do sol, as faces não precisavam de blush, mas passou batom nos lábios, um vermelho jovem e sedutor. Esguichou um pouco de Joy e afofou os cabelos, enquanto pensava na maneira exata de conduzir a cena.

Encaminhou-se para o chalé. Ao chegar perto, levantou os olhos com um sorriso cordial.

— Oi, Nathan.

Ele levara o computador para a mesa de piquenique na varanda, a fim de desfrutar a brisa enquanto trabalhava. O projeto já estava quase todo desenvolvido. À interrupção, ele levantou a cabeça, distraído. Sentiu uma pontada de dor, no princípio de torcicolo.

— Oi, Lexy.

Ele massageou o pescoço.

— Não me diga que está trabalhando numa manhã tão linda.

— Apenas cuidando dos detalhes finais.

— Esse é um daqueles computadores pequenos? Como pode projetar prédios inteiros nessa coisa?

— Nos mínimos detalhes.

Ela riu. Inclinou a cabeça para o lado e passou um dedo pelo pescoço.

— Interrompi seu trabalho e agora deve estar querendo que eu suma o mais depressa possível.

— Claro que não. Isso me dá uma desculpa para descansar um pouco.

— É mesmo? Você me detestaria se eu subisse e pedisse para dar uma olhada? Ou é temperamental e não gosta de mostrar seu trabalho antes de ficar todo pronto?

— Meu trabalho é apenas a parte preliminar da obra e por isso não há motivo para ser temperamental. Claro que pode subir.

Nathan olhou para o relógio enquanto ela subia. Queria mais duas ou três horas para refinar as plantas. E tinha um encontro marcado à uma hora da tarde. Uma viagem até o norte da ilha, para um piquenique. E mais algum tempo para conhecer melhor Jo Ellen Hathaway.

Ainda assim, ele sorriu para Lexy... era impossível não fazê-lo. Ela era linda como uma gravura, com uma fragrância mais viçosa do que a brisa que soprava pelas telas. E a saia branca e curta mostrava que as pernas eram compridas e adoráveis.

— Quer alguma coisa gelada?

— Hum... Tomarei um gole do seu, está bem? — Ela pegou o copo na mesa e tomou um gole. — Café gelado. Uma delícia.

Lexy detestava café gelado. Jamais entendera por que as pessoas gelavam uma bebida que só era ótima quando tomada quente.

Ela passou a língua pelo lábio superior e sentou ao lado dele. Mas não perto demais. Uma mulher não queria ser óbvia. Olhou para o monitor e ficou tão surpresa com a planta baixa que havia ali, complexa e detalhada, que quase esqueceu o objetivo da visita.

— Mas não é fantástico? Como você faz tudo isso com um computador? Pensei que os arquitetos usavam lápis, régua de cálculo e calculadoras.

— Não tanto quanto usávamos antes. O CAD tornou a nossa vida mais fácil. É um programa de desenho em computador. Pode-se tirar as paredes, mudar os ângulos, alargar portas, ampliar cômodos e depois mudar de idéia, voltar ao que era antes. E não precisa usar borracha.

— É espantoso. Isso vai ser a casa de alguém?

— Uma casa de férias, na costa oeste do México.

— Uma *villa*... — Imagens de música animada, flores exóticas e empregados vestidos de branco afloraram na mente de Lexy. — Bri já esteve no México. Eu nunca fui a outro país.

Ela lançou um olhar de lado para Nathan, mexendo as pestanas.

— Você conhece o mundo inteiro, não é?

— Não chegaria a tanto, mas já estive em vários lugares. — Uma pequena campainha de alarme soou no cérebro de Nathan, mas ele ignorou-a como absurda e egocêntrica. — Há penhascos espetaculares na costa oeste do México, com vistas incríveis. A casa dará para o Pacífico.

— Nunca vi o oceano Pacífico.

— O mar pode ser agitado. Esta área aqui... — ele encostou o dedo no monitor — ... será o solário. Paredes e telhado de vidro... com o telhado movimentado por um motor. Poderão abri-lo para festas ou qualquer outra coisa, quando o tempo estiver bom. A piscina será ali. Não terá uma forma definida, pois acompanhará as rochas. Aproveitaremos a flora nativa. Haverá uma pequena cascata aqui. Vai parecer uma laguna.

— Uma piscina dentro da casa... — Lexy soltou um suspiro longo e sonhador. — Eles devem ser milionários.

— Mais do que milionários.

Ela fitou Nathan com uma admiração sonhadora.

— Você deve ser o melhor dos melhores. Muito importante. Bem-sucedido. Projetando *villas* no México para milionários. — Lexy pôs a mão na coxa de Nathan. — Não posso sequer imaginar como seria construir coisas tão bonitas.

Ahn... A segunda campainha de alarme soou mais alta, impossível de ignorar. Nathan considerava-se razoavelmente inteligente. E um homem inteligente sabia quando uma mulher tentava seduzi-lo.

— Muitas pessoas trabalham num projeto como este. Engenheiros, paisagistas, empreiteiros.

Ele não era doce?, pensou Lexy, chegando um pouco mais perto.

— Mas, sem você, eles não teriam sobre o que trabalhar. É você quem faz acontecer, Nathan.

O recuo era muitas vezes a opção do homem inteligente, decidiu Nathan. Ele mudou de posição e conseguiu pôr alguns centímetros de distância entre os dois.

— Não se eu não terminar estas plantas. — Ele deu um sorriso rápido, torcendo para que não parecesse tão nervoso quanto se sentia. — E estou um pouco atrasado. Por isso...

— Parecem maravilhosas.

A mão subiu um pouco pela coxa de Nathan. Inteligente ou não, ele também era humano. O corpo reagiu como a natureza determinava.

— Escute, Lexy...

— Estou impressionada. — Ela inclinou-se, sedutora. — Adoraria ver mais.

Sua respiração atingia os lábios de Nathan, enquanto ela acrescentava:

— Muito mais...

Ao concluir que ele era cavalheiro demais — ou muito obtuso — para tomar a iniciativa, Lexy beijou-o na boca e passou os braços por seu pescoço.

Dominou-o por um minuto. Ela era ardente e sensual. O sangue esvaiu-se da cabeça de Nathan, tornando difícil pensar de forma racional. Mas ele conseguiu segurar os pulsos de Lexy, afastar seus braços e recuar.

— Sabe... — Nathan teve de tossir para poder continuar. — Você é muito atraente, Lexy. Sinto-me lisonjeado.

— Isso é ótimo. — O coração de Lexy batia um pouco mais depressa. A imagem do rosto de Giff, enfurecido pelo ciúme, aflorou em sua mente e fez seu coração disparar. — Por que não entramos um pouco?

— Há outra coisa. — Ele baixou os braços de Lexy e continuou a segurar suas mãos. — Gosto do meu rosto como é. Já me acostumei. E quase nunca me corto ao fazer a barba.

— Também gosto. É um rosto maravilhoso.

— Obrigado. E não quero que Giff se sinta na obrigação de remodelá-lo por mim.

— Por que eu me importaria com Giff? — Ela sacudiu a cabeça, com um ar de indiferença. — Ele não é meu dono.

O nervosismo em sua voz e o brilho furioso nos olhos indicavam com certeza que uma disputa entre namorados estava na raiz da atual tentativa de sedução.

— Tiveram uma briga, não é?

— Não quero falar sobre Giff. Por que não me beija de novo, Nathan? Sabe que tem vontade de me beijar.

Parte dele queria mesmo, uma parte instintiva, muito próxima da superfície naquele momento.

— Está bem, não vamos falar de Giff. Mas podemos falar de Jo.

— Ela também não é minha dona.

— Não, não é. Mas estou... — ele não sabia direito como explicar — ... interessado em Jo.

— Acho que está interessado em mim.

Para provar, ela desvencilhou uma das mãos e estendeu-a para a virilha de Nathan. Com um esforço para não gritar, ele segurou-a pelo pulso.

— Pare com isso. — A voz de Nathan assumiu um tom de sermão que deixaria qualquer mãe orgulhosa. — Você vale mais do que isso, Lexy. Muito mais.

— Por que você haveria de querer Jo mais do que a mim? Ela é fria, mandona e...

— Pare com isso. — Ele apertou com firmeza as mãos de Lexy. — Não quero que fale sobre Jo dessa maneira. Gosto dela. E sei que você também gosta.

— Você não sabe do que eu gosto. Ninguém sabe.

Porque a voz de Lexy tremeu ao final, ele sentiu uma súbita e profunda compaixão. Gentilmente, levantou suas mãos e beijou-as, o que a fez piscar em surpresa.

— Talvez isso aconteça porque você própria ainda não se decidiu. — Torcendo para que fosse seguro, ele soltou uma das mãos e afastou os cabelos do rosto dela. — Gosto de você, Lexy. É outro motivo pelo qual não posso aceitar sua tentadora oferta.

A vergonha dominou-a, deixando as faces vermelhas.

— Banquei a idiota.

— Não... mas eu quase banquei. — Mais firme agora, Nathan recuou. Estendeu a mão para o café, que não estava mais gelado, a fim de refrescar a garganta. — É mais do que provável que você teria mudado de idéia em algum momento... e onde isso me deixaria?

Lexy fungou.

— Talvez eu não mudasse de idéia. O sexo é fácil. O resto é que complica.

— Fale-me a respeito.

Quando ele ofereceu o café, Lexy conseguiu sorrir e sacudir a cabeça.

— Detesto café gelado. Só tomei para seduzi-lo.

— Uma boa tática. Quer me falar sobre sua briga com Giff?

— Não tem importância. — A angústia invadiu-a com tanta força que ela se levantou e começou a andar de um lado para outro, na esperança de se livrar. — Ele não se importa comigo, não com o que eu faço, nem com quem estou.

— Meu bem, ele é louco por você.

Ela soltou uma risada rápida.

— Ser louco por alguém é muito fácil.

— Nem sempre. Não quando você tenta fazer com que tudo dê certo.

Os lábios contraídos, Lexy fitou-o.

— Você tem mesmo esses sentimentos por Jo?

— Aparentemente.

— Ela não é fácil.

— É o que estou descobrindo.

— Já a levou para a cama?

— Lexy...

— Ainda não. — Ela contraiu os lábios num sorriso. — E isso o deixa nervoso.

Lexy voltou e sentou na beira da mesa.

— Quer algumas dicas?

— Não acho que seja apropriado nós discutirmos... — Nathan parou de falar, pensou um pouco e abandonou a dignidade: — Que dicas?

— Jo gosta de ter o comando, de ficar com o controle de tudo, entende? É assim que ela funciona, é assim que ela vive. E sempre mantém um pequeno espaço, uma margem de manobra, entre ela e as outras pessoas.

Nathan descobriu-se a sorrir de novo, a gostar ainda mais de Alexa Hathaway.

— Ela nunca imaginaria como você a conhece bem.

— A maioria das pessoas me subestima. — Lexy deu de ombros. — E quase sempre eu deixo. Mas acho que você foi legal comigo hoje, e por isso serei legal com você. Não a deixe manobrar demais. E quando chegar o momento, Nathan, trate de arrebatá-la. Tenho a impressão de que ninguém jamais fez isso com Jo Ellen e é justamente o que ela precisa.

Lexy lançou-lhe um olhar longo e avaliador, muito feminino, para depois sorrir.

— Creio que você pode cuidar dessa parte muito bem. E também creio que é bastante inteligente para não contar a ela o que aconteceu aqui.

— Não há a menor possibilidade.

O sorriso malicioso desapareceu.

— Descubra o que há de errado com ela, Nathan.

— Errado?

— Alguma coisa a angustia. Jo voltou à ilha na tentativa de escapar. Mas não está conseguindo. Na primeira semana aqui ela chorava durante o sono ou passava metade da noite andando de um lado para outro. E de vez em quando surge uma expressão estranha em seus olhos, como se tivesse medo. Jo nunca teve medo de nada.

— Já conversou com ela?

— Eu? — Lexy riu de novo. — Jo não conversaria comigo sobre qualquer coisa importante. Acha que sou a irmã caçula fútil.

— Não há nada de fútil em você, Lex. E pode ter certeza de que não a subestimo.

Comovida, ela inclinou-se e beijou-o.

— Acho que isso nos torna amigos.

— Fico satisfeito por isso. Giff é um homem de muita sorte.

— Só se eu decidir lhe dar uma segunda oportunidade. — Lexy sacudiu a cabeça e levantou-se. — Talvez eu dê... depois que ele rastejar um pouco e suplicar muito.

— Como amigo, eu agradeceria se também não mencionasse isso para Giff. É possível que ele pense em me dar uma surra.

— Não darei nome nenhum. — Ela foi até a porta e olhou para trás. — Mas tenho a impressão de que você saberia se defender, Nathan. E muito bem. Até a próxima.

Sozinho, Nathan esfregou os olhos, o coração, a barriga. Controlar uma mulher assim era um tremendo desafio. E ele desejou que Giff tivesse a melhor sorte do mundo.

JO ARRUMAVA O CESTO DE PIQUENIQUE QUANDO LEXY ENTROU na cozinha. A bolsa com as câmeras esperava em cima do balcão, já pronta, o tripé encostado ao lado.

— Vai fazer um piquenique? — perguntou Lexy, jovial.

— Quero tirar algumas fotos na extremidade norte da ilha. Pensei em aproveitar a tarde.

— Vai sozinha?

— Não. — Jo ajeitou no cesto o vinho escolhido. — Nathan vai comigo.

— Nathan? — Lexy sentou no balcão. Pegou uma maçã verde lustrosa na tigela de pedra com as frutas. — Ora, que coincidência!

Sorridente, Lexy limpou a maçã na blusa, entre os seios.

— Como assim?

— Estou vindo do chalé de Nathan.

— É mesmo?

Embora se empertigasse, Jo conseguiu manter um tom de indiferença na voz.

— É sim. — Exultante por ter a iniciativa e levar a irmã na contradança, Lexy deu uma mordida na maçã. — Passei pelo chalé e lá estava ele, sentado na varanda, tomando um café gelado. Convidoume a subir.

— Você não gosta de café gelado.

Lexy passou a língua pelos lábios.

— Os gostos mudam. Ele mostrou o projeto em que está trabalhando. Uma *villa* no México.

— Nunca imaginei que pudesse se interessar por projetos de arquitetura.

— Estou interessada numa porção de coisas. — Um brilho malicioso nos olhos, Lexy deu outra mordida na maçã. — Especialmente por homens bonitos. E aquele é carne de primeira.

— Tenho certeza de que ele se sentiria lisonjeado por você pensar assim — disse Jo, sarcástica, batendo a tampa do cesto. — Pensei que ia ver Giff.

— Também o vi.

— Vejo que andou ocupada. — Jo pendurou a bolsa de câmeras no ombro e levantou o cesto. — Tenho de ir agora ou perderei a luz.

— Vá pela sombra e divirta-se no piquenique. Ah, Jo... dê lembranças minhas a Nathan, está bem?

Depois que a porta foi batida, Lexy passou um braço pela barriga e caiu na gargalhada. Outra dica, Nathan, pensou ela: provoque um pouco o monstro de olhos verdes e depois colha as recompensas.

* * *

ELA NÃO IA MENCIONAR NADA. NÃO SE REBAIXARIA, NEM mesmo para abordar o assunto da maneira mais casual. Jo mudou a posição do tripé. Inclinou-se para olhar pelo visor, à procura do ângulo perfeito que queria.

O mar era mais violento ali, investindo contra os rochedos na base do penhasco. As gaivotas circulavam aos gritos, asas brancas batendo no ar.

O calor e a umidade estavam concentrados, fazendo o ar tremeluzir.

A parede sul do velho mosteiro ainda continuava em pé. O dintel sobre o vão de porta estreito também resistira. Através do espaço ali, luz e sombras se emaranhavam, trepadeiras silvestres floresciam. Ela queria aquela impressão de abandono... os tufos de mato alto, as dunas que o vento construía e destruía.

Jo não queria movimento e teve de esperar, avaliar os instantes em que tudo ficava parado, entre as rajadas de vento. A profundidade do campo, pensou ela... as texturas da pedra, as trepadeiras, a areia, as variadas tonalidades de cinza.

Para conseguir, ela tinha de reduzir a abertura da lente, diminuir a velocidade do obturador. Inclinou um pouco a lente na direção do horizonte, enquadrou a imagem, tomando o cuidado de bloquear as ruínas das paredes restantes. Queria dar a impressão de que o prédio podia ser inteiro, mas ainda assim permanecia vazio e deserto.

Sozinho.

Ela tirou as fotos. Carregou o tripé e a câmera para o canto leste. A textura era excelente ali, com os buracos e cicatrizes que o vento, a areia e o tempo haviam aberto nas pedras. Desta vez ela usou as paredes desmoronadas, para captar desolação e perda.

Ao ouvir um clique baixo, Jo empertigou-se. Nathan estava parado à sua esquerda, baixando a câmera.

— O que está fazendo?

— Tirei uma foto sua. — Ele tirara três, antes de Jo perceber sua presença. — Tinha uma expressão de absoluta concentração.

Ela sentiu um frio no estômago. Fotos suas, sem que tivesse conhecimento. Mas forçou os lábios a se contraírem num sorriso.

— Passe-me a câmera. Tirarei uma foto sua.

— Melhor ainda... ponha o timer na sua câmera para tirar uma foto de nós dois na frente das ruínas.

— Este tipo de câmera, com esta luz, não é apropriado para retratos.

— Não será uma foto para sua próxima exposição. Não precisa ser perfeita, Jo. — Nathan largou sua câmera. — Será para nós apenas.

— Se eu tivesse um difusor...

Ela virou a cabeça, olhou para o sol, mudou a posição da câmera para reduzir as sombras, calculou a abertura, ajustou a velocidade do obturador. Empinou os ombros.

— Jo... — Ele teve de fazer um esforço para não rir. — Pense como um instantâneo.

— De jeito nenhum. Pare à esquerda da abertura, na frente da parede. A cerca de meio metro.

Ela esperou até que Nathan chegasse ao ponto indicado. Através do visor, observou-o sorrir para ela. Poderia conseguir uma foto muito melhor, pensou Jo, se tivesse algum controle, o equipamento necessário para manipular luz e sombras. Poderia assim realçar os cabelos esvoaçando ao vento, mostrar todas as diferentes tonalidades de claro e escuro.

A luz era demais, ela concluiu. Deveria ser mais suave, apenas um pouco romântica, para destacar aqueles olhos maravilhosos, aquela estrutura óssea tão forte. Com um refletor, algum cenário, um difusor, ela poderia fazer uma foto espetacular.

Ah, como ele era atraente! Parado na frente daquelas pedras, parecia vigoroso e vibrante. Viril e capaz. Tão sensual com a camiseta cinza sobre o peito largo, os jeans desbotados e justos nos quadris estreitos.

— Já entendi por que você não costuma fazer retratos.

Jo piscou, aturdida, e empertigou-se.

— Como assim?

— O modelo entraria em coma de tanto esperar que você prepare tudo. — Sorridente, ele estendeu o braço e fez o sinal de venha para cá com os dedos. — Não precisa ser uma foto artística.

— Sempre tem de ser artística. — Ela fez ajustes por mais um momento, depois ligou o timer e postou-se ao lado de Nathan. — Dez segundos. Ei!

Nathan mudou de posição, colocou-a na sua frente e passou os braços em torno da sua cintura.

— Gosto desta pose. Relaxe e sorria.

Ela sorriu, encostando-se nele, enquanto o obturador clicava. Quando Jo começou a se afastar, ele roçou o rosto em seus cabelos.

— Ainda gosto desta pose. — Ele virou-a, estendeu os braços para continuar a enlaçá-la e baixou o rosto para um beijo na boca. — E desta ainda mais.

— Tenho de guardar o equipamento.

— Está bem.

Nathan roçou os lábios por seu pescoço. O nervosismo e o desejo deixaram Jo agitada.

— Eu... a luz mudou. Não é mais apropriada. — Porque os joelhos começavam a tremer, ela recuou. — Não pretendia levar tanto tempo.

— Não tem importância. Gostei de observá-la trabalhando. E vou ajudá-la a guardar tudo.

— Prefiro fazer isso sozinha. Fico nervosa quando alguém pega nos meus equipamentos.

— Neste caso, abrirei o vinho.

— Boa idéia.

Jo foi até o tripé, deixando escapar um suspiro longo e baixo. Teria de tomar uma decisão muito em breve, pensou, se continuava a avançar ou recuava. Ela soltou a câmera e guardou-a, com o maior cuidado.

— Lexy disse que se encontrou com você esta manhã.

— Como?

Nathan torceu para que o espocar da rolha encobrisse a reação de choque em sua voz.

— Ela disse que foi ao seu chalé.

Jo já se repreendia por ter levantado o assunto. Manteve os olhos concentrados no que fazia. Nathan tossiu, sentindo uma súbita necessidade de tomar um copo de vinho.

— É verdade. Mas não ficou muito tempo. Por quê?

— Por nada. — Jo desmontou o tripé. — Ela disse que você lhe mostrou as plantas em que está trabalhando.

Talvez tivesse subestimado Lexy, no final das contas, pensou Nathan, servindo o vinho nos dois copos.

— O projeto no México. Eu fazia alguns ajustes quando ela... apareceu.

Jo pôs os equipamentos na beira da manta que estendera no chão.

— Parece um pouco nervoso, Nathan.

— Não estou não. Apenas tenho fome. — Ele entregou o copo de Jo, tomou um gole comprido do seu, antes de sentar e dar uma olhada no cesto. — O que trouxe para comer?

Jo contraiu os músculos.

— Aconteceu alguma coisa com Lexy?

— Se aconteceu alguma coisa? — Nathan tirou do cesto um recipiente de plástico com galinha assada. — Não estou entendendo.

Ela contraiu os olhos pela expressão de inocência de Nathan.

— Não mesmo?

— O que está pensando? — Quando não queria se defender, o melhor era partir para o ataque, pensou ele. — Acha que eu... com sua irmã?

Nathan deu à voz um tom de insultado, ainda mais eficaz pelo desespero que o impelia.

— Ela é uma linda mulher.

Jo pôs uma tigela fechada, com frutas picadas, em cima da manta.

— Lexy é mesmo linda, o que significa que pulei em cima dela na primeira oportunidade. Que homem você pensa que eu sou? — Nathan demonstrava irritação, em parte genuína, e achava que era justificada. — Vou atrás de uma irmã pela manhã e troco pela outra à tarde? Talvez eu passe uma cantada na prima Kate antes do anoitecer, para conquistar toda a família.

— Não pensei... só perguntei...

— O que exatamente queria perguntar?

— Eu...

Os olhos de Nathan exibiam uma expressão sombria, irradiando fúria. O choque do alarme veio primeiro, o que a surpreendeu, mas foi logo abafado pela auto-repulsa.

— Não é nada — murmurou Jo. — Desculpe. Ela estava apenas me provocando. Sabia que eu viria me encontrar com você e que temos conversado de vez em quando. Queria me sacanear.

Ela deixou escapar um suspiro e repreendeu-se mais uma vez por não manter a boca fechada. Como Nathan permanecia calado, ela acrescentou:

— Não sei por que mencionei... Não tinha a intenção de falar, mas escapou.

Ele inclinou a cabeça para o lado.

— Ciúme?

Jo deveria se sentir aliviada porque a fúria desaparecera dos olhos dele, mas a pergunta deixou-a tensa.

— Não. Eu apenas... não sei. Sinto muito. — Ela pegou a mão de Nathan. — Sinceramente.

— Vamos esquecer. — Ele levou a mão de Jo aos lábios. — Nunca aconteceu.

Quando ela sorriu, inclinou-se e beijou-o de leve na boca. Nathan revirou os olhos para o céu, especulando se deveria agradecer a Lexy ou esganá-la.

Capítulo Dezessete

Kirby tirou a temperatura de Yancy Brodie enquanto a mãe olhava, na maior ansiedade.

— Ele ficou acordado durante a maior parte da noite, Dra. Kirby. Dei Tylenol, mas a febre voltou esta manhã. Jerry teve de partir no camaroneiro antes do amanhecer e foi na maior preocupação.

— Não me sinto bem — murmurou Yancy, irritado, fitando Kirby nos olhos. — Mamãe disse que você vai fazer com que eu me sinta melhor.

— Veremos o que posso fazer. — Kirby passou a mão pelos cabelos cor de palha de Yancy, um menino de quatro anos. — Você foi à festa de Betsy Pendleton há duas semanas?

— Ela tinha sorvete e bolo, e preguei o rabo no jumento.

— Burro — corrigiu a mãe.

— Papai diz que é jumento. — Yancy sorriu, depois encostou a cabeça no braço de Kirby. — Não me sinto bem.

— Eu sei, querido. E quer saber de uma coisa? Betsy também não se sente bem hoje. Nem Brandon nem Peggy Lee. O que temos aqui é uma erupção de catapora.

— Catapora? Mas ele não tem nenhuma bolha!

— Mas vai ter. — Kirby já notara as erupções começando debaixo dos braços. — E você tem de fazer um esforço para não coçar quando começar a comichar, querido. Darei uma loção para sua mãe passar em você que vai ajudar. Annie, você e Jerry já tiveram catapora?

— Ambos tivemos. — Annie deixou escapar um longo suspiro. — E foi Jerry quem passou para mim quando éramos crianças.

— Então é provável que não tenham agora. A catapora de Yancy está começando a aparecer, e por isso é melhor reduzir ao mínimo seus contatos com outras crianças e adultos. Vai ficar de quarentena, companheiro.

Ela bateu de leve com a ponta do dedo no nariz do menino, antes de acrescentar:

— Banhos mornos com um pouco de maisena vão ajudar quando as bolhas surgirem. Receitarei remédios para passar nas erupções e tomar via oral. Como só tenho amostras aqui, você terá de pedir a Jerry para comprar no continente. Para a febre, pode dar Tylenol. — Kirby pôs a mão no rosto do menino. — Passarei na sua casa dentro de poucos dias para verificar como ele está.

Ao perceber a aflição de Annie, Kirby sorriu e tocou em seu braço.

— Ele vai ficar bom, Annie. Vocês três passarão algumas semanas difíceis, mas não prevejo qualquer complicação. Repassarei tudo com você antes que o leve para casa.

— Mas eu... posso conversar com você por um minuto?

— Claro. Ei, Yancy... — Kirby tirou o estetoscópio de seu pescoço e ajeitou-o no menino. — Quer ouvir seu coração bater?

Ela ajustou os fones nos ouvidos de Yancy e guiou sua mão. Os olhos cansados do menino tornaram-se enormes e brilhantes.

— Fique escutando por um momento, enquanto eu converso com sua mãe.

Kirby saiu com Annie para o corredor, deixando a porta aberta.

— Yancy é forte e saudável, absolutamente normal para um menino de quatro anos. Não há nenhum motivo para se preocupar. A catapora é inconveniente, irritante, mas quase nunca apresenta qualquer complicação. Tenho algum material para ler a respeito, se você quiser.

— Não é... — Annie mordeu o lábio. — Fiz um desses testes domésticos de gravidez há poucos dias. Deu positivo.

— Entendo. Não está feliz por isso, Annie?

— Claro que estou. Jerry e eu vínhamos tentando ter outra criança há mais de um ano. Mas... o bebê vai nascer perfeito? Não terá nenhuma doença?

A exposição ao vírus durante o primeiro trimestre acarretava um risco mínimo.

— Você não teve catapora quando era criança?

— Tive. Minha mãe pôs luvas de algodão em mim para me impedir de coçar e formar cicatrizes.

— É bastante improvável que tenha de novo. — Se tivesse, pensou Kirby, com uma pontada de preocupação, lidariam com o problema quando acontecesse. — E mesmo que contraia o vírus, é mais provável que nada aconteça com o bebê. Por que não me deixa fazer agora um teste de gravidez só para confirmar? E farei um exame rápido. Veremos em que ponto você está e seguiremos daí por diante.

— Eu me sentiria muito melhor.

— Pois então faremos isso. Quem é o seu obstetra?

— Fui para uma clínica no continente quando Yancy nasceu. Mas esperava que você pudesse cuidar de tudo desta vez.

— Conversaremos sobre isso mais tarde. Irene Verdon está na sala de espera. Vamos perguntar se ela pode ficar de olho em Yancy por alguns minutos. Depois, os dois devem ir para casa e descansar. Você precisará de muito descanso.

— Já me sinto melhor só de saber que você cuidará de nós, Dra. Kirby. — Annie passou a mão pela barriga. — De todos nós.

* * *

À UMA HORA DA TARDE, KIRBY JÁ DIAGNOSTICARA MAIS dois casos de catapora, imobilizara um dedo quebrado e tratara de uma infecção na bexiga. Era essa a vida de uma clínica geral, pensou ela ao pegar um pote de manteiga de amendoim.

Tinha trinta minutos de folga até a próxima consulta e esperava passar esse tempo sentada, comendo alguma coisa. Não resmungou quando a porta foi aberta, mas teve vontade.

Era um estranho. Agora ela conhecia todos os moradores da ilha e nunca vira aquele homem. Classificou-o no mesmo instante como um *beach rover*, o vagabundo de praia, do tipo que aparecia na ilha de vez em quando, à procura de sol e ondas. Tinha os cabelos alourados pelo sol, caindo até os ombros. O rosto era bronzeado. Usava jeans com as pernas cortadas e desfiadas. A camiseta era da ilha mexicana de Cozumel, um paraíso turístico. Os óculos escuros eram da Wayfarer.

Quase chegando aos trinta anos, calculou Kirby, bem-cuidado e atraente. Ela largou o sanduíche e retribuiu o sorriso hesitante.

— Desculpe. — O estranho baixou a cabeça. — Estou no lugar certo? Disseram-me que havia uma médica aqui.

— Sou a Dra. Fitzsimmons. Em que posso ajudá-lo?

— Não tenho uma consulta marcada. — Ele olhou para o sanduíche. — Preciso marcar?

— Para que precisa de uma consulta?

— Eu tenho... ahn...

O homem deu de ombros e estendeu a mão. A palma estava bastante queimada, com um largo vergão vermelho, as bolhas exsudando.

— A aparência é horrível.

Numa reação automática, Kirby adiantou-se e pegou a mão, gentilmente, para examiná-la.

— Foi uma estupidez. O café estava quente e peguei o bule sem pensar. Estou no camping. Quando perguntei ao garoto no check-in se havia algum lugar em que poderia conseguir uma pomada ou algo parecido, ele me disse para procurá-la.

— Vamos para o consultório. Limparei a queimadura e farei um curativo.

— Estou interrompendo seu almoço.

— O trabalho de médica é assim mesmo. Então você está no camping.

Kirby levou-o para a sala de exame.

— Isso mesmo. Pensei em continuar até as Keys, para trabalhar um pouco. Sou artista plástico.

— É mesmo?

Ele sentou na cadeira indicada por Kirby. Franziu o rosto ao olhar para a palma da mão.

— Acho que isso vai me deixar inativo por duas ou três semanas.

— A menos que possa pintar com a mão esquerda — comentou Kirby, sorrindo, enquanto punha as luvas, depois de lavar as mãos.

— De qualquer maneira, eu já estava pensando em passar mais tempo aqui. Um lugar maravilhoso. — Ele respirou fundo quando Kirby começou a limpar a queimadura. — Dói bastante.

— Sei disso. Recomendo aspirina. E luva para pegar o bule.

O estranho deu uma risada. No instante seguinte, rangeu os dentes por causa da dor.

— Acho que tive sorte de encontrar uma médica na ilha. Esse tipo de queimadura pode infeccionar, não é mesmo?

— Pode sim. Mas providenciaremos para que isso não aconteça. O que você costuma pintar?

— Qualquer coisa que me atraia. — Ele sorriu, apreciando a fragrância de Kirby, a maneira com que os cabelos dourados caíam sobre o rosto. — Talvez queira posar para mim.

Ela riu. Afastou a cadeira com rodinhas, abriu uma gaveta e pegou um tubo de pomada.

— Não quero, mas mesmo assim agradeço.

— Você tem um rosto incrível. Faço um bom trabalho com mulheres bonitas.

Kirby fitou-o. Ele tinha os olhos escondidos pelos óculos escuros. Embora seu sorriso fosse largo e cordial, havia nele alguma coisa que a deixou subitamente constrangida. Médica ou não, era também uma mulher e estava a sós com um estranho. Alguém que a observava com uma atenção um pouco exagerada.

— Tenho certeza de que faz mesmo. Mas o fato de ser a única médica na ilha me mantém sempre muito ocupada.

Ela baixou a cabeça para passar a pomada na queimadura. Aquilo era uma insensatez, disse a si mesma. Estava sendo ridícula. O homem tinha uma queimadura de segundo grau na mão e deixava que uma estranha a tratasse. E era um artista plástico. Portanto, era natural que a observasse atentamente.

— Se mudar de idéia, acho que passarei algum tempo por aqui. Puxa, já me sinto melhor.

Ele deixou escapar um longo suspiro. Kirby sentiu que a mão ferida relaxava. E sentindo-se ainda mais tola, ofereceu um sorriso compadecido.

— É para isso que estamos aqui. Quero que mantenha a mão bem seca. Pode envolvê-la com um saco plástico quando entrar no chuveiro. E eu não tentaria nadar durante a próxima semana. O curativo deve ser trocado todos os dias. Se não tiver alguém disponível para ajudá-lo, pode vir até aqui que cuidarei disso.

— Agradeço sua atenção. — Enquanto Kirby passava gaze em torno da mão, ele acrescentou: — Tem boas mãos, doutora.

— É o que todos dizem.

— Falo sério... não apenas boas mãos de médica. Mãos artísticas. Mãos de anjo. — O estranho exibiu outro sorriso. — Eu adoraria desenhá-las algum dia.

— Veremos o que acontece quando você for capaz de segurar um lápis de novo. — Kirby levantou-se. — Vou lhe dar um tubo da pomada. E quero que me procure dentro de dois dias, se não deixar a ilha antes. Se for embora, deve procurar algum médico no continente.

— Está certo. Quanto lhe devo?

— Tem seguro de saúde?

— Não.

— Vinte e cinco dólares pela consulta e dez pelo material.

— Mais do que justo.

Ele tirou a carteira do bolso traseiro da calça com a mão esquerda. Cauteloso, pegou as notas com as pontas dos dedos da mão enfaixada, enquanto acrescentava:

— Acho que terei um pouco de dificuldade para fazer certas coisas durante algum tempo.

— Terá ajuda no camping, se precisar. Esta é uma ilha acolhedora.

— Já notei.

— Vou fazer o recibo.

— Não precisa. — O homem mudou de posição e Kirby sentiu de novo um sobressalto nervoso. — Se já acabou aqui, talvez queira me acompanhar até o camping. Veria algumas das minhas obras, ou poderíamos...

— Kirby! Você está aí atrás?

Ela sentiu um fluxo de alívio, tão rápido e intenso que quase a deixou atordoada.

— Estou terminando a consulta com um paciente, Brian! — Ela tirou as luvas, enquanto recomendava ao estranho, a voz incisiva: — Trate de manter essa mão seca. E não seja econômico com a pomada.

— Você é a médica.

Ele seguiu na frente. Alteou as sobrancelhas ao deparar com um homem parado na cozinha, um pano ensangüentado em torno da mão esquerda.

— Parece que tem um problema aqui.

— Um bom observador — resmungou Brian, sarcástico, enquanto olhava para a mão enfaixada. — E parece que não sou o único.

— Um dia movimentado para a doutora.

— A doutora não teve cinco minutos... — disse Kirby, entrando na cozinha. — Brian, o que aconteceu?

O coração na garganta, ela se adiantou apressada, segurou-o pelo pulso e tirou o pano ensangüentado.

— A droga da faca escorregou. Eu estava apenas... Tem sangue pingando no chão.

— Fique quieto. — O coração de Kirby acalmou-se quando examinou o corte comprido no dorso da mão. Era profundo e sangrava bastante, mas não chegava a ser grave. — Precisa levar alguns pontos.

— Não, não preciso.

— Claro que precisa. Pelo menos dez pontos.

— Basta enfaixar a mão e voltarei ao trabalho.

— Eu mandei ficar quieto! Terá de me dar licença... — Kirby levantou os olhos. Franziu o rosto. — Acho que ele já foi embora. Venha comigo.

— Não quero que me costure. Só vim porque Lexy e Kate insistiram, furiosas comigo. E se Lexy não estivesse me chateando, eu não teria me cortado em primeiro lugar. Basta pôr um anti-séptico e enfaixar para que eu possa voltar ao trabalho.

— Pare de bancar o bebê. — Ela pegou-o pelo braço, firme, e levou-o para o fundo do chalé. — Sente-se e trate de se comportar. Quando foi a última vez que tomou uma injeção antitetânica?

— Uma injeção? Ora, Kirby...

— Isso foi há muito tempo.

Ela lavou-se rapidamente, pôs os instrumentos necessários numa bandeja de aço inoxidável e sentou na frente dele com um vidro de anti-séptico.

— Cuidaremos disso depois. Agora, vou limpar e desinfetar o corte, para depois aplicar uma local.

— Local o quê?

Brian podia sentir o ferimento pulsando, no ritmo do coração. Ambos aceleraram agora.

— Anestesia. Deixarei toda a área dormente para poder dar os pontos.

— Por que sua obsessão por injeções?

— Quero ver você mexer os dedos... Assim é melhor. Achava que você não havia cortado qualquer tendão, mas precisava ter certeza. Tem medo de injeções, Brian?

— Claro que não.

Quando ela pegou a seringa, Brian sentiu que todo o sangue se esvaía de seu rosto e apressou-se em acrescentar:

— Tenho sim. Mantenha essa coisa longe de mim, Kirby.

Brian tinha certeza de que ela riria, mas isso não aconteceu. Em vez disso, fitou-o nos olhos, muito séria.

— Respire fundo, deixe o ar sair devagar. Faça isso de novo, olhando para o quadro por cima de meu ombro direito. Continue a olhar para o quadro e conte as respirações. Um, dois, três. Isso mesmo. Será apenas uma pequena picada. — Kirby inseriu a agulha na pele. — Continue a contar.

— Está bem. — Ele podia sentir o suor escorrer pelas costas. Concentrou-se na aquarela de lírios-do-vale. — Está na hora de você fazer algum comentário sarcástico.

— Já trabalhei num pronto-socorro. Vi mais sangue durante aquele ano do que um leigo pode ver em três vidas inteiras. Tiros, facadas, acidentes de carro. Nunca entrei em pânico. O mais perto que já cheguei do pânico aconteceu há poucos minutos, quando vi seu sangue pingando no chão da cozinha.

Ele desviou os olhos da gravura para fitá-la nos olhos.

— Limparei tudo para você.

— Não seja idiota.

Kirby pegou um pedaço de papel cirúrgico para fazer uma área esterilizada. Fez uma pausa quando ele tocou em sua mão.

— Eu também gosto de você. E gosto muito. — Brian esperou até que ela fitou-o de novo. — Como isso aconteceu?

— Não sei. O que acha que devemos fazer?

— Provavelmente não vai dar certo... você e eu.

— Provavelmente não. — Kirby começou a suturar. — Mantenha a mão imóvel, Brian.

Ele olhou para baixo. Viu-a enfiar a agulha de sutura na pele. Sentiu o estômago embrulhado. Respirou fundo outra vez e tornou a olhar para o quadro.

— Não se preocupe em fazer um serviço perfeito. Só quero que seja rápido.

— Sou famosa pelos meus pontos pequenos e impecáveis. Basta relaxar e continuar a respirar fundo.

Como pensou que seria mais humilhação do que poderia suportar se desmaiasse, Brian fez um esforço para obedecer.

— Não tenho medo de agulhas. Apenas não gosto delas.

— É uma fobia comum.

— Não tenho fobia. Apenas não gosto de pessoas espetando agulhas em mim.

Kirby baixou a cabeça para que ele não pudesse ver seu sorriso.

— Perfeitamente compreensível. Por que Lexy o chateava?

— O de sempre. Tudo. — Brian tentou ignorar a ligeira pressão quando ela juntou as beiras do ferimento. — Sou insensível. Não me importo com ela... nem com qualquer outra pessoa, diga-se de passagem. Não a compreendo. Ninguém a compreende. Se eu fosse um irmão de verdade, emprestaria cinco mil dólares para que ela pudesse voltar a Nova York e se tornar uma grande atriz.

— Pensei que ela havia decidido passar todo o verão aqui.

— Lexy teve uma briga com Giff. Como ele não foi procurá-la rastejando, ela passou do estágio do mau humor... que foi nossa bênção ontem... para o da agressividade. Está quase acabando?

— Estou na metade — informou Kirby, paciente.

— Na metade. Isso é ótimo. Maravilhoso. — Brian sentiu o estômago embrulhar de novo. Muito bem, pense em outra coisa. — Quem era o cara que acabou de sair?

— Hem? Ah, sim, o queimado. Meteu a mão num bule de café pelando. Diz que é um artista, a caminho das Keys. Pode passar algum tempo no camping. Não sei seu nome.

— Que tipo de artista?

— Um pintor, eu acho. Queria que eu posasse para ele.

Quando a mão de Brian fez um movimento brusco, ela acrescentou:

— Mas que droga! Fique quieto!

— O que disse a ele?

— Que eu me sentia lisonjeada, agradecia muito, mas não tinha tempo. O homem me deixou nervosa.

Brian estendeu a mão livre e apertou seu ombro, fazendo-a soltar um grunhido.

— Só mais dois ou três pontos.

— Ele tocou em você?

— Como? — Não, não era medo ou dor o que havia nos olhos de Brian, ela compreendeu. Era fúria. E isso era maravilhosamente satisfatório. — Claro que sim, Brian. Só com uma das mãos, ele me derrubou no chão, num ímpeto de desejo, e rasgou minhas roupas.

Os dedos de Brian apertaram-na mais um pouco.

— Quero uma resposta franca. Ele pôs as mãos em você?

— Claro que não. Apenas fiquei nervosa por um momento porque o consultório estava vazio e ele parecia interessado demais. E depois ele disse que queria apenas desenhar minhas mãos. — Kirby mexeu os dedos da mão esquerda. — Mãos de anjo. Agora fique quieto, antes de estragar meu trabalho e acabar com uma cicatriz horrível. Não que seu ciúme não seja lisonjeiro.

— Não estou com ciúme. — Ele retirou a mão do ombro de Kirby e torceu para que o nevoeiro diante de seus olhos se dissipasse logo. — Apenas não quero que algum vagabundo de praia a assedie.

— Ele não me assediou... e se tentasse, eu poderia controlá-lo. Só mais um ponto agora.

Kirby deu o ponto, fez o nó e examinou com todo cuidado a fileira reta de suturas.

— Um trabalho perfeito, se me permite dizê-lo.

Ela levantou-se para preparar a injeção antitetânica.

— Como poderia controlar?

— Controlar o quê? Ah, sim... ainda estamos nisso? Com uma recusa polida.

— E se não adiantasse?

— Um bom apertão naquela queimadura e ele estaria esperneando no chão, gritando de dor.

Quando ela se virou, tomando o cuidado de manter a seringa nas costas, viu que Brian sorria.

— Você teria mesmo feito isso.

— Claro que sim. Uma ocasião esfriei o ardor de um paciente impetuoso ao apertar de leve sua laringe. Ele decidiu no mesmo instante parar de fazer sugestões obscenas para mim e para a enfermeira. Agora, Brian, quero que olhe de novo para os lírios.

Ele empalideceu.

— O que você tem nas costas?

— Apenas olhe para os lírios.

— Ó Cristo!

Ele virou o rosto. Um momento depois, soltou um grito e estremeceu.

— Brian, foi apenas o algodão com álcool. Tudo acabará em dez segundos. Sentirá apenas uma espetadela.

— Essa não! O que está usando? Uma agulha de estofador?

— Pronto. Já acabou. — Kirby pôs um esparadrapo na picada, depois sentou para enfaixar a mão. — Mantenha a mão seca. Trocarei o curativo para você quando precisar. E dentro de dez dias, duas semanas, pensaremos em tirar os pontos.

— Vai ser divertido, não é?

— Tome aqui. — Kirby meteu a mão no bolso do avental e tirou um pirulito. — Um prêmio por ter se comportado como um bom menino.

— Posso reconhecer o sarcasmo quando o ouço, mas aceito o pirulito.

Ela desembrulhou o pirulito e pôs na boca de Brian.

— Tome duas aspirinas. O efeito da anestesia local passará depressa e sentirá alguma dor. Por isso, deve se antecipar à dor, em vez de tentar aliviá-la depois.

— Não vai dar um beijo na ferida?

— Acho que sim. — Ela levantou a mão de Brian e encostou os lábios de leve na gaze. — Tome mais cuidado quando estiver na cozinha. Gosto de suas mãos do jeito que são.

— Neste caso, imagino que não vai se importar se eu aparecer aqui esta noite, derrubá-la no chão com apenas uma das mãos e arrancar suas roupas.

— Acho que não me importaria. — Kirby inclinou-se para a frente, até que seus lábios se encontraram. Não os afastou para murmurar: — Quanto mais cedo, melhor.

Brian olhou para a mesa de exame. Um sorriso lento espalhou-se por seu rosto.

— Já que estou aqui, não deveria fazer um exame físico completo? Não faço nenhum há dois ou três anos. Poderia usar seu estetoscópio... apenas o estetoscópio.

A perspectiva provocou um arrepio em Kirby.

— A doutora não pode recusar... — Mas ela voltou à Terra quando ouviu a porta externa ser aberta. — Porém, terei de marcar a consulta para a noite.

Kirby recuou, levantou-se e pegou a bandeja.

— Tive uma manhã movimentada, com muitos casos de catapora, e o próximo paciente acaba de chegar.

Brian percebeu que não queria ir embora. Queria sentar ali e contemplá-la, estudar a maneira competente com que cuidava dos instrumentos, os movimentos firmes e graciosos. Portanto, procurou ganhar mais tempo para fazer isso.

— Quem pode pegar catapora?

— Quem está com menos de dez anos tem mais probabilidade. Já temos sete casos e a contagem continua. — Ela virou o rosto para fitá-lo. — Você já teve?

— Nós três tivemos, na mesma ocasião. Acho que eu tinha nove anos. Portanto, Jo tinha seis e Lex menos de três. Creio que minha mãe consumiu dois ou três galões de calamina.

— Deve ter sido muito divertido para vocês.

— Não foi tão ruim depois dos primeiros dias. Meu pai foi ao continente e trouxe uma caixa enorme de Lincoln Logs, pelo menos uma dúzia de livros de colorir, além de Crayolas, bonecas Barbie e carrinhos Matchbox.

Porque a recordação deixou-o sentimental, Brian deu de ombros.

— Acho que ele estava desesperado para nos manter ocupados.

E para proporcionar um pouco de paz à sua mãe, pensou Kirby.

— Imagino que deve ser muito difícil cuidar de três crianças doentes. Parece que ele teve a idéia certa.

— Tenho a impressão de que eles combinaram tudo. Eu costumava pensar que os dois sempre faziam tudo de comum acordo, até que mamãe foi embora. — Brian disse a si mesmo que isso não importava mais. Levantou-se. — Não vou mais atrapalhá-la. Obrigado pelo reparo.

Porque os olhos dele se tornaram subitamente tristes, Kirby emoldurou seu rosto entre as mãos e beijou-o de leve nos lábios.

— Mandarei a conta. Mas o exame físico que marcamos para esta noite... será de graça.

Brian não pôde deixar de sorrir.

— Negócio fechado.

Ele virou-se para a porta. Não olhou para trás. As palavras saíram sem que ele as considerasse antes, ou sequer soubesse que poderia enunciá-las.

— Acho que estou me apaixonando por você, Kirby. E também não sei o que vamos fazer com isso.

Brian saiu apressado, deixando-a atordoada. Ela arriou no banco e decidiu que o próximo paciente teria de esperar por um momento. Até que a médica conseguisse respirar normalmente.

POUCO ANTES DO PÔR-DO-SOL, KIRBY RESOLVEU DAR UMA caminhada pela praia. Precisava de um momento de sossego, um pouco de tempo para pensar, antes de Brian voltar.

Ele a amava. Não, ele pensava que a amava, corrigiu Kirby. Era um nível muito diferente. Ainda assim, era um passo que ela não esperava que Brian desse. E um passo em que ela tinha medo de tropeçar.

Foi até a beira da praia e deixou que a espuma envolvesse seus tornozelos. Isso mesmo, pensou ela, quando a onda recuou e sugou a areia sob seus pés. Era exatamente essa a sensação que Brian causava nela. Aquele desequilíbrio ligeiro e excitante, a impressão de que o chão se alterava, por mais firmes que os pés estivessem.

Queria-o e pouco a pouco destruíra as defesas dele, até conquistá-lo. Agora as apostas haviam se tornado bastante altas, muito mais do que em qualquer outra ocasião de sua vida.

Sempre tivera o maior cuidado na escolha de seus relacionamentos pessoais. E escolhera Brian Hathaway. Mas em algum ponto, ao longo do caminho, o ângulo mudara para ela.

Não falaria de amor de uma forma inconseqüente com Brian. Podia fazê-lo, mas não com ele. Se dissesse as palavras, seria para valer. E se fosse para valer, teria de levá-las adiante. As palavras eram apenas a base.

Lar, família. Permanência. Teria de decidir se queria todas essas coisas... e se queria com Brian. E, depois, ainda teria de se convencer de que ele as queria com ela.

Não seria simples. Os traumas e cicatrizes da infância impediam que Brian fosse simples.

Kirby levantou o rosto para o vento. Já não tomara sua decisão? Não tivera certeza, naquela fração de segundo em que o vira sangrando, quando o medo prevalecera sobre a calma profissional, de que seus sentimentos por Brian projetavam-se além do mero desejo?

O que a assustava. Tinha medo de tropeçar ao dar esse passo. Era melhor avançar devagar, decidiu. Para ter certeza de que não perderia o equilíbrio. Enfrentava melhor as situações se estivesse calma e lúcida. Algo tão importante devia ser tratado com cautela e cabeça fria.

Ela ignorou o riso abafado dentro de sua cabeça. Virou-se para voltar para casa. O brilho distante, através das dunas, a fez franzir o rosto. Um binóculo, pensou ela, sentindo um calafrio. Com a mão protegendo os olhos, divisou uma pessoa. A distância tornava impossível determinar se era homem ou mulher. Por isso ela passou a andar mais depressa, querendo entrar em casa, ficar por trás de portas fechadas.

Era um absurdo, Kirby sabia. Com toda certeza, era apenas alguém contemplando a praia ao pôr-do-sol, e por acaso ela se encontrava na praia. Mas persistiu a sensação de ser observada, estudada, o que a levou a seguir para o chalé ainda mais depressa.

ELA O VIRA, O QUE TORNAVA A SITUAÇÃO AINDA MAIS EXCItante. Assustara-a por sua mera presença. Com uma risada, ele continuou a enquadrar Kirby na teleobjetiva, batendo fotos metodicamente, enquanto ela corria pela praia.

A mulher tinha um belo corpo. Fora um prazer observar o vento grudar a camisa e a calça em seu corpo, delineando as curvas. Os raios do sol refletiam-se em seus cabelos, deixando-os dourados. E à medida que o sol baixava pelo céu, todas as tonalidades se aprofundavam e suavizavam. Sentiu-se satisfeito por ter usado um filme colorido desta vez.

E aquela expressão em seus olhos quando percebera que havia alguém ali... A teleobjetiva aproximara-a tanto que ele quase pudera ver as pupilas dilatarem.

Eram olhos verdes lindos, pensou ele. Combinavam com ela. Assim como os cabelos louros e a voz suave.

Ele especulou qual seria o gosto dos seios.

Aquela mulher deveria ser muito quente na cama, concluiu ele, enquanto se apressava em tirar mais fotos, antes que ela desaparecesse por trás das dunas. As pequenas e delicadas costumavam ser quentes, depois de excitadas. Ele imaginou que ela pensava que sabia tudo sobre anatomia. Mas poderia lhe ensinar alguns truques. Isso mesmo, a boa doutora tinha coisas para aprender.

Ele recordou o trecho do diário que parecia combinar com aquele momento e sua disposição. O estupro de Annabelle.

Experimentei, permitindo-me fazer uma porção de coisas que nunca fizera antes com qualquer outra mulher. Ela chorou, lágrimas escorreram por suas faces e molharam a mordaça. E a possuí várias vezes. Não era mais sexo, não era mais estupro.

Era um poder insuportável.

Era o poder que ele queria, em toda a sua extensão, o poder que não experimentara com Ginny. Porque Ginny era defeituosa, ele lembrou a si mesmo. Fora uma prostituta, em vez de um anjo. Uma péssima escolha.

Se ele decidisse que precisava de um pouco mais de prática antes do evento principal, Kirby seria a escolha perfeita, com seus lindos olhos verdes e mãos de anjo. Tudo seria certo com ela.

Era uma possibilidade em que tinha de pensar. Tinha de considerar. Agora, porém, precisava ir a Sanctuary para verificar se Jo Ellen estava ali.

Era quase tempo de lembrar-lhe que pensava nela.

Capítulo Dezoito

Giff avistou Lexy quando subia pela estrada para Sanctuary. Ela estava no terraço do segundo andar, as pernas compridas e atraentes além do short de algodão, os cabelos presos sem muito cuidado no alto da cabeça. Lavava as janelas, o que era a garantia de que estaria no ânimo menos receptivo.

Por mais fascinante que fosse a cena, no entanto, ela teria de esperar.

Ela viu Giff estacionar a picape, mas mal lhe dispensou um olhar. Seu sorriso era presunçoso, enquanto removia com uma folha de jornal a mistura de vinagre e água, até o vidro brilhar. Sabia que Giff viria, embora tivesse demorado mais tempo do que esperava.

Mas já decidira perdoá-lo... depois que ele rastejasse um pouco.

Lexy abaixou-se para molhar o pano de novo. Aproveitou o movimento para virar um pouco a cabeça e olhar para baixo. Mas ergueu-se abruptamente quando constatou que Giff não seguia para a casa, mas para o velho defumadouro, onde Brian pintava os móveis da varanda.

Que cascavel, pensou Lexy, batendo com o pano encharcado na janela seguinte. Se Giff esperava que ela fosse procurá-lo, teria um grande desapontamento. Nunca mais o perdoaria. Nem que vivesse mil anos. Ele poderia rastejar sobre carvões em brasa, pensou ela, furiosa, enquanto limpava a janela. Podia suplicar, argumentar e chamar seu nome no leito de morte que ela riria, indiferente, e se afastaria.

Daquele momento em diante, Giff Verdon significava menos do que nada para ela.

E Lexy pegou o balde e deslocou-se por três janelas, a fim de continuar a observá-lo.

Naquele momento, Lexy e suas oscilações de ânimo não ocupavam o primeiro plano dos pensamentos de Giff. Ele sentiu o cheiro adocicado de tinta fresca, ouviu o zumbido da pistola de pintar. Projetou um sorriso ao contornar o canto do defumadouro de pedra e avistar Brian.

Pequenos pontos de tinta azul-clara salpicavam seus braços, além dos cotovelos, e os velhos jeans que usava. Havia uma lona verde-oliva estendida no chão, com cadeiras e espreguiçadeiras por cima. Brian aplicava uma segunda mão de tinta num velho balanço.

— Gostei da cor — disse Giff.

Brian deslocou a pistola de um lado para outro, lentamente, antes de desligá-la.

— Conhece a prima Kate. A intervalos de poucos anos ela quer alguma coisa diferente... e sempre acaba com azul.

— Mas é uma cor tranqüilizante.

— Tem razão. — Brian largou a pistola. — Ela também encomendou novos guarda-sóis para as mesas e almofadas para as cadeiras. Devem chegar na barca dentro de um ou dois dias. Ela ainda quer que as mesas de piquenique no camping sejam pintadas.

— Posso cuidar disso, se você não tiver tempo.

— Provavelmente terei. — Brian mexeu com os ombros, para aliviar a tensão muscular. — Preciso respirar um pouco de ar fresco. E me dá tempo para sonhar.

Ele acabara de ter um devaneio dos mais agradáveis, reconstituindo suas noites com Kirby. Sabia que nunca mais pensaria num estetoscópio da mesma maneira que antes.

— Como está a varanda?

— Estou com a tela na picape. Parece que o tempo vai continuar bom e devo terminar no fim de semana, como Miss Kate queria.

— Isso é ótimo. Tentarei encontrar tempo para passar por lá e dar uma olhada.

— Como vai a mão? — indagou Giff, apontando com o queixo para a mão enfaixada.

— Hum... — O rosto franzido, Brian flexionou os dedos. — Ainda um pouco rígida.

Brian não perguntou como Giff soubera. As notícias flutuavam pelo ar da ilha... em particular as fofocas mais suculentas. Era de admirar, refletiu ele, que ninguém ainda soubesse que passara a maior parte da noite na mesa de exame de Kirby.

— Você e a Dra. Kirby, hem?

— Como?

— Você e a Dra. Kirby. — Giff ajeitou o boné. — Meu primo Ned esteve na praia esta manhã. Sabe que ele recolhe conchas, dá um polimento e vende aos turistas de um dia que chegam na barca. Parece que ele viu você deixando o chalé da nossa doutora ao amanhecer. Sabe como Ned gosta de falar.

Não havia mais por que admirar, pensou Brian.

— Claro que sei. Quanto tempo ele levou para dar a notícia?

— Bom... — Distraído, Giff coçou o queixo. — Eu seguia para a barca, a fim de verificar se a tela havia chegado, e encontrei Ned na Shell Road. Dei uma carona. Deve ter sido há cerca de cinqüenta minutos.

— Ned se tornou mais lento.

— Ele está envelhecendo. Fará oitenta e dois anos em setembro. — Giff fez uma breve pausa. — A Dra. Kirby é uma boa pessoa. Não conheço ninguém na ilha que não a tenha na mais alta conta. O que também acontece com você, Bri.

— Passamos algumas noites juntos — murmurou Brian, agachando-se para limpar com um pano a ponta da pistola. — As pessoas não devem começar a sentir o cheiro de flores de laranjeira.

Giff alteou uma sobrancelha.

— Não falei que era esse o caso.

— Apenas nos encontramos de vez em quando.

— Certo.

— Ninguém está pensando num relacionamento permanente, nem em aprofundar para algo mais sério.

Giff deixou passar um momento.

— Está tentando me convencer, Bri, ou há mais alguém aqui?

— Eu só queria dizer...

Brian fez um esforço para se controlar. Ergueu as mãos, como se sinalizasse para si mesmo que deveria parar. Empertigou-se de novo, tentando não se irritar com o sorriso afável e inocente de Giff.

— Veio até aqui apenas para me dar os parabéns por levar Kirby para a cama ou pensava em mais alguma coisa?

O sorriso de Giff desapareceu.

— Ginny.

Brian suspirou. Descobriu que a tensão deixara a nuca rígida e não conseguia relaxá-la.

— A polícia ligou para cá esta manhã. Imagino que também falaram com você.

— Não tinham nada para dizer. E acho que não se dariam ao trabalho de telefonar se eu não os estivesse pressionando. Sabe muito bem que não a estão procurando, Brian. Mal fizeram qualquer coisa.

— Eu gostaria que fosse diferente.

— Disseram que poderíamos imprimir cartazes e distribuí-los em Savannah. Mas de que isso adiantaria?

— Quase nada. Eu gostaria de saber o que lhe dizer, Giff. Mas sabe como é... Ginny tem vinte e seis anos, é livre para ir e vir como quiser. É assim que a polícia considera.

— Pois é a maneira errada de considerar. Ginny tem uma família aqui, possui uma casa e amigos. Não há a menor possibilidade de Ginny partir sem avisar ninguém.

— Às vezes as pessoas fazem coisas que você nunca esperava que pudessem fazer — murmurou Brian, lentamente. — Nunca acreditava que fossem capazes. Mas elas fazem assim mesmo.

— Ginny não é sua mãe, Brian. Lamento que isso traga de volta um momento terrível para você e sua família. Mas aconteceu agora. E com Ginny. Não é a mesma coisa.

— Não, não é. — Brian forçou-se a manter a voz sob controle, a não perder a calma. — Ginny não tinha um marido e três filhos. Se decidisse tirar a areia dos sapatos, não deixaria vidas arruinadas para trás. Continuarei a ligar para a polícia, pelo menos uma vez por semana, para que não tirem Ginny de seus pensamentos. Faremos os cartazes no escritório. Apenas não posso fazer mais do que isso, Giff. Não quero que minha vida seja virada pelo avesso outra vez.

— Isso é ótimo. Sairei de seu caminho para que você possa continuar a tocar sua vida.

A fúria alongava seus passos quando voltou para a picape. Embarcou e bateu a porta. Baixou a cabeça para o volante.

Cometera um erro. Um erro crasso. Por falar com Brian daquele jeito, arrogante e esnobe. Não era culpa de Brian, nem sua responsabilidade. E não era certo, acrescentou Giff para si mesmo, enquanto se recostava e fechava os olhos, que um amigo se intrometesse na vida de outro daquela maneira. Daria a si mesmo um momento para se aquietar, depois voltaria para pedir desculpas.

Lexy saiu da casa. Descera em disparada a escada interna, quase quebrando o pescoço em sua pressa para alcançar Giff antes de sua partida, a fim de escarnecer pelo que ele não podia ter. E seu coração ainda estava disparado. Mas forçou-se a ir mais devagar agora, a mão roçando no corrimão, um sorriso distante no rosto.

Encaminhou-se para a picape. Esqueceu que as mãos recendiam a vinagre e apoiou-as na janela aberta.

— Oi, Giff. Estava saindo para uma caminhada pelo bosque e vi sua picape.

Ele abriu os olhos para fitá-la.

— Pois continue, Lexy — murmurou ele, inclinando-se para virar a chave na ignição.

— O que aconteceu? — O sofrimento nos olhos dele era um bálsamo para a alma de Lexy. — Não anda se sentindo bem, Giff? Talvez esteja deprimido.

Ela passou a ponta de um dedo pelo braço de Giff.

— Talvez você esteja desejando saber como me pedir desculpas, para não se sentir tão solitário.

Os olhos permaneceram angustiados, mas as sombras passaram de desespero para raiva. Ele empurrou a mão de Lexy.

— Quer saber de uma coisa, Alexa? Nem mesmo meu pequeno e limitado mundo gira apenas em torno de você.

— Você tem muita desfaçatez, pensando que pode me falar assim. Se acha que me importo sobre o que faz seu mundo girar, está redondamente enganado. Não me importo nem um pouco.

— Somos dois nesse ponto. Afaste-se da picape.

— Não vou me afastar enquanto você não ouvir o que tenho a dizer.

— Não estou interessado no que você tem a dizer. E agora recue para não sair machucada.

Lexy fez o contrário. Inclinou-se pela janela, para virar a chave e desligar o motor.

— Ninguém me dá ordens. — Ela aproximou o rosto de Giff. — Não pense por um instante sequer que pode me dizer o que fazer ou me ameaçar.

Lexy respirou fundo, disposta a censurá-lo com mais veemência ainda. Mas havia muito sofrimento em seus olhos outra vez, mais do que ela esperava, mais do que jamais vira antes. A raiva desapareceu. Ela pôs a mão no rosto de Giff.

— O que aconteceu, querido? O que o deixou tão magoado?

Ele começou a balançar a cabeça, mas Lexy não retirou a mão.

— Podemos ficar furiosos um com o outro mais tarde. Converse comigo agora. Diga o que está errado.

— Ginny. — Giff deixou escapar um grunhido, que escaldou sua garganta. — Não há uma única notícia dela, Lexy. Absolutamente nada. Não sei mais o que fazer. Não sei mais o que dizer à minha família. Nem mesmo sei como devo me sentir.

— Eu compreendo. — Ela recuou e abriu a porta. — Venha.

— Tenho muito trabalho para fazer.

— Faça o que estou dizendo uma vez na vida. Agora quero que venha comigo.

Lexy pegou a mão dele e puxou, até que Giff saiu da picape. Sem dizer nada, levou-o pelo lado da casa até a sombra das árvores.

— Sente aqui.

Ela sentou-o no lado da rede de corda, passou um braço ao redor, ajeitou a cabeça de Giff em seu ombro.

— Descanse por um momento.

— Não penso a respeito durante todo o tempo — murmurou ele. — Acho que enlouqueceria se fizesse isso.

— Eu sei. — Ela pegou a mão de Giff. — Apenas aflora de vez em quando e dói tanto que você pensa que não conseguirá suportar. Mas agüenta, até a próxima vez.

— Sei o que as pessoas estão dizendo. Ela era impetuosa e decidiu ir embora de repente. Seria mais fácil se eu pudesse acreditar nisso.

— Não, não seria. Doeria de qualquer maneira. Quando mamãe foi embora, chorei sem parar por ela. Pensei que, se chorasse bastante, ela ouviria e voltaria. Quando fiquei mais velha, pensei que ela não se importava muito comigo. Por isso, também não me importaria. Parei de chorar. Mesmo assim, ainda dói.

— Continuo a pensar que Ginny mandará um cartão-postal idiota da Disney World ou outro lugar parecido. Neste caso, eu poderia ficar apenas furioso com ela, em vez de me sentir tão preocupado.

Lexy tentou imaginar essa possibilidade. Não era difícil. Ginny absorvida numa viagem insensata e pitoresca, dando risadas durante todo o tempo.

— Ela poderia muito bem fazer isso.

— Também acho. — Ele olhou para as mãos unidas, os dedos entrelaçados. — Acabei de discutir com Brian por causa disso. Uma estupidez.

— Não se preocupe. Brian tem a pele bastante grossa e pode agüentar.

— E como é a sua?

Giff inclinou-se para trás. Puxou distraído um grampo solto nos cabelos de Lexy, presos no alto da cabeça.

— Todos nós, Hathaway, somos mais duros do que parecemos.

— Lamento mesmo assim. — Ele levantou as mãos entrelaçadas e beijou as articulações de Lexy. — Temos de ficar furiosos um com o outro mais tarde?

— Acho que não. — Ela beijou-o de leve, depois sorriu. Os passarinhos cantavam na árvore por cima. As flores perfumavam o ar. — Porque tenho sentido saudade de você... só um pouquinho.

Ela prendeu a respiração quando Giff a puxou e comprimiu o rosto contra seu pescoço.

— Preciso de você, Lexy... preciso muito.

Quando ela soltou a respiração, saiu tremendo dos pulmões pela garganta e os lábios. Lexy pôs as mãos nos ombros de Giff, os dedos comprimindo aqueles músculos firmes. Depois, ela recuou, levantou-se, fazendo um esforço para controlar suas emoções.

Virou as costas para ele. Giff esfregou as mãos sobre o rosto, para baixá-las em seguida, desolado.

— O que eu disse agora? O que eu faço que sempre a afasta?

— Não me afastou.

Lexy teve de comprimir os dedos contra os lábios para que parassem de tremer, antes de virar-se para fitá-lo. Quando o fez, seu coração transbordava dos olhos.

— Em toda a minha vida, Giff, ninguém jamais me disse isso. A menos que fosse um homem referindo-se a sexo.

Ele se levantou apressado.

— Não foi o que eu quis dizer. Lexy...

— Eu sei. — Ela piscou, impaciente com as lágrimas. — Tenho certeza de que não foi o que você quis dizer. E não estou me afastando, mas apenas tentando me controlar antes de bancar a idiota.

— Eu amo você, Lexy. — Ele disse suavemente, para que ela acreditasse. — Sempre amei e sempre amarei.

Lexy fechou os olhos, apertando-os com força. Queria que tudo ficasse gravado em sua memória. O momento... cada som, cada fragrância, cada sentimento. Depois, lançou-se nos braços de Giff. A respiração saía em pequenos arrancos, o que a deixava tonta.

— Abrace-me, Giff. Aperte com toda força. Não importa o que eu diga, não importa o que eu faça, nunca me deixe ir embora.

— Alexa... — Sufocado de amor, ele comprimiu os lábios contra seus cabelos. — Sempre a amei. Apenas você não sabia.

— Também amo você, Giff. Não posso me lembrar de uma única ocasião em que não o tenha amado. E isso sempre me deixou furiosa.

— Está tudo bem agora, meu amor. — Giff sorriu e aconchegou-a em seus braços. — Não me importo que você fique furiosa, desde que não pare de me amar.

EM SEU QUARTO, JO DESLIGOU O TELEFONE. BOBBY BANES finalmente entrara em contato. E dera-lhe pelo menos uma resposta.

Ele não tirara a foto de seu apartamento.

Mas você viu a foto, não é? Era um nu, misturado com fotos minhas. Parecia comigo, mas não era eu. Segurava a foto quando perdi os sentidos. Você deve ter visto.

Ela podia ouvir a própria voz, estridente no pânico, e a preocupação e hesitação na voz de Bobby quando respondeu.

Sinto muito, Jo, mas não vi nenhuma foto assim. Apenas aquelas fotos suas. Ahn... e não havia nenhum estudo de nu. Ou pelo menos eu não notei.

Estava ali. Caiu virada para baixo, no meio das outras fotos. Estava ali, Bobby. Tente se lembrar.

Devia estar... se você disse que viu.

O tom era apaziguador, pensou Jo agora. Compadecido. Mas não fora convincente.

Nauseada e trêmula, ela afastou-se do telefone. Disse a si mesma que era inútil desejar que ele não tivesse ligado, não tivesse dito nada. Era melhor, muito melhor, saber a verdade. Tudo o que tinha a fazer agora era conviver com isso.

Pela janela de seu quarto, Jo avistou a irmã e Giff. Uma linda cena, pensou ela. Duas pessoas jovens e saudáveis, abraçadas, com flores desabrochando ao redor. Um homem e uma mulher borbulhando de amor e expectativa sexual, numa tarde de verão.

Parecia muito fácil, muito natural. Por que não podia deixar que fosse fácil e natural para ela também?

Nathan a queria. Não pressionava, não parecia estar irritado por ela manter alguma distância entre os dois. E por que ela agia assim? Jo fez a especulação enquanto observava Giff inclinar o rosto de Lexy. Por que ela não podia se soltar?

Nathan deixava-a acesa. Proporcionava prazer, fazia alguma coisa ferver dentro dela, sugerindo que a satisfação se espalharia e aprofundaria, se permitisse.

Por que tinha medo de permitir?

Em repulsa, ela afastou-se da janela. Porque ela questionava tudo hoje em dia. Observava seus próprios atos, analisava-os de uma maneira imparcial. Em termos físicos, sentia-se melhor. Os pesadelos e ataques de pânico, que a deixavam coberta por um suor frio, eram menos intensos e mais espaçados.

Mas...

Havia sempre a dúvida, o medo de que não estivesse realmente estável. Por que outro motivo continuaria a ver aquela foto em sua mente, a foto da mulher morta? Em um momento era sua mãe, no instante seguinte era ela própria. Os olhos fixos, a pele branca como cera. Ainda podia ver a textura da pele, lisa e pálida. As sombras e a ondulação dos cabelos. A maneira com que a mão fora ajeitada, o cotovelo dobrado, o braço estendido entre os seios. E a cabeça virada, meio inclinada, num cochilo tímido.

Como podia ver com tanta nitidez uma coisa que nunca existira?

E porque podia, tinha de acreditar que ainda não estava bem. Não podia sequer considerar uma relação com Nathan — com qualquer homem — enquanto não estivesse recuperada por completo.

E isso, ela admitiu, era apenas uma desculpa.

Tinha medo dele... essa era a conclusão. Tinha medo de que Nathan passasse a significar mais para ela do que podia controlar. E que Nathan esperaria dela mais do que podia dar.

Ele já despertava nela sentimentos que ninguém mais conseguira produzir. Por isso, ela se protegia com uma covardia que exibia a máscara da lógica.

Estava cansada de ser lógica e sentir medo. Seria tão errado tirar uma página do livro de sua irmã, das normas que Lexy seguia, para variar? Agir por impulso, pegar o que pudesse conseguir?

Ó Deus, ela precisava de alguém para conversar, alguém para lhe fazer companhia. Alguém que pudesse, mesmo por pouco tempo, expulsar todas as dúvidas e preocupações.

Por que não deveria ser Nathan?

Ela saiu correndo do quarto, antes de ter tempo de mudar de idéia. Por uma vez, nem mesmo se deu ao trabalho de pegar a câmera. Hesitou, impaciente, quando Kate a chamou.

— Estou de saída.

Jo parou na porta do escritório. Kate estava sentada a uma escrivaninha enorme, coberta de papéis e folhetos.

— Comecei a cuidar das reservas para o outono. — Kate tirou um lápis da orelha. — Temos um pedido para realizar um casamento na pousada em outubro. Nunca fizemos esse tipo de coisa antes.

Querem que Brian forneça o bufê. A cerimônia e a recepção seriam aqui. Seria maravilhoso se pudéssemos descobrir como fazer.

— Gostaria de ajudá-la agora, Kate, mas preciso sair.

— Desculpe. — Ela tornou a enfiar o lápis na orelha e sorriu, embaraçada. — Eu me distraí outra vez. Isso aconteceu durante toda a manhã. Sua correspondência está comigo. Ia entregar em seu quarto, mas o telefone tocou e não saí mais daqui nas últimas duas horas.

Como para confirmar a declaração, a campainha do telefone tocou nesse instante. Além disso, a segunda linha bipou, para anunciar a chegada de um fax.

— Se não é uma coisa, são duas, eu juro. Antes de sair, meu bem, pegue o pacote que chegou para você. — Kate atendeu ao telefone. — Pousada Sanctuary. Em que posso ajudar?

Jo não ouviu nada além do zumbido de colméia em seus ouvidos. Adiantou-se devagar, sentindo o ar ao seu redor engrossar, como se fosse água. O envelope pardo parecia áspero em sua mão quando o pegou. Seu nome fora escrito em letras maiúsculas, com uma caneta preta de ponta de feltro:

JO ELLEN HATHAWAY
SANCTUARY
LOST DESIRE ISLAND, GEÓRGIA

O aviso no canto se destacava: FOTOS. NÃO DOBRE.

Não abra, ela disse a si mesma. Jogue no lixo. Não veja o que tem dentro. Mas seus dedos já rompiam o lacre, rasgavam a aba do envelope. Não ouviu a exclamação de surpresa de Kate quando virou o envelope e deixou as fotos caírem no chão. Com um gemido, Jo ficou de joelhos e começou a empurrar as fotos para um lado e outro, numa busca desesperada pela que esperava. A foto que importava.

Sem hesitação, Kate desligou o telefone — um pedido de reserva — e apressou-se em contornar a mesa.

— Jo, o que é isso? Qual é o problema, Jo Ellen? O que está acontecendo?

— Ele esteve aqui! Esteve na ilha!

Jo examinou as fotos de novo. Lá estava ela, andando na praia. Dormindo na rede, no fundo de uma duna, armando seu tripé à beira do pântano salgado.

Mas onde estava a foto que era a importante?

— Tem de estar aqui!

Alarmada, Kate levantou Jo e sacudiu-a.

— Pare com isso! Quero que pare imediatamente!

Porque reconhecia os sintomas, ela arrastou Jo até uma poltrona, obrigou-a a sentar e fez com que baixasse a cabeça entre os joelhos.

— Concentre-se em respirar. Isso é tudo o que tem de fazer. Não desmaie nas minhas mãos. Fique sentada, está bem? Não se mexa.

Ela foi até o banheiro para pegar um copo com água e molhar uma toalhinha. Quando voltou correndo, Jo continuava como a deixara. Aliviada, Kate ajoelhou-se e pôs a toalhinha na nuca de Jo.

— Fique calma. Procure se controlar.

— Não vou desmaiar — murmurou Jo, apática.

— Isso seria uma boa notícia para mim, posso garantir. Agora recoste-se, devagar, e tome um pouco de água. — Ela própria levou o copo aos lábios de Jo. Sentiu-se grata quando começaram a recuperar a cor. — Pode me contar o que aconteceu?

— As fotos... — Jo recostou-se e fechou os olhos. — Não escapei. No final das contas, não consegui escapar.

— Escapar do quê, querida? De quem?

— Não sei. Acho que estou enlouquecendo.

— Não diga bobagem.

Kate falou num tom ríspido e impaciente:

— Não sei o que é. Já aconteceu uma vez.

— Como assim?

Jo manteve os olhos fechados. Seria mais fácil dizê-lo dessa maneira.

— Tive um colapso há poucos meses.

— Oh, Jo Ellen... — Kate sentou no braço da poltrona e começou a acariciar os cabelos de Jo. — Por que não me disse que esteve doente, querida?

— Não podia contar. Depois que as fotos começaram a chegar, veio um momento em que não pude mais me controlar.

— Fotos como estas?

— A princípio, apenas fotos de meus olhos.

Ou dos olhos dela, pensou Jo, estremecendo. Nossos olhos.

— Isso é terrível. Você deve ter ficado apavorada.

— E fiquei. Disse a mim mesma que alguém tentava atrair minha atenção, para que eu o ajudasse a entrar no mercado.

— Provavelmente era apenas isso, mas foi uma maneira horrível de agir. Você deveria ter procurado a polícia.

— E dizer que alguém estava me mandando fotos... para mim, uma fotógrafa? — Jo abriu os olhos. — Pensei que poderia resolver o problema. Bastava ignorar que a pessoa desistiria. Até que recebi pelo correio um envelope como este. Cheio de fotos minhas e... uma foto que pensei que era de outra pessoa. Mas não era!

Jo concluiu com veemência. Teria de aceitar isso. Se nada mais, teria de aceitar esse fato.

— Apenas imaginei. Não era absolutamente. Apenas fotos minhas. Dezenas. E desmoronei.

— Decidiu então voltar para cá.

— Tinha de escapar. E pensei a sério que poderia escapar. Mas não consegui. Estas fotos foram tiradas na ilha. Ele está aqui, observando-me.

— E estas fotos vão para a polícia. — Numa fúria intensa, Kate levantou-se para pegar o envelope. — Carimbo postal de Savannah. Há três dias.

— De que adiantaria, Kate?

— Não saberemos até mandar.

— Ele pode estar ainda em Savannah ou ter viajado para qualquer outro lugar. Pode até ter voltado para a ilha. — Jo passou as mãos pelos cabelos. Deixou-as cair de volta em seu colo. — Vamos pedir à polícia para interrogar todas as pessoas com uma câmera?

— Se for necessário. Que tipo de câmera? Onde e como foram reveladas? Quando foram tiradas? Deve haver uma maneira de descobrir algumas dessas coisas. De qualquer forma, é melhor do que ficar sentada de braços cruzados, sentindo-se apavorada, não é? Recupere sua coragem, Jo Ellen.

— Quero apenas que isso acabe.

— Pois então *faça* com que desapareça. Estou envergonhada de que tenha deixado alguém fazer isso com você sem lutar. — Kate pegou uma foto e estendeu-a. — Quando esta foi tirada? Examine-a bem e descubra.

Jo sentiu o estômago embrulhar ao olhar para a foto. As palmas estavam úmidas quando estendeu a mão para pegá-la. O ângulo de iluminação era péssimo, projetando uma sombra por seu corpo. Ele era capaz de um trabalho muito melhor, pensou ela. Deixou escapar um longo suspiro. Ajudou-a a pensar de uma forma objetiva, até mesmo crítica.

— Acho que ele se precipitou nesta foto. É uma área do pântano bastante aberta. Obviamente, ele não queria que eu soubesse que tirava as fotos, e por isso teve de se apressar.

— Ótimo. É assim que se faz. Quando esteve ali pela última vez?

— Há apenas dois dias... mas não levei o tripé. — Jo franziu a testa, enquanto se concentrava. — Esta foto deve ter sido tirada há duas semanas. Não, três. Estive ali na maré baixa, há três semanas, para fazer um estudo das lagoas de maré. Deixe-me ver outra foto.

— Sei que é difícil para você, mas gosto desta.

Kate ofereceu um sorriso animador ao estender a foto. Mostrava Jo aninhada no colo de Sam. As sombras estendiam-se sobre os dois, fazendo com que a imagem fosse quase de sonho.

— O camping... — murmurou Jo. — No dia em que me trancaram no banheiro dos homens e papai abriu a porta. Não foram garotos. Foi o desgraçado. Ele me trancou no banheiro e depois esperou para tirar esta foto.

— Não foi no dia em que Ginny desapareceu? Já tem quase duas semanas.

Jo ajoelhou-se no chão outra vez, mas agora não sentia pânico. Tinha as mãos firmes, a mente focalizada. Examinou foto a foto, de maneira fria e objetiva.

— Não posso ter certeza de todas, mas aquelas que consigo reconhecer já foram tiradas há esse tempo, no mínimo. Portanto, devo presumir que todas foram. Não há nenhuma das duas últimas semanas. Ele se absteve. Esperou. Por quê?

— Ele precisava de tempo para revelá-las e selecioná-las. Para decidir quais fotos enviaria. Deve ter outras obrigações. Um emprego. Alguma coisa.

— Não. Acho que ele é bastante flexível nesse ponto. Tirou fotos de mim num trabalho que fiz em Hatteras e outras em Charlotte. Coisas do dia-a-dia. Não está preocupado com obrigações.

— Muito bem. Pegue sua bolsa. Vamos na próxima barca para o continente. Levaremos tudo isso para a polícia.

— Você está certa. É melhor do que ficar sentada de braços cruzados, sentindo medo. — Com todo cuidado, Jo enfiou uma foto depois de outra no envelope. — Peço que me desculpe, Kate.

— Pelo quê?

— Por não ter contado antes para você. Por não confiar o suficiente em você para relatar o que aconteceu.

— Deveria mesmo ter me contado. — Kate estendeu a mão para ajudar Jo a se levantar. — Mas agora isso é um fato consumado e ficou para trás. Daqui por diante, você e todos os outros nesta casa terão de se lembrar de que somos uma família.

— Não sei como você consegue nos aturar.

Kate sorriu e acariciou o rosto de Jo.

— Meu bem, devo confessar que não são poucas as ocasiões em que me pergunto a mesma coisa.

Capítulo Dezenove

— Ei, para onde vocês estão indo?

Lexy avistou Kate e Jo no momento em que elas saíram pela porta lateral. Seus olhos faiscavam, o sorriso era esfuziante. Estava quase dançando.

— Jo e eu precisamos ir ao continente para resolver um problema — respondeu Kate. — Voltaremos...

Lexy correu pela porta, passando apressada, antes que Kate pudesse segurá-la pelo braço.

— Não é uma viagem de passeio, Lexy.

— Cinco minutos! — gritou Lexy. — Só vou levar cinco minutos para me aprontar!

— Essa menina... — Kate deu um suspiro. — Sempre quer ir para algum lugar em que não está. Vou dizer a ela que tem de ficar.

— Não. — Jo apertou os dois envelopes que tinha na mão. — Nas circunstâncias, pode ser melhor se ela souber o que está acontecendo. Até descobrirmos mais alguma coisa, acho que ela precisa ser cuidadosa.

O coração de Kate parou de bater por um instante, mas ela acenou com a cabeça em concordância.

— Tem razão. Avisarei a Brian que vamos ao continente. Não se preocupe, querida. — Kate passou a mão pelos cabelos de Jo. — Cuidaremos de tudo.

PORQUE TEVE MEDO DE FICAR PARA TRÁS, LEXY CUMPRIU o prometido. Sabia que Kate implicaria com o short curto que usava e por isso trocou para uma calça de algodão em tempo recorde. Escovou os cabelos e prendeu-os com um lenço verde na expectativa da viagem pelo mar. A caminho do cais particular de Sanctuary, ela retocou a maquiagem e falou sem parar.

Os ouvidos de Jo zumbiam quando embarcaram na velha e confiável lancha com cabine.

Outrora existira uma embarcação branca e reluzente, com frisos vermelhos. A *Island Belle* era o orgulho e alegria do pai, recordou Jo. Quantas vezes a família embarcara para navegar em torno da ilha, desafiar as ondas, fazer uma excursão inesperada ao continente para tomar um sorvete ou ir ao cinema?

Podia lembrar as ocasiões em que a pilotara, em cima dos pés do pai para ter mais altura. As mãos do pai pousavam de leve sobre as suas na roda do leme.

Um pouco para boreste, Jo Ellen. É isso mesmo. Você possui um talento natural.

Mas Sam vendera a lancha no ano seguinte à partida de Annabelle. Todas as substitutas haviam ficado sem nome. E a família não se reunira mais para passeios emocionantes.

Ainda assim, Jo sabia a rotina. Verificou o combustível, enquanto Lexy e Kate soltavam os cabos. Numa reação automática, ajustou sua postura para compensar o ligeiro balanço junto do cais. As mãos seguraram o timão com facilidade. Ela sorriu quando o motor pegou no mesmo instante.

— Vejo que papai ainda a mantém em perfeitas condições.

— Ele retirou o motor para manutenção no inverno.

Kate sentou. Os dedos, nervosos, começaram a mexer na corrente de ouro que caía sobre a blusa branca engomada. Deixaria Jo pilotar, pois isso a ajudaria a permanecer calma.

— Estive pensando que a pousada deveria investir numa lancha nova, de aparência mais atraente. Poderíamos oferecer excursões em torno da ilha, com paradas em Wild Horse Cove, Egret Inlet, essas coisas. Claro que isso significa que teríamos de contratar um piloto.

— Papai conhece a ilha e o mar ao redor melhor do que qualquer um — comentou Jo.

— Sei disso. — Kate deu de ombros. — Mas sempre que levanto o assunto, ele resmunga e descobre que tem outra coisa para fazer. Sam Hathaway não é um homem fácil de convencer.

— Poderia dizer a ele que teria melhores condições de vigiar tudo se pilotasse a lancha. — Jo verificou a bússola, fixou o curso e iniciou a travessia do estreito. — Teria condições de evitar que as pessoas destruíssem a vegetação ou desequilibrassem o ecossistema. Se outro pilotar, não vai se importar tanto, não será tão vigilante.

— É uma boa idéia.

— Se comprar uma lancha nova, ele terá a maior dificuldade para resistir. — Lexy reajustou o nó do lenço que cobria sua cabeça. — E depois comente que precisa encontrar o piloto certo... não apenas alguém que seja experiente e competente, mas que também compreenda a fragilidade do meio ambiente e saiba como explicar isso aos turistas, para que entendam por que Desire permaneceu pura durante todos esses anos.

Jo e Kate viraram-se para fitar Lexy, atônitas. Lexy abriu os braços.

— Só é preciso saber como persuadir as pessoas, mais nada. Se você falar em educar os turistas para respeitarem a ilha e deixarem-na como a encontraram, esse tipo de coisa, papai não apenas vai aceitar, mas também acabará pensando que a idéia foi sua.

— Você é uma criança esperta e hábil, Alexa — comentou Kate. — Sempre admirei isso em você.

— A ilha é a única coisa que importa para papai. — Lexy inclinou-se sobre a amurada, para deixar que o vento batesse em seu rosto. — Usar esse recurso para persuadir papai não é esperteza, mas apenas básico. Não pode ir mais depressa, Jo? Eu poderia nadar nesse ritmo até Savannah.

Jo já se preparava para sugerir que Lexy fizesse isso, mas limitou-se a dar de ombros. Por que não? Por que não ir mais depressa e sentir-se livre por algum tempo? Ela olhou para trás, observou a costa de Desire, a casa branca na colina, e depois aumentou a velocidade.

— Segurem-se!

À mudança abrupta na velocidade, Lexy soltou um grito. Inclinou a cabeça para trás e riu. Ó Deus, como ela adorava ir para lugares! Qualquer lugar!

— Mais depressa, Jo! Você sempre pilotou essas banheiras melhor do que nós!

— E ela não pilota um barco há dois anos...

O comentário de Kate foi interrompido por um grito estridente, quando Jo deu uma guinada no timão, fazendo a lancha descrever uma curva larga e rápida. O coração disparado, ela se segurou na amurada com as duas mãos, enquanto Lexy pedia por mais.

— Ei, lá está o barco de pesca de Jed Pendleton! Vamos passar por ele, Jo, fazer com que balance um pouco em nossa esteira!

— Jo Ellen, não pode fazer isso! — Kate reprimiu a risada que aflorava em seus lábios. — Trate de se comportar!

Jo partilhou um raro sorriso com Lexy, antes de revirar os olhos.

— Pois não, madame — murmurou ela, irônica.

Jo reduziu a velocidade, fez uma saudação para o barco de pesca e acrescentou:

— Eu queria apenas testar o motor e verificar a reação.

— Agora já sabe — declarou Kate, formal. — E espero que a viagem seja mais sossegada daqui por diante.

— Eu só quero chegar lá o mais depressa possível. — Lexy recostou-se na amurada. — Estou ansiosa em ver uma porção de pessoas nas ruas. E tenho de fazer compras. Por que cada uma não compra uma roupa bonita? Vestidos de festa. E poderemos fazer uma festa. Todas elegantes, com música e champanhe. Há meses que não ponho um vestido novo.

— Porque seu armário já está quase estourando de tantas roupas — comentou Jo.

— Tudo roupa antiga. Nunca sentiu vontade de ter alguma coisa nova... apenas ter? Alguma coisa maravilhosa?

— Eu gostaria muito de ter um novo flash especial — respondeu Jo, sarcástica.

— Isso acontece porque você está mais interessada em vestir sua câmera do que a si mesma. — Lexy inclinou a cabeça para o lado. — Alguma coisa ousada e azul cairia bem em você, para variar. De seda. Com roupas de baixo também de seda. Assim, se algum dia deixar Nathan chegar até elas, ele terá uma agradável surpresa. E aposto que você também teria.

— Alexa... — Kate ergueu a mão e contou lentamente até dez. — A vida particular de sua irmã é isso mesmo... particular.

— Que vida particular? O cara está morrendo de vontade de entrar dentro desses jeans folgados que ela usa desde que a viu.

— Como sabe que isso já não aconteceu? — indagou Jo.

— Depois que ele conseguir, você vai se mostrar muito mais relaxada — respondeu Lexy, com um sorriso felino.

— Se tudo o que é necessário para uma mulher relaxar é dar uma rapidinha, você já estaria em coma.

Lexy apenas riu. Tornou a virar o rosto para o vento.

— Tenho me sentido muito serena esses dias, queridinha. O que é mais do que se pode dizer a seu respeito.

— Já chega, Lexy. — Kate levantou-se. — Não vamos ao continente para fazer compras, mas sim porque sua irmã está com problemas. Ela queria que você viesse para lhe contar tudo, a fim de evitar que esses problemas também a atinjam.

— Mas do que está falando? — Lexy empertigou-se. — O que aconteceu?

— Sente-se. — Kate pegou os envelopes que Jo trouxera. — Vamos contar tudo.

DEZ MINUTOS DEPOIS, LEXY EXAMINAVA AS FOTOS. SENTIA um frio no estômago, mas as mãos permaneciam firmes e a mente lúcida.

— Ele a está espreitando.

— Não sei se é essa a palavra certa.

Jo olhava pelo mar, na direção do tênue nevoeiro que era o continente.

— É exatamente isso e é assim que vamos relatar para a polícia. Há leis contra isso. Conheci uma mulher em Nova York que teve um problema parecido. O ex-namorado não a deixava em paz. Aparecia de repente, telefonava, seguia-a por toda parte. Viveu apavorada durante seis meses, até que a polícia decidiu tomar uma providência. Não é justo que você viva apavorada.

— Mas ela sabia quem era — ressaltou Jo.

— Você tem de descobrir quem é esse homem. — Porque as fotos a assustavam, Lexy largou-as no banco. — Havia rompido com alguém íntimo na ocasião em que isso começou?

— Não. Nunca fui íntima de ninguém.

— Você não precisa pensar que tinha qualquer intimidade. Basta que ele pensasse. Estava namorando alguém... teve um único encontro?

— Não namorava ninguém e não tive nenhum encontro.

— Jo, você deve ter jantado com alguém, ido a um show, um almoço rápido.

— Não saí com ninguém.

— Não seja tão literal. Seu problema é que tudo tem de ser preto no branco em sua mente. Como as fotos. Mas até as fotos têm tonalidades de cinza, não é mesmo?

Sem ter certeza se devia se sentir insultada ou impressionada com a analogia da irmã, Jo franziu o rosto.

— Apenas não imagino...

— É justamente esse o problema. Faça uma lista dos homens que recusou quando a convidaram para sair. Talvez alguém a tenha convidado duas ou três vezes, você recusou e pensou que ele havia desistido.

— Estive muito ocupada durante o último ano. Praticamente não há ninguém.

— Assim será mais fácil encontrar o homem certo. — Lexy cruzou as pernas, assumindo uma pose analítica. — Talvez haja alguém em seu prédio em Charlotte que tentou puxar conversa quando se encontraram no corredor. Abra a mente e tente se lembrar.

Ela fez uma pausa, antes de acrescentar, impaciente:

— Uma mulher sabe quando um homem tem interesse por ela, mesmo quando não sente nenhum por ele.

— Não prestei muita atenção.

— Pois então preste atenção agora. Pense um pouco. É você quem tem de permanecer no controle. Não pode deixar que esse homem saiba que conseguiu assustá-la. Não vai lhe proporcionar a satisfação de pensar que pode mandá-la outra vez para o hospital. — Lexy inclinou-se e sacudiu o ombro de Jo. — Portanto, trate de pensar. Sempre foi a mais inteligente. Use a cabeça agora.

— Deixe-me ficar no timão, Jo. — Gentilmente, Kate desprendeu as mãos tensas de Jo. — Sente-se e respire fundo.

— Ela pode respirar mais tarde. Neste momento, tem de se concentrar em pensar.

— Vamos com calma, Lexy.

— Não. — Jo sacudiu a cabeça. — Ela tem razão.

Ela lançou um longo olhar para a irmã, que se permitira pensar que era uma pessoa frívola. Mas desta vez via firmeza, substância.

— Você está certa. E faz as perguntas certas... que eu nunca me fiz. Quando eu for à polícia, vão me fazer as mesmas perguntas.

— Espero que sim.

— Muito bem. — Jo deixou escapar um suspiro trêmulo. — Quero que me ajude.

— É o que estou fazendo. Vamos sentar. — Ela pegou o braço de Jo. Sentaram lado a lado. — Agora, pense primeiro nos homens.

— Não são muitos. Não os atraio como abelhas para o mel.

— Faria isso se quisesse, mas esse é outro problema. — Lexy descartou o assunto com um aceno da mão. Uma coisa para ser resolvida mais tarde. — Talvez haja alguém com quem você tenha mantido contato regularmente. Não dá muita atenção, mas os dois se vêem com freqüência.

— O único homem que vejo regularmente é meu estagiário. Foi Bobby quem me levou para o hospital. Estava presente quando o último envelope com fotos chegou pelo correio.

— Não era uma presença das mais convenientes?

Jo arregalou os olhos.

— Bobby? Isso é absurdo.

— Por quê? Disse que ele era seu estagiário. Isso significa que também é fotógrafo. Saberia como usar uma câmera, revelar um filme. Aposto que também sabia onde você estaria, qual era sua agenda sempre que partia para um trabalho.

— Claro. Mas...

— Às vezes até ia com você, não é mesmo?

— Como parte de seu treinamento.

— E talvez sentisse alguma coisa por você.

— Isso é um absurdo. Ele só sentiu uma pequena atração a princípio.

— É mesmo? — Lexy alteou uma sobrancelha. — E você correspondeu?

— Ele tem vinte anos de idade.

— E daí? — Lexy deu de ombros. — Muito bem, você não foi para a cama com ele. Mas Bobby era parte regular de sua vida, sentia-se atraído por você, sabia onde estaria, conhecia sua rotina e podia usar uma câmera. Eu diria que está no topo da lista curta.

Era assustador, ainda mais assustador do que as possibilidades sem rosto e sem nome.

— Ele cuidou de mim. Levou-me para o hospital.

Bobby dissera que não vira a foto, recordou Jo, sentindo uma contração dolorosa no estômago. Só os dois estavam presentes e ele dissera que não vira.

— Ele sabe que você voltou para Sanctuary?

— Sabe. Eu... — Jo fez uma pausa, fechando os olhos. — É verdade, ele sabe onde estou. Falamos pelo telefone esta manhã. Ele me ligou.

— Por que ele telefonou para você? — indagou Lexy. — O que ele disse?

— Deixei um recado para que entrasse em contato comigo. Era importante... eu precisava perguntar uma coisa. E ele me ligou hoje.

Kate lançou um rápido olhar para trás.

— De onde ele ligou?

— Não perguntei... e ele não disse. — Com um supremo esforço, Jo conteve o medo crescente. — Não faz qualquer sentido Bobby ter mandado as fotos. Há meses que eu trabalhava com ele.

— É por esse tipo de relacionamento que a polícia vai se interessar — insistiu Lexy. — Quem mais sabe onde você está... ao que tenha certeza?

— Meu editor. — Jo ergueu a mão para massagear a têmpora. — A agência do correio, o chefe da portaria do prédio, o médico que me tratou no hospital.

— Isso significa que qualquer um que quisesse saber poderia descobrir. Mas Bobby permanece no alto da lista.

— Isso me faz sentir nauseada... nauseada e desleal. Mas é lógico. — Jo fez uma pausa, apertando o alto do nariz com o polegar e o indicador. — Ele é bastante bom para ter tirado as fotos... se estivesse concentrado, sem se apressar. Tem muito potencial, mas ainda comete erros... precipitações, opções erradas no laboratório. Isso pode explicar por que algumas fotos não têm tanta qualidade quanto outras.

— O que há de errado com elas?

Curiosa, Lexy pegou algumas fotos.

— Algumas têm sombras muito acentuadas ou estão fora de enquadramento. Está vendo aqui? — Ela indicou a sombra que incidia sobre seu ombro em uma das fotos. — Ou esta aqui. Os tons não estão bem definidos. Algumas estão manchadas de uma maneira que sugere que ele usou um filme para outro tipo de luz e depois ampliou demais no laboratório. Ou algumas estão esmaecidas... negativos com pouca exposição. E falta criatividade em outras.

— Acho que está sendo muito rigorosa. Você aparece muito bem em quase todas.

— A composição não é tão cuidadosa e artística quanto as que foram tiradas em Charlotte ou Hatteras. Na verdade... — ela franziu o rosto, como se estivesse repassando as outras fotos, uma a uma — ... se estou lembrando direito, as últimas fotos são menos profissionais, menos criativas. Como se ele estivesse se tornando entediado... ou descuidado.

Jo fez uma pausa.

— Um estudante no primeiro ano, com algum talento e um bom equipamento, poderia tirar esta foto minha na rede. O alvo está relaxado, não sabe que é fotografado, a iluminação é boa porque é filtrada através das árvores. É uma foto fácil. Já tem tudo armado. Mas nesta aqui, a foto na praia, deveria ter usado um filtro amarelo para reduzir o clarão, suavizar as sombras, definir as nuvens. Isso é básico. Mas ele não se deu a esse trabalho. A foto perde a textura, o drama. É um erro cometido por descuido... um erro que ele nunca havia cometido antes.

Ela tirou as fotos do outro envelope.

— Aqui está outra foto na praia, desta vez em Hatteras. Um ângulo similar, mas ele usou um filtro, não se precipitou. A textura da areia, meus cabelos esvoaçando ao vento, a posição da gaivota sobrevoando as ondas, uma boa definição da nuvem. É uma foto adorável, à altura de uma exposição, enquanto a outra, a que foi tirada aqui, é inferior.

— Bobby foi com você para Hatteras?

— Não. Trabalhei sozinha.

— Mas há muito mais pessoas em Hatteras em comparação com Desire. Você poderia não tê-lo notado. Ainda mais se ele usasse um disfarce.

— Um disfarce? Ora, Lexy, não acha que eu teria percebido se encontrasse alguém com óculos de Groucho Marx e um narigão falso?

— Com a maquiagem apropriada, uma peruca, uma linguagem do corpo diferente, eu poderia passar por você na rua e não me reconheceria. Não é tão difícil assim ser outra pessoa. — Lexy sorriu. — Faço isso o tempo todo. Pode ter sido esse seu estagiário ou meia dúzia de outras pessoas que você conhece. Pintar os cabelos, usar um chapéu, óculos escuros. Deixar crescer ou raspar a barba. Tudo o que sabemos com certeza é que ele esteve em Hatteras e esteve aqui.

Jo acenou com a cabeça, lentamente.

— E pode voltar.

— Isso mesmo. — Lexy pegou a mão da irmã. — Mas agora estaremos atentos à sua presença.

Jo olhou para a mão que cobria a sua. Não deveria surpreendê-la, ela refletiu, encontrar aquela mão ali, descobrir que era quente e firme.

— Eu deveria ter falado com vocês duas antes. Deveria ter contado tudo. Mas queria resolver sozinha.

— Isso é novidade — disse Lexy, jovial. — Prima Kate, Jo diz que queria cuidar de alguma coisa sozinha. Dá para imaginar, a garota original do "saia da minha frente que eu mesma faço" querendo cuidar de alguma coisa sozinha?

— Muito engraçada... — murmurou Jo. — Também não dei crédito suficiente à sua disposição para me ajudar.

— Mais notícias, Kate. — Lexy não desviava os olhos de Jo. — É uma depois de outra. Jo não me deu crédito suficiente como um ser humano inteligente, com um pouco de compaixão. Não que ela ou qualquer outra pessoa jamais tenha percebido, mas essa é a notícia que aparece agora.

— Eu havia esquecido como você é boa no sarcasmo... e como provavelmente mereci os comentários mordazes, não vou estragar ao demonstrar que sou melhor no sarcasmo do que você pode imaginar.

Antes que Lexy pudesse falar, Jo virou a mão e entrelaçou os dedos nos dela.

— Eu me sentia envergonhada. Quase tanto quanto assustada. Envergonhada por ter sofrido um colapso. E não queria que minha família soubesse.

A compaixão envolveu Lexy. Ainda assim, ela manteve o sorriso no rosto e a jovialidade na voz.

— Ora, Jo Ellen, isso é um absurdo. Somos sulistas. Há bem poucas coisas que admiramos mais do que os lunáticos de nossa família. Esconder no sótão os parentes pirados é uma característica dos ianques. Não é mesmo, prima Kate?

Surpresa e orgulhosa da garota mais nova, Kate olhou para trás.

— É sim, Lexy. Uma boa família sulista apóia seus malucos e os exibe na sala de visitas, junto com sua melhor porcelana.

A própria risada breve fez Jo Ellen piscar de surpresa.

— Não sou uma lunática.

— Ainda não. — Lexy apertou a mão da irmã, num gesto afetuoso. — Mas, se continuar assim, pode acabar se tornando como a tia-avó Lida. Pelo que me recordo, ela usava um vestido com lantejoulas dia e noite e alegava que Fred Astaire vinha buscá-la para dançar. Com algum esforço, você pode aspirar a isso.

Jo riu de novo, desta vez uma risada mais longa e alegre.

— Talvez possamos fazer algumas compras, no final das contas. É possível que eu encontre um vestido com lantejoulas, para qualquer emergência.

— Sua cor é o azul. — E como sabia que era mais fácil para ela do que para a irmã, Lexy abraçou-a e apertou com força. — Esqueci de lhe dizer uma coisa, Jo Ellen.

— O que é?

— Seja bem-vinda de volta ao lar.

JÁ PASSAVA DE SEIS HORAS QUANDO ELAS VOLTARAM A SANCtuary. Haviam feito compras, no final das contas, e carregavam muitas bolsas e caixas para comprová-lo. Kate ainda se perguntava como permitira que Lexy a levasse por aqueles frenéticos noventa minutos de delírio comprista. Mas já sabia a resposta.

Depois de passarem uma hora na delegacia de polícia, todas precisavam fazer alguma coisa insensata.

Quando entraram na cozinha, ela já estava preparada para o protesto de Brian. Ele viu a prova da traição nos braços carregados das três e resmungou:

— Essa é muito boa, não é? Tenho seis mesas ocupadas, estou atolado no preparo da comida e vocês saem para fazer compras. Tive de chamar Sissy Brodie para servir às mesas e ela não tem um pingo de bom senso. Papai está cuidando das bebidas... que oferecemos de graça, como um meio de compensar o péssimo serviço. E acabei de queimar dois pedidos de galinha porque a desmiolada da Sissy derrubou um prato de fettuccine de camarão à Alfredo no colo de Becky Fitzsimmons e tive de sair daqui para limpar.

— Becky Fitzsimmons está aqui e você manda Sissy servi-la? — Lexy largou suas bolsas no balcão. — Não sabe de nada, Brian Hathaway? Sissy e Becky são inimigas irreconciliáveis desde que brigaram por causa de Jesse Pendleton, que levava as duas para a cama durante quase seis meses. Até que Sissy descobriu e partiu para cima de Becky na porta da igreja, depois do serviço da Páscoa, e chamou-a de puta com cara de sapo. Houve necessidade de três homens fortes para separá-las.

Lexy tirou o lenço da cabeça e sacudiu-a para soltar os cabelos, enquanto recordava a cena com evidente satisfação.

— Um prato de fettuccine de camarão não é nada. Teve sorte de Sissy não pegar um de seus facões e partir para o ataque.

Brian respirou fundo para não perder a paciência.

— Já me sinto grato por essa bênção. Agora, pegue um bloco de pedidos e comece a trabalhar. Já está uma hora atrasada.

— A culpa é minha, Brian. — Jo preparou-se para as críticas quando o irmão virou-se para fitá-la. — Eu precisava de Lexy e acho que perdemos a noção do tempo.

— Não posso me dar ao luxo de perder a noção de qualquer coisa, e não preciso de você para entrar na minha cozinha e assumir a culpa, quando ela é irresponsável demais ao fazer o que não deveria.

Ele levantou a tampa da panela em que dourava o peito de galinha e virou-o, enquanto acrescentava para Kate:

— E não tente aliviar a situação. Não tenho tempo para ouvir desculpas.

— Eu nem sonharia em oferecer alguma — respondeu Kate, empertigando-se. — Mais do que isso, nem sonharia em desperdiçar meu fôlego com alguém que fala comigo dessa maneira.

Ela empinou o queixo e foi para a sala de jantar, a fim de ajudar Sam com as bebidas.

— A culpa foi minha, Brian — reiterou Jo. — Kate e Lexy...

— Não perca seu tempo. — Lexy acenou com a mão, num gesto jovial, para disfarçar a irritação que sentia. — Ele não vai mesmo ouvir. Afinal, já sabe tudo o que há para saber.

Ela pegou um bloco de pedidos e deixou a cozinha.

— Fútil, frívola, irresponsável — resmungou Brian.

— Não fale assim de Lexy. Ela não é nenhuma dessas coisas.

— Mas o que aconteceu? As duas fizeram uma aliança repentina enquanto faziam compras? Procuraram sapatos juntas e descobriram no processo que são almas gêmeas?

— Não pensa muito bem da espécie, não é? Eram as mulheres que eu precisava, as mulheres que se puseram à minha disposição. Se chegamos um pouco mais tarde do que convinha a você...

— Convinha a mim? — Brian pôs a galinha numa travessa e acrescentou as guarnições. Não permitiria que as mulheres arruinassem sua apresentação. — Não é uma questão do que me convém. É uma questão de administrar uma pousada, manter uma reputação que estamos desenvolvendo há vinte e cinco anos. É uma questão de deixar à espera vinte pessoas à procura de uma boa refeição, servida de uma maneira rápida e eficiente. É uma questão de cumprir a palavra.

— Você tem todo o direito de ficar furioso. Mas fique comigo. Fui eu quem as tirou daqui hoje.

— Não se preocupe. — Brian encheu um cesto com pequenas broas de milho. — Sinto raiva suficiente de você.

Ela olhou para as panelas fumegando no fogão, os legumes já cortados na tábua. Os pratos acumulavam-se na pia. Brian trabalhava de uma maneira um tanto desajeitada, prejudicado pela mão lesionada.

Era mesmo uma situação difícil, concluiu Jo. E todos tinham uma parcela de responsabilidade.

— O que quer que eu faça para ajudar? Posso cuidar da louça...

— Pode ficar longe do meu caminho — declarou Brian, sem fitá-la. — É o que você faz melhor, não é mesmo?

Ela absorveu o golpe, aceitou a culpa.

— Acho que sim.

Jo saiu pela porta dos fundos, sem dizer mais nada. Sanctuary não era um lugar proibido para ela, pensou, não como imaginava em seus sonhos. Mas o caminho de ida e volta seria sempre difícil e acidentado.

E Brian tinha razão. Ela sempre fora hábil em se manter a distância, em deixar para os outros os prazeres e os problemas que fervilhavam naquela casa.

E não tinha certeza se queria que fosse diferente.

Jo foi andando pela floresta. Se alguém a observava, muito bem. Que tirasse fotos suas até ficar com os dedos dormentes. Não levaria uma vida dominada pelo medo. Esperava mesmo que ele estivesse ali. Torcia para que estivesse. E bem perto. Torcia para que se mostrasse. Agora. Naquele momento.

Ela parou, virou-se, fez um círculo lento, a expressão ameaçadora, enquanto esquadrinhava as sombras de um verde escuro. Uma confrontação combinaria perfeitamente com seu ânimo. Não havia nada que ela apreciaria mais naquele momento do que uma boa luta física.

— Sou mais forte do que você pensa. — Ela falou em voz alta e escutou o tom furioso de sua própria voz ecoar em resposta: — Por que não aparece, cara a cara, para descobrir, seu filho-da-puta?

Jo pegou um galho pequeno caído no chão e bateu com ele na palma da mão.

— Isso mesmo, você é um filho-da-puta. Pensa que pode me assustar com uma pilha de fotos de segunda classe?

Ela bateu com o galho numa árvore. Ficou satisfeita com a onda de choque que se espalhou por seu braço. Um pica-pau saiu do tronco, por cima dela, e voou para longe.

— Sua composição é péssima, a iluminação pior ainda. O que você sabe sobre captar ânimo e textura não caberia num dedal. Já vi fotos melhores de uma criança de dez anos usando uma Kodak descartável.

Os dentes cerrados, ela esperou, ansiosa em ver alguém, qualquer pessoa, surgir na sua frente. Queria que ele a atacasse. Queria fazê-lo pagar. Mas nada aconteceu, apenas o sussurro do vento entre as folhas, os estalos das folhas das palmeiras. A claridade mudou, foi diminuindo pouco a pouco.

— Agora estou falando sozinha — murmurou Jo. — Nesse ritmo, estarei tão pirada quanto a tia-avó Lida antes de chegar aos trinta anos.

Ela jogou o galho para longe. Observou-o voar dando voltas, num arco, até cair numa moita espessa.

Não viu os tênis velhos a poucos centímetros do lugar em que caiu, nem as bainhas desfiadas do jeans desbotado. Embrenhou-se ainda mais pela floresta e não ouviu o som tenso de respiração contida, nem o sussurro rouco que vibrava de intensa emoção.

— Ainda não, Jo Ellen. Ainda não. Não enquanto eu não estiver pronto. Mas agora terei de machucá-la. Agora terei de fazer com que se arrependa.

Ele ergueu-se devagar. Decidiu que mantinha o controle absoluto. Nem sequer notou o sangue que surgiu em sua palma quando cerrou os punhos.

Pensava que sabia para onde ela ia; e como conhecia a floresta, cortou caminho entre as árvores para chegar primeiro.

PARTE TRÊS

O amor é tão forte quanto a morte;
o ciúme é tão cruel quanto a sepultura.

CÂNTICO DE SALOMÃO

Capítulo Vinte

Jo não sabia que tomara a decisão de ir ao chalé de Nathan até que estava quase chegando lá. No momento mesmo em que parou e pensou em mudar de rumo, ouviu o som de passos aproximando-se. Houve um fluxo de adrenalina, ela cerrou os punhos, contraiu os músculos. Virou-se, preparada para o ataque.

O crepúsculo aumentava ao seu redor, diminuindo a claridade, tornando o ar mais denso. No céu, uma fatia de lua pairava entre a luz e a escuridão. A água murmurava ao esbarrar na vegetação nas margens do rio. Numa súbita rajada de vento, uma garça subiu pelo ar, voando para longe.

E Nathan saiu das sombras.

Passou a andar mais devagar ao vê-la e parou a meio metro de distância. Os tênis e as bainhas desfiadas dos jeans estavam úmidos, os cabelos esvoaçando à brisa. Ao notar que ela assumira uma posição de combate, Nathan levantou uma sobrancelha.

— À espera de uma briga?

Jo ordenou que os dedos se abrissem, um a um.

— Pode ser.

Ele adiantou-se e bateu de leve no queixo de Jo.

— Creio que posso derrubá-la em dois rounds. Quer tentar?

— Talvez em outra ocasião.

O sangue que zumbira nos ouvidos de Jo já começara a assentar. Nathan tinha ombros largos, ela pensou. Um bom lugar para encostar a cabeça... se você era desse tipo.

— Brian me expulsou de sua cozinha. — Jo enfiou as mãos nos bolsos. — Saí para dar uma volta.

— Eu também. Mas cansei de andar. — Nathan abriu a mão e passou os dedos pelos cabelos de Jo. — E você?

— Ainda não decidi.

— Por que não entra... — Ele pegou a mão de Jo, acariciando os dedos. — Pense a respeito.

Jo ergueu o rosto para fitá-lo nos olhos.

— Não pode querer que eu entre e pense, Nathan.

— Então entre sem pensar. Já jantou?

— Ainda não.

— Aqueles filés continuam esperando. — Ele apertou com mais firmeza a mão de Jo e começou a conduzi-la para o chalé. — Por que Brian a expulsou?

— Crise na cozinha. A culpa foi minha.

— Acho que não vou lhe pedir para me ajudar a fazer os filés. — Nathan entrou e acendeu a luz. — Só tenho para acompanhar batatas fritas congeladas e um Bordeaux branco.

— Parece perfeito para mim. Posso usar seu telefone? Preciso avisar que não voltarei... por algum tempo.

— À vontade.

Nathan foi até a geladeira e tirou os filés do congelador. Jo estava muito nervosa, pensou ele, enquanto levava a carne até o microondas para descongelar. Furiosa por cima, infeliz por baixo.

Ele se perguntou por que sentia uma necessidade tão intensa de descobrir as razões para as três coisas. Ouviu o murmúrio da voz de Jo, enquanto olhava perplexo para os controles do microondas. Já ia tomar uma decisão executiva e torcer pelo melhor quando ela desligou e aproximou-se.

— Essa parte eu conheço. — Jo apertou uma série de botões. — Sou uma perita em microondas.

— Eu me saio melhor quando a embalagem dá as instruções. Vou acender a grelha. Tem alguns CDs ali, se você quiser ouvir música.

Ela foi até a pilha de CDs, junto do estéreo compacto, na mesinha de canto ao lado do sofá. Parecia que ele preferia um rock puro, sem frescuras, com uma mistura daqueles primeiros rebeldes, Mozart e Beethoven.

Jo não conseguia tomar uma decisão, não podia se concentrar no ato simples de escolher entre "Moonlight Sonata" e "Sympathy for the Devil".

Romance ou paixão ardente, ela perguntou a si mesma, impaciente. O que você quer? Basta tomar uma decisão sobre o que prefere neste momento e ir em frente.

— O fogo não deve demorar a ficar bom — avisou Nathan, enquanto recuava da grelha e limpava as mãos nos jeans. — Se você...

— Sofri um colapso.

Ele baixou as mãos, lentamente.

— Tudo bem.

— Achei que você deveria saber antes que a situação vá mais longe do que já foi. Passei algum tempo no hospital em Charlotte. Tive um colapso, um colapso mental, antes de voltar para cá. Talvez eu seja louca.

Os olhos de Jo eram eloqüentes, os lábios comprimiam-se com força. Nathan concluiu que tinha cinco segundos para determinar como lidar com a situação.

— Que tipo de loucura? A loucura de correr nua pelas ruas e advertir as pessoas de que precisam se arrepender? Ou a loucura de alegar que foi abduzida por alienígenas? Porque não estou complemente convencido de que as pessoas que dizem ter sido abduzidas por alienígenas são mesmo loucas.

A boca de Jo não relaxou, mas entreabriu-se.

— Ouviu o que eu disse?

— Claro que ouvi. Só estou pedindo um esclarecimento. Aceita uma bebida?

Ela fechou os olhos. Talvez os lunáticos fossem atraídos para os lunáticos.

— Ainda não corri nua pelas ruas.

— Melhor assim. Eu precisaria pensar duas vezes se isso tivesse acontecido.

Porque ela começou a andar de um lado para outro, Nathan decidiu que tocá-la não era a melhor coisa a fazer naquele momento. Ele foi até a geladeira, para pegar a garrafa de vinho e abri-la.

— Isso significa que você foi abduzida por alienígenas... e se foi, é verdade que eles parecem com Ross Perot?

— Não consigo entendê-lo — murmurou Jo. — Não consigo entendê-lo nem um pouco. Passei duas semanas sob avaliação psiquiátrica. Não estava com a cabeça em ordem.

Ele serviu o vinho em dois copos.

— Parece que está muito bem agora — comentou Nathan, a voz gentil, entregando um dos copos.

— Você não sabe de nada. — Ela gesticulou com o copo antes de beber. — Estive a um passo de sofrer outro colapso hoje.

— Está se gabando ou se queixando?

— Fui fazer compras depois. — Jo virou-se, dando uma volta pela sala. — Não é um sinal de estabilidade cambalear à beira de um colapso emocional e depois sair para comprar lingerie.

— Que tipo de lingerie?

Os olhos contraídos, ela fitou-o com uma expressão furiosa.

— Estou tentando me explicar.

— E eu estou escutando. — Nathan resolveu correr o risco. Ergueu a mão para roçar os dedos pelo rosto dela. — Jo, pensou que eu reagiria ao ouvir isso me afastando de você e dizendo que fosse embora?

— Talvez... — Jo deixou escapar o ar retido nos pulmões. — Pensei.

Nathan beijou-a na testa, o que a deixou com os olhos ardendo.

— Então você é mesmo louca. Sente-se e me conte o que aconteceu.

— Não posso sentar.

— Está bem. — Ele encostou-se no balcão da cozinha. — Ficaremos em pé. O que aconteceu?

— Eu... foi... uma porção de coisas. Trabalho relacionado com estresse. Mas isso não me incomoda. Posso usar o estresse. Serve para manter a pessoa motivada, concentrada. Sempre aproveitei as pressões e prazos improrrogáveis. Gosto de ter meu tempo marcado, minha rotina determinada e cumprida. Quero saber quando tenho de me levantar pela manhã, o que farei em primeiro lugar, em segundo, por último.

— Ou seja, podemos dizer que a espontaneidade não é o seu forte.

— Um ato espontâneo e todo o resto muda. Como se pode manter o controle?

— Um ato espontâneo e a vida se torna uma surpresa, mais complicada, mas com freqüência mais interessante.

— Pode ser verdade, mas não estou à procura de uma vida interessante. — Jo virou-se. — Só queria uma vida normal. Meu mundo explodiu uma vez e nunca fui capaz de recolher os pedaços. Por isso, construí outro mundo. Tinha de fazê-lo.

Nathan ficou tenso, empertigou-se, o vinho que perdurava em sua língua pareceu azedar.

— Por causa de sua mãe?

— Não sei. Pelo menos em parte, deve ser. Foi o que os psiquiatras pensaram. Ela era mais ou menos da minha idade quando nos deixou. Eles acharam que esse fato era muito interessante. Eu repetia o ciclo ao abandonar a mim mesma?

Ela sacudiu a cabeça e tornou a ficar de costas para Nathan.

— Mas não foi apenas isso. Convivi com isso durante a maior parte de minha vida. E agüentava firme. Fazia minhas opções e seguia em frente, em linha reta, sem desvios. Gostava do que fazia, dos lugares para onde ia. Era satisfatório.

Como sabia que sua mão não se manteria firme, Nathan largou o copo no balcão.

— Jo Ellen, o que aconteceu antes, o que outras pessoas fizeram, não importa quem eram para nós, não pode destruir o que somos. O que temos. Não podemos deixar que isso aconteça.

Ela fechou os olhos, aliviada e acalmada pelas palavras.

— É o que digo a mim mesma. Todos os dias. Comecei a ter sonhos. Sempre tive sonhos muito intensos, mas esses me deixavam nervosa. Não dormia bem, não comia direito. Não posso me lembrar se isso começou antes ou depois que as primeiras fotos chegaram.

— Que fotos?

— Alguém começou a mandar fotos que tirava de mim. Apenas os olhos, a princípio. Apenas os olhos. — Jo passou a mão pelo braço, para se livrar do calafrio. — Era assustador. Tentei ignorar, mas a coisa não parou. Até que chegou um pacote, com dezenas de fotos minhas. Em casa, no trabalho, no supermercado. Em todos os lugares a que ia. Ele sempre estava por perto, vigiando-me.

A mão passou a esfregar o peito, devagar, por cima do coração disparado.

— E pensei ter visto... outra coisa. Mas era uma alucinação. Entrei em pânico. E sofri o colapso.

A raiva dominou Nathan, intensa, implacável.

— Algum desgraçado a persegue, atormenta, espreita por toda parte e você se culpa por perder o controle?

As mãos eram firmes agora quando ele as estendeu para pegar Jo e puxá-la.

— Não enfrentei isso.

— Pare com isso. Quanto alguém é capaz de enfrentar? Que filho-da-puta, submetendo-a a essa pressão! — Ele olhava por cima do ombro de Jo, desejando ter alguma coisa contra a qual lutar, alguém para esmurrar. — O que a polícia de Charlotte fez?

— Não apresentei queixa em Charlotte.

Jo arregalou os olhos quando ele recuou, num movimento brusco. E arregalou mais ainda quando viu a fúria nos olhos de Nathan.

— E por que não apresentou queixa? Vai deixá-lo escapar impune? Sem fazer nada?

— Eu tinha de escapar. Só queria sair de lá. Não podia enfrentar a situação. Mal conseguia pensar.

Quando percebeu que seus dedos apertavam os ombros dela, Nathan largou-a. Pegou seu copo e afastou-se alguns passos. Lembrou como ela parecia quando a vira pela primeira vez na ilha. Pálida, exausta, os olhos magoados e infelizes.

— Você precisava de um santuário.

A respiração de Jo saiu em três arrancos.

— Acho que sim. Mas descobri hoje que não havia encontrado. Ele esteve aqui. — Decidida, ela reprimiu um novo ataque de pânico. — Despachou de Savannah fotos que tirou de mim na ilha.

Um novo ímpeto de fúria dominou Nathan. Virou-se lentamente, recorrendo a toda a sua capacidade de controle.

— Neste caso, vamos descobri-lo. E detê-lo.

— Nem mesmo sei se ele continua na ilha. Se voltará, se... Não sei por que ele age assim, e isso é o pior de tudo. Mas estou enfrentando agora, lidando com o problema.

— E não precisa enfrentar sozinha. Você é importante para mim, Jo Ellen. Não deixarei que enfrente tudo sozinha.

— Talvez seja por isso que vim até aqui. Talvez seja por isso que senti necessidade de procurá-lo.

Nathan tornou a largar o copo de vinho, para poder pegar o rosto de Jo entre as mãos.

— Não deixarei que ninguém a machuque. Pode ter certeza.

Ela acreditou, com facilidade demais, com convicção demais. Tentou recuar.

— É bom saber que você está do meu lado, mas tenho de ser capaz de lidar com o problema.

— Não. — Ele baixou o rosto para beijá-la. — Não precisa fazer isso.

O coração de Jo começou a palpitar, num tipo diferente de pânico.

— A polícia disse...

— Procurou a polícia?

— Hoje. Eu... — Ela perdeu a linha de pensamento quando Nathan tornou a beijá-la. — Disseram que iam investigar, mas que não podiam fazer muita coisa, porque não fui ameaçada.

— Você se sente ameaçada. — Ele desceu as mãos para os ombros de Jo. — Isso é mais do que suficiente. Temos de fazer com que pare.

Nathan roçou os lábios pelo rosto, a têmpora e os cabelos dela, enquanto murmurava:

— Cuidarei de você.

As palavras giraram em sua mente conturbada, que se recusava a absorvê-las.

— Como?

Nathan duvidava que qualquer dos dois estivesse preparado para encarar o que ele descobrira subitamente. Precisava cuidar de Jo, afastar seus problemas, tranqüilizar seu coração. E precisava ter certeza de que suas ações não romperiam os tênues laços do relacionamento que começavam a se consolidar.

— Deixe o problema de lado por um momento. Tire uma noite para relaxar.

Ele passou os dedos para cima e para baixo da coluna de Jo, antes de recuar um passo para estudá-la.

— Nunca vi ninguém que precisasse tanto de um filé malpassado e um copo de vinho.

Jo compreendeu que ele estava lhe dando um tempo. O que era bom. O que era o melhor. Ela conseguiu sorrir.

— Parece uma boa perspectiva. Seria ótimo não ter de pensar a respeito de tudo isso durante uma hora.

— Muito bem. Começarei a preparar a carne, enquanto você pega as batatas fritas. E pode ter certeza de que vou entediá-la até as lágrimas falando sobre meu novo projeto.

— Pode tentar, mas não choro com facilidade. — Ela virou-se para o freezer, abriu-o, tornou a fechar. — Não gosto de sexo.

Nathan afastou-se um passo do microondas. Foi necessário tossir uma vez antes de poder fitá-la de novo.

— Como?

— Obviamente, isso é parte do pacote que estamos montando aqui.

Jo cruzou as mãos. Era melhor abordar o assunto antes, pensou ela. Mais prático. Especialmente agora que as palavras haviam sido enunciadas e não podiam ser retiradas.

Nathan decidiu que precisava tomar mais vinho. Pegou o copo e tomou um gole longo e lento.

— Você não gosta de sexo.

— Não detesto. — Jo separou as mãos para poder acenar. — Não é como coco.

— Coco...

— Detesto coco... o simples cheiro me causa repulsa. O sexo é mais como... não sei... flã.

— Sexo é como flã.

— Sou ambivalente em relação ao sexo.

— Ahn... Ou seja, pegar ou largar. Se encontra, tudo bem, mas por que se dar ao trabalho de procurar?

Os ombros de Jo relaxaram.

— É mais ou menos isso. Achei que era melhor lhe dizer antes, para que você não tenha grandes expectativas se formos para a cama.

Nathan passou a língua pelos dentes.

— Talvez você não tenha encontrado um flã bem preparado... em sua experiência.

Ela riu.

— É tudo a mesma coisa.

— Acho que não. — Nathan terminou de tomar o vinho e largou o copo vazio. Seus olhos passaram de divertidos para cautelosos quando se adiantou: — E me sinto obrigado a debater o assunto. Agora.

— Não foi um desafio, Nathan. Foi apenas... — As palavras ficaram presas na garganta quando ele a levantou. — Espere um instante.

— Participei da equipe de debates na escola.

Era mentira, mas ele pensou que era uma alegação boa demais para deixar escapar.

— Não falei que ia para a cama com você.

— Por que se importa? — Ele começou a levá-la pelo corredor. — Lembra que disse que era ambivalente?

Nathan largou-a na cama e deitou por cima, enquanto acrescentava:

— E um pouco de flã nunca fez mal a ninguém.

— Não quero...

— Quer sim. — Ele baixou o rosto, as bocas separadas apenas por um ou dois centímetros. — Eu também quero... e quero desde o início. Está num ânimo de franqueza esta noite, não é mesmo, Jo? Vai me dizer que não especula como pode ser... que não quer?

O corpo de Nathan era firme e quente, os olhos claros e diretos.

— Claro que especulo.

— Isso é suficiente.

Ele beijou-a. E o gosto desse beijo, a necessidade que aflorou de repente, intensa, afastou todas as preocupações da mente de Jo. Grata, sabendo que Nathan esperaria mais do que ela tinha a oferecer, Jo ergueu os braços para enlaçá-lo.

— Sua boca... — Ele roçou os dentes pelo maravilhoso lábio superior. — Ó Deus, sempre desejei essa boca... ela me deixa louco.

Jo teve vontade de rir... e quase riu. Mas depois a língua de Nathan se encontrou com a sua e um calor inesperado espalhou-se, para latejar entre suas pernas. Foi preciso apenas um gemido para que ele aprofundasse o beijo ainda mais.

Atordoada, Jo fechou os punhos nos cabelos dele. Nathan não a beijara assim antes. Nunca imaginara que a pressão de boca em boca pudesse causar mil ânsias, em mil lugares diferentes. As mãos de Nathan continuaram a emoldurar seu rosto, como se tudo o que ele quisesse se concentrasse ali.

Ela mexeu-se por baixo dele, um tremor, logo acompanhado pelos quadris erguendo-se. Nathan teve de afastar os lábios da boca de Jo e comprimi-los contra o pescoço para evitar que ambos se precipitassem. O cheiro de sua pele, uma fragrância de início da primavera, era um estimulante para seu corpo. E ele continuou a beijá-la no pescoço, atormentando a ambos, até que a pulsação sob sua língua disparou.

Começava a relaxá-la, a desatá-la, nó a nó. Momento a momento, o corpo de Jo soltava-se mais e mais, os sobressaltos e tremores interiores espalhavam-se, aumentavam de intensidade. Havia excitamento em não ser capaz de recuperar o fôlego, em não ter certeza sobre os rumos da boca de Nathan. Encantada, ela passou as mãos por seus ombros, desceu pelas costas, fascinada pela firmeza dos músculos.

Quando os lábios de Nathan voltaram aos seus, sôfregos, ela recebeu-os agradecida, exultante com os tremores nervosos que provocavam por todo o seu corpo. Tornou a arquear as costas, um pouco frustrada pelas barreiras que o impediam de possuí-la. A necessidade de liberação física era maior do que imaginara. Ele deu uma mordida de leve no lóbulo de sua orelha enquanto murmurava:

— Não vamos nos contentar com a ambivalência desta vez.

Nathan recuou, mantendo-se de pernas abertas sobre ela. Os últimos raios do sol entravam pela janela do lado oeste e pareciam incendiar o ar. Os cabelos de Jo eram como um halo em torno de seu rosto, com o vermelho profundo e esfumaçado das folhas de outono. Os olhos eram azuis como o céu no auge do verão, a pele exibia o tom rosa delicado da primavera.

Ele levantou a mão de Jo e beijou os dedos, um de cada vez.

— O que está fazendo?

— Saboreando-a. Sua mão treme e os olhos transbordam de nervosismo. Gosto disso. — Ele roçou os dentes pela articulação de um dedo. — É excitante.

— Não estou com medo.

— Sei que não está. Apenas sente-se confusa. — Ele baixou a mão e desabotoou o primeiro botão da blusa. — E é melhor assim. Não sabe qual será a próxima sensação que vai experimentar.

Depois de desabotoar todos os botões da blusa, ele abriu-a. E contemplou-a. Jo usava um sutiã azul elétrico, o brilho do cetim descendo além da suave elevação dos seios claros.

— Ora, ora... — Nathan sentiu uma contração no estômago, com a necessidade de devorá-la. Levantou os olhos para fitá-la. — Quem poderia imaginar?

— Não é meu... — Jo ficou consternada quando ele sorriu. — Isto é, só comprei e saí da loja usando para que Lexy parasse de me pressionar.

— Deus abençoe Lexy.

Gentilmente, observando o rosto de Jo, ele deslizou os polegares pela beira do cetim azul. Ela pestanejou, fechou os olhos.

— Você está se contendo. — Nathan deslizou os polegares uma fração mais baixo. — Não vou permitir. Quero ouvir você suspirar, Jo Ellen. Quero ouvir você gemer. E, depois, quero ouvir você gritar.

Jo abriu os olhos, mas prendeu a respiração quando ele roçou o polegar por seu mamilo.

— Ó Deus...

— Você esconde muita coisa, e não é apenas seu corpo deslumbrante. Esconde muita coisa de Jo Ellen. Quero ver tudo e terei tudo antes de acabarmos.

Ele soltou o colchete da frente do sutiã e contemplou os seios se soltarem. Baixou a cabeça para beijá-los.

Jo gemeu. Não demorou muito para que os sons se tornassem lamúrias rápidas e frenéticas. A ânsia era insuportável, irracional. Ela se mexia irrequieta por baixo dele para aliviá-la, mas só aumentava a vibração.

Puxou a camisa de Nathan e arrancou-a pela cabeça. Jogou-a para o lado, num movimento brusco, pois queria sentir sua pele quente. Sentia uma tempestade interior, que a projetava cada vez mais perto do ponto mais alto, para depois arrastá-la de volta para baixo, um instante antes da explosão.

A boca e as mãos de Nathan vagueavam por seu corpo todo agora, desafiando-a a acompanhar o ritmo, tornando impossível fazer qualquer outra coisa que não tatear às cegas. Ela se contorceu, tentou se desvencilhar. Em qualquer outro lugar havia ar, uma âncora em que podia se segurar.

Mas Nathan a mantinha acuada, prisioneira daquele prazer assustador. E não lhe dava outra opção a não ser suportar a violenta guerra de sensação batalhando contra sensação. Ele puxou a calça que Jo usava pelos quadris, deixando à mostra uma faixa de cetim azul. Desceu os lábios pela barriga lisa, a respiração ofegante confundindo-se com a respiração de Jo.

Ela não se ouviu suplicar, mas Nathan ouviu.

Só precisou deslizar um dedo por baixo do cetim, só precisou tocá-la para que ela explodisse.

O corpo de Jo se estremeceu, sacudido por ondas sucessivas de prazer. Ele comprimiu os lábios contra a barriga que tremia, seu próprio corpo estremecendo em resposta.

Graças a Deus, graças a Deus, foi tudo o que Jo conseguiu pensar, enquanto a tensão se dissipava. Seus músculos relaxaram e ela respirou fundo, ainda ofegante. Apenas para expelir todo o ar de novo, num grito abafado, quando os dedos hábeis e insistentes de Nathan provocaram novas ondas de prazer.

Ela pensava que isso era tudo? O sangue pulsou intensamente na cabeça, no coração, entre as pernas, no momento em que Nathan removeu a barreira final. Pensava que ele deixaria qualquer dos dois se contentar com menos do que a loucura agora? Ele ergueu os quadris de Jo e usou a língua para destruí-la por completo.

E ela gritou.

Estendeu os braços para trás, os dedos envolvendo as colunas pintadas da cabeceira da cama, apertando com toda força, como se assim pudesse impedir que seu corpo fosse arrebatado. Por trás das pálpebras fechadas, luzes vermelhas pulsavam sem parar; por baixo da pele, o sangue fervia perigosamente. E ela teve uma nova explosão, com mil fragmentos de seu corpo projetando-se em todas as direções.

No instante seguinte, as mãos de Nathan seguraram as suas nas colunas da cama. Ele penetrou-a, preencheu-a por completo, levando-a para outro orgasmo, em movimentos longos, lentos, deliberados. Mesmo quando a visão se tornou turva, ela ainda pôde ver os olhos de Nathan, em toda a sua intensidade, o cinza virando preto.

Desamparada, Jo acompanhou o ritmo dele, a respiração difícil quando os movimentos aceleraram. Seus quadris subiam e desciam enquanto ele arremetia cada vez mais depressa e mais impetuoso.

E quando Nathan beijou-a na boca, ela não foi capaz de fazer outra coisa senão se entregar. E quando seu corpo escapou por completo ao controle, ela não pôde fazer outra coisa senão se soltar.

E ele não pôde fazer outra coisa a não ser acompanhá-la.

JO NÃO SABIA SE DORMIRA. QUASE ESPECULOU SE SIMPLESmente não entrara em coma. Mas já estava escuro quando abriu os olhos. Ou era isso, pensou Jo, sem qualquer preocupação, ou ficara cega.

Ele estava deitado com a cabeça entre seus seios. Jo podia ouvir as batidas de seu coração, o suspiro do vento ao passar pela tela na janela. Nathan sentiu que ela se mexia e murmurou:

— Vou parar de esmagá-la em um segundo.

— Não tem importância. Quase posso respirar.

Os lábios de Nathan se contraíram quando ele roçou-os pelo lado do seio ao se afastar para o lado. Antes que Jo pudesse se mexer, ele passou um braço em torno de seu corpo e puxou-a.

— Flã coisa nenhuma...

Jo abriu a boca, certa de que faria algum comentário forçado, mas saiu apenas uma risada.

— Talvez eu tenha passado tempo demais sem sobremesa.

— Neste caso, vai querer uma repetição.

Jo aconchegou-se contra ele, sem pensar.

— Se tentarmos uma repetição, vamos matar um ao outro.

— Não vamos não. Primeiro, comeremos aqueles filés e você ficará um pouco embriagada. O que era meu plano original, diga-se de passagem. E depois voltaremos à sobremesa.

— Planejava me deixar de porre?

— Era uma das minhas idéias. Outra era subir pela treliça até sua sacada. Um roteiro romântico de capa e espada.

— Teria quebrado o pescoço.

— Não. Brian e eu costumávamos subir por ali como macacos.

— Só que tinha dez anos na ocasião. — Jo ergueu-se, apoiada num cotovelo. Sacudiu os cabelos para trás. — Está quarenta quilos mais pesado e duvido que tenha a mesma agilidade.

— Este não é o momento apropriado para questionar minha agilidade.

Ela sorriu e baixou a testa contra a dele.

— Tem toda razão. Talvez você me surpreenda uma noite dessas.

— É bem possível. Mas agora... — Ele deu um puxão de leve nos cabelos de Jo antes de sentar na cama. — Vou preparar seu jantar.

— Nathan... — Jo passou a mão pela colcha amarrotada, enquanto ele pegava seus jeans. — Por que está se dando a tanto trabalho por mim?

Ele não disse nada por um momento. Não podia ter certeza de seus atos, nem de suas palavras. Depois de vestir os jeans, contemplou a silhueta de Jo no escuro.

— Só tive de vê-la de novo, Jo Ellen. Isso foi tudo o que era preciso. Deixou-me completamente sem fôlego... e ainda não consegui me recuperar.

— Sou uma terrível confusão, Nathan. — Jo engoliu em seco e sentiu-se grata porque ele não podia ver seu rosto no escuro. O anseio que irrompera dentro dela devia transparecer. — Não sei o que penso ou sinto sobre qualquer coisa. Sobre qualquer pessoa. É melhor se afastar de mim.

— Segui pelo caminho mais fácil algumas vezes. Acabou se tornando uma chatice. E até agora você tem sido qualquer coisa, menos uma chatice.

— Nathan...

— Está perdendo seu tempo ao argumentar comigo, enquanto senta nua em minha cama.

Ela passou a mão pelos cabelos.

— Bom argumento. Discutiremos mais tarde.

— Combinado. Vou pôr mais carvão na grelha.

E como planejava tê-la de novo nua e na cama antes de a noite terminar, Nathan refletiu que não teriam muito tempo para discutir.

Capítulo Vinte e Um

— Fique.

Nathan passou os braços pela cintura de Jo e deu um beijo em sua nuca. Ela ainda tinha os cabelos úmidos do banho de chuveiro que haviam partilhado. O cheiro de sabonete em sua pele deixou-o excitado mais uma vez.

— Farei o café da manhã para você — acrescentou ele.

Jo passou um braço pelo pescoço dele. Sentia-se espantada pela facilidade da intimidade.

— Não precisa fazer nada.

— Tenho pão em casa. — Ele a virou, para poder se deliciar na curva maravilhosa do seu pescoço e ombro. — E sei fazer uma torrada espetacular. Sou famoso por minha torrada.

— Por mais apetitoso que pareça... Nathan... — Com um som que se situava entre uma risada e um gemido, ela tentou se desvencilhar das mãos que vagueavam por seu corpo. — Assim vamos acabar matando um ao outro... e tenho de voltar.

— Só passaram alguns minutos da meia-noite.

— Já passa de uma hora.

— Neste caso, já é praticamente de manhã e você pode ficar.

Jo queria ficar. Quando ele a beijou, persuasivo, sentiu uma vontade ainda maior.

— Tenho coisas para fazer em casa. E preciso compensar Brian pelos problemas que lhe causei esta noite.

Ela estendeu as mãos para o rosto de Nathan. Gostou da sensação que experimentou. Maxilar, queixo, o princípio de barba. Alguma vez explorara o rosto de um homem daquela maneira? Ou tivera vontade?

— E tenho de pensar. — Finalmente, ela se afastou. — Sou uma pensadora, Nathan. Uma planejadora. Este é um território novo para mim.

Ele esfregou um polegar sobre a linha que se formava entre as sobrancelhas.

— Vai me obrigar a mudar de direção em relação a você.

Jo sentiu um princípio de nervosismo.

— Neste caso, terei de permanecer um passo à frente. Mas agora preciso voltar para casa.

Nathan compreendeu que essa decisão era irrevogável. Forçou-se a reajustar a imagem agradável de acordar pela manhã ao lado de Jo.

— Vou levá-la.

— Não precisa...

— Jo, você não vai voltar sozinha na escuridão — declarou ele, a voz calma e decidida, pondo as mãos em seus ombros.

— Não tenho medo. Não vou mais sentir medo.

— Melhor para você. Mesmo assim, vou levá-la em casa. Ou podemos discutir o assunto no quarto... e eu a levarei em casa pela manhã. Seu pai tem alguma arma?

Jo riu. Empurrou os cabelos para trás.

— É bastante improvável que ele dê um tiro em você por ter me levado para a cama.

— Mas, se ele der, conto com você para cuidar do ferimento.

Nathan pegou as chaves em cima do balcão.

— Sou uma sulista — disse ela ao se encaminharem para a porta. — Posso até arrumar uma anágua para rasgar em pedaços e fazer ataduras.

— Quase valeria a pena levar um tiro por isso.

Ao entrarem no Jeep, Jo perguntou:

— Já levou um tiro alguma vez?

— Não. — Ele sentou ao volante e ligou o motor. — Mas arranquei as amígdalas. Poderia ser pior do que isso?

— Eu diria que muito pior.

Jo esticou as pernas, recostou-se no banco e fechou os olhos. Sentia-se cansada, mas de uma maneira agradável, os músculos relaxados, a mente despreocupada. O ar era suave em sua pele.

— As noites são melhores na ilha quando o silêncio ressoa em seus ouvidos e não há mais ninguém acordado — murmurou ela. — Pode-se sentir a fragrância das árvores e a maresia. As ondas são um sussurro ao fundo, como uma pulsação.

— A pessoa pode estar sozinha e não se sentir solitária.

— É verdade. Quando eu era pequena, costumava imaginar como seria ficar completamente sozinha, ter a ilha só para mim durante alguns dias. Seria tudo só meu, por onde quer que andasse, para onde olhasse. Mas depois sonhei com isso e senti medo. No sonho, não parava de correr, através da casa, pela floresta, pela praia. Queria encontrar alguém, qualquer pessoa, para ficar comigo. Mas estava absolutamente sozinha. Acordava chorando e chamando papai.

— Agora tira fotos da solidão.

— Acho que sim. — Jo deixou escapar um suspiro e abriu os olhos. E ali, através da escuridão, avistou uma luz. — Kate deixou uma luz acesa para mim.

Era confortador aquele brilho do lar. Ela observou-o oscilar entre as árvores, prevalecer sobre as sombras. Houvera um tempo em que fugira daquela luz e outro em que correra em sua direção. Esperava que agora chegasse um tempo em que poderia seguir em qualquer direção sem medo.

Ao se aproximarem do final do caminho, ela viu alguém se erguer do balanço na varanda. Sentiu uma pontada de dor no estômago, antes que Nathan pusesse a mão sobre a sua.

— Fique aqui. E tranque as portas.

— Não. Eu... — Ela deixou escapar um suspiro trêmulo. — É Brian.

Jo sentiu-se uma tola pelo imenso alívio que a envolveu. Nathan acenou com a cabeça, também reconhecendo Brian quando ele se adiantou para ficar sob a luz acesa na varanda.

— Vamos saltar — disse ele.

— Não. — Jo apertou a mão que cobria a sua. — Não vamos complicar a situação. Se ele quiser brigar comigo, eu mereço. Não quero que os dois fiquem se olhando furiosos, tentando conciliar o fato de que você é um amigo, mas levou sua irmã para a cama.

— Ele não parece estar armado.

O comentário a fez rir, como era a intenção.

— Volte para casa. — Jo virou-se e descobriu que era muito fácil inclinar-se e dar um beijo de leve nos lábios de Nathan. — Deixe Brian e eu cuidarmos das desavenças de família. Somos polidos demais para falarmos com franqueza na sua presença.

— Quero vê-la amanhã.

Ela abriu a porta do Jeep.

— Venha para o café da manhã... a menos que prefira comer sua torrada de fama internacional.

— Estarei aqui.

Jo encaminhou-se para a varanda. Esperou até ouvir o Jeep dar marcha à ré antes de subir os degraus.

— Boa-noite — disse ela para Brian, friamente. — Uma noite agradável para sentar na varanda.

O irmão fitou-a em silêncio por um momento, depois avançou tão depressa que ela quase gritou. Os braços envolveram-na e apertaram com força.

— Lamento muito... mas muito mesmo...

Aturdida, incapaz de falar, Jo começou a afagar as costas do irmão. Mas soltou um grito estridente quando ele a sacudiu.

— Mas a culpa é sua... típico de Jo Ellen...

— O quê? — O insulto em cima da surpresa, Jo empurrou-o. — Mas do que está falando? E pare de me agarrar!

— Eu deveria dar umas palmadas em você para deixá-la uma semana sem poder sentar! Por que não contou a ninguém o que estava acontecendo? Por que não me disse que estava com problemas?

— Se não me largar agora...

— Nada disso. Você seguiria seu caminho sozinha como sempre fez até hoje, empurrando as pessoas para o lado...

Brian parou de falar com um grunhido quando a irmã acertou um soco em sua barriga. Foi um golpe rápido e bastante eficiente para pegá-lo desprevenido. Ele baixou as mãos e fitou-a com os olhos contraídos.

— Isso também não mudou. Seu soco sempre foi poderoso.

— Teve sorte de eu não acertar essa carinha bonita. — Ela esfregou as mãos nos braços, onde os dedos do irmão haviam-na apertado. Não queria ficar com marcas. — Obviamente, você não se encontra em condições de manter uma conversa racional e civilizada. Por isso, vou subir para dormir.

— Dê um passo na direção da porta e levará as palmadas que prometi.

Ela ergueu-se na ponta dos pés para fitá-lo nos olhos.

— Não me ameace, Brian Hathaway.

— Não me provoque, Jo Ellen. Estou sentado aqui há mais de duas horas, na maior preocupação. Não sinto a menor disposição para aturar seus desafios.

— Eu estava com Nathan, que você conheceu muito bem. F não há motivo para se preocupar com minha vida sexual.

Brian rangeu os dentes.

— Não quero saber nada sobre isso. Não quero nem pensar a respeito. Não estou falando sobre você e Nathan sendo... Não estou falando sobre isso.

Jo mordeu a parte interna da bochecha para não sorrir. Se soubesse que era tão fácil deixar o irmão confuso e atordoado, já estaria usando aquele método há muitos anos.

— Neste caso... — Satisfeita com o pequeno triunfo, Jo foi sentar no balanço na varanda. Inclinou a cabeça para o lado, enquanto pegava um cigarro. — Sobre o que você quer ouvir, pensar e conversar, Brian?

— Não deveria tentar o papel da grande beldade sulista, Jo. Não combina com você.

Ela acendeu o isqueiro.

— Já é tarde e estou cansada. Se tem alguma coisa a dizer, diga logo, para que eu possa ir dormir.

— Não deveria ter enfrentado tudo sozinha. — A voz era suave, o que atraiu a atenção de Jo. — Não precisaria ficar no hospital sozinha. E quero que saiba que a decisão de fazer isso foi sua.

Jo deu uma tragada lenta.

— Isso mesmo, a decisão foi minha. Porque o problema era meu.

— Tem toda razão, Jo. — Ele deu um passo à frente. Enganchou os dedos nos bolsos dos jeans, para evitar que as mãos se contraíssem em punhos. — Seus problemas, seus triunfos, sua vida. Você nunca admitiu partilhar qualquer dessas coisas. Por que agora seria diferente?

Ela sentiu um frio no estômago.

— O que você poderia ter feito?

— Poderia ter estado lá. E teria ido. O que a deixa surpresa, não é mesmo? — Brian fez a indagação antes que a irmã baixasse os olhos. — Não me importo quão desunida seja esta família, você não teria passado por tudo sozinha. E não vai enfrentar o resto sozinha.

— Estive na polícia.

— Não estou falando apenas sobre isso, embora qualquer pessoa com cérebro de minhoca teria procurado a polícia em Charlotte, quando tudo isso começou.

Ela bateu a cinza do cigarro e deu outra tragada.

— Terá de tomar uma decisão, Brian, se quer me envergonhar ou me insultar.

— Posso fazer as duas coisas.

Irritada, Jo jogou o cigarro longe. Observou a brasa voar pela escuridão até desaparecer.

— Vim para casa, não é?

— Isso pelo menos foi meio sensato. Mas voltou com a aparência de alguma coisa arrastada por dez quilômetros de uma estrada toda esburacada. E mesmo assim não contou a ninguém qual era o problema. Exceto a Kirby. Contou a ela quando a levei até lá, não é? — Os olhos de Brian faiscaram. — Terei uma conversinha com ela.

— Deixe-a em paz. Falei sobre o colapso, mais nada. É um problema médico, e ela não tem obrigação de contar ao namorado o histórico médico dos pacientes.

— Contou a Nathan.

— Contei esta noite... e contei tudo porque achei que era certo e justo.

Exausta agora, Jo esfregou a testa. Uma coruja piava, monótona, em algum lugar da escuridão. Ela desejou encontrar sua árvore, subir pelos galhos e encolher-se lá no alto, em paz.

— Quer que eu relate tudo de novo, Brian? Quer saber todos os pequenos detalhes?

— Não. — Ele deixou escapar um suspiro e sentou ao lado de Jo. — Não, não precisa contar tudo de novo. Acho que teria me falado antes se o nosso relacionamento não fosse tão precário. Pensei muito a respeito enquanto estava sentado aqui, acumulando fúria contra você.

— Não deve ter demorado para chegar ao máximo. Já estava com raiva de mim antes. Expulsou-me de casa.

Ele soltou uma risada rouca.

— A culpa é sua por ter deixado. Afinal, a casa é sua também.

— É sua casa, Brian. Sempre foi mais sua do que nossa. — A voz de Jo era gentil, com uma aceitação tranqüila. — É você quem mais se importa, quem mais cuida.

— Isso a incomoda?

— Não... isto é, talvez um pouco. Mas, acima de tudo, é um alívio para mim. Não preciso me preocupar se haverá um vazamento no telhado, pois sei que você cuidará de tudo.

Ela inclinou a cabeça para trás e olhou para o teto da varanda, pintado de branco. Contemplou o jardim iluminado pelo luar. Os sinos de vento tilintavam, o chafariz estava silencioso pela noite, a brisa trazia a fragrância de rosas.

— Não quero viver aqui — acrescentou Jo. — Durante muito tempo, pensei que nem queria vir mais para cá. Mas estava enganada. Quero visitar Sanctuary. Tudo aqui significa mais para mim do que me permitia acreditar. Quero saber que posso voltar de vez em quando. Posso sentar aqui numa noite quente e clara como esta, sentir o perfume das ervilhas-de-cheiro, dos jasmins, das rosas de mamãe. Lexy e eu nao podemos permanecer aqui, como você. Mas acho que ambas precisamos saber que Sanctuary continua no alto da colina, como sempre, e que ninguém vai trancar a porta para impedir nossa entrada.

— Ninguém jamais faria isso.

— Sonhei que as portas estavam trancadas e que eu não conseguia entrar. Ninguém veio quando chamei. Todas as janelas estavam escuras e vazias. — Jo fechou os olhos, querendo reconstituir tudo em sua mente, querendo ter certeza de que agora poderia enfrentar. — Eu me perdi na floresta. Estava sozinha, assustada, não conseguia encontrar o caminho. E de repente me vi parada no outro lado do rio. Só que não era eu. Era mamãe.

— Você sempre teve sonhos estranhos.

— Talvez eu sempre tenha sido louca. — Jo deu um pequeno sorriso. Correu os olhos pela noite. — Pareço com ela, Brian. Às vezes tenho um sobressalto quando vejo meu rosto no espelho. No final, foi isso que me fez cair no abismo. Quando as fotos chegaram, todas aquelas fotos minhas, pensei que uma era de mamãe. Só que ela estava morta. Nua, os olhos abertos, vazios, sem vida, como os de uma boneca. Eu era igual a ela.

— Jo...

— Mas a foto não estava ali. Nem sequer existia. Apenas imaginei. Sempre detestei ver fotos que tiram de mim, porque a vejo nelas.

— Você pode parecer com ela, Jo, mas não é igual a ela. Você acaba o que começa, sempre persiste.

— Fugi daqui.

— Saiu daqui — corrigiu Brian. — Saiu para ter sua própria vida. É diferente de deixar uma vida que já começara e todas as pessoas que precisavam de você. Você não é Annabelle.

Ele estendeu o braço pelos ombros da irmã e deixou que o balanço se movimentasse, enquanto acrescentava:

— E é apenas tão louca quanto o resto das pessoas nesta casa.

Jo riu.

— O que é confortador, não é?

JÁ ERA TARDE QUANDO SUSAN PETERS SAIU DO CHALÉ ALUGADO e encaminhou-se para a enseada. Tivera uma briga terrível com o marido, obrigada a falar em voz baixa para não perturbar o casal que havia alugado o chalé por uma semana.

O homem era um idiota, decidiu ela. Não podia imaginar por que casara com ele, muito menos por que permanecera casada durante três anos... sem falar nos dois anos em que haviam vivido juntos antes de legalizarem a união.

Cada vez que ela sequer mencionava a possibilidade de comprarem uma casa, ele ficava de cara amarrada. E desatava a falar sobre entrada, pagamentos de hipoteca, impostos, despesas de manutenção... dinheiro, dinheiro, dinheiro. Mas para que os dois trabalhavam tanto? Deveriam passar o resto da vida naquele apartamento em Atlanta?

Que se danasse o que era mais conveniente, pensou ela, sacudindo os cabelos castanhos curtos. Queria um quintal, um jardim, uma cozinha em que pudesse preparar os pratos de gourmet que aprendera no curso de culinária.

Mas tudo o que conseguia arrancar de Tom era a promessa de um dia... um dia... Mas quando esse dia chegaria?

Irritada, ela desceu para a praia. Tirou os sapatos, a fim de poder enfiar os dedos na areia. Olhou para o mar tranqüilo, as ondas que arremetiam contra o casco do pequeno barco com motor de popa que haviam alugado.

Tom não se incomodava em gastar dinheiro com um barco estúpido, a fim de poder pescar todos os dias da permanência em Desire.

Já tinham dinheiro suficiente para a entrada. Ela sentou na areia. Apoiou um cotovelo no joelho e contemplou a lua, de cara amarrada. Fizera uma pesquisa sobre financiamento, pagamentos de hipoteca, taxas de juros. Queria comprar aquela casinha fascinante na Peach Blossom Lane.

Claro que ficaria um pouco apertado durante dois ou três anos, mas poderiam sobreviver. Tinha certeza de que o marido concordaria quando tomara a iniciativa de conversar a respeito, comprar uma casa financiada para romper o ciclo do pagamento de aluguel todos os meses.

Sentia-se angustiada porque Mary Alice e Jim estavam prestes a fechar negócio com uma linda casinha num condomínio. Com uma magnólia na frente e um pequeno pátio junto da cozinha.

Ela suspirou e desejou ter esperado voltarem para casa antes de conversar com Tom. Teria sido mais sensato. Sabia como o momento oportuno era importante quando lidava com o marido. Mas sentia-se tão transtornada que não fora capaz de se conter.

Quando voltassem para Atlanta, Tom visitaria a casa na Peach Blossom nem que tivesse de arrastá-lo pela orelha. Quando ouviu os passos por trás, ela continuou a olhar direto para a frente.

— Não adianta vir até aqui para tentar fazer as pazes, Tom Peters. Ainda estou furiosa com você. E talvez nunca mais deixe de me sentir assim.

Irritada por ele se manter calado, em vez de tentar dissuadi-la, ela passou os braços em torno dos joelhos.

— Pode voltar e descobrir o saldo de sua conta bancária, já que dinheiro é a única coisa em que você pensa. Não tenho mais nada a lhe dizer.

Quando o silêncio se prolongou, ela rangeu os dentes e virou a cabeça.

— Escute aqui, Tom... Oh! — O embaraço deixou suas faces vermelhas, quando deparou com o rosto de um estranho. — Desculpe. Pensei que era outra pessoa.

Ele sorriu, encantador, com um brilho divertido nos olhos.

— Não tem problema. Também vou pensar em você como outra pessoa.

O estranho a golpeou no mesmo instante em que um princípio de alarme fez um grito subir pela garganta da mulher.

Não seria perfeito, pensou ele, estudando-a, desacordada, a seus pés. Não planejara aquela sessão de prática improvisada. Não conseguira dormir, a mente povoada por Jo. E sentia naquela noite uma necessidade sexual inesperadamente intensa.

Estava muito aborrecido com ela. E isso fazia com que a desejasse ainda mais.

Encontrara a morena bonita na praia, sozinha, sentada perto da água, como uma dádiva, sob o luar.

Um homem sensato tinha um princípio: a cavalo dado não se olham os dentes. Era isso mesmo, pensou ele, rindo, enquanto a suspendia pelos braços. Era melhor se afastarem um pouco. Afinal, o cara chamado Tom — quem quer que fosse — podia descer até a enseada.

A mulher era uma carga leve e ele não se importou com o exercício. Assoviava baixinho enquanto a carregava pela praia e através de uma passagem nas dunas. Como precisaria do luar, parou à beira da floresta. Era um cenário pitoresco, com o luar prateando as moitas, pensou ele, enquanto a estendia no chão.

E estava deserto.

Ele usou seu cinto para amarrar as mãos da mulher e um dos lenços de seda com que sempre andava para amordaçá-la. Despiu-a primeiro, satisfeito em descobrir que seu corpo era esguio e atlético. Ela gemeu um pouco enquanto ele tirava os próprios jeans.

— Não se preocupe, querida. Está muito bonita, muito sensual. E o luar parece torná-la ainda mais atraente.

Ele pegou a câmera — a Pentax de lente sem reflexo que preferia para retratos — satisfeito porque a carregara com um filme de exposição lenta. Queria os menores detalhes agora, a maior definição. Provavelmente teria de usar alguns recursos no laboratório para obter os contrastes e texturas que desejava.

Aguardaria ansioso por esse momento, a oportunidade de aperfeiçoar as cópias.

Outra vez assoviando baixinho, ele ajustou o flash e tirou três fotos antes que as pálpebras da mulher se agitassem.

— Assim é melhor. Quero você acordada agora. Um lento despertar. Alguns closes desse rostinho bonito. Os olhos são a melhor coisa. Sempre são.

Ele ficou ainda mais excitado e duro quando os olhos se abriram, turvos da dor e confusão.

— Lindo, lindo... Olhe para mim agora, meu bem. Assim é que eu gosto. Focalize.

Exultante, ele captou a compreensão e o medo. Largou a câmera quando ela começou a se mexer. Os movimentos deixariam as fotos tremidas e não tinha um filme de reserva de velocidade maior. Ainda sorrindo, ele pegou a arma, que deixara em cima de seus jeans, dobrados com todo cuidado. Mostrou para a mulher.

— Não quero que se mexa. Quero que permaneça imóvel, absolutamente imóvel, e faça tudo que eu mandar. A última coisa que eu quero fazer é usar esta arma. Compreende isso, não é?

As lágrimas afloraram aos olhos da mulher e começaram a escorrer. Mas ela acenou com a cabeça. O terror borbulhava em seu cérebro. Embora tentasse permanecer imóvel, os tremores sacudiam seu corpo.

— Só vou fotografá-la. É uma sessão de fotos. E uma mulher tão bonita quanto você não precisa ter medo de ser fotografada.

Ele trocou a arma pela câmera e sorriu, cativante.

— Explicarei agora o que quero que você faça. Dobre os joelhos. Isso mesmo. E vire o corpo para o lado esquerdo. Tem um corpo adorável. Por que não mostrá-lo nos melhores ângulos possíveis?

Ela fez o que o homem mandava. Virou os olhos para a arma. O cromado brilhava. Ele só queria tirar algumas fotos, disse a si mesma, enquanto estremecia, com dificuldade para respirar. E a deixaria em paz depois. Iria embora. Não a machucaria.

O terror aumentou nos olhos da mulher, tornou a pele leitosa. Ele sentiu que sua pulsação acelerava, as mãos tremiam, uma indicação de que não podia mais esperar pelo próximo estágio.

O coração batia forte quando largou a câmera com todo cuidado em cima de sua camisa. Gentilmente, pôs a mão no pescoço da mulher e fitou-a nos olhos.

— Você é linda — murmurou ele. — E está desamparada. Sabe disso, não é? Não há nada que possa fazer. Eu tenho o controle. Eu tenho todo o poder. Não tenho?

Ela sacudiu a cabeça em concordância, os soluços abafados pela seda. Quando a mão fechou sobre o seio e apertou, ela gemeu uma súplica e sacudiu a cabeça em desespero. Fincou os calcanhares na areia, na tentativa de escapar. Ele montou nela.

— Não vai adiantar. — Ele estremeceu quando a mulher arqueou o corpo e contorceu-se. — Quanto mais você resistir, mais eu gosto. Tente gritar.

Ele tornou a apertar os seios. Baixou a cabeça para mordê-los.

— Grite, sua filha-da-puta! Grite!

Um som áspero e agudo saiu da mulher, queimando sua garganta. Cada vez mais desesperada, ela fez um esforço para remover a mordaça usando os dentes, a língua, os lábios.

Ele abriu as coxas da mulher, machucando-a deliberadamente. E pensou em Jo enquanto a estuprava. Pensou nas pernas compridas de Jo Ellen. Na boca sensual de Jo Ellen. Nos olhos azuis de Jo Ellen, enquanto arremetia contra sua substituta com uma violência suada.

O orgasmo foi intenso, trazendo lágrimas de surpresa e triunfo a seus olhos. Muito melhor do que o último, pensou ele. Distraído, fechou a mão no pescoço da mulher e apertou, só até ela parar de se debater.

Escolhera bem desta vez, pensou ele, enquanto o orgasmo se transformava em doçura. Encontrara seu anjo na prática. A brisa esfriava a pele úmida quando se levantou para pegar a câmera.

Recordou como o processo fora delineado em seu diário e lembrou a si mesmo para não apenas repetir, mas também melhorar.

— Posso estuprá-la de novo ou posso não fazê-lo. — Ele sorriu, rugas atraentes formando-se nos cantos dos olhos e da boca. — Posso machucá-la ou posso não fazê-lo. Tudo vai depender de seu comportamento. Agora, meu anjo, fique quieta e pense a respeito.

Satisfeito porque ela ficou quieta por um momento, ele trocou a lente. As pupilas eram enormes luas pretas, com apenas uma faixa estreita de castanho-claro a contorná-las. A respiração era curta e superficial. Ele assoviava, contente, ao pôr um novo filme na câmera. Bateu todas as chapas do segundo filme antes de estuprá-la outra vez.

E decidira que a machucaria. Afinal, a opção, a disposição, o controle, todo o poder estava em suas mãos.

Ela parou de resistir. Em tudo, exceto no sentido físico, não se encontrava mais ali. O corpo, dormente, pertencia a outra pessoa. Em sua mente, estava sã e salva, com Tom, sentados juntos no pátio da linda casa que haviam acabado de comprar, na Peach Blossom Lane.

Mal sentiu quando o homem tirou a mordaça. Conseguiu soltar um soluço contido. Fez um esforço patético para encher os pulmões com ar suficiente para gritar.

— Sabe que é tarde demais para isso agora. — Ele falou gentilmente, quase afetuoso, enquanto passava o lenço de seda em torno de seu pescoço. — Você será meu anjo agora.

Ele apertou o lenço devagar, querendo prolongar o momento. Observou-a abrir a boca, num esforço para respirar. Sua cabeça batia na areia, o corpo se contorcia.

A respiração do homem tornou-se ofegante, o poder fazendo sua cabeça vibrar, acelerando a circulação. Perdeu a noção das vezes em que parou, deixou-a recuperar a consciência, antes de levá-la de novo à beira do precipício. Apontaria a câmera várias vezes. Não apenas um momento decisivo, mas vários. O medo da morte, a aceitação, o vislumbre de esperança, enquanto a vida voltava. E a rendição quando começava a se extinguir de novo.

Ele lamentou a falta do tripé e do controle remoto.

Até que finalmente perdeu o controle e acabou com tudo.

A respiração entrecortada, murmurou palavras de carinho, beijou-a agradecido. Ela lhe mostrara um novo nível, aquele anjo inesperado que o destino lançara em seu caminho. Tinha de acontecer, é claro. Ele compreendia isso agora. Tinha mais para aprender antes de ir ao encontro de seu destino com Jo. Muito mais.

Ele removeu o lenço, dobrou-o e ajeitou-o reverente em cima da arma. Levou algum tempo para ajustar a pose da mulher, ajeitar as mãos, depois de soltá-las. As marcas nos pulsos perturbaram-no um pouco, até que enfiou as mãos por baixo da cabeça, como um travesseiro.

Pensou que daria àquela foto o título de *Dádiva de um Anjo.*

Vestiu-se e fez uma trouxa com as roupas da mulher. Decidiu que o pântano ficava muito longe. O que os aligátores e outros predadores haviam deixado do corpo de Ginny já se encontrava lá no fundo. Não tinha tempo nem energia para ir de novo até lá.

Havia lugares convenientemente profundos no rio, o que seria suficiente. Ele a levaria para seu lugar de repouso final, prenderia um peso no corpo e jogaria na água.

E depois, ele resolveu, com um bocejo profundo, daria a noite por encerrada.

Capítulo Vinte e Dois

Quando Giff saiu do quarto de Lexy e desceu pela escada dos fundos, o céu estava perolado pelo amanhecer. Sua intenção fora a de ir embora antes de o sol nascer. Mas também, pensou ele, com um sorriso satisfeito, Lexy tinha um jeito todo especial de persuadir um homem a ficar.

Lexy precisara dele. Primeiro, para descarregar sua raiva de Brian; depois, para falar sobre os problemas da irmã. Podiam conversar sobre essas coisas — e muitas outras — no quarto de Lexy, as vozes abafadas pelos segredos.

Essa facilidade para conversar, refletiu Giff, era uma das vantagens de estar apaixonado por alguém que você conhecia desde a infância.

Havia também o choque elétrico, a explosão inesperada de surpresa à medida que você passava a conhecer essa pessoa familiar nos níveis mais íntimos. Claro que não era nem um pouco difícil estudar Lexy nesses outros níveis. Sua aparência, na pequena camisola de seda que comprara em Savannah, era suficiente para fazer um homem forte cair de joelhos e louvar a Deus pela idéia extraordinária de criar Eva.

Tirar aquela camisola transparente também não fora um problema. Na verdade, ele decidira que compraria outra camisola assim, quando a levasse a Savannah no sábado, só para poder...

A imagem erótica de Lexy na seda creme desapareceu de repente quando ele deparou-se com Sam Hathaway na cozinha. Era difícil determinar quem ficou mais desconcertado, se o namorado de Lexy, com os cabelos ainda despenteados do sexo e do sono, ou o pai dela, tendo na mão uma tigela com flocos de milho.

Os dois tossiram, contrafeitos.

— Sr. Hathaway...

— Giff...

— Eu... ahn... estava...

— Cuidando daquele cano com problema lá em cima.

Era uma saída, oferecida com a mesma ansiedade com que quase foi aceita. Mas Giff ergueu os ombros e disse a si mesmo que não podia seguir o caminho do covarde. Fitou Sam nos olhos.

— Não, senhor.

Aflito, Sam pôs a tigela na mesa e despejou leite no cereal.

— Neste caso...

Foi a única coisa que ele pôde pensar em dizer.

— Sr. Hathaway, não quero que pense que estou saindo furtivamente de sua casa.

O que era exatamente o que fazia, admitiu Giff para si mesmo.

— Você entra e sai de Sanctuary à vontade desde que aprendeu a andar. — Deixe por aí, rapaz, suplicou Sam, em silêncio. Deixe como está e vá em frente. — É bem-vindo aqui quando quiser aparecer. Sempre foi.

— Já apareço aqui há muitos anos, Sr. Hathaway. E na maior parte do tempo fui... Acho que sabe como me sinto em relação a Lexy. Como sempre me senti.

O cereal ficaria empapado, pensou Sam, desolado.

— Creio que não perdeu o sentimento, como todo mundo pensava que aconteceria.

— Não, senhor. Eu diria até que aumentou. Eu a amo, Sr. Hathaway. Meus sentimentos por ela são antigos e firmes. O senhor me conhece e conhece minha família. Não sou um irresponsável. Tenho algumas economias guardadas. Posso ganhar a vida com as mãos, com meu trabalho honesto.

— Não duvido. — Sam franziu o rosto. Mal tomara a primeira xícara de café, mas sua mente já estava bastante lúcida para perceber o rumo da conversa. — Giff, se pede permissão para... visitar minha filha, tenho a impressão de que já abriu essa porta em particular, entrou e ficou à vontade.

Giff corou. Torceu para que o ato de engolir em seco não fosse audível.

— Tem razão, senhor. Não posso negar essa verdade. Mas não queria falar sobre essa porta em particular, Sr. Hathaway.

— Ahn... — Sam abriu uma gaveta para pegar uma colher, torcendo para que Giff percebesse a dica e fosse embora, antes que a situação se tornasse ainda mais constrangedora. Mas largou a colher de repente, com algum estrépito, aturdido. — Essa não! Está falando em casar com ela?

Giff ergueu o queixo, os olhos faiscaram.

— Vou casar com Lexy, Sr. Hathaway. Gostaria de ter sua bênção, mas casarei de qualquer maneira.

Sam sacudiu a cabeça, esfregou os olhos. A vida sempre se recusava a ser simples, pensou ele. Um homem seguia em frente, cuidando apenas do que lhe interessava, querendo que os outros fizessem a mesma coisa em troca, mas a vida insistia em jogar tachinhas na frente de seus pés descalços.

— Se quer casar com ela, rapaz, não ficarei no seu caminho. Não poderia, mesmo que plantasse as botas no concreto. Vocês dois são maiores de idade e devem ter o bom senso de saber o que querem. — Sam baixou as mãos. — Mas acho que devo lhe dizer uma coisa, Giff, já que sempre gostei de você. Vai enfrentar muita encrenca pela frente. Terá sorte se experimentar um momento de paz desde o momento em que disser sim até seu último suspiro.

— A paz não é uma das minhas prioridades.

— Ela vai consumir todo o dinheiro que você ganhar e não terá a menor idéia de onde foi gasto.

— Lexy não é tão insensata quanto pensa. E sempre posso ganhar mais dinheiro.

— Não vou desperdiçar meu fôlego tentando dissuadi-lo de uma coisa que já decidiu.

— Sou bom para ela.

— Não tenho a menor dúvida quanto a isso. E se quer saber a verdade, você pode ser o que minha filha precisa. — Resignado, Sam estendeu a mão. — Boa sorte.

Sam ficou observando Giff afastar-se com um enorme vigor nos passos. Não duvidava que o rapaz estivesse apaixonado; e, se permitisse a si mesmo, poderia lembrar como era se sentir tão inebriado, experimentar um frio no estômago. E um calor no sangue.

Sam acomodou-se à mesa do café da manhã com a segunda xícara de café e o cereal empapado. Ficou observando o céu clarear para o azul forte do verão. Sentira-se tão fascinado e deslumbrado com Annabelle quanto Giff estava agora por Lexy. Precisara apenas de um olhar para que o coração saltasse do peito e se jogasse aos pés de Annabelle.

Ah, como eram jovens! Ele mal completara dezoito anos naquele verão quando chegara à ilha para trabalhar no camaroneiro do tio. Jogar as redes, suar sob um sol implacável, até as mãos ficarem em carne viva e as costas doloridas.

E adorara cada segundo.

Apaixonara-se pela ilha à primeira vista. Os verdes enevoados, os núcleos de solidão, as surpresas em cada curva do rio ou da estrada.

Até que vira Belle Pendleton andando pela praia, recolhendo conchas, ao pôr-do-sol. Pernas compridas e douradas, corpo esguio, a cascata generosa dos cabelos ruivos ondulados. Os olhos tão claros quanto a água, tão azuis quanto o céu do verão.

A visão de Belle deixara sua visão turva e a garganta apertada.

Ele recendia a camarão, suor e graxa de motor. Queria dar um mergulho rápido para relaxar os músculos que o dia de trabalho deixara doloridos. Mas ela sorrira, com uma concha rosada na mão, e começara a conversar.

Sam se descobrira apavorado, incapaz de falar. Sempre se sentira intimidado diante das mulheres, mas aquela visão, que já conquistara seu coração com um único sorriso, deixara-o grunhindo respostas, como um macaco mal-educado. Nunca soubera como conseguira gaguejar um convite para um passeio ao final da tarde seguinte.

Anos mais tarde, quando perguntara por que ela aceitara, Belle apenas rira.

Você era muito bonito, Sam. Compenetrado, decidido e meigo. Foi o primeiro homem — e o último — a fazer meu coração disparar.

Ela falava sério. Na ocasião, pensou Sam. Depois de trabalhar, de poupar dinheiro suficiente para satisfazê-lo, Sam procurara o pai de Belle para pedi-la em casamento. E fora muito mais formal do que o encontro que acabara de ter com Giff, refletiu Sam, enquanto tomava o café. E também não saíra furtivamente do quarto de Annabelle ao amanhecer. Embora houvesse tardes às escondidas na floresta.

Mesmo quando o sangue de um homem mantinha-se frio há anos, ainda podia lembrar como era no tempo em que esquentava. Durante os primeiros anos depois da partida de Annabelle, seu sangue ainda esquentava de vez em quando. Resolvia esse problema com uma ida a Savannah.

Não se envergonhara de pagar por sexo. Uma profissional não exigia conversa nem uma corte. Era apenas uma transação. Mas já fazia algum tempo que ele não precisava desses serviços específicos. E como sentia-se apavorado com a AIDS e outros horrores potenciais do sexo impessoal, Sam experimentava um certo alívio por não ter mais a necessidade.

Tudo o que ele precisava agora podia encontrar na ilha. Descobrira a paz que o jovem Giff alegava que não queria.

Sam recostou-se para apreciar o resto do café em sossego. Teve de resistir a uma pontada de irritação quando a porta foi aberta e Jo entrou na cozinha. O fato de que ela hesitou ao vê-lo, com uma expressão de contrariedade, deixou-o ao mesmo tempo envergonhado e surpreso.

Farinha do mesmo saco, refletiu ele, embora não gostasse de partilhar o saco.

— Bom-dia.

Tudo o que Jo queria era tomar um café antes de sair para trabalhar. Não apenas vaguear pela ilha ou ficar sozinha para pensar, mas trabalhar. Pela primeira vez em semanas, acordara sentindo-se revigorada e focalizada. Não queria desperdiçar tanta disposição.

— Uma manhã de sol — comentou Sam. — Mas teremos uma tempestade e vento forte ao anoitecer.

— Acho que tem razão.

Jo abriu um armário. O silêncio entre os dois prolongou-se, interminável e absoluto. O barulho do café despejado do bule na xícara era tão alto quanto o som de uma cachoeira. Sam mudou de posição, a calça cáqui sibilando na madeira envernizada do banco.

— Kate me contou... ela me disse tudo.

— Imaginei que ela contaria.

— Parece que se sente melhor agora.

— Estou me sentindo muito melhor.

— E a polícia está fazendo o que pode.

— Isso mesmo... o que é possível.

— Estive pensando a respeito. Acho que você deveria passar algum tempo aqui. Até que tudo seja esclarecido, é melhor não voltar a Charlotte e viajar para outros lugares.

— Planejava mesmo ficar e trabalhar aqui, pelo menos durante as próximas semanas.

— Deve mesmo ficar, Jo Ellen, até que o problema seja resolvido.

Surpresa com o tom firme, tão próximo de uma ordem quanto podia recordar de ter ouvido o pai desde a infância, Jo virou-se e levantou as sobrancelhas.

— Não moro aqui, mas em Charlotte.

— Mas não ficará em Charlotte até que tudo fique esclarecido — declarou Sam, a voz pausada.

Jo ergueu os ombros numa reação automática.

— Não vou permitir que algum maluco governe minha vida. Quando estiver pronta para voltar, eu voltarei.

— Não deixará Sanctuary até eu dizer que pode partir.

Ela ficou espantada.

— Como?

— Ouviu muito bem, Jo Ellen. Sempre teve uma excelente audição e uma perfeita compreensão de tudo. Ficará aqui até que esteja completamente recuperada e seja seguro voltar para retomar sua vida normal.

— Se eu quiser partir amanhã...

— Não partirá. Já tomei a decisão.

— Tomou uma decisão por mim? — Aturdida, ela se aproximou da mesa e fitou o pai, o rosto franzido. — Acha que pode tomar uma decisão sobre alguma coisa relacionada só a mim, depois de tantos anos, e eu aceitarei passivamente?

— Não. Acho que será preciso amarrá-la para que fique, se não concordar... como sempre. Isso é tudo o que tenho a dizer.

Sam queria escapar, queria sossego. Mas quando começou a deslizar pelo banco para se levantar, a filha estendeu a mão para bloqueá-lo.

— Mas não é tudo o que eu tenho a dizer. Ao que parece, papai, você perdeu a noção do tempo. Já tenho vinte e sete anos.

— E fará vinte e oito anos em novembro. Conheço as idades de meus filhos.

— E isso faz com que seja um modelo exemplar de paternidade?

— Não. — Os olhos de Sam continuaram a fitá-la. — Mas não há como mudar o fato de que sou seu pai mesmo assim. Até agora você tem se saído bem sozinha. Mas a situação se tornou diferente. Portanto, deve permanecer aqui, onde há pessoas que podem velar por você, pelo menos por mais algum tempo.

— Acha mesmo? — Os olhos de Jo eram fendas estreitas. — Pois saiba que continuarei a tomar pessoalmente minhas decisões.

— Bom-dia.

Kate entrou sorridente na cozinha. Ouvira a conversa através da porta nos dois últimos minutos e calculara que era tempo de se apresentar. Sempre se sentia satisfeita quando entrava em qualquer lugar daquela casa sem encontrar apatia ou amargura. Pelo menos a irritação podia ser controlada.

— Esse café está com um cheiro delicioso. E estou ansiosa por tomá-lo.

Num movimento calculado, ela levou uma xícara e o bule para a mesa. Sentou ao lado de Sam, antes que ele pudesse se levantar.

— Deixe-me encher sua xícara, Sam. Jo, traga também sua xícara para eu servir mais. Juro que não me lembro da última vez em que sentamos juntos para tomar um café sossegado pela manhã. E Deus sabe que precisamos disso depois do caos no jantar ontem à noite.

— Eu estava de saída — protestou Jo, tensa.

— Ora, meu bem, sente-se e termine seu café primeiro. Brian já vai aparecer para nos mandar embora. Parece que você teve uma boa noite de sono. — Kate exibiu um sorriso jovial. — Seu pai e eu estávamos preocupados com sua agitação.

— Não precisam se preocupar. — Relutante, Jo levou sua xícara para a mesa. — Tudo que pode ser feito está sendo feito. Na verdade, já me sinto tão mais calma que tenho pensado em voltar para Charlotte.

Ela lançou um olhar desafiador para o pai, antes de acrescentar:

— Muito em breve.

— Seria ótimo, Jo, se quer mandar todos nós para a sepultura mais cedo de tanta preocupação.

Kate falou no tom mais suave possível, enquanto punha açúcar no café.

— Não sei como...

— Claro que sabe — interrompeu Kate. — Apenas está furiosa e tem esse direito. Mas não tem o direito de descarregar sua fúria nas pessoas que a amam. É natural fazer isso...

Depois de uma pausa, Kate acrescentou com um sorriso:

— ... mas não é certo.

— Não é isso o que estou fazendo.

— Ótimo. — Kate afagou sua mão, como se esse assunto estivesse resolvido. — Pelo que vejo, planeja bater algumas fotos hoje.

Ela olhou para a bolsa de equipamento fotográfico que Jo largara em cima do balcão.

— Peguei aquele livro de fotos da ilha do pai de Nathan. Pus na sala de estar, depois de ver as fotos de novo. Algumas são maravilhosas.

— Ele era um excelente fotógrafo — murmurou Jo, fazendo um esforço para se livrar do mau humor.

— Era mesmo. Encontrei uma foto de Nathan, Brian e outro menino, que devia ser o irmão caçula de Nathan. Eram muito bonitos. Seguravam uma truta enorme e exibiam sorrisos de um quilômetro de largura. Você deveria dar uma olhada.

— É o que farei.

Jo descobriu-se a sorrir, pensando em Nathan aos dez anos de idade, com uma truta no anzol.

— E você mesma também deveria pensar em fazer um livro de fotos da ilha — continuou Kate. — Seria maravilhoso para os negócios. Sam, leve Jo para aquele lugar do pântano em que a acelga-brava está desabrochando. E se os dois atravessarem a floresta e passarem pela beira sudoeste, encontrarão o caminho coberto de trombeteiras. Daria uma foto incrível, Jo Ellen. A passagem parece um tapete de flores

Ela continuou a falar sem parar, apresentando sugestões, sem dar qualquer oportunidade a pai ou filha de interrompê-la. Ao entrar pela porta dos fundos, Brian ficou aturdido com a cena familiar aconchegante. Kate ofereceu-lhe um sorriso radiante.

— Já vamos sair daqui num instante para não atrapalhá-lo, querido. Jo e Sam estavam decidindo que caminho devem percorrer para circular pela ilha hoje. Jo quer tirar algumas fotos. É melhor vocês começarem logo.

Kate levantou-se de repente e pegou a bolsa de Jo.

— Sei como você é exigente com a luz e essas coisas. Basta dizer a seu pai quando achar que é o lugar certo. Mal posso esperar para ver as fotos que você vai tirar. Mas é melhor se apressarem, antes que Brian fique impaciente. Sam, se tiver oportunidade, leve Jo até o lugar em que aqueles filhotes de andorinha-do-mar acabaram de sair dos ovos. Ei, olhe só para a hora! Vocês dois: tratem de se apressar!

Ela quase levantou Sam à força. Empurrou-o, falando sem parar, até que os dois saíram.

— Mas o que foi isso, Kate? — perguntou Brian.

— Isso, com um pouco de sorte, foi o início de alguma coisa.

— Os dois seguirão por caminhos separados um metro depois de deixarem a casa.

— Não vão não — discordou Kate, enquanto se encaminhava para o telefone tocando na parede. — Porque nenhum dos dois vai querer ser o primeiro a dar o passo para se afastar. Cada um ficará esperando que o outro seja o primeiro a se desviar, e assim seguirão a mesma direção, para variar.

Ela atendeu ao telefone.

— Bom-dia. Pousada Sanctuary. — O sorriso desapareceu no instante seguinte. — Sinto muito. Claro, claro...

Automaticamente, ela pegou um lápis e começou a escrever num bloco ao lado do telefone.

— Darei alguns telefonemas imediatamente. Não se preocupe. É uma ilha muito pequena. Ajudaremos em tudo o que for possível, Sr. Peters. Eu mesma irei até o chalé. Não precisa se incomodar. Já estou de saída.

— Mosquitos passando pela tela de novo? — perguntou Brian, embora já soubesse que era mais do que isso, muito mais.

— Os Peters alugaram o chalé da Wild Horse Cove por uma semana, junto com amigos. O Sr. Peters não encontrou a esposa esta manhã.

Brian sentiu uma pontada de medo na base da espinha. Não podia ignorá-la, mas disse a si mesmo que era uma reação exagerada e absurda.

— Kate, ainda não são sete horas. Ela deve ter levantado cedo e saído para dar uma volta.

— Ele está procurando há quase uma hora. Encontrou os sapatos na praia. — Preocupada, Kate passou a mão pelos cabelos. — Deve ter acontecido o que você disse, mas de qualquer maneira o Sr. Peters está preocupado demais. Irei até lá para acalmá-lo e ajudá-lo a procurar, até que ela volte para casa.

Kate deu um sorriso contrafeito.

— Sinto muito, querido, mas isso significa que terei de acordar Lexy para me substituir no turno da manhã. E é inevitável que ela fique na maior irritação.

— Não estou preocupado com Lexy. — Quando Kate já se encaminhava para a porta, Brian acrescentou: — Kate, pode ligar para mim assim que a Sra. Peters voltar?

— Claro, querido. E sou capaz de apostar que ela já terá voltado quando eu chegar ao chalé.

MAS A MULHER AINDA NÃO APARECERA. POR VOLTA DE MEIO-dia, Tom Peters não era o único em Desire que estava preocupado. Outros turistas e nativos iniciaram uma busca, inclusive Nathan. Já vira Tom e Susan Peters uma ou outra vez e tinha uma vaga recordação de uma morena bonita, esguia, não muito alta.

Ele deixou os outros vasculharem a praia e a enseada, enquanto concentrava sua busca na faixa de terra entre os dois chalés. A distância entre os dois era inferior a trezentos metros. A floresta terminava perto de seu chalé, dando lugar às dunas e depressões com vegetação rasteira. Ele cobriu a área devagar. Ao chegar ao trecho de areia, avistou as pegadas cruzadas das outras pessoas que participavam da busca.

Embora soubesse que era inútil, Nathan subiu as dunas. A enseada lá embaixo era isolada, mas qualquer pessoa ali seria avistada meia dúzia de vezes pelos outros que procuravam a mulher desaparecida.

Havia apenas uma pessoa ali agora, um homem que andava de um lado para outro.

— Nathan?

Ele virou-se e avistou Jo subindo pela encosta entre as dunas. Estendeu a mão para ajudá-la.

— Passei por seu chalé — disse ela. — Creio que já sabe.

— Aquele lá embaixo deve ser o marido. Já o havia visto algumas vezes antes.

— Tom Peters. Estive por toda a ilha. Saí cedo para trabalhar, por volta das sete horas. Um dos garotos Pendleton nos localizou e avisou, há cerca de uma hora. Disse que os sapatos dela foram encontrados na beira da água.

— Foi o que também me contaram.

— As pessoas estão pensando que ela pode ter saído para nadar e... A correnteza aqui não é forte, mas se ela sofreu uma cãibra ou foi longe demais...

Era um cenário sinistro e já ocorrera a Nathan.

— Mas se tivesse acontecido assim, a maré já não teria trazido o corpo de volta?

— Ainda pode trazer. Se a correnteza levou-a para longe, podem encontrar o corpo no sul da ilha na próxima mudança de maré. Barry Fitzsimmons afogou-se assim. Tínhamos em torno de dezesseis anos. Ele nadava bem, mas saiu sozinho uma noite, durante uma festa na praia. Bebera bastante. Foi encontrado na manhã seguinte, na maré baixa, a quase um quilômetro para o sul.

Nathan deslocou o olhar para o sul, onde as ondas não eram tão serenas. Pensou em Kyle, afundando sob as ondas do Mediterrâneo azul.

— Neste caso, onde estão as roupas dela?

— Como?

— Se ela decidisse dar um mergulho, tiraria as roupas.

— Acho que tem razão. Mas ela pode ter vindo para a praia de biquíni.

— Sem uma toalha? — Não combinava, decidiu Nathan. — Não sei se alguém perguntou ao marido se sabe o que a mulher vestia quando saiu de casa. Vou descer para perguntar.

— Acho que não devemos nos intrometer.

— Ele está sozinho e preocupado. — Nathan continuou a segurá-la pela mão quando começaram a descer. — Ou teve uma briga com a mulher, matou-a e deu sumiço no corpo.

— É uma idéia horrível e absurda. É um homem absolutamente decente e normal.

— Às vezes os homens absolutamente decentes e normais fazem coisas inconcebíveis.

Nathan estudou Tom Peters ao se aproximarem. Quase chegando aos trinta anos, beirando um metro e oitenta de altura. Parecia em boa forma física no short amarrotado e camiseta branca. Devia fazer exercícios numa academia três ou quatro manhãs por semana, pensou Nathan. Já tinha um bom bronzeado de férias. Apesar de a barba por fazer proporcionar uma aparência desleixada, os cabelos de um louro escuro haviam sido cortados há pouco tempo... e bem cortados.

Quando ele ergueu o rosto, Nathan viu apenas um medo doentio em seus olhos.

— Sr. Peters... Tom...

— Não sei onde mais procurar. Não sei o que fazer. — Enunciar as palavras em voz alta trouxe lágrimas a seus olhos. Ele piscou para contê-las, a respiração acelerada. — Meus amigos foram procurar no outro lado da ilha. Mas eu tinha de voltar para cá, pois ela podia aparecer...

— Precisa sentar. — Jo pegou o braço de Tom Peters, gentilmente. — Por que não voltamos ao chalé, para que possa descansar um pouco? Farei um café.

— Não posso sair daqui. Ela veio para a praia ontem à noite. Tivemos uma briga, porque... Ó Deus, que coisa mais estúpida! Por que brigamos?

Ele cobriu o rosto com as mãos, pressionando os dedos contra os olhos ardendo.

— Ela quer comprar uma casa. Ainda não temos condições. Tentei explicar isso, mostrar que seria inviável, mas ela não queria escutar. Fiquei aliviado quando ela saiu de casa, furiosa. Pensei: agora pelo menos posso dormir um pouco enquanto ela descarrega o mau humor.

— Talvez ela tenha resolvido nadar um pouco para esfriar — sugeriu Nathan.

— Susan? — Tom deixou escapar uma risada curta. — Nadar sozinha, à noite? Não havia a menor possibilidade. De qualquer forma, ela só entrava no mar até a altura dos joelhos. Não gosta de nadar no mar. Sempre diz que ouve música de violoncelo no instante em que a água bate em seus joelhos. Sabe...

Ele deu um sorriso fraco, antes de acrescentar:

— ... por causa do filme *Tubarão.*

Tom Peters virou-se, olhando para o mar.

— Sei que as pessoas estão pensando que ela pode ter saído para nadar, que pode ter se afogado. Mas não é possível. Ela adora sentar na praia e olhar para o mar. Adora ouvir o murmúrio das ondas, sentir o cheiro de maresia. Mas não entra na água. Onde ela pode estar? Oh, Susan, esta é uma maneira terrível de me pressionar para comprar uma casa. Tenho de ir para algum lugar, procurar em algum lugar. Não posso ficar parado aqui.

Ele correu para as dunas. Provocou uma avalanche de areia ao subir apressado.

— Acha que é isso o que ela está fazendo, Nathan? Assustando-o porque ficou furiosa?

— Devemos torcer para que seja isso. — Ele passou um braço pela cintura de Jo. — Vamos seguir pelo caminho mais longo até o chalé. Mantenha os olhos bem abertos. E quando chegarmos lá, vamos tirar uma folga de tudo isso.

— Bem que preciso de uma folga. De quase tudo.

O vento aumentou de intensidade enquanto passavam pelo vale entre as dunas na praia e as dunas mais altas para o interior, onde os sabugueiros e sambucos estabilizavam a areia. Havia rastros por toda parte, de caranguejos, perus selvagens de três dedos, de cervos que vagueavam por ali para se alimentarem de sementes e pequenas frutas.

Pegadas humanas também haviam revolvido a areia, mas o vento apagaria tudo.

Apesar do uso da área como pasto, milhares de juncos brancos, parecidos com estrelas, e frágeis rosas do pântano coloriam a paisagem.

Jo especulou se seria capaz de seguir por aquele caminho sozinha, à noite. Fora uma noite clara e uma praia solitária, do tipo que atraía corações transtornados, além dos satisfeitos. O vento devia ser firme e fresco. E mesmo depois que a maré baixasse, deixando a areia úmida, o vento ainda sopraria a areia, arranhando os tornozelos.

— Ela pode ter deixado os sapatos lá embaixo — sugeriu Jo. — Se queria andar. Estava furiosa, transtornada, queria ficar sozinha. Era uma noite quente. Ela pode ter atravessado a praia e seguido pela beira da água. Isso é mais provável do que qualquer outra coisa.

Jo virou-se para contemplar as pequenas elevações perto do mar. O vento soprava areia e espuma, fazia ondular a aveia-do-mar, a erva-capitão e outras plantas rasteiras emaranhadas.

— Talvez já a tenham encontrado a esta altura. — Nathan pôs a mão no ombro de Jo. — Ligaremos para verificar quando chegarmos ao chalé.

— Para onde mais ela poderia ter ido? — Jo olhou na direção do interior da ilha, as dunas sucedendo-se, em curvas suaves, até alcançarem a linha das árvores. — Teria sido uma insensatez entrar na floresta. Ela perderia o luar... e ia querer os sapatos. Estaria bastante furiosa com o marido para se manter a distância, deixá-lo tão preocupado por causa de uma casa?

— Não sei. As pessoas fazem coisas inexplicáveis umas com as outras quando estão casadas. Coisas que parecem cruéis, indiferentes ou insensatas para quem está do lado de fora.

— Você fez? — Jo virou a cabeça para estudá-lo. — Fez coisas cruéis, indiferentes ou insensatas quando era casado?

— Provavelmente. — Ele empurrou para trás da orelha os cabelos que esvoaçavam no rosto de Jo. — Tenho certeza de que minha ex-mulher tem uma litania de coisas assim para recitar.

— Na maioria das vezes, o casamento é um erro. Você depende de alguém, inevitavelmente tende a ser muito exigente ou indulgente, às vezes acha a pessoa irritante apenas porque está sempre ali.

— É um ceticismo extraordinário para uma pessoa que nunca foi casada.

— Tenho observado casamentos. Apenas observado.

— Porque é menos arriscado do que participar.

Jo tornou a se virar.

— Porque é isso o que eu faço. Se ela foi para algum lugar, a pé, evitando voltar, deixando o marido, como poderia esperar que ele a perdoasse algum dia?

Subitamente, Jo sentiu uma raiva profunda e amargurada.

— Mas ele vai perdoá-la, não é mesmo? — indagou ela, virando-se para Nathan. — Ele a perdoará, cairá a seus pés chorando de alívio, comprará a porra da casa que ela tanto quer. Tudo o que ela precisava fazer era se ausentar, fazê-lo passar pelo inferno durante algumas horas.

Nathan estudou os olhos faiscando, o rubor que a raiva pusera em suas faces.

— Talvez você tenha razão. — Ele falou num tom suave, fascinado por como Jo era capaz de passar da preocupação para a condenação num piscar de olhos. — Mas está atribuindo muita culpa e calculismo a uma mulher que nem conhece.

— Já conheci outras como ela. Minha mãe, Ginny, pessoas que fazem exatamente o que querem fazer, sem se importarem com as conseqüências ou a dor que vão causar às outras. Estou cansada das pessoas assim, com seus interesses egoístas, suas preocupações egocêntricas.

Havia uma angústia profunda na voz de Jo. Envolveu Nathan por completo, provocando um calafrio que percorreu todo o seu corpo.

Tinha de contar a ela, pensou Nathan. Não podia mais reprimir, continuar a empurrar para o lado, por mais que tivesse se empenhado em convencer a si mesmo que o silêncio era melhor para ambos.

Talvez o desaparecimento de Susan Peters fosse um sinal, um presságio. Se ele acreditasse nessas coisas. Mas independentemente de tudo em que acreditava e de tudo o que queria, um dia teria de contar a ela o que sabia.

E Jo seria bastante forte para agüentar firme? Ou a verdade a destruiria?

— Vamos entrar, Jo Ellen.

— Está bem. — Ela cruzou os braços, enquanto nuvens tapavam o sol, e o vento aumentava de intensidade com um uivo de advertência. — Por que estamos aqui fora, preocupando-nos com uma estranha que é bastante egoísta e irresponsável para fazer o marido e os amigos passarem por tamanho sofrimento?

— Porque ela está perdida, Jo. De um jeito ou de outro.

— Quem não está?

Teria de esperar mais um dia, disse Nathan a si mesmo. Até que Susan Peters fosse encontrada. Se ele desafiasse os deuses ao esperar por mais um dia, ao roubar mais algumas horas, antes de destruir a vida de ambos, teria de pagar o preço.

E quanto mais terrível poderia ser esse preço, além de tudo o que já pagara?

Quando tivesse certeza de que Jo estaria mais forte, quando tivesse certeza de que ela poderia suportar, contaria o segredo hediondo que só ele conhecia.

Annabelle nunca deixara Desire. Fora assassinada na floresta, a oeste de Sanctuary, numa noite de verão, sob a lua cheia. David Delaney, o pai que ele crescera amando, admirando e respeitando, fora o assassino.

Jo viu um raio riscar o céu, acompanhado pela chuva torrencial, no mar, a alguma distância.

— A tempestade está chegando — murmurou ela.

— Eu sei.

Capítulo Vinte e Três

As primeiras gotas, enormes, caíram no solo. Kirby acelerou os passos. O grupo de busca de que ela participara havia se separado na bifurcação do caminho. Kirby decidira seguir para Sanctuary. Estremeceu agora, quando a chuva passou por galhos e trepadeiras entrelaçadas para deixá-la encharcada. Ao se aproximar da casa, a chuva era forte, soprada pelo vento, surpreendentemente fria. Avistou Brian, sem chapéu, os ombros vergados, subindo pela estrada, à sua direita.

Encontrou-o na beira do terraço leste. Sem dizer nada, ele pegou-a pela mão e levou-a para a varanda fechada. Por um momento, ficaram parados ali, a água escorrendo de seus corpos, enquanto os raios riscavam o céu e as trovoadas explodiam em resposta.

— Nenhuma notícia? — perguntou Kirby, transferindo a maleta médica para a outra mão.

— Nada. Venho do lado oeste. Giff levou um grupo para o norte. — Cansado, Brian ergueu a mão para esfregar o rosto. — Isso está começando a se tornar um hábito.

— Já tem mais de doze horas que ela foi vista pela última vez. — Kirby olhou para o aguaceiro. — É tempo demais. Terão de suspender a busca até a tempestade passar. Por Deus, Brian, temos de encontrar o corpo na praia trazido pela maré depois disso. É a única explicação. Tenho pena do marido.

— Não há mais nada que possamos fazer agora a não ser esperar. Você precisa de uma camisa seca e um café.

— Tem toda razão. — Ela afastou os cabelos molhados do rosto. — Preciso mesmo. Aproveitarei para dar uma olhada em sua mão, já que estou aqui, e fazer um novo curativo.

— A mão está ótima.

— Eu é que decido isso, depois de examinar o ferimento — disse ela, entrando na casa atrás de Brian.

— Como quiser. Agora suba e pegue uma roupa no armário de Jo.

A casa parecia silenciosa e isolada sob a chuva violenta.

— Ela está?

— Pelo que sei, Jo também saiu. — Brian foi até o freezer e pegou uma sopa de feijão-preto que fizera semanas antes. — Vai se abrigar em algum lugar, como todo mundo.

Quando Kirby voltou, quinze minutos depois, a cozinha recendia a café e sopa borbulhando. O calor dissipou o resto de tensão nos ombros dela. Encostada na porta por um momento, observou-o trabalhar.

Apesar da mão enfaixada, Brian cortava com precisão grossas fatias de pão de centeio, que ele mesmo indubitavelmente fizera. A camisa molhada aderira ao corpo, deixando à mostra contornos atraentes de músculos e costelas. Quando ele fitou-a, os olhos azuis pareciam enevoados, o que provocou um agradável arrepio em Kirby.

— O aroma é maravilhoso.

— Achei que você ainda não havia comido.

— E acertou. Não como nada desde... um pão dinamarquês esta manhã. — Ela estendeu a camisa que pegara no armário de Brian. — Vista isto.

— Obrigado. — Ele notou que Kirby havia vestido um dos trainings cinza de Jo. Era enorme e fazia com que ela parecesse ainda mais delicada. — Parece perdida nessas roupas.

— Jo é pelo menos quinze centímetros mais alta do que eu.

Ela alteou uma sobrancelha quando ele tirou a camisa molhada pela cabeça. A pele úmida era bronzeada e lisa.

— Ah, como você é atraente, Brian! — Ela riu quando Brian franziu o rosto, num óbvio embaraço confuso. — Devo apreciar seu corpo maravilhoso em dois níveis, como médica e como mulher. É melhor vestir logo essa camisa ou posso perder o controle... como as duas coisas.

— Isso pode ser interessante. — A camisa pendendo dos dedos, Brian deu um passo para ela. — Qual seria a primeira?

— Nunca deixei que as inclinações pessoais interferissem com as obrigações profissionais. — Ela subiu um dedo pelo braço de Brian, depois desceu até o pulso. — E é por isso que vou examinar o ferimento primeiro.

— E depois?

Antes que ela pudesse responder, Brian pôs as mãos em concha sobre seus cotovelos e levantou-a. Quando as bocas ficaram no mesmo nível, ele inclinou-se para a frente e beijou-a de leve.

— Uma força excelente na parte superior do corpo. — A voz era apenas um pouco ofegante quando ela passou as pernas em torno da cintura de Brian. Encostou os lábios na pulsação do pescoço e murmurou: — Seu pulso está um pouco acelerado.

— Tenho um caso de atração por você, Dra. Kirby. — Brian roçou o rosto pelos cabelos dela, que recendiam a chuva e limão. — Não parece ser passageiro. E estou até começando a pensar que pode ser terminal.

Como Kirby ficou imóvel, ele mudou-a de posição até poder ver seus olhos.

— O que você quer de mim, Kirby?

— Pensei que sabia. — Ela sentiu um tremor nos dedos quando os passou pelo rosto de Brian. — Já não tenho mais certeza. Talvez seja contagioso o caso a que você se referiu. Sente uma pressão em torno do coração?

— Como se estivesse sendo apertado.

— E a sensação de que o estômago sobe e desce aos solavancos?

— Durante todo o tempo ultimamente. O que há de errado conosco, doutora?

— Não tenho certeza, mas...

Ela soltou-o quando ouviu a porta de tela ser batida. Vozes se elevaram e invadiram a cozinha. Com um suspiro, Kirby encostou o rosto no de Brian, até que ele a pôs no chão.

— Parece que Lexy e Giff voltaram. — Ele continuou a olhar para Kirby. — É possível que alguns dos outros tenham vindo também e vão precisar de uma refeição quente.

— Neste caso, eu o ajudarei a servir a sopa.

— Eu agradeceria. — Brian levantou a tampa da panela, deixando escapar o vapor e o aroma. — Vamos terminar a conversa em outra ocasião, mais cedo ou mais tarde.

— Isso mesmo. — Kirby abriu um armário para pegar as tigelas. — Mais cedo ou mais tarde.

DA VARANDA DO CHALÉ DE NATHAN, JO OLHAVA PARA A chuva e fumava, irrequieta. Ele tentara a televisão ao chegarem ao chalé, na esperança de ouvirem um boletim meteorológico. Mas a TV a cabo já estava fora do ar e por isso tiveram de se contentar com o rádio. Havia muita estática, enquanto o locutor dava avisos a pequenas embarcações e alertas de súbitas inundações.

Ficariam também sem eletricidade se a tempestade se prolongasse, pensou Jo. E era inevitável o transbordamento de rios e lagoas. Já dava para ver poças se formando e aprofundando.

— Ainda não há notícia. — Nathan veio se postar ao lado dela na varanda. — Um grupo de busca foi se abrigar em Sanctuary, enquanto espera que a tempestade passe.

Ele estendeu uma toalha sobre os ombros de Jo e acrescentou:

— Você está tremendo. Por que não entra?

— Gosto de observar. — Um raio riscou o céu, provocando um calafrio em Jo. — Tempestades assim são horríveis quando a pessoa está desabrigada, mas emocionantes quando se assiste do lugar certo.

Ela respirou fundo quando o céu ficou quente e branco. O cheiro de ozônio perdurou no ar.

— Onde está sua câmera? Deixei a minha em casa.

— No quarto. Vou buscá-la.

Impaciente, Jo apagou o cigarro numa concha quebrada. Excesso de energia, pensou ela. Vibrava por todo o seu corpo. Ela quase arrancou a câmera das mãos de Nathan quando ele voltou.

— Que tipo de filme você tem aqui?

— Quatrocentos — respondeu ele, observando-a examinar a câmera.

— Ótimo. Um filme de exposição rápida, como eu quero agora.

Jo levantou a câmera, apontou para as árvores fustigadas pela chuva, o musgo balançando.

— Vamos, vamos... — murmurou ela, para bater a foto no relâmpago seguinte. — Outro, quero outro.

A trovoada ressoou pelo ar, enquanto ela trocava de ângulo, o dedo ansioso, como se estivesse no gatilho de uma arma.

— Preciso sair para tirar uma foto debaixo daquela árvore.

— Não. — Nathan abaixou-se para pegar a toalha que caíra dos ombros de Jo. A varanda oferecia pouca proteção. Os dois já estavam ficando encharcados. — Não pode sair assim. Nunca se sabe onde o próximo raio vai acertar.

— É a metade da satisfação, não é mesmo? O fato de não saber, não se importar. — Jo sacudiu a cabeça. A temeridade era evidente em sua atitude, um brilho perigoso nos olhos. — Não sei o que estou fazendo com você, ou quando posso ser atingida de novo. Quando você vai me magoar, Nathan, e quanto tempo levarei para superar? E quanto tempo antes que um de nós faça alguma coisa cruel, indiferente ou insensata?

Antes que ele pudesse falar, Jo agarrou-o pelos cabelos e puxou seu rosto para um beijo.

— Não me importo — murmurou ela, apertando o lábio de Nathan com os dentes.

— Mas precisa se importar.

Revoltado com o destino, ele pegou o rosto de Jo entre as mãos e puxou-a. Seus olhos estavam tão sombrios e violentos quanto a tempestade.

— Quero que você compreenda que não tive opção, quando a magoar.

— Não me importo — repetiu ela, beijando-o. — Só quero o agora. Este momento. Quero você. Não quero pensar. Não quero que nós dois pensemos. Quero apenas sentir.

Nathan já estava atordoado quando passaram cambaleando pela porta. Jo balançou a câmera, rindo e gemendo, enquanto ele arrancava sua camisa.

— Rápido — balbuciou ela. — Ainda quero rápido.

Nathan levou-a para o chão. A câmera caiu no tapete, enquanto tiravam roupas e sapatos. Jo ainda tinha as mãos presas nas mangas da camisa quando ele a penetrou. Fez um esforço para retirá-las, a emoção momentânea de estar presa e desamparada acrescentando outra camada de excitamento. Até que soltou as mãos e comprimiu os dedos contra os quadris de Nathan, pressionando-o para ir mais fundo e mais depressa.

Ele não podia se conter e deixou que a rapidez, o calor e a fúria do acasalamento dominassem os dois. Se a necessidade de Jo era frenética, ele sentia-se desesperado. Para conquistá-la, possuí-la, mantê-la. Por mais um dia, mais uma hora. Uma dúzia de vidas.

Se sua punição pelo crime do pai era se apaixonar, então estava perdidamente apaixonado. Por isso, queria aproveitar todos os momentos possíveis, antes de chegar a hora do ajuste de contas.

Jo soltou um grito agradecido quando alcançou o orgasmo. O corpo de Nathan arremeteu contra o seu numa explosão final, para depois ficar quieto. Ofegava quando se ergueu para contemplá-la.

— Era isso que você queria?

— Era.

— Rápido e sem coração?

— Isso mesmo.

Nathan fechou a mão. Fora exatamente o que lhe dera.

— Acha que vai parar com isso?

Ela fechou os olhos por um instante, mas logo fez um esforço para abri-los.

— Não.

— Ainda bem.

Ele abriu a mão e acariciou o rosto de Jo. Outro momento roubado, pensou Nathan, quando ela abriu os olhos para fitá-lo.

— Detestaria ter de discutir com você quando ainda a desejo. Dê-me mais, Jo Ellen. — Ele baixou a boca para provocá-la. — Não me faça tomar desta vez.

Ela ergueu os braços para enlaçá-lo.

— Tenho medo de você.

— Sei disso. Dê-me mais, mesmo assim. Corra o risco.

A boca de Nathan permaneceu gentil, esperando que ela reagisse e depois exigisse. Queria mais, muito mais do que o sexo rude e nervoso que ofereceram um ao outro. Mais do que a investida animal do sangue quente. E quando Jo murmurou seu nome, com um suspiro, ele compreendeu que tinha o princípio da entrega total.

A boca de Jo tornou-se mais faminta, as mãos começaram a vaguear. A necessidade ressurgiu, mais intensa ainda, como se nunca tivesse sido satisfeita antes. Ela ansiou pelo gosto da pele de Nathan e levou os lábios e a língua numa excursão por seu rosto e pescoço. Com um murmúrio de aprovação, rolou para cima dele, com a liberdade de fazer o que bem quisesse.

O vento uivava, sacudindo a porta de tela. A casa estremecia em torno dos dois. Em contraste, seus movimentos eram lentos, quase lânguidos. O tato e o gosto, o suspiro e o murmúrio. Jo perdeu-se nos movimentos fáceis, no roçar dos corpos, nos ritmos iniciados e acompanhados.

Pensou que poderia flutuar por cima de Nathan e admirou como fazia cada músculo tremer.

Nathan inclinou-a para trás, sentou e acomodou-a em seu colo. Era de ternura que precisava para ambos agora, a fim de aliviar a dor já sofrida. E a dor que ainda viria.

Seus olhos se encontraram e se mantiveram assim quando ele a beijou, um beijo cada vez mais profundo e ardente, fazendo com que uma onda de calor percorresse o corpo de Jo. A intimidade do momento fazia-a vibrar. Ela poderia ter resistido e até ergueu a mão como se fosse fazê-lo. Mas logo ficou inerte e perdeu-se por completo.

E deu a ele mais.

Era a rendição que ele queria, para ambos. A sua e a de Jo. A entrega. Beijos suaves e ternos foram se sucedendo, levando-os ao excitamento, sem qualquer pressa. Quando ele a penetrou de novo, Jo soltou um gemido suave e um pequeno suspiro de prazer. Foi uma transa lenta e gentil, culminando com um orgasmo longo e envolvente.

Os dois tremeram. Ao estender a mão, Jo ficou emocionada ao encontrá-lo duro e pronto. Seus lábios se contraíram num sorriso, sem romper o beijo.

— Outra vez... — murmurou ela. — Da mesma maneira... outra vez...

O prazer dominou-a, fazendo sua cabeça girar, em vertigem, como se tivesse tomado muito vinho. Ainda vibrando, Jo mudou de posição, ficando por cima dele, a boca em seu peito, sobre o coração.

— Adoro o que você pode fazer comigo. — Ela desceu, espalhando beijos de leve, com a boca entreaberta, pela barriga de Nathan. — E agora quero saber o que posso fazer com você.

Ele estremeceu quando ela fechou a boca quente e generosa em seu pênis. Um prazer intenso deixou-o com a visão turva e provocou um rugido em sua cabeça que abafou o barulho da chuva. Jo levou-o à beira do orgasmo. Ele se entregou ao prazer, só conseguindo manter o controle e a sanidade por muito pouco.

Jo ergueu-se, o corpo brilhando na semi-escuridão. Baixou por cima dele, engolindo-o. Arqueou as costas, para que fosse ainda mais fundo. Ergueu os braços e cruzou-os atrás da cabeça, como em triunfo. Seus olhos se encontraram com os de Nathan, enquanto ela se mexia.

Devagar, mas incontrolável. E o corpo todo estremeceu quando as mãos de Nathan fecharam-se sobre os seus seios, firmes e possessivas. Ele prendeu a respiração, soltou um gemido estrangulado, enquanto Jo apoiava as mãos em seu peito.

A cabeça de Jo pendeu para trás, o corpo ficou esticado, os músculos apertaram-no, enquanto ela se projetava para o orgasmo. Mas mesmo enquanto o coração parava, o cérebro parecia se desmanchar, o organismo ansiava por mais. Ela não podia mais suportar, mas também não podia parar. O corpo se movimentava, para a frente, para trás, em busca de um novo prazer.

O suor era como orvalho em sua pele. Quando ele se ergueu, para envolver o mamilo com a boca, sentiu gosto de sal e calor. Jo gozou de novo, gritando em choque, quase em pânico. Ele enlaçou-a e lançou-se também, os dois alçando vôo.

Ela sentia os pulmões ardendo, a garganta ressequida, como se fosse poeira. Tentou engolir em seco, desistiu e baixou a cabeça para o ombro de Nathan. Quando os ouvidos pararam de zumbir, Jo ouviu o silêncio.

— Parou de chover.

— Hum-hum...

Com uma risada, ela quase conseguiu encher os pulmões de ar.

— Vamos ter a maior dificuldade para explicar essas esfoladuras causadas pelo tapete. — Apreciando a sensação, Jo passou as mãos pelas costas úmidas de Nathan. — Acho que preciso de litros de água.

— Vou buscar.

— Está bem. Esperarei aqui.

— Embora me aflija admitir, acho que ainda me sinto um pouco fraco para carregá-la até a pia.

Nathan deslocou-a para o lado e sorriu quando ela rolou inerte para o tapete.

Ele levantou-se e foi pegar um copo com água. Parou ao voltar para contemplá-la. Jo tinha a pele toda rosada do prazer. Os cabelos formavam um halo vermelho em torno de seu rosto. A boca era suave, ainda inchada, um pouco contraída em contentamento. Num súbito impulso, ele largou o copo e pegou a câmera.

Jo abriu os olhos quando ouviu o clique da máquina. Soltou um grito e instintivamente cruzou os braços sobre os seios.

— O que está fazendo?

Roubando momentos, pensou Nathan. Precisaria muito de todos aqueles momentos.

— Como você é linda!

Ele abaixou-se e bateu outra foto, enquanto Jo arregalava os olhos.

— Pare com isso. Ficou louco? Estou nua.

— Você é incrível. Toda desgrenhada, corada, saindo de uma transa. Não se cubra. Tem lindos seios.

— Nathan... — Ela cruzou os braços ainda mais firme, num gesto defensivo. — Largue essa câmera.

— Por quê? — Ele baixou a câmera, mas continuou a sorrir. — Você mesma revelaria as fotos. Quem mais poderia ver? Não há nada mais artístico e de maior beleza visual do que um estudo de nu.

— Está certo. — Com um braço ainda estendido estrategicamente, Jo ergueu a outra mão. — Deixe-me fotografá-lo.

— Claro.

Ele estendeu a câmera, divertindo-se ao vê-la franzir o rosto em surpresa.

— Você não está nem um pouco embaraçado.

— Não.

Ela inclinou a cabeça na direção da câmera, que Nathan ainda segurava.

— Quero esse filme.

— Eu não planejava mesmo levá-lo para a Fotomat, querida. — Ele verificou o número de fotos. — Só resta mais uma. Deixe-me tirá-la. Apenas o seu rosto.

— Apenas o rosto. — Ela relaxou o suficiente para sorrir. — Pronto. Agora, quero o filme.

— Claro.

Nathan movimentou-se depressa quando ela baixou o braço e tirou a última foto.

— Você disse que tinha acabado.

— Eu menti. — Ele levantou-se, rindo, e pôs a câmera na mesa. — Mas agora acabou mesmo. Vou querer ver os contatos para escolher as fotos que eu quero.

— Se acha que vou revelar esse filme, está redondamente enganado.

Jo levantou-se e pegou a câmera.

— As fotos que você tirou da tempestade também estão nesse filme.

Ele sorriu ao vê-la dividir-se entre o impulso de arrancar o filme da máquina e destruí-lo e a necessidade de preservar suas próprias fotos.

— Você me enganou, Nathan.

— Tem toda razão. — Quando Jo se abaixou para pegar sua camisa, ele acrescentou: — Não vista isso. Ainda está molhada. Vou buscar uma camisa seca.

— Obrigada.

Ela observou-o dirigir-se ao quarto, contraindo os lábios pelas nádegas firmes e musculosas. Na próxima vez, decidiu ela, enquanto vestia a calça, não deixaria de ter sua própria câmera à mão.

E foi com esse pensamento que ela tirou o filme da máquina e guardou-o no bolso de trás da calça.

Nathan jogou-lhe uma camiseta ao voltar, para depois abotoar os jeans que vestira.

— Voltarei para Sanctuary com você. Vamos verificar qual é a situação.

— Está bem. Os grupos de busca já devem ter saído de novo. — Jo passou os dedos pelos cabelos para desembaraçá-los. — Deve estar tudo enlameado por causa da tempestade. Se eu fosse você, calçaria botas.

Ele olhou para os tênis verdes de Jo.

— Você não está de botas.

— Estaria se as tivesse trazido.

— Neste caso, ambos ficaremos enlameados. — Ele pegou a mão de Jo e percebeu a surpresa aflorar em seus olhos quando a ergueu para beijar os dedos. — E esta noite eu a levarei para jantar fora.

— Jantar fora?

— Jantar dentro. Sentaremos no restaurante da pousada, estudaremos o cardápio, pediremos vinho. Já me disseram que há pessoas que costumam fazer isso.

— Não tem sentido. Eu moro ali.

— Mas eu não moro. E quero jantar com você. O tipo de noite em que um casal senta à mesa de frente um para o outro, à luz de velas, conversando. As outras pessoas fingem que não estão observando, mas pensam durante todo o tempo que formamos um casal muito atraente. — Ele pegou um boné na mesa e pôs na cabeça. — E posso olhar para você durante todo o jantar e pensar em fazer amor de novo. É o que se chama de romance.

— Não dou para qualquer romance.

— Disse a mesma coisa sobre o sexo. Estava enganada. — Ele pegou a mão de Jo e levou-a para a porta. — Vamos ver o que acontece. Talvez Brian possa nos fazer um flã.

Ela teve de rir.

— As pessoas acharão muito estranho que eu ocupe uma mesa na pousada.

— Será alguma coisa para comentarem.

Os pés escorregaram na terra encharcada quando desceram os degraus. O calor recomeçara. O vapor subia, tornando o ar mais denso. A floresta era de um verde escuro, exuberante e fértil. A água pingava das folhas e caía sobre suas cabeças quando seguiram na direção do rio.

— O rio ficou caudaloso — comentou Jo. — Está subindo depressa. Pode transbordar das margens, mas duvido que cause maiores danos.

Ela fez um desvio para olhar mais de perto, aceitando resignada os tênis estragados, enquanto afundava na lama até os tornozelos.

— Imagino que papai vai querer verificar a situação, mas não há muita coisa que possa ser feita. Pode haver problemas no camping. Porém, a praia deve ter resistido bem. O vento não foi bastante forte para acabar com as dunas. E teremos uma boa colheita de conchas arrastadas para a praia.

— Fala como seu pai.

Contrariada, ela olhou para trás.

— Não é bem assim. Quase nunca penso no que acontece por aqui. Durante a temporada dos furacões, posso prestar mais atenção aos boletins meteorológicos para esta área, mas nunca sofremos grandes danos em muitos anos.

— Jo Ellen, você adora esta ilha. Não deveria se preocupar por ter de admitir.

— Não é o centro da minha vida.

— Pode não ser, mas é importante para você. — Nathan se adiantou. — Muitas coisas e muitas pessoas podem ser importantes para você sem que tenham de controlar sua vida. Você é importante para mim.

O alarme soou no coração de Jo. Ela deu um passo precipitado para trás.

— Nathan...

Ela quase caiu quando a terra sugou seus pés.

— Assim vai acabar caindo no rio. — Ele segurou-a pelos braços. — E, se isso acontecer, vai me acusar outra vez de empurrá-la.

Não é o que estou fazendo. Não quero empurrá-la, Jo Ellen. Mas não vou lamentar se escorregar e cair em meus braços.

— Gosto de manter os pés firmes no chão e saber onde o terreno cede antes de pisar.

— Às vezes você tem de se aventurar pelo desconhecido. E também é um território inexplorado para mim.

— Isso não é verdade. Você já foi casado e...

— Ela não era você. — Jo ficou imóvel em seus braços, enquanto ele acrescentava: — Nunca senti por ela o que sinto por você neste momento. Ela nunca me olhou como você me olha. E nunca a desejei tanto quanto desejo você. Era isso que estava errado desde o início. Eu não sabia, não compreendia quanto era minha culpa, até que tornei a me encontrar com você.

— Está indo depressa demais para mim.

— Pois então me acompanhe. E mais uma coisa, Jo Ellen... — Ele soltou um suspiro impaciente, enquanto inclinava a cabeça dela para trás. — Ceda um pouco.

Ela sentiu a impaciência quando Nathan beijou-a, assim como uma necessidade mais profunda do que se permitira admitir. A erupção de pânico dentro dela colidiu com o tremor de exultação. E o calor que fazia ferver seu sangue era como um brilho de esperança.

— Talvez você não esteja me pressionando. — Ela não resistiu quando Nathan apertou-a mais um pouco. — Mas tenho a sensação de que estou afundando.

Jo encostou a cabeça no ombro dele, fazendo um esforço para que o cérebro se desanuviasse.

— Parte de mim quer deixar que aconteça, mas outra parte se debate para voltar à superfície. Não sei o que é melhor, para mim e para você.

Nathan precisava desse brilho de esperança, o sussurro em seu coração prometendo que, se ela o amasse bastante, se amassem um ao outro, poderiam sobreviver ao que acontecera. E ao que estava para acontecer.

— Por que não pensa no que a torna mais feliz, não no que pode ser melhor?

Parecia tão simples que ela começou a sorrir. Olhou para a correnteza do rio e perguntou-se se não seria tempo para apenas mergulhar e descobrir para onde isso a levava. Quase podia se ver na correnteza.

Presa abaixo da superfície, olhando para cima. Arrastada para longe do ar e da luz.

O grito explodiu em sua garganta, a fez cair de joelhos, antes que Nathan pudesse ampará-la.

— Jo, pelo amor de Deus!

— Na água! Na água! — Ela tapou a boca com a mão para conter a crescente histeria. — É mamãe? É mamãe na água?

— Pare com isso! — Nathan ajoelhou-se ao seu lado. Virou-a pelos ombros, até que os rostos ficaram juntos. — Olhe para mim. Quero que você pare com isso. Não vou deixar que desmorone. Não permitirei que isso aconteça. Portanto, olhe para mim e trate de se controlar.

— Eu vi... — Ela teve de fazer um grande esforço para respirar. — Na água... eu vi... Estou perdendo o juízo, Nathan. Não posso mais me controlar.

— Pode sim. — Desesperado, ele abraçou-a. — Pode fazer isso por mim. Abrace-me.

Enquanto ela estremecia, apertando-o com força, Nathan olhou para a superfície do rio.

E viu o fantasma pálido olhando para ele.

— Ó Deus!

Seus braços comprimiram Jo convulsivamente. Depois, ele empurrou Jo para trás e deslizou temerário até a beira do rio crescente.

— Ela está mesmo aqui! — gritou ele, segurando-se num galho para não ser arrastado pela correnteza. — Dê-me uma ajuda!

— Como?

— Você não está perdendo o juízo. — Ofegante com o esforço, Nathan estendeu a mão livre e agarrou os cabelos. — Há alguém na água. Ajude-me a tirá-la.

— Ó meu Deus! — Sem hesitação agora, Jo arrastou-se até a beira do rio, fazendo um esforço para se firmar com as pontas dos pés na lama escorregadia. — Dê-me sua mão, Nathan. Tente segurá-la e eu o ajudarei a puxar. Ela está viva? Ainda respira?

Nathan já pudera olhar melhor. E seu estômago se contraiu em horror e compaixão. O rio não fora gentil.

— Não. — Ele falou em tom incisivo, mudando a posição em que segurava o galho. Olhou para Jo. — Não, ela não está viva. Eu a manterei aqui, para não ser arrastada pela correnteza, enquanto você vai buscar ajuda em Sanctuary.

Ela estava calma agora, fria e calma.

— Vamos tirá-la juntos — murmurou Jo, estendendo a mão.

Capítulo Vinte e Quatro

Foi um esforço horrível e macabro. Por duas vezes Nathan soltou a mão enquanto tentava desembaraçar os cabelos de Susan Peters dos galhos que prendiam o corpo. Ele afundou, bloqueando a mente, decidido, quando os braços da mulher bateram em sua barriga. Podia ouvir Jo chamando-o. Com uma calma desesperada, concentrou-se em sua voz, enquanto se empenhavam juntos em tirar do rio o que restava de Susan.

Jo ignorou o estômago embrulhado e desceu ainda mais pela margem. A água alcançava seu queixo quando se inclinou e enfiou os braços por baixo do corpo de Susan. Sua respiração era curta e superficial quando, por um momento angustiante, ficou cara a cara com a morte.

Sabia que o obturador em sua mente clicara, captando a imagem, preservando-a. Para que se tornasse parte dela para sempre.

Puxou o corpo, grunhindo, joelhos e pés fincados no terreno encharcado. Deixou o corpo rolar para o lado. Não suportava sequer olhar. Estendeu as mãos, sentiu que Nathan as pegava, escorregava, pegava de novo. Quando ele já estava com metade do corpo acima da superfície, saindo do rio, Jo virou para o lado e vomitou.

— Volte para o chalé.

Nathan tossiu violentamente. Cuspiu várias vezes, para tirar da boca o gosto do rio e da morte.

— Ficarei bem. — Ela balançou sobre os calcanhares. Sentiu as primeiras lágrimas quentes descerem pelas faces geladas. — Só preciso de um minuto para me recuperar.

Jo não tinha mais cor do que o corpo que haviam acabado de tirar do rio. Tremia tanto que ficou surpresa por Nathan não ouvir o barulho de seus ossos chocalhando.

— Volte para o chalé. Você precisa de roupas secas. — Ele pegou a mão de Jo. — E precisa também ligar para Sanctuary e pedir ajuda. Não podemos deixá-la aqui.

— Tem razão.

Ela respirou fundo e virou a cabeça. O corpo era de um cinza pastoso, inchado, os cabelos escuros, emaranhados, cheios de detritos. Mas fora outrora uma mulher.

— Trarei um cobertor para cobri-la.

— Acha que pode ir sozinha?

Jo respondeu afirmativamente com um aceno de cabeça. Embora sentisse seu corpo vazio e assustadoramente frágil, conseguiu levantar-se. Olhou para Nathan. Ele tinha o rosto pálido e sujo, os olhos avermelhados de entrar na água. Jo pensou em como ele se lançara no rio furioso, sem hesitação, sem pensar em qualquer outra coisa que não o que precisava ser feito.

— Nathan...

Ele usou a base da mão para remover a lama do queixo, num gesto brusco.

— O que é?

— Nada. Conversaremos mais tarde.

Ele esperou até ouvir os passos se afastarem, esperou até que só pudesse ouvir o rugido do rio e as batidas de seu coração angustiado. Só então é que se aproximou do corpo, virou-o, forçou-se a olhar.

Ela fora uma mulher bonita... ele sabia. Nunca mais seria bonita. Nathan tocou-a, rangendo os dentes, virou a cabeça para o lado, até poder ver, até ter certeza.

As marcas vermelhas em seu pescoço. Ele retirou a mão, bruscamente, ficou de joelhos, inclinou-se para comprimir o rosto contra os jeans sujos.

Querido Jesus, querido Jesus... o que estava acontecendo?

O medo era pior do que a dor, mais intenso do que a culpa. E quando uma coisa se encontrou com a outra, levou sua alma ao desespero.

Mesmo assim, teve de recuperar o controle quando Jo voltou. Ela não mudara de roupa, mas ele não disse nada. Ajudou-a a estender o cobertor amarelo sobre o corpo.

— Eles já estão vindo. — Jo esfregou os dedos sobre a boca. — Brian e Kirby. Contei a Brian. Ele disse que a traria, uma médica, mas não falaria com mais ninguém até...

A voz definhou. Ela olhou para as árvores por um momento, desamparada, antes de acrescentar:

— Por que ela teria vindo para cá, Nathan? Por que se aproximou do rio? Talvez tenha tropeçado e batido com a cabeça. É horrível. Eu estava preparada para que ela fosse encontrada afogada, o corpo levado até a praia pelas ondas. De certa forma, isto é pior.

A poucos metros de sua porta... Nathan só conseguia pensar nisso. A poucos metros do lugar em que acabara de fazer amor com Jo. Onde desafiara os deuses, pensou ele, estremecendo.

O corpo descera pelo rio de um ponto acima, ou fora posto ali, tão perto que quase poderia vê-lo da janela de sua cozinha numa tarde clara?

Ela pegou a mão de Nathan, preocupada porque ainda estava gelada e tão sem vida quanto o corpo estendido à margem do rio.

— Você está encharcado e gelado. Vá vestir roupas secas. Esperarei por eles.

— Não quero sair daqui. Não vou deixá-la. Nem a ela.

Jo abraçou-o, pensando em aquecê-lo e confortá-lo.

— Foi a coisa mais generosa e corajosa que já vi alguém fazer. — Ela comprimiu os lábios contra o pescoço de Nathan, querendo que ele reagisse. — Você entrou no rio para tirá-la. Poderia tê-la deixado ali, mas entrou na água. Buscá-la não seria importante para alguns.

— Era importante para mim.

— Para você. É um bom homem, Nathan. Nunca esquecerei o que você fez.

Ele fechou os olhos e apertou com força. Recuou no instante seguinte, sem tocá-la.

— Eles estão chegando.

No exato momento em que Nathan se virava, Brian e Kirby surgiram apressados pelo caminho. Kirby lançou um olhar rápido para os dois.

— Entrem e tomem um banho quente de chuveiro. Irei examiná-los daqui a pouco.

Ela foi se ajoelhar ao lado do corpo. Jo permaneceu onde estava.

— Só pode ser a Sra. Peters. Ela ficou presa naquele galho. Deve ter caído em algum momento da noite passada e a tempestade trouxe o corpo para cá.

Jo respirou fundo e tornou a pegar a mão de Nathan. Brian ajoelhou-se ao lado de Kirby. Acenou com a cabeça quando Kirby puxou o cobertor.

— É ela mesma. O casal foi comer em Sanctuary duas ou três vezes. — Ele ficou de cócoras. Ergueu as mãos para esfregar o rosto. — Vou procurar o marido. Precisamos levá-la para algum lugar... algum lugar melhor do que este.

— Não podemos tirá-la daqui. — Kirby teve de fazer um enorme esforço para que as palavras passassem pelo aperto na garganta. — Você precisa chamar a polícia, dizer para vir o mais depressa possível. Não creio que ela tenha se afogado.

Gentilmente, ela ergueu o queixo, mostrando as equimoses.

— Esta mulher foi estrangulada... assassinada.

* * *

— COMO É POSSÍVEL? COMO ISSO PODE TER ACONTECIDO? — Lexy estava sentada toda contraída no canto do sofá, na sala de estar da família em Sanctuary. Mantinha as mãos entrelaçadas para não roer as unhas. — As pessoas não são assassinadas em Desire. É impossível. Kirby deve estar enganada.

— Descobriremos em breve. — Kate ligou o ventilador no teto para agitar o ar pesado. — A polícia nos dirá. De qualquer forma, aquela pobre mulher morreu e o marido... Jo Ellen, pare de andar de um lado para outro e sente-se. Tome logo aquele conhaque ou acabará com uma tremenda gripe.

— Não consigo sentar.

Jo continuou a andar de uma janela para outra, embora não pudesse dizer o que procurava.

— Eu gostaria que você sentasse. — O tom de Lexy era queixoso. — Vai me deixar transtornada se continuar assim. Eu gostaria que Giff estivesse aqui. Não sei por que ele tem de ficar com os outros, deixando-me sozinha aqui.

— Pare de se lamentar por cinco minutos — disse Jo, ríspida. — Segure a sua própria mão, para variar.

— Não comecem vocês duas! — Kate ergueu as mãos em protesto. — Eu não poderia suportar neste momento.

— E eu não consigo suportar esta espera. Vou sair. — Jo encaminhou-se para a porta. — Preciso saber o que está acontecendo. Tenho de fazer alguma coisa.

— Jo! Não saia sozinha. — Kate comprimiu a mão contra a cabeça. — Já estou na maior preocupação. Por favor, não saia sozinha.

A prima parecia tão velha e trêmula que Jo mudou de idéia.

— Tem razão. Nenhuma de nós deve sair sozinha. Só poderíamos atrapalhar. Sente-se também, Kate. Agora. — Ela pegou a prima pelo braço e levou-a para sentar no sofá, ao lado de Lexy. — Tome um conhaque. Está esgotada.

— Vou pegar o conhaque.

— Pode dar o meu — disse Jo, quando Lexy se levantou. — Não vou tomar.

— Se ficar preocupada comigo impede vocês de brigarem, podem continuar. — Kate pegou o copo trazido por Lexy. Deu um sorriso desanimado. — Devemos ter um café fresco à espera quando eles voltarem. Não sei quando Brian fez café pela última vez.

— Eu cuidarei disso. — Lexy inclinou-se para dar um beijo no rosto de Kate. — Não se preocupe.

Mas quando ela se empertigou, deparou-se com Giff na porta.

— Eles estão vindo para cá. Querem conversar com Jo.

— Não tem problema. — Jo apertou a mão que Lexy pusera em seu braço, agradecida. — Estou pronta.

— POR QUANTO TEMPO MAIS VÃO INTERROGÁ-LA?

Brian estava parado na varanda da frente, ouvindo os sons da floresta, o canto das cigarras e o coaxar das rãs.

— Não deve demorar — respondeu Kirby. — Estão falando com ela há quase uma hora. A conversa com Nathan não durou muito mais do que uma hora.

— Ela não deveria ter de passar por isso. Já foi terrível achar o corpo e ajudar a tirá-lo do rio. É demais ter de relatar tudo várias vezes.

— Tenho certeza de que serão tão gentis com ela quanto é possível nas circunstâncias. — Kirby apenas suspirou quando ele virou-se com uma expressão de censura. — Brian, não se pode fazer outra coisa. Não há opções. Uma mulher foi assassinada. É preciso fazer perguntas.

— Jo com certeza não a matou. — Ele arriou no balanço na varanda. — É mais fácil para você. Uma médica da cidade grande. Já viu tudo, já fez tudo.

— Talvez isso seja verdade. — Kirby falou friamente, para encobrir a mágoa. — Mas ser mais fácil ou mais difícil não muda os fatos. Alguém decidiu que não deixaria Susan Peters viver por mais tempo. E usou as mãos para acabar com sua vida. Agora é preciso fazer perguntas.

Brian pensou um pouco, no escuro.

— Vão procurar o marido em seguida.

— Não sei.

— Tenho certeza. Pela lógica, é o próximo passo. Alguma coisa aconteceu com a esposa, procure o marido. É sempre possível que tenha sido ele. Procuraram meu pai quando mamãe foi embora. Até que ficaram convencidos de que ela apenas... foi embora. Levarão o pobre-coitado para alguma sala e começarão a fazer perguntas. É até possível que tenha sido ele quem decidiu que Susan Peters não continuaria a viver.

Ele olhou para Kirby. Ela estava empertigada, mantendo um controle absoluto, sob a luz amarela da varanda. Ainda usava a enorme calça de training de Jo. Mas Brian vira-a com a polícia, observara-a transmitir informações, enunciar os termos médicos, antes de se abaixar junto do corpo com os peritos.

Não havia nada de delicado em Kirby.

— Você deve ir para casa, Kirby. Não há mais nada que possa fazer aqui neste momento.

Ela teve vontade de chorar. Teve vontade de gritar. Queria bater com os punhos na parede fina e transparente que Brian erguera subitamente entre os dois.

— Por que está me excluindo, Brian?

— Porque não sei o que fazer em relação a você. E nunca tive a intenção de deixá-la entrar, em primeiro lugar.

— Mas deixou.

— Fui eu que deixei, Kirby? Ou você arrombou a porta?

A sombra de Jo interpôs-se entre os dois antes que ela saísse para a varanda.

— A polícia já acabou aqui.

— Você está bem? — Kirby aproximou-se. — Deve estar exausta. Quero que suba e deite. Posso dar alguma coisa para ajudá-la a dormir.

— Não se preocupe. Estou bem. — Jo apertou de leve a mão de Kirby. — Foi até melhor ter de repassar tudo passo a passo. Apenas me sinto triste e desolada, mas agradecida por estar inteira. Nathan foi embora?

— Kate levou-o para cima. — Brian levantou-se e foi estudar a irmã de perto. Jo parecia mais firme do que ele previra. — Acho que não será preciso muito para persuadi-lo a passar a noite aqui. A polícia deve passar algumas horas procurando pistas ao longo do rio.

— Neste caso, vamos persuadi-lo. Você também deve ficar aqui, Kirby.

— Não, obrigada. É melhor eu voltar para casa. Não há mais necessidade de minha presença aqui. E tenho certeza de que um dos detetives me levará. Vou buscar minha maleta.

— Pode ficar, se quiser — disse Brian.

Kirby olhou para trás, com uma expressão fria e contida.

— É melhor eu voltar para casa — repetiu ela, saindo e deixando a porta de tela bater.

— Por que a está deixando ir embora? — perguntou Jo, gentilmente.

— Talvez eu tenha que me testar. Talvez seja melhor assim.

Jo pensou no que Nathan dissera pouco antes de o mundo começar a enlouquecer de novo.

— Talvez devêssemos começar a pensar no que nos faz felizes, não no que pode ser melhor. Sei que vou tentar, pois as chances começam a se esgotar depois de algum tempo. Tenho uma coisa para lhe dizer. Perdi muitas oportunidades de dizer isso antes.

Brian deu de ombros. Enfiou as mãos nos bolsos, no que Jo considerava a sua sombria postura Hathaway.

— Pode falar.

— Eu amo você, Brian.

O prazer de dizer isso foi quase ofuscado pela satisfação de observar o espanto no rosto do irmão.

Mas Brian concluiu que era um truque, um pretexto para distrair sua atenção, antes que Jo desfechasse o golpe decisivo.

— E que mais?

— Eu gostaria de ter dito isso antes e com mais freqüência. — Ela ergueu-se na ponta dos pés e deu um beijo rápido e firme em seu rosto desconfiado. — Se eu tivesse falado antes, porém, não teria a satisfação de ver agora seus olhos esbugalhados, como uma truta pendurada no anzol. Vou subir e fazer Kate deitar, para que ela possa fingir que não sabe que Nathan passará a noite em meu quarto.

— Jo Ellen...

Brian encontrou a voz quando a irmã alcançou a porta, mas tornou a perdê-la quando ela virou-se para fitá-lo.

— Pode falar. — Ela ofereceu um sorriso largo. — Basta dizer. É muito mais fácil do que você imagina.

— Eu também amo você.

— Eu sei. É você quem tem o melhor coração, Bri. E é isso que o preocupa.

Jo fechou a porta sem fazer barulho e subiu ao encontro do resto da família.

ELA SONHOU QUE PASSEAVA PELO JARDIM DE SANCTUARY. Os cheiros do auge do verão, o ar do auge do verão. No céu, a lua era tão cheia e clara quanto um desenho de criança. Branco sobre preto. As estrelas eram um interminável mar de luz.

Napelos e campânulas balançavam gentilmente à brisa, as flores brancas destacando-se na noite. Ah, como ela amava as flores brancas, a maneira como brilhavam na escuridão. Eram mais fadas do que flores, pensou ela, e dançavam enquanto os mortais dormiam.

Também se sentia imortal... forte e vibrante. Ergueu os braços, especulando por que simplesmente não saía voando. A noite também era seu tempo. Seu tempo para ficar sozinha. Podia vaguear pelo jardim como um fantasma. O tilintar dos sinos de vento proporcionava a música para dançar.

E de repente uma sombra surgiu do meio das árvores. E a sombra tornou-se um homem. Imortal, apenas curiosa, ela avançou em sua direção.

E depois corria pela floresta, na escuridão ofuscante, a chuva fustigando seu rosto, violenta. A noite era diferente agora, ela era diferente agora. Apavorada, perseguida. Caçada. O vento era como mil lobos uivando, as presas à mostra, com sangue pingando. As gotas da chuva eram como pequenas lanças arremessadas para dilacerar sua carne. Os galhos projetavam-se contra ela, implacáveis. Árvores surgiam de repente para bloquear seu caminho.

Era agora mortal, de uma forma patética e apavorante. Seu fôlego ficou preso num soluço quando ouviu o caçador gritar seu nome. Mas o nome era Annabelle.

Jo afastou os lençóis emaranhados em torno de seu corpo e sentou na cama, num movimento abrupto. Mesmo enquanto a visão ainda desanuviava, sentiu a mão de Nathan em seu ombro. Ele não estava deitado ao seu lado, mas em pé, o rosto na escuridão.

— Você está bem. Foi apenas um sonho. Um pesadelo.

Sem confiar em sua voz, Jo acenou com a cabeça. A mão em seu ombro esfregou-o uma vez, distraída, antes de se retirar. Era um gesto de conforto distante.

— Quer alguma coisa?

— Não. — O medo já começava a desvanecer. — Não é nada. Já estou acostumada.

— Seria de admirar se não tivesse pesadelos depois do que aconteceu hoje.

Ele afastou-se, foi até a janela, virou as costas. Jo viu que ele havia vestido os jeans. Passou a mão pelos lençóis ao seu lado e constatou que estavam frios. Nathan não dormira ao seu lado. Não quisera, refletiu ela. Só ficara em Sanctuary porque Kate tornara impossível recusar. E só partilhara sua cama porque seria embaraçoso se não o fizesse.

Mas não a tocara, não se virara para ela.

— Você não dormiu?

— Não.

Nathan não tinha certeza se algum dia voltaria a fechar os olhos em paz. Jo olhou para o relógio. Três horas e cinco minutos. Já tivera a sua quota de acordar angustiada depois das três horas da madrugada.

— Talvez você devesse tomar uma pílula para dormir.

— Não.

— Sei que foi terrível para você, Nathan. Não há nada que alguém possa dizer ou fazer para tornar melhor.

— Nada jamais fará com que se torne melhor para Tom Peters.

— Ele pode tê-la matado.

Nathan torcia para que fosse verdade... uma esperança que acalentava com toda a força de seu coração. E sentia-se sórdido por isso.

— Eles discutiram — continuou Jo, obstinada. — Ela saiu sozinha. Tom Peters pode tê-la seguido até a enseada. Continuaram a discutir e ele explodiu. Seria preciso apenas um minuto de acesso de raiva. Depois, ele entrou em pânico e carregou o corpo para longe. Queria ter distância e por isso jogou o corpo no rio.

— As pessoas nem sempre matam por raiva ou pânico. — A amargura dominava a voz de Nathan, ameaçando sufocá-lo. — Não devo ficar nesta casa. Nem com você. O que me deu na cabeça para voltar? Queria reparar o quê? Como pude pensar que seria capaz de fazer alguma coisa?

— Mas do que está falando?

Jo detestou o tremor em sua voz. Mas a maneira com que ele falava, a voz fria e dura, deixava-a apavorada.

Nathan virou-se para fitá-la. Ela sentou na cama enorme e feminina, com os joelhos levantados numa posição defensiva, o rosto uma sombra pálida. Ele compreendeu que cometera erros, desde o início. Erros egoístas e estúpidos. Mas o maior de todos fora o de se apaixonar por ela, pressioná-la a se apaixonar por ele. Jo passaria a odiá-lo antes de chegarem ao fim. Era inevitável.

— Não posso explicar agora. Já tivemos o suficiente por enquanto.

Encaminhar-se para ela, pensou Nathan, era tão difícil quanto afastar-se. Ele sentou na beira da cama. Pôs as mãos nos braços de Jo.

— Você precisa dormir.

— E você também, Nathan. Estamos vivos. — Ela pegou a mão de Nathan e comprimiu-a contra o seu coração. — Passar por tudo e seguir em frente... isso é importante. É uma lição que aprendi da maneira mais difícil.

Jo inclinou-se para a frente e roçou os lábios pelos dele.

— Neste momento, vamos apenas ajudar um ao outro a chegar ao fim da noite. — Ela continuou a fitá-lo enquanto o beijava. — Faça amor comigo. Preciso abraçá-lo.

Nathan deixou que ela o puxasse, permitiu-se afundar. Jo o odiaria antes de chegar ao fim, mas por enquanto o amor seria suficiente.

PELA MANHÃ, NATHAN JÁ FORA EMBORA DA CAMA DE JO, DE Sanctuary e de Desire.

— ELE PARTIU NA BARCA DA MANHÃ?

Jo olhou aturdida para Brian, sem entender como ele era capaz de fritar ovos quando o mundo tornara a virar pelo avesso.

— Passei por Nathan ao amanhecer, quando ele voltava para seu chalé. — Brian verificou o pedido e serviu o cereal. As crises vinham e passavam, pensou ele, mas as pessoas sempre conseguiam comer. — Disse que precisava resolver alguns problemas no continente. Ficaria fora por dois ou três dias.

— Dois ou três dias...

Sem se despedir, sem dizer que voltaria a vê-la. Sem qualquer coisa.

— Nathan parecia bastante nervoso. E você também parece.

— As últimas vinte e quatro horas não foram fáceis para ninguém.

— Não, não foram, mas ainda tenho uma pousada para cuidar. Se você quiser ser útil, pode varrer os pátios e terraços, ajeitar as almofadas de volta em seus lugares.

— A vida continua, não é?

— E não há nada que possamos fazer para evitar. — Nathan tirou os ovos da frigideira, as gemas tremendo. — E você faz o que tem de ser feito em seguida.

Brian observou-a pegar a vassoura no armário e sair. E perguntou-se o que ele próprio deveria fazer em seguida.

— Estou surpresa que as pessoas ainda possam comer, com a maneira com que suas bocas trabalham depressa. — Lexy entrou na cozinha, trocou um bule de café vazio por outro cheio, pôs os novos pedidos no balcão. — Se mais alguém perguntar por aquela pobre mulher, acho que vou gritar.

— É inevitável que as pessoas falem, que façam perguntas.

— Você não tem de escutá-las. — Lexy permitiu-se uma folga. Encostou o quadril no balcão. — Acho que não dormi mais do que dez minutos durante a noite inteira. Tenho a impressão de que nenhum de nós dormiu. Jo já levantou?

— Saiu para limpar os terraços.

— Ótimo. Procure mantê-la ocupada. — Ela deixou escapar um suspiro quando Brian fitou-a com uma expressão especulativa. — Não sou uma desmiolada, Bri. Tem sido mais difícil para ela do que para os outros. Depois de tudo por que ela passou. Qualquer coisa que mantenha seus pensamentos longe do que aconteceu, mesmo que seja por apenas cinco minutos, já é uma bênção.

— Nunca pensei que você fosse desmiolada, Lex. Por mais que fingisse ser.

— Não vou me importar com seus insultos esta manhã, Brian. Mas estou preocupada com Jo. — Ela virou-se para espiar pela janela. Ficou satisfeita ao ver a irmã varrendo vigorosamente. — Um bom trabalho manual deve ajudar. E graças a Deus por Nathan. Ele é o que Jo mais precisa neste momento.

— Ele não está aqui.

Lexy virou-se tão depressa que o café balançou na beira do bule.

— Como assim?

— Foi passar alguns dias no continente.

— Para quê? Ele deveria permanecer aqui, com Jo Ellen.

— Nathan tinha problemas para resolver.

— Problemas? — Lexy revirou os olhos. Pegou a bandeja com os novos pedidos. — Não é típico dos homens? Todos vocês são tão inúteis quanto um touro de três tetas.

Ela saiu, furiosa, os quadris subindo e descendo. E Brian, por alguma razão, descobriu-se muito mais animado. As mulheres, pensou ele. Não podemos viver sem elas. Não podemos jogá-las do alto de um penhasco.

LEXY SAIU UMA HORA DEPOIS. ENCONTROU JO ABRINDO O último guarda-sol das mesas no pátio.

— Tudo está arrumado aqui. Em ordem, limpo. Suba e ponha um maiô. Vamos até a praia.

— Para quê?

— Porque sim. Suba e troque de roupa. Já peguei o protetor solar e as toalhas.

— Não quero sentar na praia.

— Acho que não perguntei o que você quer fazer. Precisa de um pouco de sol. E se não for comigo durante uma hora, Brian ou Kate arrumará mais alguma coisa para você varrer ou esfregar.

Jo olhou para a vassoura com repulsa.

— Tem toda razão. Por que não? Faz bastante calor. Bem que preciso de um mergulho.

— Pois então vamos logo, antes que alguém nos encontre e nos ponha para trabalhar.

JO PASSOU DA ARREBENTAÇÃO E COMEÇOU A NADAR COM A correnteza. Esquecera quanto adorava o mar... lutar contra a correnteza, deixar-se levar. Ouviu um grito feminino a distância e avistou um casal enfrentando as ondas. Mais adiante, um jovem bronzeado tentava pegar uma onda, para deslizar em seu bote inflável até a praia.

Quando os braços cansaram, ela ficou boiando de costas. Os raios do sol passavam pelo céu enevoado e ardiam em seus olhos. Quando a mente vagueou para Nathan, ela tratou de reprimir.

Nathan tinha uma vida própria, e ela também. Talvez ela tivesse começado a se inclinar demais. Ainda bem que ele retirara o ombro abruptamente, o que a forçara a recuperar seu equilíbrio.

Quando Nathan voltasse — se voltasse —, ela seria mais firme.

Com um gemido de desgosto, ela virou-se, afundando o rosto na água.

A verdade é que estava mesmo apaixonada por ele. E se isso não era a coisa mais estúpida que podia acontecer, não sabia o que era pior. Não havia futuro ali... e por que ela sequer pensaria em futuro? Jo virou a cabeça, aspirou bastante ar e recomeçou a nadar.

Haviam se aproximado por acaso, através das circunstâncias, e aproveitaram a oportunidade. Se haviam se tornado mais íntimos do que tencionavam, também fora uma questão de circunstâncias. E as circunstâncias haviam mudado. Ela mudara.

Se voltar para Sanctuary causara sofrimento e angústia, também trouxera de volta uma força e percepção de que carecera por muito tempo.

Ela pisou no fundo, deixou a areia se deslocar sob seus pés, enquanto andava de volta à praia.

Lexy estava estendida numa toalha, exibindo as curvas generosas. Apoiava-se num cotovelo, meio de lado, absorvida na leitura de um livro. Na capa havia um homem de peito nu, com peitorais espantosos e improváveis, cabelos pretos que caíam sobre os ombros reluzentes, um sorriso arrogante nos lábios cheios.

Lexy deixou escapar um suspiro baixo, quase um murmúrio, e virou uma página. Seus cabelos ondulavam à brisa. As curvas dos seios deslumbrantes eram suaves, num tom de pêssego, por cima do sutiã mínimo do biquíni, em que guerreavam tonalidades verdes e rosa-néon. As pernas compridas brilhavam com o protetor solar. As unhas estavam pintadas de coral.

Ela parecia, refletiu Jo, um anúncio de resort sensual.

Depois de sentar ao lado, Jo pegou uma toalha e esfregou nos cabelos.

— Faz isso de propósito ou é apenas instinto?

— Faço o quê?

Lexy baixou para a ponta do nariz os óculos escuros de lentes rosa e espiou por cima.

— Dar um jeito para que todos os machos num raio de cem metros estiquem o pescoço para admirá-la.

— Ah, isso... — Lexy empurrou os óculos de volta para o lugar. — É apenas instinto, queridinha. E um pouco de sorte. Você poderia fazer a mesma coisa, mas teria de se esforçar. Recuperou a silhueta desde que voltou para casa. E esse maiô preto não é uma escolha das piores. Deixa seu corpo atlético e esguio. Alguns homens adoram isso.

Ela tornou a baixar os óculos antes de acrescentar:

— É o que parece que acontece com Nathan.

— Nathan nunca me viu neste maiô.

— Então será um presente para ele.

— Se ele voltar.

— Claro que voltará. Você é esperta. Fará com que ele pague alguma coisa por ter partido.

Jo encheu a mão de areia e deixou escapar entre os dedos.

— Estou apaixonada por ele.

— Claro que está. Por que não estaria?

— Apaixonada de verdade, Lexy.

Jo franziu o rosto para os grãos de areia que aderiam à sua mão.

— Ahn... — Lexy sentou, cruzou as pernas bonitas e sorriu. — Isso é ótimo. Demorou para se apaixonar, mas escolheu um vencedor.

— Pois eu detesto. — Jo pegou outro punhado de areia e apertou. — Detesto me sentir assim, detesto ser assim. Deixa meu estômago todo embrulhado.

— É o que costuma acontecer. Já fiquei com o estômago assim dezenas de vezes. E foi sempre muito fácil relaxá-lo de novo. — Ela contraiu os lábios, enquanto olhava para o mar. — Até agora. Estou descobrindo que é mais difícil fazer isso com Giff.

— Ele a ama. Sempre amou. É diferente para você.

— É diferente para todo mundo. Cada pessoa é diferente por dentro. E é isso que torna tão interessante.

Jo inclinou a cabeça para o lado.

— Quer saber de uma coisa, Lex? Às vezes você é absolutamente sensata. Nunca espero, até que acontece. Acho que preciso lhe dizer a mesma coisa que falei para Brian ontem à noite.

— O que foi?

— Eu amo você, Lexy. — Ela inclinou-se e deu um beijo no rosto da irmã. — Amo de verdade.

— Sei disso, Jo. Você podia relutar em admitir, mas sempre nos amou. — Lexy deixou escapar um suspiro ao decidir que também faria uma confissão. — Acho que foi por isso que fiquei tão furiosa quando você partiu. E com inveja.

— Inveja de mim?

— Porque você não teve medo de partir.

— Tive sim. — Jo apoiou o queixo no joelho, observando as ondas arremeterem para a praia. — Fiquei apavorada. Às vezes ainda sinto medo de estar lá fora, de não ser capaz de fazer o que preciso fazer. Ou de fazer, mas fracassar.

— Pois eu fracassei e posso lhe dizer que é horrível.

— Você não fracassou, Lexy. Apenas não terminou. — Jo virou a cabeça para a irmã. — Pretende voltar?

— Não sei. Tinha certeza de que voltaria. — Os olhos ficaram anuviados, oscilando entre o cinza e o verde. — O problema é que é muito fácil ficar aqui, deixar o tempo passar. Até me tornar velha, enrugada e gorda. Mas por que estamos falando disso?

Irritada consigo mesma, Lexy sacudiu a cabeça e pegou uma lata gelada de Pepsi no cooler ao seu lado.

— Deveríamos estar conversando sobre alguma coisa mais interessante. Por exemplo, tenho especulado...

Ela abriu a lata e tomou um gole. Depois, passou a língua pelo lábio superior.

— Como é o sexo com Nathan?

Jo soltou uma risada.

— Não — disse ela, decidida, virando para ficar deitada de bruços.

— Numa escala de um a dez. — Lexy cutucou o ombro de Jo. — Ou se tivesse de escolher um adjetivo para descrever.

— Não — repetiu Jo.

— Só um adjetivo. Seria "incrível"? — Ela inclinou-se para o ouvido de Jo. — Ou seria "fabuloso"? Talvez "memorável"?

Jo deixou escapar um pequeno suspiro.

— Estupendo — murmurou ela, sem abrir os olhos. — É estupendo.

— Estupendo... — Lexy acenou com a mão. — Gosto disso. Estupendo. Ele mantém os olhos abertos ou fechados quando a beija?

— Depende.

— Faz as duas coisas? Isso me deixa toda arrepiada. Nunca se sabe o que pode acontecer. Adoro isso. E como é quando ele...

— Lexy... — Embora uma risada escapasse, Jo manteve os olhos fechados. — Não vou descrever para você a técnica de Nathan para fazer amor. Pretendo tirar um cochilo. Acorde-me daqui a pouco.

E, para sua surpresa, Jo mergulhou num sono profundo.

Capítulo Vinte e Cinco

Nathan andava de um lado para outro sobre o velho tapete turco na arrojada biblioteca de dois níveis do Dr. Jonah Kauffman. Lá fora e duas dúzias de andares abaixo, Nova York sufocava sob uma terrível onda de calor. Ali, no distinto apartamento de cobertura, era tudo fresco e polido, a mundos de distância da agitação e barulho das ruas.

Nunca parecia Nova York no reino de Kauffman. Sempre que entrava no imponente vestíbulo, com suas madeiras douradas e cores suaves, Nathan pensava nos aristocratas rurais ingleses e suas casas.

Um dos primeiros trabalhos de Nathan fora o projeto daquela biblioteca, com a mudança de paredes e tetos para acomodar a enorme coleção de livros de Kauffman, no estilo discreto e tradicional que convinha a um dos maiores neurologistas do país. As estantes de castanheiro, as molduras largas e esculpidas, as janelas triplas, altas e recuadas, formando uma alcova aconchegante, tudo isso fora opção de Nathan. Kauffman deixara tudo aos seus cuidados. Ria sempre que Nathan lhe pedia uma opinião.

Você é o doutor neste caso, Nathan. Não me peça para colaborar na escolha das vigas estruturais e não lhe pedirei para me ajudar em alguma cirurgia cerebral.

Agora, Nathan fazia um esforço para se controlar, enquanto esperava. Desta vez, Kauffman era o doutor, e o presente de Nathan, o futuro, cada opção que viria a fazer, grande ou pequena, estavam nas mãos competentes de Kauffman.

Já haviam se passado seis dias desde que ele deixara Desire. Seis dias desesperadamente longos. Kauffman entrou na biblioteca e fechou as portas.

— Desculpe fazê-lo esperar, Nathan. Deveria ter se servido de um conhaque... mas conhaque não é a sua bebida predileta, não é mesmo? Tomarei um e você pode fingir que me acompanha.

— Agradeço por me receber aqui, doutor... com tanta coisa para fazer.

— Ora, Nathan, você é parte da família.

Kauffman pegou uma garrafa de cristal Baccarat num aparador para servir dois copos de conhaque. Era um homem alto, quase dois metros, empertigado e esguio mesmo depois de setenta anos. Os cabelos permaneciam abundantes e ele se permitia a vaidade de escová-los para trás, brancos e ondulados. Usava barba e bigode bem-aparados, que cercavam a boca um tanto fina. Preferia as linhas austeras dos ternos britânicos, a elegância dos sapatos italianos. Nunca deixava de se apresentar de forma impecável.

Mas eram seus olhos que atraíam primeiro a atenção das pessoas... e a mantinham na maioria das vezes. Eram escuros e penetrantes, sob sobrancelhas pretas e curvas. Irradiavam afeição quando ele estendeu um copo de conhaque para Nathan.

— Sente-se, Nathan, e relaxe. Não será necessário abrir seu cérebro em qualquer momento no futuro previsível.

Nathan sentiu o estômago se contrair lentamente.

— Os exames?

— Todos eles, e você pediu... mais do que isso, insistiu... uma extensa série de exames, deram negativos. Eu mesmo analisei os resultados, como você pediu. Não tem tumores, não tem sombras, não tem qualquer anormalidade. O que você tem, Nathan, é um cérebro muito saudável e um sistema neurológico em perfeitas condições. Agora, sente-se.

— Está bem.

As pernas cederam com bastante facilidade. Ele arriou no couro macio de uma enorme poltrona.

— Obrigado por todo o seu tempo e trabalho, mas me pergunto se não deveria pedir uma segunda opinião.

Kauffman ergueu as sobrancelhas pretas numa expressão dramática. Ao sentar na frente de Nathan, puxou as pernas da calça para que caíssem com perfeição.

— Consultei um colega sobre seus exames. A opinião dele confirma a minha. Mas pode procurar outros médicos, é claro.

— Não há necessidade. — Embora não gostasse de conhaque, Nathan tomou um gole. — Tenho certeza de que cobriu todas as possibilidades.

— Mais do que isso. A tomografia cerebral e o exame de ressonância magnética também demonstraram que você é absolutamente normal. Os exames físicos, de sangue e todo o resto, comprovaram que é um homem de trinta anos com excelente saúde e ótima forma. — Kauffman girou o conhaque em seu copo antes de tomar um gole. — Agora, está na hora de você me contar por que achava que precisava fazer tantos exames.

— Queria ter certeza de que não havia nada errado fisicamente comigo. Pensei que poderia ter blecautes.

— Tem perdido a noção do tempo?

— Não. Mas como eu poderia saber? Há uma possibilidade de ter apagado... e feito coisas... durante o que você poderia chamar de estado de fuga...

Kauffman contraiu os lábios. Conhecia Nathan há tempo demais para considerá-lo um alarmista.

— Tem alguma evidência de que isso aconteceu? Descobriu-se em lugares sem saber como chegou lá?

— Não. — Nathan permitiu que o alívio se espalhasse, devagar. — Quer dizer que estou bem fisicamente.

— Está em excelentes condições físicas... até mesmo invejáveis. A condição emocional é outro problema. Teve um ano terrível, Nathan. A perda de sua família não poderia deixar de cobrar um tributo. Além de um divórcio pouco antes. Muita perda, muita mudança. Também sinto muita saudade de David e Beth. Gostava muito dos dois.

— Sei disso.

Nathan fitou aqueles olhos escuros e firmes. Você sabia?, especulou ele. Desconfiava? Mas nos olhos de Kauffman só havia compaixão e pesar.

— Também tenho saudade de Kyle. — Kauffman deu um suspiro profundo. — Tão jovem... uma morte tão desnecessária...

— Tive tempo para lidar com isso... para começar a aceitar que meus pais morreram. — Até mesmo para agradecer a Deus por isso, pensou Nathan. — Quanto a Kyle, não éramos íntimos há muito tempo. A morte de nossos pais não mudou isso.

— E sente-se culpado por não lamentá-lo tanto quanto lamenta a morte de seus pais.

— É possível. — Nathan largou o copo de conhaque na mesinha ao lado. Passou as mãos pelo rosto. — Não sei mais onde a culpa está enraizada. Dr. Kauffman, foi amigo de meu pai durante trinta anos. Já era seu amigo antes mesmo de meu nascimento.

— E era amigo de sua mãe também. — Kauffman sorriu. — Como um homem que tem três ex-esposas, admirava a dedicação que dispensavam um ao outro e ao casamento. A seus filhos. Vocês eram uma família adorável. Espero que possa encontrar conforto nessa lembrança.

E isso, pensou Nathan, com um aperto no coração, era o xis do problema. Não podia haver conforto nas lembranças agora e nunca mais haveria.

— O que levaria um homem que parece normal, que leva uma vida normal, a planejar e cometer um ato obsceno? Um ato hediondo?

A pressão no peito forçava o coração de Nathan a bater muito forte. Ele tornou a pegar o copo de conhaque, mas sem qualquer vontade de beber.

— Ele estaria insano, doente? Haveria alguma causa física?

— Não posso dizer, Nathan, diante de uma especulação tão geral. Acha que seu pai cometeu um ato hediondo?

— Tenho certeza. — Antes que Kauffman pudesse falar, Nathan sacudiu a cabeça, levantou-se e recomeçou a andar de um lado para outro. — Não posso... não estou livre para explicar. Há outras pessoas com quem preciso falar antes.

— Nathan, David Delaney foi um amigo leal, um marido apaixonado, um pai devotado. Pode ficar tranqüilo quanto a isso.

— Não tenho tranqüilidade desde o mês seguinte à sua morte. — As emoções turbilhonavam nos olhos de Nathan, deixando-os turvos. — Eu o enterrei, Dr. Kauffman... ele e minha mãe. E me sinto muito tentado a enterrar o resto. Se pudesse ter certeza de que não vai acontecer de novo.

Kauffman inclinou-se para a frente. Vinha tratando da condição humana há meio século e sabia que não existia cura do corpo ou do cérebro sem a cura do coração.

— O que quer que seja que você acredita que ele fez, não pode suportar o peso.

— Quem poderia? Quem haveria de querer? Sou o único que restou.

— Nathan... — Kauffman soltou um pequeno suspiro. — Você era um menino inteligente e fascinante... e se tornou um homem inteligente e talentoso. Com bastante freqüência, enquanto você crescia, observei-o arcar com as responsabilidades de outros. Cuidou de seu irmão por tempo demais, para o seu próprio bem e o de Kyle. Não cometa esse erro agora por uma coisa que não pode mudar ou reparar.

— Venho me dizendo isso há dois meses. "Deixe em paz, leve sua própria vida." E decidi não escavar o passado, concentrar-me no presente, construir um futuro.

— Ah...

Kauffman recostou-se na poltrona, relaxado.

— Estou apaixonado por ela.

— Fico satisfeito em ouvir isso. Adoraria conhecê-la. Ela também estava em férias na ilha para onde você foi?

— Não exatamente. A família dela mora na ilha. Ela voltou para passar algum tempo ali. Teve... dificuldades pessoais. Eu a conheci quando éramos crianças. Ao tornar a vê-la... para simplificar, uma coisa levou a outra. Eu poderia ter evitado.

Nathan foi até a janela e contemplou o Central Park, verde e viçoso no verão.

— E talvez devesse ter evitado.

— Por que se negaria a felicidade?

— Sei de uma coisa que a afeta. E se contar, ela vai me desprezar. Mais do que isso, não sei o que poderá lhe causar em termos emocionais. — Porque o parque fazia-o pensar na floresta em Desire, ele virou as costas para a janela. — Seria melhor para ela continuar a acreditar em uma coisa que a magoa, ou saber a verdade e ter de viver com uma angústia que talvez não seja capaz de suportar? Eu a perderia se contasse... e não sei se posso viver comigo mesmo se não contar.

— Ela é apaixonada por você?

— Começa a ficar. Se eu deixar as coisas continuarem como estão, acabará apaixonada. — Uma insinuação de sorriso contraiu os cantos dos lábios de Nathan. — Ela detestaria me ouvir dizer isso, como se fosse inevitável. Como se não tivesse qualquer controle.

Kauffman percebeu que o ardor voltava à voz de Nathan. O garoto sempre fora o seu predileto, o que só admitira a si mesmo. Mesmo incluindo seus netos.

— Ah, uma mulher independente. Sempre mais interessante... e mais difícil.

— Ela é fascinante e pode ter certeza de que não é fácil. É forte, mesmo quando é magoada, e já foi magoada demais. Construiu uma carapaça ao seu redor. Desde que tornei a encontrá-la, tenho observado essa carapaça rachar, se abrir. Talvez eu tenha contribuído para isso acontecer. Por dentro, ela é gentil e generosa.

— Não disse uma única vez como ela parece.

Kauffman sabia que isso era um detalhe revelador. A atração física levara-o a três casamentos ardentes, seguido por três divórcios gelados. Havia necessidade de mais para uma união longa e com freqüência difícil.

— Ela é linda — disse Nathan. — Gostaria de parecer comum, mas é impossível. Jo não confia na beleza. Confia na competência. E na honestidade.

Ele baixou os olhos para o conhaque que quase não bebera, enquanto acrescentava:

— Não sei o que fazer.

— A verdade é admirável, mas nem sempre é a solução. Não posso lhe dizer que opção fazer, mas sempre acreditei que o amor, quando genuíno, resiste a tudo. Talvez você devesse perguntar a si mesmo qual seria o maior ato de amor, revelar a verdade ou permanecer calado.

— E se eu permanecer calado, a base que construímos já terá uma rachadura. Ainda assim, sou a única pessoa viva que pode contar o que aconteceu, Dr. Kauffman. — Nathan ergueu o rosto, os olhos transbordando de emoção. — Sou o único que restou.

NATHAN NÃO VOLTOU PARA A ILHA NO DIA SEGUINTE, NEM no outro. No terceiro dia, Jo convencera-se de que não tinha importância. Não ficaria sentada à espera de que ele atravessasse o estreito para buscá-la, como um pirata reclamando seu butim.

No quarto dia, estava chorosa, desprezando por esperar a chegada da barca, na esperança de encontrá-lo.

Ao final da semana, sentia-se furiosa, passando a maior parte do tempo a brigar com qualquer pessoa que corresse o risco de falar com ela. Para restaurar a paz, Kate decidiu enfrentar a crise, no quarto de Jo, para onde ela fora depois de uma briga com Lexy.

— Mas o que está fazendo trancada aqui numa manhã tão bonita?

Decidida, Kate foi abrir as cortinas, que Jo fechara. O sol entrou no quarto.

— Desfrutando minha privacidade. Se veio tentar me convencer a pedir desculpa a Lexy, quero que saiba que perde seu tempo.

— Você e Lexy podem continuar a travar suas batalhas, como sempre fizeram. Não estou nem um pouco interessada. — Kate pôs as mãos nos quadris. — Mas controle o tom em que fala comigo, mocinha.

— Peço perdão, mas este é o meu quarto — disse Jo, friamente.

— Não me importo que esteja sentada no alto de sua montanha, porque não permitirei que mostre as garras para mim. Tenho sido paciente porque sei como você anda nos últimos dias, mas acho que já brigou com todo mundo aqui por tempo suficiente.

— Então talvez esteja na hora de eu pensar em voltar para casa.

— A decisão é sua. Trate de se controlar, Jo Ellen. — Havia uma certa rispidez na voz de Kate. — O homem partiu há apenas uma semana e tenho certeza de que voltará.

Jo empinou o queixo.

— Não sei do que está falando... nem a quem se refere.

Antes que pudesse se conter, Kate soltou uma risada.

— Não pense que pode ser mais irônica do que eu. Estou nesse jogo há mais tempo. — Kate sentou na cama, onde Jo fingia estar absorvida na seleção final das fotos para seu livro. — Um cego num cavalo a galope seria capaz de perceber que Nathan Delaney a deixou confusa. E provavelmente é a melhor coisa que lhe aconteceu em anos.

— Não estou confusa, de qualquer forma, por qualquer coisa.

— Está mais do que meio apaixonada por ele. Não me surpreenderia nem um pouco se ele tivesse se ausentado dessa maneira apenas para pressioná-la a seguir pelo resto do caminho.

Como isso não lhe ocorrera, Jo sentiu seu sangue ferver.

— Neste caso, ele cometeu um tremendo erro de cálculo. Partir sem dizer nada não é a melhor maneira de conquistar minha afeição.

— Quer que ele saiba que você ficou resmungando por aqui, no maior desânimo, durante todo o tempo de sua ausência? — Kate alteou uma sobrancelha ao ver que o ímpeto de raiva avermelhava as faces de Jo. — Há muitas pessoas que ficariam felizes em contar para Nathan, se você continuar assim. Eu não gostaria que você lhe proporcionasse essa satisfação.

— Não tenciono nem lhe dizer que horas são, se ele voltar.

Kate afagou o joelho de Jo.

— Concordo plenamente.

Cautelosa, achando que podia ser uma armadilha, Jo contraiu os olhos.

— Pensei que gostava dele.

— E gosto. Gosto muito até, mas isso não significa que não ache que ele mereça um bom chute no traseiro por deixá-la infeliz. E ficaria muito desapontada se você lhe desse a oportunidade de tripudiar pelo que fez. Portanto, levante-se. — Kate levantou-se. — Vá cuidar de sua vida. Pegue a câmera e tire algumas fotos. E, quando Nathan voltar, descobrirá que você continuou a viver mesmo sem ele.

— Você está certa. Absolutamente certa. Ligarei para a editora e darei a aprovação final para as últimas fotos. E depois sairei para tirar novas fotos. Tenho uma idéia para outro livro.

Kate sorriu, enquanto Jo se levantava e calçava os sapatos.

— Isso é maravilhoso. Espero que signifique que terá fotos da ilha no novo livro.

— Todas serão da ilha. E desta vez haverá pessoas também. Rostos. Ninguém vai me acusar de ser solitária, de me esconder por trás das lentes. Tenho mais de uma faceta.

— Claro que tem, querida. Vou me retirar agora para que você possa trabalhar.

Quase vibrando com o prazer do sucesso, Kate deixou o quarto Talvez agora tivessem um pouco de paz, pensou ela.

* * *

A ADRENALINA IMPULSIONOU JO DURANTE AQUELE DIA E O seguinte. Abasteceu-a em sua nova ambição. Pela primeira vez na carreira, ela procurou rostos com entusiasmo, começou a estudá-los e dissecá-los. Ficou encantada com a maneira com que os olhos de Giff faiscavam sob a pala do boné, com a forma que sua mão segurava o martelo.

Assediou Brian na cozinha, usando charme quando podia, ameaças quando não podia, para obter a expressão certa, para produzir a linguagem do corpo apropriada.

Lexy era fácil. Ela podia posar interminavelmente. Mas a foto predileta de Jo era de Lexy e Giff, os dois exibindo expressões incríveis de felicidade, enquanto ele a girava pelo ar, na beira do jardim.

Ela até fora atrás do pai, usando o silêncio para levá-lo a relaxar e depois captando a expressão serena e pensativa, enquanto ele olhava para o pântano salgado.

— É tempo de guardar essa coisa. — Sam franziu as sobrancelhas num embaraço irritado quando ela apontou a câmera de novo. — Vá brincar com isso em outro lugar.

— Deixou de ser uma brincadeira quando começou a dar dinheiro. Vire um pouco para a direita e olhe para a água.

Sam não mexeu um músculo.

— Não me recordo de você jamais ter sido tão chata antes.

— Farei com que saiba que sou uma fotógrafa famosa. Milhares me aplaudem quando aponto minha câmera. — Ela se apressou em clicar quando uma insinuação de sorriso contraiu os cantos dos lábios de Sam. — Você é muito bonito, papai. E parece o dominador aqui.

— E você é tão famosa que não deveria adular as pessoas para tirar uma foto.

Jo riu e baixou a câmera.

— Tem toda razão. Mas você é mesmo bonito. Tirei algumas fotos de Elsie Pendleton... a viúva Pendleton. — Jo alteou as sobrancelhas, sugestiva. — Ela fez questão de perguntar por você. Várias vezes.

— Elsie Pendleton procura um homem para substituir o que enterrou desde que jogou o primeiro punhado de terra no caixão. Posso garantir que não serei eu.

— E sua família agradece por essa decisão de bom senso.

Sam descobriu que seus lábios tremiam outra vez. Sacudiu a cabeça, tanto pela reação quanto pela causa.

— Você está bastante animada hoje.

— Não acha que é uma mudança agradável? Cansei de mim mesma. — Ela agachou-se para trocar a lente. — Ocorreu-me que precisava virar uma página. Talvez a vinda para cá tenha sido um começo.

Jo fez uma pausa, olhando para o pântano tremeluzente.

— Não a procure em mim, papai. — Ela fechou os olhos, enquanto sentia uma pontada de angústia. — Não a procure mais em mim. Sempre dói quando faz isso.

— Jo Ellen...

— Tentei não parecer com ela durante toda a minha vida. Na universidade, enquanto as outras garotas se enfeitavam e se exibiam, eu me retraía. Se me enfeitasse, teria de olhar no espelho. E a veria, como acontece com você sempre que olha para mim. — Tinha os olhos cheios de lágrimas quando se ergueu. — O que tenho de fazer, papai, para que compreenda quem eu sou?

— Eu vejo. Não posso evitar de vê-la também, mas eu vejo você, Jo Ellen. Não comece a chorar agora. Sou inútil com essas coisas de mulher. — Sam enfiou as mãos nos bolsos e virou-se. — Tente se controlar. É Lexy quem chora por qualquer coisa, não você. Aquela menina chora se você a olha atravessado... e quando não chora, está agitada e impaciente. Se ela não casar logo com Giff, acho que acabarei enlouquecendo.

Jo soltou uma risada.

— Não sabia que a amava tanto a ponto de permitir que ela o leve à loucura, papai.

— Claro que a amo. Ela é minha filha, não é? — Sam falou em tom ríspido. Obrigou-se a virar para fitar Jo. — E você também é.

— Sei disso. — Ela sorriu e deixou a angústia passar. — Eu também sou.

QUANDO A LUZ NÃO MAIS A AGRADAVA, JO FOI PARA O LABORatório. Havia excitamento ali também, do filme para negativos, de negativos para contatos. Examinou os contatos através da lupa, avaliando os detalhes, falhas, sombras.

Entre uma dúzia de fotos, podia selecionar uma que atendia a suas exigências rigorosas. Mesmo assim, a linha de secagem logo se encheu de cópias que achava que valiam a pena. Quando encontrou um filme sem identificação, estalou a língua em irritação.

Uma negligência sua, pensou. Armou o timer, apagou as luzes e iniciou o processo de revelação. A escuridão a acalmava. Podia fazer tudo com a maior competência, de uma forma quase mecânica, apenas pelo tato. Vibrava de expectativa. O que encontraria naquele filme? O que veria? Que momento fora preservado para sempre apenas porque ela o escolhera?

Acendeu a luz vermelha, banhando o laboratório com aquela estranha iluminação. E soltou um grito sufocado, que foi em parte choque, em parte riso, enquanto olhava para o negativo em que aparecia nua, deitada no tapete de Nathan.

— Isso vai me ensinar a nunca deixar de marcar um filme.

Ela suspendeu o rolo, examinando os outros negativos. As fotos que tirara da tempestade pareciam promissoras. E contraiu os lábios ao examinar as fotos anteriores, que deviam ter sido tiradas por Nathan.

Havia uma tirada das dunas, mostrando a campina em que as flores desabrochavam, com o mar além, as ondas altas, cristas espumantes.

Uma composição razoável, refletiu ela. Para um amador. É claro que encontraria vários defeitos se tivesse o trabalho de passar as fotos para o estágio de contatos.

Seus olhos foram atraídos de volta para o final do rolo. Seu rosto, seu corpo. Mas ela hesitou quando estendeu a mão para a tesoura, com a intenção de destruir os negativos. Seria tão recatada, tão teimosa, a ponto de não satisfazer a própria curiosidade?

Afinal, era a única que vira aquelas fotos.

Num súbito impulso, Jo voltou a trabalhar. Não haveria mal nenhum em tirar os contatos do filme. Podia destruir as fotos de si mesma depois. Assim que acabasse de examiná-las.

Não cantarolou junto com o rádio enquanto trabalhava, como costumava fazer. Sentia-se muito apreensiva e excitada para ouvir a música.

O papel mal secara quando ela levou os contatos para a mesa de luz e acendeu-a. Olhou pela lupa... e ficou sem fôlego quando as imagens foram ampliadas e entraram em foco.

Ela parecia tão... libertina, talvez fosse essa a palavra certa. Os olhos meio fechados, os lábios um pouco contraídos, num sorriso óbvio de satisfação sexual. O corpo parecia quase exuberante. Ao que tudo indicava, recuperara todas as suas curvas, sem sequer notar.

Na foto seguinte, tinha os olhos bem abertos, arregalados em choque. As mãos subiam para os seios, o movimento paralisado pelo filme de exposição rápida. Não havia como negar que parecia... como fora mesmo que Nathan expressara? Desgrenhada e sensual?

Ó Deus, nunca se permitira ficar exposta daquela maneira antes. Mas deixara que acontecesse, e agora podia admitir, apenas por um momento, que queria que ocorresse de novo.

Queria que Nathan a acariciasse, que a fizesse sentir-se desejada e temerária. Havia em seu íntimo um anseio para ser outra vez aquela mulher, a mulher que ele contemplara e captara no filme. Um anseio em deixar que ele a controlasse, em saber que também tinha o poder de controlá-lo.

Nathan lhe proporcionara isso e, ao preservar aquele momento, fizera-a olhar de novo e ver o que poderia ter com ele. E o que podia perder sem ele.

— Nathan, seu filho-da-puta, eu o odeio por isso.

Jo levantou-se e guardou os negativos no fundo de uma gaveta. Não os destruiria. Guardaria como um lembrete. Sempre que se sentisse tentada a confiar de novo num homem, a se entregar tanto, pegaria os negativos para se controlar.

E para se lembrar da facilidade com que um homem podia ir embora.

— Jo Ellen!

A voz de Lexy passou pela porta, acompanhando a batida firme e alta.

— Estou trabalhando.

— Sei disso. Mas pode querer acabar o mais depressa possível. Adivinhe quem chegou na última barca?

— Brad Pitt.

— Não seria maravilhoso? Mas você talvez goste mais do outro. Nathan Delaney acaba de entrar na cozinha, grande como a vida e duas vezes mais bonito. E está à sua procura.

Jo levantou um punho para o coração e empurrou-o de volta para o lugar.

— Diga a ele que estou ocupada.

— Já dei o recado de indiferença por você, querida. Disse que não via por que você deveria largar o que fazia para ir correndo, só porque ele voltou a Desire como um vento frio.

Jo não pôde deixar de sorrir em apreciação. Podia facilmente imaginar a cena, com Lexy bancando a beldade sulista em grande estilo.

— Obrigada.

— Mas tenho de lhe dizer... Ora, Jo, abra logo a porta. Estou cansada de falar dessa maneira.

Porque Lexy acabara de subir para o topo de suas pessoas prediletas, Jo abriu a porta, apenas o suficiente para poder se encostar no batente.

— Eu agradeceria se dissesse a ele que não estou interessada em alterar minha agenda para atender a seus caprichos.

— Eu direi. E é uma resposta ótima. Mas ele parece muito ansioso e sensual, Jo, à beira de alguma coisa importante. — Lexy revirou os olhos, em total apreciação feminina. — Meu coração começou a palpitar só de olhar para ele.

— Pode parar de palpitar. De que lado você está?

— Do seu, minha querida, cem por cento do seu lado. — Ela deu um beijo no rosto de Jo para comprovar. — Ele tem de ser punido, sem dúvida. E se precisar de algum conselho sobre a maneira de puni-lo, ficarei feliz em oferecer algumas idéias.

— Obrigada, mas já tenho muitas idéias. — Jo flexionou os ombros para aliviar a tensão. — Diga que não tenho o menor desejo de ver ou falar com ele, que passarei algum tempo ocupada com coisas muito mais importantes.

— Eu gostaria que você dissesse tudo isso a ele pessoalmente. Tem um jeito todo especial. — O sorriso de Lexy se expandiu, enquanto ela enrolava uma mecha de cabelos em torno de um dedo. — Mas descerei e direi a ele. Subirei em seguida para informar o que ele respondeu.

— Isso não é uma fofoca de adolescente.

— Claro que não. É muito mais interessante e divertido. Sei que está escaldada, Jo, com toda razão. — Ela afagou o rosto da irmã. — Eu estaria cuspindo fogo como um gato de rabo pisado. Mas pense quanto será satisfatório vê-lo rastejar. Não o aceite de volta enquanto ele não fizer isso. E enquanto não se apresentar com dois buquês de flores e um presente caríssimo, no mínimo. Tem de ser uma jóia.

O humor de Jo retornou subitamente.

— Lexy, você é uma mulher manipuladora e materialista.

— E me orgulho disso, querida. Escute sua irmã caçula e acabará *possuindo* aquele homem. Calculo que a esta altura ele já terá suado bastante e estará pronto para o próximo tapa. — Ela esfregou as mãos. — Não se preocupe que farei tudo por você.

Jo permaneceu encostada no batente enquanto Lexy se afastava, saltitante.

— Aposto que sim — murmurou ela. — E ficarei lhe devendo isso.

Satisfeita, Jo tornou a entrar no laboratório. Arrumou tudo na bancada, guardou os vidros de substâncias químicas nas posições originais. Examinou as unhas e especulou se não deveria deixar que Lexy cuidasse delas.

Ao ouvir os passos, virou-se para a porta, preparada para ouvir o relato de Lexy. Quando Nathan apareceu, ela sentiu sua fúria no mesmo instante.

— Preciso que você venha comigo.

A voz era incisiva, sem qualquer insinuação de que se desculpava.

— Creio que foi informado de que estou ocupada. E você não foi convidado a entrar aqui.

— Poupe o fôlego, Scarlett.

Ele agarrou a mão de Jo e puxou-a. Quando ela recuou a outra mão e acertou um tapa em seu rosto, Nathan contraiu os olhos e balançou a cabeça.

— Muito bem, faremos isso pelo caminho mais difícil.

A sala virou de cabeça para baixo tão depressa que Jo não teve nem tempo de proferir o insulto que queimava sua língua. Ele já se encaminhava para a porta antes que Jo se recuperasse o suficiente do choque para reagir.

— Tire as mãos de mim, seu ianque desgraçado e covarde!

Ela socou as costas de Nathan, ainda mais furiosa por não poder fazê-lo com mais força.

— Acha que pode mandar sua irmã me dispensar? Não tem a menor possibilidade. — Ele empurrou a porta com o ombro e começou a descer pela escada estreita. — Viajei durante o dia inteiro e você deve ter a cortesia de escutar o que tenho a dizer.

— Cortesia? Cortesia? O que um vigarista metido a besta de Nova York sabe sobre cortesia? — No espaço restrito da escada, o esforço de Jo para se desvencilhar só fazia com que batesse com a cabeça nas paredes. — Eu o odeio!

Os ouvidos de Jo zumbiam com as pancadas e a humilhação.

— Vim preparado para isso.

Sombrio e determinado, Nathan entrou na cozinha. Lexy e Brian ficaram paralisados, boquiabertos.

— Com licença — disse ele, bruscamente, saindo com Jo e deixando em sua esteira uma trilha de ameaças e insultos.

— Oh... — Lexy soltou um suspiro longo e profundo, com a mão no coração. — Não foi a coisa mais romântica que você já viu em toda a sua vida?

— Merda... — Brian largou a torta que acabara de tirar do forno. — Ela vai retalhar o rosto de Nathan na primeira oportunidade.

— Você não sabe nada sobre romance. — Lexy encostou-se no balcão. — Aposto vinte dólares como ele a levará para a cama, mais do que disposta, em menos de uma hora.

Brian ouviu Jo gritar alguma coisa sobre castrar um ianque filho-da-puta. Acenou com a cabeça.

— Está apostado.

Capítulo Vinte e Seis

Jo estava sentada num silêncio furioso, enquanto Nathan guiava o Jeep pela Shell Road. Não lhe daria a satisfação de saltar de um veículo em movimento, nem de sair correndo quando ele parasse. Simplesmente o esfolaria vivo quando não houvesse mais o perigo de saírem para fora da estrada.

— Não era assim que eu queria — murmurou Nathan. — Preciso falar com você. É importante. Mas você escolhe o pior momento possível para a encenação da indiferença feminina.

Ele ignorou o grunhido de advertência de Jo e cavou um buraco ainda mais fundo para si mesmo.

— Não me importo com uma briga. Em circunstâncias razoáveis, acho que uma boa briga serve para desanuviar o ambiente. Mas estas não são circunstâncias razoáveis e sua irritação só contribui para complicar uma situação que já é bastante dolorosa.

— Então a culpa é minha. — Ela respirou fundo, enquanto Nathan parava o Jeep, com um solavanco, na frente do chalé. — Vamos, diga, a culpa é minha?

— Não se trata de uma questão de culpa, Jo. Essa é a...

Ele parou de falar, ocupado demais para se defender. Jo não o atacou com dentes e unhas, com acusações veementes. Agrediu-o com os punhos cerrados, e o primeiro de vários socos passou direto por sua guarda.

— Jesus Cristo!

Nathan desejou poder rir dos dois. Desejou poder dominá-la logo, imobilizar aqueles braços surpreendentemente fortes. Mas isso não foi possível.

Sentiu o gosto de sangue na boca e pensou que talvez estivesse com o maxilar fraturado. Mas finalmente conseguiu imobilizá-la no banco, os dois ofegantes.

— Quer parar com isso? Pode exercer o mínimo de controle e parar de tentar transformar meu cérebro... que está em perfeito funcionamento, posso lhe assegurar... numa massa sangrenta?

Nathan reforçou a pressão de suas mãos e mudou de posição quando ela tentou levantar o joelho para deixá-lo nocauteado.

— Não quero machucá-la.

— É uma pena, porque eu quero machucá-lo. Quero arrebentá-lo por me tratar dessa maneira.

— Desculpe. — Ele aproximou o rosto dela, ainda tentando recuperar o fôlego. — Desculpe, Jo.

Ela recusou-se a abrandar, recusou-se a reconhecer como seu coração disparou ao perceber um desespero total na voz de Nathan.

— Você nem sabe pelo que está pedindo desculpa.

— Por muito mais do que você pode imaginar. — Ele inclinou-se para trás e fitou-a nos olhos. — Por favor, vamos entrar. Tenho coisas para lhe contar... coisas que eu gostaria de nunca ter de dizer. Depois que eu contar tudo, você pode me agredir até me deixar todo machucado. Juro que não levantarei um dedo para impedi-la.

Havia alguma coisa errada, horrivelmente errada. A raiva se converteu em medo. Ela manteve a voz fria, antes que a imaginação pudesse se tornar delirante:

— Estamos combinados. Eu entrarei e você pode dizer o que quiser. E depois tudo acabará entre nós.

Jo empurrou-o e abriu a porta do Jeep, enquanto acrescentava, em voz baixa e vibrante:

— Porque ninguém vai me abandonar desse jeito. Nunca mais.

Ele sentiu um aperto no coração. Entrou primeiro no chalé. Acendeu a luz.

— Eu gostaria que você sentasse.

— Não preciso sentar e não me interessa o que você gostaria. Como pôde ir embora sem me dizer nada? — Mesmo enquanto o contornava, Jo passou os braços em torno de si mesma, num gesto defensivo. — Como foi capaz de sair de minha cama e partir sem qualquer aviso? E passar tanto tempo longe, quando não podia deixar de saber como isso me faria sentir. Mesmo que estivesse cansado de mim, ainda poderia ser gentil.

— Cansado de você? Querido Jesus, Jo, não fiquei um minuto dos últimos oito dias sem pensar em você, sem ter desejado sua presença.

— Acha que sou bastante estúpida ou carente para acreditar nesse tipo de mentira? Se pensasse em mim, não teria virado as costas como se eu não tivesse a menor importância.

— Se não tivesse importância, mais do que qualquer outra coisa em minha vida, eu poderia ter ficado. E não precisaríamos ter esta conversa.

— Você me magoou, me humilhou...

— Eu amo você.

Jo deu um salto brusco para trás, como se estivesse evitando um golpe.

— Espera que eu fique com os joelhos bambos agora? Acha que pode dizer isso e eu correrei para seus braços?

— Não. Eu não a amaria se você não fosse capaz de continuar parada aí e cuspir em mim depois do que eu disse.

Nathan adiantou-se, cedendo à necessidade de tocá-la. Apenas um roçar das pontas dos dedos pelos ombros.

— E eu a amo, Jo Ellen. Talvez sempre tenha amado. Talvez aquela menina de sete anos tenha me arruinado para todas as outras mulheres. Não sei. Mas preciso que você acredite em mim. Preciso dizer isso e quero que você acredite em mim, antes de começar a dizer o resto.

Ela fitou-o nos olhos e agora seus joelhos começaram a tremer.

— Você fala sério.

— O suficiente para pôr meu passado, meu presente e meu futuro em suas mãos.

Ele pegou as mãos de Jo por um momento. Estudou-as, memorizou-as, depois largou-as.

— Voltei para Nova York. Procurei um amigo da família, um médico. Neurologista. Queria que ele me submetesse a alguns exames.

— Exames? — Aturdida, ela empurrou os cabelos para trás. — Que tipo de... ó meu Deus!

Ocorreu-lhe de repente, como um punho acertando seu coração com toda força.

— Você está doente. Um neurologista? O que é? Um tumor! — O sangue nas veias de Jo ficou gelado. — Mas pode fazer um tratamento. Pode...

— Não estou doente, Jo. Não tenho nenhum tumor. Não há nada de errado comigo. Mas eu precisava ter certeza.

— Não há nada de errado? — Ela tornou a se abraçar. — Não compreendo. Você voltou a Nova York para fazer exames no cérebro quando não há nada de errado com você?

— Eu disse que precisava ter certeza. Porque pensei que podia ter blecautes, sonambulismo ou estados de fuga. E que talvez tivesse matado Susan Peters.

Jo arriou, cautelosa, apoiando a mão no encosto da poltrona, para sentar no braço. Não desviou os olhos de Nathan.

— Por que pensaria uma coisa tão absurda?

— Porque ela foi estrangulada aqui na ilha. Porque seu corpo foi escondido. Porque o marido, a família e os amigos poderiam passar o resto de suas vidas sem saberem o que acontecera.

— Pare com isso! — Jo não conseguia respirar direito. Tinha de resistir ao impulso de erguer as mãos para tapar os ouvidos. Seu coração disparara, fazendo a cabeça girar, deixando a pele úmida. Conhecia os sinais: era o pânico à espreita para dar o bote. — Não quero ouvir mais nada.

— Também não quero contar mais nada. Mas nenhum dos dois tem opção. — Nathan respirou fundo para confrontar não apenas a revelação, mas também Jo. — Meu pai matou sua mãe.

— Isso é uma loucura, Nathan. — Ela queria se levantar e sair correndo, mas não era capaz de se mover. — E é cruel.

— É as duas coisas. E também é verdade. Há vinte anos, meu pai tirou a vida de sua mãe.

— Não. Seu pai... o Sr. David... era gentil, um amigo. Isso é um absurdo. Minha mãe foi embora. — A voz tremia. Jo levantou-se. — Ela simplesmente foi embora.

— Sua mãe nunca deixou Desire. Ele... levou o corpo para o pântano. Sepultou-a no pântano salgado.

— Por que está dizendo isso? Por que está fazendo isso?

— Porque é a verdade. Já a evitei por tempo demais. — Nathan forçou-se a dizer o resto, a terminar, enquanto ela fechava os olhos e sacudia a cabeça. — Ele planejou tudo desde o momento em que a viu, assim que chegamos, naquele verão.

— Não! Não! Pare com isso!

— Não posso parar o que já aconteceu. Ele mantinha um diário e... a prova num cofre. Encontrei depois que ele e minha mãe morreram.

— Você encontrou... — As lágrimas vazaram pelas pestanas de Jo, enquanto ela se apertava ainda mais e balançava. — E voltou para cá.

— Voltei para enfrentar, para tentar recordar como fora aquele verão. Como ele era... naquele tempo. E tentar decidir se deveria deixar tudo enterrado ou contar à sua família o que meu pai fizera.

O fluxo familiar de pânico doentio dominara Jo com um estardalhaço em sua cabeça, uma corrida vertiginosa do sangue nas veias.

— Você sabia. Sabia o tempo todo. E voltou para cá. Levou-me para a cama mesmo sabendo. — A náusea deixava-a tonta. Ela cambaleou. — Esteve dentro de mim.

A raiva borbulhou um instante antes de a mão acertar o rosto de Nathan.

— E eu o deixei entrar. — Ela deu outro tapa. Nathan não se defendia nem se esquivava. — Sabe o que isso me faz sentir?

Nathan já sabia que ela o fitaria assim, com raiva e repulsa, até mesmo medo. Ele não tinha opção a não ser aceitar.

— Não fui capaz de enfrentar. Meu pai... ele era meu pai.

— Ele a matou, tirou-a de nós. E durante todos esses anos...

— Jo, eu não sabia até que ele morreu. Venho tentando tomar uma decisão há meses. Sei o que está sofrendo agora...

— Não pode saber. — As palavras saíram incisivas. Queria magoá-lo, queria fazê-lo sofrer. — Não posso ficar aqui. Não posso olhar para você. Não!

Jo recuou, os punhos cerrados, quando ele estendeu as mãos em sua direção.

— Não me toque. Eu seria capaz de matá-lo por já ter posto as mãos em mim. Fique longe de mim e de minha família, seu filho-da-puta!

Quando ela correu, Nathan não tentou detê-la. Não podia. Mas acompanhou a fuga errática a distância, mantendo-a à vista. Se nada mais podia fazer, pelo menos garantiria que ela chegasse sã e salva a Sanctuary.

Mas não foi para Sanctuary que Jo correu.

ELA NÃO PODIA VOLTAR PARA CASA. NÃO SUPORTARIA. NÃO podia recuperar o fôlego nem desanuviar a visão. Parte dela queria simplesmente arriar no chão, enroscar-se toda e gritar, até esvaziar a mente e o corpo do sofrimento. Mas estava apavorada com a possibilidade de nunca mais encontrar forças para se levantar.

Por isso, ela continuou a correr, sem pensar no destino, pelas árvores, pela escuridão, com imagens terríveis aflorando em sua cabeça.

A foto da mãe adquirindo vida. Os olhos abrindo-se. Confusão, medo, desespero. A boca abrindo-se para um grito.

A dor apunhalava Jo como uma faca. Ela suportava, chorando, sem parar de correr.

Na areia agora, acompanhada pelos estrondos do mar. A respiração entrando e saindo com dificuldade dos pulmões torturados. Caiu uma vez, sobre as mãos e joelhos, somente para se levantar de novo, cambaleando, e continuar a correr. Sabia apenas que tinha de escapar, fugir da dor, daquela angústia que a dilacerava.

Ouviu alguém gritar seu nome, o som de passos na areia em sua esteira. Quase tropeçou de novo, mas recuperou o equilíbrio e virou-se, pronta para lutar.

— Jo, querida, o que aconteceu? — Apenas de roupão, os cabelos ainda molhados do banho de chuveiro, Kirby correu para ela. — Eu estava no deque e vi quando você...

— Não me toque!

— Está bem. — Numa reação instintiva, Kirby baixou a voz e tornou-a mais gentil: — Por que não vamos até minha casa? Você se machucou. Está com as mãos sangrando.

— Eu... — Confusa, Jo olhou para os arranhões, o sangue escorrendo nas mãos. — Eu caí.

— Sei disso. Vamos entrar. Limparei os ferimentos.

— Não preciso... estou bem. — Ela não podia sequer sentir as mãos. As pernas começaram a tremer, a cabeça a girar. — Ele matou minha mãe, Kirby... a assassinou. Ela morreu.

Cautelosa, Kirby adiantou-se, até poder passar o braço pela cintura de Jo, para ampará-la.

— Venha comigo. Vamos para minha casa.

Como Jo cambaleasse, ela quase a carregou pela areia. Ao olhar para trás, avistou Nathan, parado a poucos metros de distância. Ao luar, seus olhos se encontraram por um instante. Depois, ele virou-se e afastou-se pela escuridão.

— Estou me sentindo tonta... — balbuciou Jo.

A sensação voltara, como pequenas agulhas espetando toda a sua pele, gordura fervendo em seu estômago.

— Não se preocupe. Só precisa deitar um pouco. Apóie-se em mim e logo estaremos em casa.

— Ele a matou. Nathan sabia. E me contou. — Era como se ela flutuasse agora, subindo os degraus, entrando no chalé. — Minha mãe morreu.

Sem dizer nada, Kirby ajudou Jo a deitar. Estendeu uma colcha para cobri-la. Jo começava agora a tremer do choque.

— Respire devagar — ordenou Kirby. — Concentre-se em respirar. Vou buscar uma coisa para ajudá-la, mas volto logo.

— Não preciso de nada. — Uma nova onda de pânico envolveu-a. Ela apertou com toda força a mão de Kirby. — Não quero sedativos. Posso agüentar tudo. Tenho de agüentar.

— Claro que pode. — Kirby sentou na beira da cama e pegou a mão de Jo para verificar o pulso. — Acha que tem condições de me contar o que aconteceu?

— Tenho de contar a alguém. E não posso dizer à minha família por enquanto. Não posso enfrentar isso agora. Não sei o que fazer. Nem mesmo sei o que sentir.

A pulsação já não era tão acelerada e as pupilas de Jo começavam a voltar ao normal.

— O que Nathan lhe disse, Jo?

Ela olhou para o teto, concentrou-se.

— Ele me disse que seu pai assassinou minha mãe.

— Ó Deus! — Horrorizada, Kirby levantou a mão de Jo para seu rosto. — Como aconteceu?

— Não sei. Não pude escutar mais nada. Não queria escutar. Ele disse que seu pai a matou e que tinha um diário. Nathan descobriu e voltou para cá. Fui para a cama com ele. — Lágrimas escorreram dos olhos. — Fui para a cama com o filho do assassino de minha mãe.

Kirby sabia que havia necessidade de calma agora. E de uma lógica fria. A palavra errada, o tom errado e Jo poderia ter um colapso em suas mãos.

— Jo, você dormiu com Nathan. Gostava de Nathan e ele de você.

— Nathan sabia. Voltou para cá sabendo o que o pai fizera.

— E deve ter sido muito difícil para ele.

— Como pode dizer isso? — Furiosa, Jo soergueu-se, apoiada nos cotovelos. — Difícil para ele?

— E corajoso — murmurou Kirby. — Jo, que idade ele tinha quando sua mãe morreu?

— Que diferença isso faz?

— Nove ou dez anos, eu imagino. Apenas um menino. Vai culpar esse menino?

— Não. Mas ele não é mais um menino, e seu pai...

— O pai de Nathan. Não Nathan.

Um soluço escapou, abafado, depois outro.

— Ele a tirou de mim.

— Sei disso e lamento. — Kirby abraçou Jo. — Lamento profundamente.

Enquanto Jo chorava em seus braços, Kirby refletiu que aquela tempestade era apenas o início.

LEVOU UMA HORA ANTES QUE JO PUDESSE PENSAR DE NOVO. Ela tomou o chá quente e doce feito por Kirby. O pânico doentio se desvanecera num mar de tristeza. Agora, por um momento, o pesar era quase tão tranqüilizante quanto o chá.

— Eu sabia que ela estava morta. Parte de mim sempre soube, desde a ocasião em que aconteceu. Sonhava com ela. Ao ficar mais velha, tratei de reprimir os sonhos. Mas sempre voltavam. E foram se tornando cada vez mais fortes.

— Você a amava. Agora, por mais horríveis que as coisas sejam, sabe que ela nunca a deixou.

— Ainda não consigo encontrar conforto nisso. Queria machucar Nathan. No físico, no emocional, causar-lhe dor por todos os meios possíveis. E consegui.

— E acha que isso é uma reação anormal? Dê uma chance a si mesma, Jo.

— Estou tentando. Quase sofri outro colapso. Teria acontecido se você não aparecesse.

— Mas eu apareci. — Kirby apertou a mão de Jo. — E você é mais forte do que pensa. Bastante forte para passar por isso.

— Tenho de ser. — Jo tomou mais chá, para depois largar a xícara. — Tenho de voltar para o chalé de Nathan.

— Não tem de fazer qualquer outra coisa esta noite além de descansar.

— Não. Nunca perguntei por que, como ou... — Ela fechou os olhos. — Preciso ter as respostas. Não creio que possa viver com isso até ter as respostas. Quero saber de tudo quando for conversar com minha família.

— Pode procurar sua família agora. Irei com você. É melhor fazerem as perguntas juntos.

— Tenho de fazer isso sozinha. Estou no centro de tudo, Kirby.

A cabeça de Jo latejava de uma maneira terrível. Quando abriu os olhos, estavam brutalmente sombrios no rosto pálido.

— Estou apaixonada pelo homem cujo pai assassinou minha mãe.

QUANDO KIRBY A DEIXOU NO CHALÉ DE NATHAN, JO PÔDE ver sua silhueta através da porta de tela. Especulou se qualquer dos dois faria algo mais difícil na vida do que enfrentar o passado e um ao outro.

Nathan não disse nada quando ela subiu os degraus. Abriu a porta e deu um passo para o lado, a fim de deixá-la entrar. Pensara que nunca mais tornaria a vê-la. Não tinha certeza do que seria pior, conviver com isso ou vê-la daquele jeito, pálida e abalada.

— Preciso lhe perguntar... preciso saber.

— Direi tudo o que puder.

Jo esfregou as mãos, para que a pequena dor das palmas arranhadas a mantivesse concentrada.

— Eles... tinham algum envolvimento?

— Não. — Nathan tinha vontade de se virar, mas forçou-se a fitar a angústia nos olhos de Jo. — Não havia nada assim entre os dois. Até mesmo no diário ele escreveu que sua mãe era devotada à família. Aos filhos, ao marido. Jo...

— Mas ele queria que houvesse. Ele a desejava. — Jo abriu as mãos. — Eles brigaram? Houve um acidente.

Sua respiração saiu trêmula, as palavras soaram como uma súplica:

— Foi um acidente — disse ela.

— Não. — Era pior, pensou Nathan, e a cada segundo que passava ficava pior. — Ele conhecia os hábitos de sua mãe. Estudou-os. Ela costumava passear à noite pelo jardim.

— Mamãe... adorava as flores à noite. — O sonho que tivera na noite em que encontraram Susan Peters aflorou na mente de Jo. — Amava as flores brancas em especial. Amava os perfumes e o silêncio. Dizia que era seu tempo sozinha.

— Ele escolheu a noite — continuou Nathan. — Pôs uma pílula para dormir no vinho de minha mãe... para que ela não soubesse que ele saíra. Registrou tudo o que fez no diário, passo a passo. Escreveu que esperou Annabelle na beira da floresta, a oeste da casa. — Matava-o aos poucos contar tudo fitando Jo. — Bateu em sua cabeça para deixá-la inconsciente e levou-a para a floresta. Tinha tudo já preparado, as luzes, o tripé armado. Não foi um acidente. Foi planejado. Foi premeditado. Foi deliberado.

— Mas por quê? — Jo tinha de sentar. As pernas rígidas e frágeis como gravetos, ela cambaleou para uma poltrona. — Lembro-me dele. Era gentil comigo. Papai levava-o para pescar. E mamãe fazia torta de pecã de vez em quando porque ele gostava.

Ela deixou escapar um gemido desamparado. Comprimiu os dedos contra os lábios para se controlar.

— Ó Deus, quer que eu acredite que ele a assassinou sem qualquer razão?

— Ele tinha um propósito. — Nathan virou-se. Foi até a cozinha para pegar uma garrafa de scotch num armário. — Nunca se poderia chamar aquilo de razão.

Nathan derramou o uísque num copo, tomou depressa e soltou um suspiro quando desceu ardendo. Com as palmas no balcão, esperou que o sangue assentasse.

— Eu o amava, Jo. Ele me ensinou a andar de bicicleta, a pegar uma bola baixa no beisebol. Prestava atenção. Sempre que viajava, telefonava não apenas para falar com mamãe, mas com todos os três. E escutava... não apenas a farsa de escutar que alguns adultos pensam que uma criança não é capaz de perceber. Ele se importava.

Nathan tornou a se virar para ela, os olhos eloqüentes.

— Ele levava flores para mamãe sem qualquer motivo. Eu deitava na cama à noite e escutava os dois rindo juntos. Éramos felizes e ele era o centro de tudo. Agora, tenho de enfrentar o fato de que não havia centro e que ele era capaz de fazer coisas monstruosas.

— Eu me sinto retalhada... em carne viva. — A cabeça de Jo parecia flutuar em algum ponto acima dos ombros. — Depois de tantos anos.

Ela fechou os olhos e apertou-os com força por um momento.

— Suas vidas continuaram mesmo assim?

— Ele era o único que sabia e sempre foi muito cuidadoso. Nossas vidas continuaram. Até que a dele terminou e fui examinar seus pertences pessoais. Encontrei o diário e as fotos.

— As fotos... — A sensação de flutuação terminou com um solavanco. — As fotos de minha mãe. Depois que ela morreu.

Nathan tinha de contar tudo, por mais que o pensamento o deixasse desesperado.

— "O momento decisivo", como ele chamou.

— Ó meu Deus! — Preleções ouvidas, preleções dadas, afloraram na mente de Jo. *Captar o momento decisivo, antecipar quando a dinâmica de uma situação alcançará o auge, sabendo quando clicar para preservar a imagem mais poderosa.* — Era um estudo, uma tarefa.

— Era o seu propósito. Manipular, causar, controlar e captar a morte. — A náusea se agitou, violenta. Ele tomou mais uísque, na tentativa de reprimi-la. — Isso não era tudo. Não podia ser. Havia alguma coisa deformada dentro dele. Algo que nunca vimos. Algo que ninguém jamais viu, nem desconfiou. Ele tinha amigos, uma carreira bem-sucedida. Gostava de assistir a jogos pela televisão e lia romances de mistério. Gostava de churrasco. Queria ter netos.

Tudo o dilacerava, cada palavra, cada recordação.

— Não há defesa. Não há absolvição.

Jo deu um passo à frente.

— Ele tirou fotos dela. Do rosto. Olhos. Corpo. Nus. Preparava as poses com todo cuidado. A cabeça inclinada para o ombro esquerdo, o braço direito estendido pela cintura.

— Como você...

— Eu vi. — Jo fechou os olhos e recuou. O alívio era frio, dolorosamente frio. Uma camada de gelo sobre a dor ardente. — Não sou louca. Nunca fui louca. Não eram alucinações. Tudo era real.

— Do que está falando?

Impaciente, ela pegou um cigarro do maço no bolso de trás da calça. Mas, quando riscou o fósforo, ficou apenas olhando para a chama.

— Minha mão está firme. Absolutamente firme. Não vou ter um colapso agora. Posso enfrentar tudo. Nunca mais terei um colapso.

Preocupado com a possibilidade de tê-la levado longe demais, Nathan adiantou-se.

— Jo Ellen...

— Não estou louca. — Ela levantou a cabeça abruptamente. Com toda calma, encostou a chama na ponta do cigarro. — Nunca mais vou perder o controle e desabar. O pior é apenas a próxima coisa para a qual você tem de arrumar espaço e conviver.

Ela soprou a fumaça, observando-a até que desapareceu.

— Alguém me mandou uma foto de minha mãe. Uma das fotos tiradas por seu pai.

Nathan sentiu o sangue gelar.

— Isso é impossível.

— Eu vi. Tive nas minhas mãos. Foi o que me levou ao colapso, a coisa para a qual não pude encontrar espaço. Na ocasião.

— Disse que alguém estava mandando fotos de você.

— Isso mesmo. Estava no meio delas, no último pacote que recebi em Charlotte. E depois, quando consegui me recuperar um pouco, não pude mais encontrar a foto. Pensei que fora uma alucinação. Mas era real. Existia. Aconteceu.

— Sou o único que poderia mandar uma foto assim para você. E não mandei.

— Onde estão as fotos? Os negativos?

— Desapareceram.

— Como assim?

— Kyle queria destruir tudo, as fotos e o diário. Não concordei. Queria tempo para decidir o que fazer. Discutimos. Seu argumento era de que já haviam se passado vinte anos. De que adiantaria revelar tudo agora? Poderia nos destruir. Ficou furioso por eu sequer considerar a possibilidade de procurar a polícia ou sua família. Na manhã seguinte descobri que ele havia partido. Levara as fotos e o diário. Eu não sabia onde encontrá-lo. Fui informado mais tarde de que ele havia morrido afogado. Tenho de presumir que ele não foi capaz de conviver com a verdade. Que destruiu tudo e depois se matou.

— As fotos não foram destruídas. — A mente de Jo estava lúcida e fria. — Existem, assim como as fotos que foram tiradas de mim. Pareço com minha mãe. Não é preciso um grande salto para transferir uma obsessão por ela para uma obsessão por mim.

— Acha que não pensei nisso, que não fiquei apavorado? Quando encontramos Susan Peters e compreendi como ela havia morrido, pensei... Mas sou o único que restou, Jo. Enterrei meu pai.

— Mas enterrou seu irmão?

Ele a fitou aturdido. Balançou a cabeça, lentamente.

— Kyle morreu.

— Como sabe? Porque os relatos dizem que ele tomou um porre e caiu de um barco? E se não caiu, Nathan? Ele tinha as fotos, os negativos, o diário.

— Mas ele morreu afogado. Estava de porre, deprimido, desesperado, segundo as outras pessoas no iate. Não perceberam que ele havia desaparecido até a metade da manhã seguinte. E ele deixou todas as suas roupas e equipamentos no iate.

Como Jo nada dissesse, ele virou-se e começou a andar de um lado para outro.

— Tenho de aceitar o que meu pai fez, o que ele era. Agora, você quer que eu acredite que meu irmão está vivo e é capaz de fazer tudo isso. De espreitá-la e pressioná-la até que sofresse um colapso. De seguir você até aqui e... — Enquanto o resto aflorava, Nathan virou-se. — De matar Susan Peters.

— Minha mãe não foi estrangulada, Nathan?

— Foi sim. Cristo!

Jo advertiu a si mesma que tinha de permanecer fria. Deu o passo seguinte:

— Susan Peters foi estuprada.

Nathan compreendeu que era uma pergunta. Fechou os olhos.

— Foi.

— Se não foi o marido...

— A polícia não encontrou qualquer evidência para deter o marido. Verifiquei antes de voltar, Jo Ellen. — Doía em seu coração ter de acrescentar: — A polícia vai agora investigar mais a fundo o desaparecimento de Ginny.

— Ginny? — Com a compreensão, veio o horror. O frio que a protegera antes começou a se desvanecer. — Oh, não! Ginny não!

Nathan não podia tocá-la, não podia oferecer nada. Saiu para a varanda, deixando-a sozinha. Pôs as mãos na grade e inclinou-se para fora, desesperado por ar fresco. Empertigou-se quando a porta de tela rangeu.

— Qual era o propósito de seu pai, Nathan? O que conseguiria com as fotos se nunca poderia mostrá-las a ninguém?

— Perfeição. Controle. Não apenas observar e preservar, mas também ser parte da imagem. Criá-la. A mulher perfeita, o crime perfeito, a imagem perfeita. Ele achava que sua mãe era linda, inteligente, graciosa. Era digna do que ele fez.

Ele observou os vaga-lumes iluminarem a escuridão, em piscadelas rápidas e atraentes.

— Eu deveria ter-lhe contado tudo assim que cheguei aqui. Disse a mim mesmo que queria... que precisava de tempo para tentar compreender. Justifiquei manter o segredo com a alegação de que todos vocês haviam aceitado uma mentira e que a verdade era pior. E continuei calado porque queria você. Era mais fácil racionalizar. Você ficaria magoada, com um ferimento profundo. Podia esperar até que você confiasse em mim. Podia esperar até que estivesse apaixonada por mim.

Os dedos flexionaram e soltaram a grade, enquanto Jo se mantinha em silêncio.

— As racionalizações são em geral egocêntricas. As minhas eram. Depois de Susan Peters, no entanto, eu não podia mais ignorar a verdade ou seu direito de conhecê-la. Não há nada que eu possa fazer para mudar, para expiar o que ele fez. Não há nada que eu possa dizer capaz de curar os danos que ele causou a você e sua família.

— Não, não há mesmo nada que você possa fazer, nada que possa dizer. Ele matou minha mãe e nos deixou pensando que ela nos abandonara. Esse ato egoísta prejudicou nossas vidas, abriu um abismo na família que jamais conseguimos superar. E deve tê-la machucado.

A voz de Jo tremia tanto que ela teve de morder o lábio com força para conseguir firmá-la:

— Ela deve ter ficado apavorada e confusa. Nada fizera para merecer aquilo, nada que não fosse ser quem era.

Jo respirou fundo, sentindo a maresia.

— Eu queria culpá-lo por isso, Nathan, porque você está aqui. Porque teve sua mãe durante todos esses anos. Porque me tocou e me fez sentir o que nunca sentira antes. Eu precisava culpá-lo por isso. E foi o que fiz.

— Era o que eu esperava.

— Não precisava ter contado. Poderia manter enterrado, esquecido. Eu nunca saberia.

— Eu saberia e todos os dias com você seriam uma traição. — Ele virou-se para Jo. — Eu gostaria de poder conviver com isso, de poupá-la e me salvar. Mas não pude.

— E o que fazer agora? — Jo ergueu o rosto para o céu, enquanto ia ao fundo de seu coração. — Devo fazê-lo pagar pelo que não pode ser pago, puni-lo por uma coisa que foi feita a nós dois quando éramos crianças?

— Por que não deveria? — A amargura apertava a garganta de Nathan quando ele olhou para as árvores, por onde o rio corria num silêncio secreto. — Como você pode olhar para mim sem vê-lo, sem pensar no que ele fez? Sem me odiar por isso?

Fora exatamente o que ela fizera, pensou Jo. Olhara para Nathan, vira o pai e odiara. Ele aceitara os golpes verbais e físicos sem dizer uma única palavra em sua defesa.

Corajoso, Kirby o chamara. E ela tinha razão.

E ele também saíra abalado, refletiu Jo. E perguntou-se por que demorara tanto para compreender que o mal causado a ela equivalia ao mal causado a Nathan.

— Você não me dá muito crédito por inteligência ou compaixão. É evidente que tem uma opinião desfavorável a meu respeito.

Nathan não sabia que ainda lhe restava força para se surpreender. Fitou-a com uma expressão de incredulidade.

— Não consigo entendê-la.

— Nem poderia, se pensa que eu seria capaz, depois de ter tempo para aceitar e lamentar, continuar a culpá-lo, a considerá-lo responsável.

— Ele era meu pai.

— E se estivesse vivo, eu o mataria pessoalmente pelo que fez com mamãe, com todos nós. Com você. Haverei de odiá-lo pelo resto de minha vida. Nunca o perdoarei. Você pode abrir espaço para viver com isso, Nathan, ou prefere ir embora? Eu lhe direi o que vou fazer. — Jo apressou-se em acrescentar, antes que ele pudesse falar, a voz rápida e veemente: — Não vou me deixar enganar. Não permitirei que a chance da verdadeira felicidade me seja roubada. Mas, se você for embora, aprenderei a odiá-lo. Posso fazer isso, se for necessário. E ninguém jamais o odiará mais do que eu.

Jo entrou no chalé, batendo a porta.

Ele continuou parado onde estava por um momento, absorvendo o choque, a gratidão. Também entrou no chalé e perguntou, a voz contida:

— Jo Ellen, você quer que eu fique?

— Não foi isso que acabei de dizer? — Ela pegou outro cigarro, mas em seguida jogou-o longe, num gesto furioso. — Por que tenho de perder de novo? Por que tenho de ficar sozinha outra vez? Como pode vir para cá, fazer com que eu me apaixone por você e depois sair de minha vida porque acha que isso é melhor para mim? Porque acha que é a coisa honrada a fazer? Que se dane a sua honra, Nathan, se ela me privar do que preciso. Já fui enganada antes, perdi o que precisava desesperadamente e não pude fazer nada para evitar. Só que agora não estou mais impotente.

Ela vibrava de fúria, os olhos faiscando, o rosto corado. Nathan nunca vira qualquer coisa ou pessoa mais magnífica.

— Entre todas as coisas que imaginei que você me diria esta noite, Jo, isso não foi uma delas. Havia me preparado para perdê-la. Não me preparei para mantê-la.

— Não sou uma abotoadura que você pode perder com facilidade, Nathan.

A risada saiu como uma surpresa, dando a impressão de que a garganta enferrujara.

— Não consigo decidir o que devo dizer. Só posso pensar que a amo.

— Pode ser suficiente, se você me abraçar enquanto diz.

Nathan continuou a fitá-la nos olhos ao se adiantar. Os braços foram hesitantes a princípio, mas depois ele apertou-a com força, comprimiu o rosto contra seus cabelos.

— Eu a amo. — As emoções o dominaram ao aspirar a fragrância da mulher em seus braços, ao sentir o gosto daquela pele em seus lábios. — Eu a amo, Jo Ellen... amo tudo em você.

— Então faremos com que isso seja suficiente. Não vamos deixar que nos tirem. — A voz era baixa e decidida. — Não permitiremos.

ELE SE MANTEVE IMÓVEL, COM SUAS ESPERANÇAS, ENQUANTO ela dormia.

A mulher ao seu lado, a mulher que amava, corria perigo... e era abominável para ele sequer mencionar a fonte desse perigo. Teria de protegê-la, com sua própria vida se fosse necessário. Mataria para mantê-la sã e salva, qualquer que fosse o custo.

E torcia para que o que tinham juntos sobrevivesse.

Não havia como evitar. Haviam roubado um momento só para eles. Mas o que os atormentava, os acontecimentos atuais e de vinte anos atrás, teria de ser confrontado.

— Nathan, preciso contar à minha família. — No escuro, ela pegou a mão dele. — Preciso encontrar o momento certo e a maneira certa. Quero que deixe isso comigo.

— Tem de me deixar estar presente, Jo. Deve fazer à sua maneira, mas não sozinha.

— Está bem. Mas há outras coisas que também precisam ser feitas.

— Você precisa de proteção.

— Não tente dar uma de cavaleiro no cavalo branco para cima de mim, Nathan. Acho isso irritante.

O comentário indolente terminou com um ofego quando ele a puxou.

— Nada pode acontecer com você. — Os olhos de Nathan brilhavam perigosamente no escuro. — Não importa o que for necessário, darei um jeito de providenciar.

— É melhor você começar a se acalmar, Nathan. Não quero que nada aconteça com qualquer dos dois. Portanto, temos de começar a pensar... e começar a agir.

— Haverá algumas normas, Jo. A primeira é que você não pode ir sozinha a qualquer lugar. Não pode descer de sua varanda sozinha até que tudo esteja acabado.

— Não sou minha mãe, não sou Ginny, não sou Susan Peters. Não sou indefesa, estúpida ou ingênua. Não serei caçada para a diversão de alguém.

Porque uma demonstração de força só serviria para ferir o orgulho de Jo, ele fez um esforço para se manter calmo.

— Se for necessário, eu a tirarei da ilha da mesma maneira que a trouxe para cá esta noite. Eu a levarei para algum lugar seguro e a trancarei. Mas tudo o que você precisa fazer para evitar esse lamentável evento é prometer que não irá a qualquer lugar sozinha.

— Você tem uma imagem exagerada de sua própria capacidade.

— Não neste caso. — Nathan pegou o queixo de Jo. — Olhe para mim, Jo. Você é tudo para mim. Aceitarei qualquer outra coisa, enfrentarei qualquer outra coisa, mas não posso perdê-la. Não de novo.

Ela estremeceu uma vez, não de raiva ou medo, mas de um fluxo rápido e intenso de emoção.

— Ninguém jamais me amou tanto. Não consigo me acostumar.

— Tente... e prometa.

— Não irei a qualquer lugar sozinha. — Jo deixou escapar um suspiro. — Esse negócio de relacionamento não passa de um labirinto de concessões e compromissos. Provavelmente foi por isso que consegui evitar durante todo esse tempo.

Ela ficou de cócoras e acrescentou:

— Não vamos ficar de braços cruzados e deixar as coisas acontecerem. Não sou a única mulher nesta ilha. — Jo estremeceu de novo. — Nem a única filha de Annabelle.

— Não, não ficaremos de braços cruzados, esperando. Darei alguns telefonemas. Talvez obtenha informações sobre o desaparecimento de Kyle que posso ter perdido antes. Não fui meticuloso. Não era um momento fácil e talvez não tenha percebido muitas coisas.

— E os amigos de Kyle? Sua situação financeira?

— Não sei muita coisa a respeito. Não fomos tão ligados nos últimos anos quanto éramos antes. — Nathan levantou-se para abrir as janelas e deixar entrar um pouco de ar fresco. — Fomos para lugares diferentes e nos tornamos pessoas diferentes.

— Que tipo de pessoa ele se tornou?

— Ele era... acho que se poderia dizer que era alguém focado no presente. Estava interessado no agora... aproveitar o presente, extrair tudo o que pudesse. Não se preocupava com o depois, com as conseqüências ou o pagamento. Ele nunca prejudicou ninguém, a não ser a si mesmo.

Era de importância vital que Jo compreendesse isso. Também era importante, refletiu Nathan, que ele próprio, inclusive, compreendesse.

— Kyle apenas preferia o caminho mais fácil, e se o caminho mais fácil tivesse um atalho, melhor ainda. Ele tinha muito charme e talento. Papai sempre dizia que se Kyle empenhasse tanto esforço no trabalho quanto empenhava na diversão, seria um dos maiores fotógrafos do mundo. Kyle dizia que papai era muito crítico de seu trabalho, nunca se mostrava satisfeito, sentia inveja porque ele tinha toda uma vida e carreira pela frente.

Nathan fez uma pausa. Repetiu as palavras mentalmente. E sofreu com a implicação. Seria competição? Uma necessidade distorcida de o filho superar o pai? Sua cabeça começou a latejar de novo, as têmporas dando a impressão de que iam explodir.

— Darei os telefonemas — disse ele, incisivo. — Se conseguirmos eliminar essa possibilidade, poderemos nos concentrar em outras. Kyle pode ter ficado de porre e mostrado as fotos a um amigo ou colega.

— É possível. — Jo não queria entrar nessa área por enquanto. — O responsável, quem quer que seja, tem um bom conhecimento de fotografia e bastante habilidade. É inconsistente, indolente de vez em quando, mas é hábil.

Nathan limitou-se a acenar com a cabeça. Ela acabara de descrever o irmão com perfeição.

— Ele teria de cuidar pessoalmente da revelação — continuou ela, aliviada por poder se concentrar em coisas práticas. — O que significa acesso a um laboratório. Deve ter um em Charlotte. E, quando veio para cá, deve ter arrumado outro. O pacote de fotos foi despachado de Savannah.

— Pode-se alugar tempo num laboratório.

— Ele pode ter feito isso. Ou alugado um apartamento, uma casa e trazido seu próprio equipamento. Ou comprado tudo. Não teria mais controle se estivesse em seu próprio laboratório, com seu próprio equipamento? — Os olhos de Jo se encontraram com os de Nathan. — É o propulsor de tudo isso. O controle. Ele poderia ir e voltar à vontade entre o continente e a ilha. Estaria no controle.

Controlar o movimento, manipular o ânimo, o tema, o resultado. Esse é o verdadeiro poder da arte. As palavras de seu pai, recordou Nathan, escritas no diário.

— Tem razão, é uma questão de controle. Portanto, verificamos as lojas de equipamentos fotográficos, descobrimos se alguém encomendou o necessário para aparelhar um laboratório e mandou que entregassem em Savannah. Não será fácil nem rápido.

— Não, mas já é um começo. — Era bom pensar, ter uma tarefa concreta. — É provável que ele esteja sozinho. Precisa da liberdade para ir e vir conforme lhe aprouver. Tirou fotos minhas por toda a ilha. Portanto, deve circular livremente. Podemos ficar atentos a um homem sozinho, com uma câmera, embora também seja possível que ele se apresente como um inofensivo observador de aves.

— Se for Kyle, poderei reconhecê-lo.

— Poderia mesmo, Nathan? E se ele não quisesse ser reconhecido? Ele saberia que você está aqui. E saberia que tenho me encontrado com você. A filha de Annabelle Hathaway com o filho de David Delaney. Há pessoas que poderiam considerar isso como o círculo completo. E, se for o caso, não creio que você esteja mais seguro do que eu.

Capítulo Vinte e Sete

Jo dormiu até meio-dia e acordou sozinha. Não podia se lembrar da última vez em que dormira depois de dez horas da manhã ou quando desfrutara um sono tão profundo e sem sonhos.

Especulou se deveria estar irrequieta, nervosa ou chorosa. Talvez tivesse sido assim por tempo demais, e agora que sabia a verdade, não havia mais necessidade de continuar. Podia lamentar pela mãe. E por uma mulher da mesma idade que tinha agora que enfrentar o pior tipo de horror.

Mais do que isso, porém, podia lamentar pelos anos perdidos na condenação de uma mãe e esposa, uma mulher que não fizera nada mais pecaminoso do que atrair a atenção de um louco.

— Ele me ama, mamãe — sussurrou ela. — Talvez seja a maneira que o destino encontrou para nos fazer pagar por sermos tão cruéis e desalmados há vinte anos. Estou feliz. Não importa quão doido o mundo seja neste momento, estou feliz com ele.

Jo estendeu as pernas pelo lado da cama. A partir de hoje, prometeu a si mesma, haveriam de permanecer juntos e lutar contra tudo.

* * *

NA SALA, NATHAN ENCERRARA OUTRO TELEFONEMA, ESTE para o consulado americano em Nice. Não dormira. Sentia os olhos pesados, a alma angustiada. Tinha a impressão de que corria em círculos, na busca de informações, de qualquer indicação, qualquer sussurro a que não dera importância meses antes.

E durante todo o tempo lidava com um angustiante sentimento de culpa, uma profunda esperança de confirmar que o irmão havia mesmo morrido.

Levantou os olhos quando ouviu passos subindo a escada. Conseguiu exibir um sorriso quando avistou Giff no outro lado da porta de tela. Acenou para que ele entrasse, enquanto desligava o telefone.

— Não tinha a intenção de interrompê-lo.

— Não tem problema. Já acabei, pelo menos por enquanto.

— Vou trabalhar no Live Oak Cottage e pensei em deixar estas plantas com você. Disse que gostaria de dar uma olhada no meu projeto para um solário em Sanctuary.

— Será um prazer. — Agradecido pela diversão, Nathan foi pegar as plantas. Abriu-as na mesa da cozinha. — Tive algumas idéias a respeito, mas outras coisas atraíram minha atenção.

— Ora... — Giff comprimiu a língua contra o interior da bochecha quando Jo saiu do quarto. — Bastante compreensível. Bom-dia, Jo Ellen.

Ela só podia torcer para não ficar vermelha como uma beterraba e com isso agravar o embaraço, enquanto os dois homens a olhavam. Vestira uma camiseta de Nathan e mais nada. Embora ela cobrisse até a metade das coxas, Jo imaginava que era óbvio que não usava nada por baixo.

Isso a ensinaria, refletiu ela, a não seguir um cheiro de café como um rato atrás dos acordes de uma flauta.

— Bom-dia, Giff.

— Apenas passei para deixar uma coisa.

— Eu apenas... ahn... vim pegar um café. — Ela decidiu não se afligir e foi até o balcão para se servir de café numa caneca. — Já vou deixá-los à vontade.

Giff não podia se conter. Era uma situação constrangedora. Mas como tinha certeza de que Lexy haveria de querer saber todos os detalhes, ele tentou obter mais:

— Talvez você queira também dar uma olhada, Jo. Kate está ansiosa por um solário. E você sempre teve um bom olho para essas coisas.

Boas maneiras ou dignidade. Era uma decisão impossível para uma mulher criada nas tradições sulistas. Jo fez o melhor que pôde para combinar as duas coisas. Foi até a mesa para estudar as plantas. Ficou intrigada com o que parecia ser uma vista lateral de uma curva longa e graduada, com estranhas linhas e números impressos.

Nathan ordenou a si mesmo para desviar a atenção das pernas de Jo para as plantas.

— É um bom conceito. Fez o levantamento topográfico?

— Fiz, junto com Bill. Ele faz trabalhos de agrimensura no continente e dispõe dos equipamentos.

— Se você fizesse um ângulo aqui... — Nathan usou o dedo para traçar a linha — ... em vez de seguir reto, poderia evitar qualquer escavação aqui. Além disso, ganharia o benefício de usar o jardim como parte da estrutura.

— Se fizesse isso, não teria de cortar este canto aqui? Não tornaria apertada e incômoda a saída da casa principal? E Miss Kate teria um faniquito se eu começasse a falar em deslocar portas ou janelas.

— Não precisa mexer em qualquer coisa da estrutura existente.

Nathan pôs de lado a vista lateral para revelar a vista completa do projeto de Giff.

— Bom trabalho — murmurou ele. — Muito bom mesmo. Jo, pode pegar uma folha daquele papel de desenho ali?

Nathan gesticulou, distraído, enquanto acrescentava:

— Tenho homens em minha firma que não possuem a habilidade para fazer um desenho livre como este.

— Fala sério?

Giff esqueceu Jo por completo e concentrou-se, surpreso, na cabeça de Nathan.

— Se algum dia decidir voltar a estudar e quiser um estágio, pode falar comigo.

Nathan pegou um lápis e começou a desenhar no papel que Jo pusera na sua frente.

— Veja como muda se você deslocar para este lado, não tanto como um ângulo, mas como um fluxo. É uma casa feminina e não precisa de ângulos retos. Você mantém tudo no mesmo padrão da curva do telhado. Depois, em vez de formar um limite com o jardim, parece se fundir.

— Já entendi. — Giff compreendeu que seu desenho parecia rígido e amador em comparação com aquele. — Eu não seria capaz de fazer um desenho assim nem em um milhão de anos.

— Claro que seria. Já fez a parte difícil. É muito mais fácil para alguém olhar um projeto competente e detalhado para mudar duas ou três coisas, a fim de ressaltar ainda mais o que já está no conceito básico.

Nathan empertigou-se. Examinou seu desenho, os olhos contraídos. Podia ver o projeto completo e perfeito.

— Seu jeito pode ser mais conveniente para o cliente. É mais eficiente em termos de custo e mais tradicional.

— O seu é mais artístico.

— Nem sempre o cliente quer o artístico. — Nathan largou o lápis. — Seja como for, pense a respeito. Ou mostre tudo a Kate e deixe-a refletir. Qualquer que seja a escolha, podemos refinar algumas coisas antes de começar a obra.

— Quer dizer que vai trabalhar comigo nisso?

— Claro. — Sem pensar, Nathan pegou a caneca de Jo e tomou um gole do café. — Eu gostaria muito.

Entusiasmado, Giff recolheu os desenhos.

— Acho que vou passar por Sanctuary agora e deixar tudo com Miss Kate. Darei mais tempo para ela pensar a respeito. Muito obrigado, Nathan. — Ele tocou com os dedos na pala do boné. — Até mais, Jo.

Jo encostou-se no balcão e observou Nathan pegar outra folha de papel de desenho. Enquanto terminava de tomar o café dela, ele começou outro desenho.

— Você nem mesmo sabe o que acabou de fazer — murmurou ela.

— Hum... Qual é a distância entre aquele canteiro com as flores azuis altas e o outro com as flores pontudas? E a distância para este canto aqui?

— Não sabe mesmo. — Jo serviu café em outra caneca. — Não tem a menor idéia do que fez.

— Sobre o quê? Oh... — Ele olhou para a caneca. — Desculpe. Tomei seu café.

— Além disso... o que eu achei ao mesmo tempo irritante e cativante. — Ela passou os braços pela cintura de Nathan. — Você é um bom homem, Nathan. Um homem muito bom.

— Obrigado. — Normalidade, ele prometeu a si mesmo. Apenas por uma hora, assumiriam a normalidade. — É porque não dei uma palmada em sua bunda quando apareceu aqui com minha camiseta... embora tivesse vontade?

— Não. Isso faria apenas com que fosse um homem esperto. Mas você é bom. Não viu o rosto dele. — Ela estendeu as mãos para as faces de Nathan. — Nem notou.

Perplexo, ele sacudiu a cabeça.

— Não notei nada. Está falando de Giff?

— Não conheço ninguém que não goste de Giff, e também não conheço muitas pessoas que pensem nele como mais do que um faz-tudo afável e de confiança. Nathan... — Jo encostou os lábios nos dele. — Você acaba de lhe dizer que ele era mais do que isso... e que podia ser ainda mais. E fez isso de uma maneira tão simples e informal que ele não pode deixar de acreditar.

Ela ergueu-se nas pontas dos pés, até as faces se encontrarem.

— Gosto muito de você neste momento, Nathan. Gosto de quem você é.

— Também gosto de você. — Ele abraçou-a e balançou um pouco. — E estou começando a gostar de quem nós somos.

KIRBY MANTINHA SEU ORGULHO SOB CONTROLE AO SE ENCAminhar para Sanctuary. Se Jo estivesse ali, encontraria um meio de conversar com ela em particular. Seu rigoroso código de ética não permitiria que contasse a qualquer dos Hathaway o que descobrira na noite passada. Se Jo tivesse voltado para casa depois da nova conversa com Nathan, Kirby imaginava que Sanctuary estaria em polvorosa.

Se nada mais, sua presença seria útil como médica da família.

Mas não fora por isso que a haviam chamado.

Planejou a visita de maneira a evitar Brian, aproveitando o intervalo entre o café da manhã e o almoço. E entrou pela porta da frente, usada pelos visitantes, em vez de passar pela cozinha, como os amigos faziam.

Como conseguiam se evitar há uma semana, ela achava que poderiam fazê-lo por mais um dia. Não viria se Kate não a tivesse chamado com um SOS, depois que uma hóspede escorregara e caíra na escada. E no exato momento em que ela se aproximou da escada, Kate desceu correndo.

— Kirby, não tenho palavras para exprimir quanto fico agradecida. É uma torção de tornozelo, não mais do que isso, posso jurar. Mas a mulher está fazendo tanto alarido que alguém pode pensar que quebrou todos os ossos do corpo em seis lugares ao mesmo tempo.

Um olhar para o rosto ansioso de Kate foi o suficiente para Kirby compreender que Jo ainda não falara de Annabelle.

— Não se preocupe, Kate.

— Sei que é a sua tarde de folga, e detesto arrastá-la até aqui, mas a mulher não quer sair da cama.

— Não é problema, Kate. — Kirby começou a subir a escada, atrás dela. — É melhor examiná-la. Se achar que é mais do que uma entorse, tirarei uma radiografia e a mandarei para o continente.

— Seria uma maneira de tirá-la de cima do meu pé. — Kate bateu numa porta. — Sra. Tores, a médica está aqui para examiná-la. Por conta da pousada.

Em voz baixa, ela acrescentou para Kirby:

— Cobre quanto quiser como taxa de transtorno.

Meia hora mais tarde, com os nervos à flor da pele, Kirby saiu do quarto e fechou a porta. A cabeça latejava do rosário de queixas com que a Sra. Tores a regalara. Quando parou para esfregar as têmporas, Kate apareceu.

— Sã e salva?

— Eu me senti tentada a sedá-la, mas resisti. Ela está muito bem, Kate. Pode ter certeza. Tive de efetuar o que equivale a um exame físico completo antes de deixá-la satisfeita. Teve uma ligeira entorse no tornozelo, mas o coração é forte como os de uma parelha de bois de carga, os pulmões ainda mais fortes. Para o seu próprio bem, espero que ela esteja planejando uma estada bem curta.

— Ela vai embora depois de amanhã, graças a Deus. Vamos descer. Quero lhe oferecer um copo de limonada e uma fatia da torta de cereja que Brian fez ontem.

— Preciso voltar. Tenho pilhas de papéis para organizar.

— Não vou deixá-la voltar sem tomar alguma coisa gelada. O calor é suficiente para matar um cavalo.

— Gosto do calor...

Kirby parou de repente, quando Brian entrou pela porta principal. Tinha os braços cheios de flores. O que deveria fazer com que parecesse ridículo. E Kirby queria que assim fosse. Em vez disso, porém, ele parecia ainda mais viril, ainda mais atraente, com os braços musculosos e bronzeados envolvendo as flores que acabara de cortar.

— Oh, Brian, fico contente que você tenha se lembrado das flores. — Kate desceu o resto da escada a toda a velocidade. — Eu ia cortar novos arranjos de flores esta manhã, mas a crise com a Sra. Tores me deixou atordoada.

Ela continuou a falar, enquanto transferia as flores dos braços de Brian para os seus.

— Pode deixar que cuido do resto. Você não tem o menor jeito para arranjos de flores. Juro, Kirby, que ele mete tudo num vaso de qualquer maneira e acha que está ótimo. Brian, sirva uma limonada para Kirby e uma fatia da torta. Ela veio até aqui para me prestar um favor e não deixarei que vá embora sem retribuir. Cuide de tudo agora, enquanto levo as flores para cima.

Kate subiu a escada, torcendo para que os dois não se comportassem como idiotas.

— Não preciso de nada — declarou Kirby, a voz tensa. — Eu já estava de saída.

— Imagino que você pode dispensar cinco minutos para tomar um refresco gelado, a fim de não magoar os sentimentos de Kate.

— Está bem. De qualquer forma, o caminho até minha casa é mais curto se sair pelos fundos.

Kirby virou-se e seguiu pelo corredor, em passos apressados. Queria se manter a distância de Brian. Quando ele descobrisse sobre a mãe, faria o que fosse necessário para ajudá-lo. Mas, por enquanto, tinha de lidar com sua própria angústia.

— Como está a paciente?

— Poderia dançar um rock da pesada se quisesse. Não há nada de errado com ela.

Kirby passou pela porta da cozinha e parou, obstinada. Ficou observando enquanto ele servia a limonada amarelo-dourada de um jarro que estava na geladeira, com muita polpa e fragmentos de hortelã. Quando sentiu que estava com água na boca, tratou de se controlar, decidida.

— Como está sua mão?

— Está bem. Já nem noto mais.

— Já que estou aqui, é melhor examiná-la. — Ela largou a maleta de médica na mesa da cozinha. — Os pontos deveriam ter sido tirados há dois dias.

— Você estava de saída.

— Minha presença aqui poupará sua ida ao consultório.

Ele parou de servir a limonada e fitou-a. O sol entrava pela janela por trás de Kirby, iluminando seus cabelos. Os olhos eram de um verde escuro tempestuoso, provocando uma ansiedade incontrolável em Brian.

— Está bem.

Ele levou o copo para a mesa e sentou. Apesar do calor, Kirby sentia as mãos frias. Mesmo com a raiva, os dois eram gentis. Não havia qualquer inchaço, nenhum sinal de infecção. As beiras do ferimento haviam se fundido com o resto da pele de maneira perfeita. A cicatriz seria quase imperceptível, pensou Kirby, enquanto abria a maleta e pegava a tesoura de suturas.

— Não vai demorar.

— Só não quero que abra novos buracos.

Kirby cortou o primeiro ponto e puxou com uma pinça.

— Como ambos vivemos nesta ilha e é provável que nos encontremos a todo instante, pelo resto de nossas vidas, talvez você possa me fazer a cortesia de clarear o ar entre nós.

— Já está bastante claro, Kirby.

— Para você, pode ser. Mas não para mim. — Ela cortou e puxou outro ponto. — Quero saber por que você se afastou de mim. Por que decidiu terminar o que havia entre nós daquela maneira.

— Porque a situação fora muito mais longe do que eu tencionava. Nenhum dos dois achava que daria certo. Apenas decidi recuar primeiro. Isso foi tudo.

— Já entendi. Você me largou antes que eu pudesse largá-lo.

— Mais ou menos. — Brian desejou não ser capaz de sentir o cheiro de Kirby. Desejou que ela tivesse a decência de não esfregar na pele aquela loção com fragrância de pêssego, que tanto o atormentava. — Eu diria que era mais uma questão de simplificar.

— E você gosta das coisas simples, não é? Gosta das coisas à sua maneira, no seu tempo, no seu ritmo.

A voz era suave. Embora não tivesse certeza se podia confiar, ainda mais quando Kirby tinha na mão um instrumento afiado, Brian acenou com a cabeça em confirmação.

— É verdade. Você é a mesma, mas sua maneira, seu tempo e seu ritmo são diferentes dos meus.

— Não posso argumentar com isso. Você prefere uma mulher maleável, uma mulher delicada. Uma mulher que senta paciente e espera por sua iniciativa e capricho. Só que isso não me descreve.

— Não, não descreve. Mas a verdade é que eu não procurava por uma mulher... nem por um relacionamento, se preferir chamar assim. Você foi atrás de mim. É uma linda mulher e cansei de fingir que não a desejava.

— Uma avaliação justa. E o sexo foi bom para ambos. Portanto, não deveria haver queixas. — Ela tirou o último ponto. Levantou os olhos para fitá-lo. — Pronto. Já acabei, Brian. A cicatriz vai desaparecer. Não passará muito tempo para que você nem se lembre que cortou a mão. E agora que o ar está claro, vou embora.

Brian continuou sentado.

— Fico agradecido.

— Não precisa nem pensar a respeito. — A voz de Kirby era gelada. — Porque eu não pensarei.

Ela saiu pelos fundos, sem dizer mais nada, fechando a porta de tela sem bater, deliberadamente.

Não começou a correr até alcançar o abrigo das árvores.

— Até que foi divertido — murmurou Brian.

Ele pegou a limonada intacta de Kirby e tomou tudo, em vários goles longos. Caiu em seu estômago torturado como ácido.

Fizera a coisa certa, não é? Para si mesmo... e provavelmente para ela também. Evitara que a situação se desenvolvesse, se tornasse muito profunda e complicada. Apenas abalara um pouco o orgulho de Kirby, mas ela tinha tanto que poderia se recuperar. Isso mesmo, tinha orgulho, classe e inteligência, além de um corpo espetacular, com a energia de uma ogiva nuclear.

Ó Cristo, era uma mulher incrível!

Não... ele fizera a coisa certa, assegurou a si mesmo. Passou o copo gelado pela testa, porque sentia de repente um calor intenso, por dentro e por fora. Mais cedo ou mais tarde, ela se afastaria, deixando-o arrasado.

Mulheres como Kirby Fitzsimmons não permaneciam ao seu lado por muito tempo. Não que ele quisesse que alguma mulher permanecesse... mas se um homem começava a fantasiar, começava a acreditar em casamento e família, ela era do tipo que o atraía, para depois deixá-lo à deriva no vento.

Kirby tinha muito combustível, muita energia para permanecer em Desire. Quando surgisse a oferta certa do hospital certo, ou de qualquer outra instituição, ela iria embora, antes mesmo que a areia cobrisse suas pegadas.

Ó Deus, ele nunca vira nada parecido com a maneira com que ela lidara com o corpo de Susan Peters. A maneira com que se transformara de mulher em rochedo, dando ordens em voz fria e firme, determinação nos olhos, total ausência de tremor nas mãos.

Abrira os seus olhos, é claro. Não era uma flor pequena e frágil, mas uma mulher que não se contentaria por muito tempo em tratar de urticárias e queimaduras de sol num ponto ínfimo perdido no mar. E ainda por cima ligando-se ao dono de uma pousada que ganhava a vida fazendo suflês e fritando galinha? Não havia a menor possibilidade, concluiu Brian.

Portanto, estava acabado e sua vida retomaria a rotina sossegada que preferia.

A droga do tesão, pensou Brian, num súbito ímpeto de fúria. Estava quase jogando o copo na pia quando avistou a maleta médica na mesa. Kirby a esquecera. Ele abriu-a e deu uma olhada no conteúdo, mas sem qualquer curiosidade.

Ela podia muito bem voltar para buscá-la, decidiu Brian. Tinha muitas coisas para fazer. Não podia partir em seu encalço só porque ela fora embora num acesso de raiva e deixara a maleta.

É verdade que ela podia precisar. Nunca se sabia com certeza quando ocorreria uma emergência médica. Seria culpa dele, não é mesmo, se Kirby não tivesse os recursos necessários à sua disposição? Alguém podia procurá-la e morrer por causa disso, não é mesmo?

Brian não queria esse peso em sua consciência. Deu de ombros e pegou a maleta, para descobrir que era mais pesada do que imaginara. Pensou em apenas entregá-la e ponto final.

Decidiu ir de carro, em vez de cortar caminho pela floresta. Fazia muito calor para andar. E se ela tivesse andado devagar, chegaria na sua frente. Poderia deixar a maleta junto da porta e ir embora antes que ela voltasse.

Quando parou na frente do chalé, ele pensou que conseguira isso. Ficou irritado consigo mesmo ao se sentir desapontado. Não queria vê-la de novo. Era esse o problema.

Mas quando subia os degraus, descobriu que Kirby chegara na sua frente. Podia ouvi-la chorando.

Parou no mesmo instante, aturdido. Eram soluços profundos, arrebatados. O que o deixou abalado, a boca ressequida, os joelhos bambos. Perguntou-se se podia haver alguma coisa mais assustadora para um homem enfrentar do que uma mulher chorando.

Abriu a porta sem fazer barulho, entrou e fechou-a. Tinha os nervos à flor da pele quando se encaminhou para o quarto, transferindo a maleta de uma mão para outra.

Kirby estava enroscada na cama, a própria imagem do desespero, os cabelos cobrindo o rosto. Brian já lidara com lágrimas de mulher antes. Um homem não podia conviver com Lexy durante metade de sua vida e evitar isso. Mas nunca esperara um choro tão descontrolado de Kirby. Não da mulher que o desafiara a resistir, a mulher que confrontara o resultado de um assassinato sem qualquer tremor. Não da mulher que pouco antes deixara sua cozinha de cabeça erguida e olhos mais frios do que o Atlântico Norte.

Com Lexy, era sair da frente e fechar a porta ou abraçá-la e esperar que a tempestade passasse. Brian decidiu abraçá-la. Sentou na beira da cama e estendeu os braços.

Kirby sentou na cama abruptamente e bateu com toda força nas mãos estendidas. Paciente, ele insistiu... e descobriu-se a abraçar uma mulher debatendo-se, furiosa.

— Saia daqui! Não me toque!

A humilhação por cima da mágoa era mais do que ela podia suportar. Chutou, empurrou, até que conseguiu se esquivar pelo outro lado da cama. Em pé ali, fitou-o com os olhos inchados, enquanto os soluços continuavam a sacudi-la.

— Como ousa entrar em minha casa? Saia daqui!

— Você esqueceu a maleta. — Porque se sentia tolo, meio esparramado na cama, Brian empertigou-se e fitou-a. — Ouvi você chorando. Não tinha a intenção de fazê-la chorar. Não sabia que podia.

Kirby tirou lenços de papel da caixa na mesinha-de-cabeceira e enxugou o rosto.

— O que o faz pensar que estou chorando por sua causa?

— Como calculo que você não se encontrou com alguém que pudesse deixá-la assim nos últimos cinco minutos, é uma suposição racional.

— E você é sempre racional, não é mesmo, Brian? — Ela arrancou mais lenços de papel da caixa, largando os outros no chão. — Eu estava me entregando a um acesso de autocompaixão. Tenho esse direito. Agora gostaria que me deixasse sozinha.

— Se eu a magoei...

— *Se* você me magoou? — Em desespero, Kirby pegou a caixa e jogou em cima dele. — Se você me magoou, seu filho-da-puta! O que pensa que eu sou? Alguma coisa que pode descartar quando quiser? Diz que está apaixonado por mim e depois se vira e anuncia calmamente que tudo entre nós acabou.

— Eu disse que achava que estava me apaixonando por você. — Era vital, pensou Brian, com um princípio de pânico, fazer essa distinção. — Mas parei.

— Você...

A raiva fez com que ela visse tudo em vermelho. Sua visão era fantástica quando pegou o objeto mais próximo e arremessou-o.

— Por Deus, mulher! — Brian estremeceu quando o pequeno vaso de cristal passou zunindo por sua cabeça, como uma bala reluzente. — Se abrir meu rosto, terá de me costurar outra vez.

— Não vou costurar porra nenhuma! — Kirby pegou seu nebulizador de perfume predileto e jogou-o também. — Pode sangrar até a morte que não levantarei um dedo, seu filho-da-puta desgraçado!

Brian esquivou-se. Foi bastante rápido para segurá-la antes que ela pudesse jogar também o espelho de cabo de prata.

— Posso imobilizá-la pelo tempo que for necessário — murmurou ele, ofegante, usando o peso do corpo para pressioná-la contra o colchão. — Não vou deixar que me arranque um pedaço só porque feri seu orgulho.

— Meu orgulho? — Ela parou de se debater. Os olhos antes furiosos ficaram marejados de lágrimas. — Você partiu meu coração!

Kirby virou o rosto, fechou os olhos e deixou as lágrimas escorrerem.

— Agora não tenho mais qualquer orgulho para ficar ferido.

Atordoado, Brian inclinou-se para trás. Ela virou de lado e tornou a se enroscar. Não soluçava mais. Ficou em silêncio, o rosto molhado de lágrimas.

— Deixe-me em paz, Brian.

— Pensei que poderia. Pensei que você ia querer que eu fizesse isso mais cedo ou mais tarde. Então por que não mais cedo? Sei que não vai ficar. — Ele falava em voz baixa, passando um dedo pelos cabelos de Kirby. — Não aqui, não comigo. E se eu não recuasse, poderia morrer quando você fosse embora.

Ela sentia-se cansada demais para chorar. Passou a mão pelo próprio rosto, em busca de algum conforto. Abriu os olhos.

— Por que eu não ficaria?

— Por que ficaria? Pode ir para qualquer lugar que quiser. Nova York, Chicago, Los Angeles. Você é jovem, bonita, inteligente. Uma médica nessas cidades vai ganhar muito dinheiro, freqüentar os clubes exclusivos, ter um consultório de luxo num prédio novo.

— Se eu quisesse essas coisas, já poderia tê-las. Se eu quisesse viver em Nova York, Chicago ou Los Angeles, já estaria lá.

— Por que não está?

— Porque eu adoro esta ilha. Sempre adorei. Porque pratico o tipo de medicina que sempre me atraiu e levo a vida que sempre desejei.

— Você vem de um lugar diferente — insistiu Brian. — Um estilo de vida diferente. Seu pai é rico...

— E minha mãe é bonita.

Ela sorriu. Não percebeu o tremor rápido e involuntário da boca de Brian.

— O que eu queria dizer...

— Sei o que você queria dizer. — A cabeça de Kirby parecia um balão cheio demais, prestes a estourar. Disse a si mesma que tomaria alguma coisa. Dentro de um minuto. — Não dou a menor importância a clubes exclusivos. São em geral pomposos e cheios de regras. Por que eu haveria de querer freqüentá-los se posso sentar em meu deque e contemplar o mar todos os dias da minha vida? Posso andar pela floresta e encontrar um cervo, ver a bruma elevar-se do rio.

Ela mudou um pouco de posição, apenas o suficiente para poder ver o rosto de Brian.

— Por que você continua aqui, Brian? Poderia ir para qualquer dessas cidades que indicou, dirigir a cozinha de um grande hotel ou ter seu próprio restaurante. Por que não foi embora?

— Não é o que eu quero. Tenho tudo o quero aqui.

— Eu também. — Kirby tornou a virar o rosto para a colcha. — Agora saia daqui e me deixe sozinha.

Brian levantou-se. Ficou olhando para ela. Sentia-se enorme e desajeitado, fora de seu território. Enganchou os polegares nos bolsos da frente, andou de um lado para outro, virou-se para olhar pela janela, depois para Kirby. Ela não falava, não se mexia. Ele deixou escapar um suspiro. Encaminhou-se para a porta. Parou ali e virou-se.

— Não fui sincero com você antes. Não parei de pensar que estava apaixonado por você, Kirby. Não consegui. E não era apenas pensar... eu sentia mesmo. Preferia não estar, devo dizer com toda a franqueza. Porque é inevitável que ocorra um rompimento em algum momento. Mas a verdade é que estou apaixonado.

Ela passou a mão pelo rosto e sentou na cama. Não, ele não tinha a aparência de um homem feliz, decidiu Kirby. Havia ressentimento nos olhos, obstinação na boca, irritação na postura.

— É essa a sua maneira encantadora de dizer que me ama?

— Foi o que eu disse. Acontece que não estou me sentindo muito encantador neste momento.

— Você me expulsa de sua vida, me humilha ao me pegar num momento de fraqueza, insulta ao negar meus sentimentos e meu caráter, e depois diz que me ama. — Ela balançou a cabeça, afastou os cabelos úmidos do rosto. — Esse é sem dúvida o momento mais romântico com que uma mulher sonha.

— Só estou dizendo o que sinto.

Kirby suspirou. Se em um canto de seu coração a alegria desabrochava, ela decidiu mantê-la sob controle, pelo menos por enquanto.

— Como também acho que estou apaixonada por você, por alguma razão que não consigo lembrar, farei uma sugestão.

— Estou escutando.

— Por que não damos uma caminhada pela praia... longa e descontraída? A maresia pode desanuviar seu cérebro, pelo menos o suficiente para encontrar um pouco de encanto. E depois pode tentar me dizer de novo tudo o que sente.

Brian, contemplando-a, compreendeu que sua cabeça já começava a desanuviar.

— Eu não me importaria de dar uma volta.

E ele estendeu a mão para Kirby.

Capítulo Vinte e Oito

Havia alguma coisa terrível no ar. Sam podia sentir. Era mais do que o calor opressivo, mais do que a aparência ameaçadora do céu. Ele tinha algumas preocupações com o furacão Carla, que no momento descarregava sua fúria nas Bahamas. Os meteorologistas garantiam que Carla se deslocaria para o mar, mas Sam sabia que os furacões eram essencialmente femininos. E as mulheres eram essencialmente imprevisíveis.

Era mais provável que Carla se desviasse de Desire e levasse sua violência para a Flórida. Mas ele não gostava do que sentia no ar. Estava opressivo demais. Como se quisesse espremer sua pele.

Ia entrar e verificar a pequena estação meteorológica que Kate lhe dera no último Natal, fazer alguns contatos pelo rádio de ondas curtas. Havia uma tempestade se aproximando, com certeza. Queria saber quando chegaria.

Ao chegar ao topo da colina, ele avistou o casal na beira do jardim leste. Estavam iluminados pelos raios inclinados do sol, que transformavam os cabelos de Jo em chamas reluzentes. Ela mantinha o corpo virado para a frente, apoiada no homem, com um tipo de anseio que era impossível não reconhecer.

O garoto Delaney, pensou Sam, agora um homem. E o homem estava com as mãos na bunda de sua filha. Sam suspirou, sem saber como deveria se sentir a respeito.

Os olhos faiscavam na contemplação um do outro, os corpos se moldaram no instante em que as bocas se encontraram. Era o tipo de beijo ardente e íntimo que deixava claro que vinham desfrutando mais e mais a companhia um do outro.

E como ele deveria se sentir em relação a isso?

Houvera um tempo em que os jovens não se beijavam e não se acariciavam em público daquela maneira. Ele se lembrou da época em que namorava Annabelle, os encontros às escondidas, como se fossem ladrões. Trocavam carícias em particular. Se o pai de Belle algum dia os encontrasse daquela maneira, sua reação seria terrível.

Sam continuou a andar, cuidando para que os passos soassem bastante altos para despertar os mortos e os sonhadores. Eles não tiveram sequer a cortesia de se separarem abruptamente e assumir expressões culpadas, pensou Sam. Apenas romperam o abraço devagar, mas continuaram de mãos dadas ao se virarem para ele.

— Há hóspedes na casa, Jo Ellen, e não estão pagando para assistirem a esse espetáculo.

Surpresa, ela piscou.

— Tem razão, papai.

— Se querem ter liberdade para suas demonstrações de afeto, escolham um lugar que não ponha as línguas para funcionar daqui até Savannah.

Sensata, Jo reprimiu a risada. Baixou os olhos, antes que o pai percebesse o brilho divertido, e acenou com a cabeça em concordância.

— Sim, senhor.

Sam mudou de posição e olhou para Nathan.

— Parece-me que você já tem idade suficiente para controlar seus hormônios num lugar público.

Nathan seguiu a dica de Jo, a advertência que ela fez com um rápido aperto de mãos. Manteve o tom sóbrio e respeitoso ao murmurar:

— Sim, senhor.

Satisfeito, embora não completamente enganado pelas reações, Sam olhou para o céu, o rosto franzido.

— A tempestade está chegando. Vai nos atingir, apesar do que dizem os meteorologistas.

Ele queria puxar conversa, compreendeu Jo, que pôs o espanto de lado para responder:

— Carla é de categoria dois e segue direto para Cuba. Estão dizendo que é provável que se desvie para alto-mar.

— Ela não está interessada no que dizem. Fará o que lhe aprouver. — Ele tornou a olhar para Nathan, avaliador. — Imagino que não há muitos furacões na cidade de Nova York.

Seria um desafio?, Nathan especulou. Uma estocada sutil em sua virilidade?

— Não há mesmo. Mas eu estava em Cozumel quando Gilbert passou por lá.

Ele quase mencionou o tornado que vira em Oklahoma, com toda a sua fúria, e a avalanche que descera estrondosa pelo desfiladeiro nas montanhas, perto do chalé na Suíça em que trabalhara.

— Neste caso, sabe como é — murmurou Sam. — Ouvi dizer que você e Giff têm um projeto para aquele solário que Kate tanto deseja.

— O projeto é de Giff. Apenas dei algumas idéias.

— Acho que é um homem de muitas idéias. Por que não me mostra o que estão pensando em fazer com a minha casa?

— Claro. Posso apresentar a disposição geral.

— Ótimo. Jo Ellen, desconfio que seu namorado vai filar o jantar. Avise a Brian que terá outra boca para alimentar.

Jo chegou a abrir a boca para protestar, mas o pai já se afastava. Não pôde fazer mais do que dar de ombros para Nathan e seguir para a casa.

Ao entrar na cozinha, encontrou Brian ocupado a limpar camarões. E cantando, ela percebeu, espantada. Baixinho e desafinado, mas cantando assim mesmo.

— O que está acontecendo por aqui? — indagou ela. — Papai puxa conversa e quer ver o projeto do solário, enquanto você canta na cozinha.

— Eu não estava cantando.

— Estava sim. Era uma péssima interpretação de "I Love Rock and Roll", mas pode ser descrita sem muito rigor como canto.

— E daí? É minha cozinha.

— É mais do que isso. — Jo foi até a geladeira e pegou uma cerveja. — Quer uma também?

— Não posso recusar. Estou emagrecendo só de ficar parado aqui.

Brian passou o dorso da mão pela testa suada. Pegou a garrafa que Jo abrira para ele. Tomou um gole comprido e passou a língua pelos lábios.

— Nathan está conseguindo andar sem mancar hoje?

— Está sim, mas deixei seu lábio ensangüentado. — Ela abriu um pote branco de cerâmica e tirou um biscoito de chocolate. — Um irmão com um mínimo de decência o teria arrebentado por mim.

— Você sempre disse que preferia lutar sozinha suas próprias batalhas. Em nome de Deus, como você pode comer biscoitos de chocolate com cerveja? É repulsivo!

— Estou gostando. Quer alguma ajuda aqui?

Foi a vez de Brian ficar chocado.

— Defina "ajuda".

— Assistência no trabalho. Cortar alguma coisa, mexer alguma coisa.

Ele tomou outro gole de cerveja, enquanto a estudava.

— Preciso de algumas cenouras descascadas e raladas.

— Quantas?

— No valor de vinte dólares. É o que você me custa.

— Como assim?

— Fiz uma aposta com Lexy. Uma dúzia.

Brian voltou a se concentrar nos camarões. Jo pegou as cenouras e começou a descascá-las, em cortes lentos, as tiras meticulosas.

— Se houvesse uma coisa em que você acreditou durante toda a sua vida, Brian, uma coisa com que aprendeu a conviver, mas não é verdade, acha que seria melhor continuar como sempre foi ou descobrir que é muito diferente do que pensou... e pior?

— Você pode deixar de lado um cão feroz adormecido, mas é difícil permanecer sossegado. Nunca se sabe quando ele pode acordar e pular em seu pescoço. — Brian despejou os camarões numa mistura fervendo de água, cerveja e temperos. — Por outro lado, se você deixa o cachorro dormir por tempo demais, ele fica velho e fraco, os dentes começam a cair.

— Não é de muita ajuda.

— Porque a pergunta não foi objetiva. Está jogando cascas no chão.

— Varrerei tudo assim que acabar. — Jo tinha vontade de varrer também as palavras, escondê-las por baixo do primeiro tapete disponível. Mas sempre saberia que continuavam ali. — Acha que um homem, um homem absolutamente normal, com uma família, um trabalho, uma casa num bom bairro, um homem que joga bola com o filho numa tarde de domingo e leva rosas para a esposa numa noite de quarta-feira poderia ter outra vida? Uma vida fria e sinistra, que ninguém conhece, uma vida em que é capaz de fazer coisas horríveis, para depois voltar à outra vida, em que assiste aos jogos de beisebol do filho nos sábados e depois leva a família para tomar sorvete?

Brian pegou o escorredor para os camarões e pôs na pia.

— Está cheia de perguntas estranhas hoje, Jo Ellen. Resolveu escrever um livro ou algo parecido?

— Não pode simplesmente me dizer o que pensa? Não pode ter uma opinião sobre o assunto e apresentá-la?

— Está bem. — Aturdido, ele levantou a tampa da panela para dar uma rápida mexida nos camarões. — Se quer ser filosófica, esse tema de doutor Jekyll e Mr. Hyde, o médico e o monstro, sempre fascinou as pessoas. O bem e o mal existindo lado a lado na mesma personalidade. Não há nenhuma pessoa que não tenha sombras.

— Não me refiro a sombras... a um homem que cede à tentação e engana a mulher numa tarde no motel, ou que não se empenha como deveria no trabalho. Falo do mal profundo, do tipo que não acarreta nenhum sentimento de culpa, nenhum peso na consciência. Mas ninguém percebe, nem mesmo as pessoas mais próximas.

— Creio que o mal mais fácil de esconder é o que não produz problemas de consciência. Se você não sente remorso nem responsabilidade, não há espelho para refletir.

— Não há espelho para refletir... — repetiu Jo. — Seria como um vidro preto, não é mesmo? Opaco.

— Tem mais suposições ou comentários animadores para analisar?

— O que acha disso... a maçã pode cair longe da árvore?

Com uma meia-risada, Brian levantou a panela e despejou os camarões e a água fervendo no escorredor.

— Eu diria que dependeria da maçã. Uma maçã firme e saudável pode quicar algumas vezes e rolar para longe da árvore. Já uma maçã podre ficaria junto do tronco ao cair.

Ele virou-se. Enxugou a testa de novo e pegou sua cerveja. Olhou para a irmã. Ela fitava-o com uma expressão sombria, o rosto pálido.

— O que foi, Jo?

— É exatamente isso — murmurou ela. — Tem toda razão.

— Estou cansado de parábolas.

— Deixarei esta para depois, Brian. — Jo olhou para a cenoura que ralava. — Depois do jantar, precisamos conversar. Todos nós. Avisarei os outros. Na sala de estar da família.

— Todos nós no mesmo lugar? Quem você quer punir?

— É importante, Brian. É importante para todos nós.

* * *

— NÃO SEI POR QUE PRECISO FICAR AQUI SE TENHO UM ENcontro marcado. — Lexy ajeitou os cabelos, olhando para sua imagem no espelho por trás do bar. — Já são quase onze horas. Giff pode desistir de esperar e ir dormir.

— Jo disse que era importante.

Kate fazia um esforço para que as agulhas do tricô clicassem de forma ritmada, em vez de se encontrarem em batidas estrondosas. Vinha trabalhando naquela manta há quase dez anos e queria terminá-la antes de completar uma década.

— Então onde ela está? — indagou Lexy, virando-se. — Não vejo mais ninguém aqui. Brian deve ter se mandado para o chalé de Kirby, e papai se trancou com aquele seu rádio de ondas curtas, para tentar rastrear o furacão... e tenho certeza de que não virá.

— Todos virão. Por que não nos serve um copo de vinho, querida?

Era um dos pequenos sonhos de Kate ter a família reunida, relaxando depois de um dia quente e difícil, partilhando os últimos acontecimentos.

— Parece que estou sempre servindo alguém. Juro que a última coisa que farei para manter a fome a distância, quando voltar para Nova York, será trabalhar como garçonete.

Sam entrou na sala. Olhou para Kate e sorriu. Aquela manta dava a impressão que nunca aumentava de tamanho, mas de alguma forma parecia mais feia cada vez que ela a pegava para trabalhar.

— Sabe o que aquela menina está querendo?

— Não, não sei — respondeu Kate, plácida. — Mas sente-se. Lexy vai nos servir um vinho.

— Prefiro uma cerveja, se não se importa.

— Podem fazer seus pedidos — resmungou Lexy, irritada. — Vivo para servir.

— Posso pegar minha cerveja.

— Ora, sente-se. — Ela acenou com a mão. — Eu pego.

Contrafeito, Sam arriou no sofá, ao lado de Kate. Tamborilou com os dedos no joelho. Levantou os olhos quando Lexy estendeu a cerveja.

— Acho que você quer uma gorjeta agora. — Quando ela arqueou uma sobrancelha, Sam acrescentou: — Reciclagem. O mundo está em nosso quintal.

As agulhas de Kate silenciaram, Lexy mostrou-se espantada. Sam olhou para sua cerveja, sentindo a cor subir pelo pescoço.

— Meu Deus, Sam, você fez uma piada! Lexy, lembre-me de anotar isso em minha agenda, como uma dessas coisas que só acontecem uma vez por ano.

— Uma mulher sarcástica é a razão pela qual me mantenho de boca fechada — murmurou ele.

A risada de Kate ressoou pela sala. Ela afagou o joelho de Sam, afetuosa, enquanto Lexy sorria para os dois.

Foi essa a cena que Jo encontrou quando entrou na sala. O pai, a prima e a irmã partilhando um momento juntos, enquanto a risada de Kate ressoava.

Era uma imagem que ela nunca esperara ver, que nunca soubera que podia achar tão preciosa. Mas ela e o homem que vinha atrás podiam destruir tudo aquilo.

— Ela chegou! — exclamou Kate, ainda radiante.

Quando ela avistou Nathan, sua noção do que Jo queria dizer assumiu a forma de flores de laranjeira e rendas nupciais. Excitada, ela largou o tricô.

— Estamos tomando um vinho. Talvez devêssemos passar para champanhe, apenas pela diversão.

— Vinho está bom. — Os nervos à flor da pele, Jo apressou-se em acrescentar: — Não se levante, Kate. Pode deixar que eu pego.

— Espero que não demore muito, Jo. Tenho planos.

— Desculpe, Lexy.

Jo bateu com os copos, em sua pressa para servir o vinho.

— Sente-se. — Kate revirou os olhos e alteou as sobrancelhas, na tentativa de indicar a Lexy o que ia acontecer. — Fique à vontade, Nathan. Tenho certeza de que Brian já vai chegar... Lá está ele. Brian, pode ligar o ventilador? O calor está demais. Deve ser mais fresco em seu chalé à beira do rio, Nathan.

— Um pouco.

Ele sentou, sabendo que tinha de deixar Jo tomar a iniciativa. Mas olhou para Sam. Haviam passado juntos vinte minutos naquela noite, avaliando o projeto, discutindo estrutura e forma. E durante todo o tempo Nathan sentira o gosto amargo da impostura.

Era chegado o momento da franqueza, da revelação da verdade, de aceitar as conseqüências.

— Como? — murmurou ele, percebendo abruptamente que Kate estava lhe falando.

— Só perguntei se você acha tão fácil trabalhar aqui quanto em Nova York.

— É uma boa mudança.

Seus olhos se encontraram com os de Jo quando ela entregou o copo com vinho. Comece logo, pediu ele, silenciosamente. Vamos acabar com isso.

— Pode sentar, Brian? — murmurou ela.

— Ahn... — Jo interrompera seu devaneio sobre o encontro iminente com Kirby e como a acordaria de uma maneira específica e interessante. — Claro.

Ele se instalou numa poltrona e decidiu que nunca se sentira mais relaxado e contente em toda a sua vida. Até ofereceu uma piscadela para Lexy quando ela sentou no braço da poltrona.

— Não sei como começar, como dizer... — Jo respirou fundo. — Eu gostaria de poder correr o risco de deixar o cachorro adormecido.

Ela percebeu a confusão nos olhos de Brian. Continuou a falar:

— Mas não posso. Seja ou não a melhor coisa, tenho de acreditar que é a coisa certa. Papai... — Jo foi sentar na mesinha de café, para que seus olhos ficassem no mesmo nível dos de Sam. — É sobre mamãe.

Ela viu a boca de Sam endurecer. Embora o pai não se mexesse, sentiu que ele recuava.

— Não há sentido em remexer águas passadas, Jo Ellen. Sua mãe foi embora há tempo suficiente para que você aceite sua partida.

— Ela morreu, papai. Está morta há vinte anos. — Como se fosse uma âncora para os dois, Jo pegou a mão do pai. — Ela não o deixou... nem a nós. Não saiu de Sanctuary. Foi assassinada.

— Como pode dizer tal coisa? — Lexy levantou-se num movimento brusco. — Como pode dizer isso, Jo?

— Alexa... — Sam não desviou os olhos de Jo. — Fique calada.

Ele tinha de se conceder um momento para absorver o golpe que Jo acabara de desfechar. Queria descartá-lo, esquivar-se, contorná-lo. Mas não havia como evitar a expressão firme e desolada nos olhos da filha.

— Você tem uma razão para dizer isso... para acreditar.

— Tenho.

Jo falou sobre a foto que lhe fora enviada, a voz calma e decidida. O choque do reconhecimento, a certeza inegável de que era Annabelle.

— Considerei de cem maneiras diferentes, papai. Disse a mim mesma que fora tirada anos depois, que era apenas um truque de câmera, uma brincadeira de mau gosto. Mas nada disso era verdade. Era mesmo mamãe, e a foto foi tirada aqui na ilha, na noite em que pensamos que ela havia ido embora.

— Onde está essa foto? — perguntou Sam.

— Desapareceu. A pessoa que a mandou foi até o apartamento para recuperá-la enquanto eu estava no hospital. Mas juro que a foto existia. Era mamãe.

— Como sabe? Como pode ter certeza?

Ela abriu a boca para responder, mas Nathan se antecipou:

— Porque eu também vi a foto. Porque meu pai a tirou, depois que a matou.

Com uma tempestade rugindo em sua cabeça, Sam levantou-se lentamente.

— Vai ficar parado aí e dizer que seu pai matou Belle. Matou uma mulher que não lhe fizera nenhum mal e depois tirou fotos. Tirou fotos de Belle depois de matá-la e mostrou para você.

— Nathan não sabia, papai. — Jo segurou o braço de Sam. — Era apenas um menino. Não sabia de nada.

— Não estou olhando para um menino agora.

— Descobri as fotos e um diário depois que meu pai morreu. Tudo o que Jo disse é verdade. Meu pai matou sua esposa. Escreveu todos os detalhes e guardou o diário e as fotos num cofre no banco. Só soube disso depois que ele e minha mãe morreram.

Quando as palavras cessaram, os únicos sons eram o zunido do ventilador no teto, o choro de Lexy e os estertores do ar que entrava e saía dos pulmões de Sam.

Ele podia vê-la agora, radiante, em sua mente, a esposa que tanto amara, a mulher que amaldiçoara. Todas as luzes e sombras de Annabelle se fundiram para projetar raiva. E desespero.

— Por vinte anos ele manteve em segredo. — Sam cerrou os punhos, mas não havia nada que pudesse socar. — Você descobriu, voltou para cá e pôs as mãos em minha filha. E você deixou!

Ele fulminou Jo com um olhar, antes de acrescentar:

— Você sabia e deixou!

— Senti a mesma coisa quando ele me contou. Exatamente a mesma coisa. Mas depois que tive tempo para pensar, para compreender... Nathan não foi responsável.

— Seu sangue foi.

— Tem razão. — Nathan adiantou-se, para que Jo não se interpusesse mais entre ele e Sam. — Voltei à ilha para tentar encontrar uma maneira de superar, contornar ou apenas sepultar o passado. E me apaixonei por quem não tinha o direito de me apaixonar.

Brian pôs Lexy de lado, para que ela pudesse chorar nas próprias mãos, não mais em seu ombro.

— Por quê? — A voz dele era tão angustiada quanto sua alma. — Por que ele fez isso?

— Não há razão que possa justificar — respondeu Nathan, cansado. — Nada que ela tenha feito. Ele... a selecionou. Era um projeto para ele, um estudo. Não agiu por raiva, nem mesmo por paixão. Não sei explicar.

— É melhor você sair agora, Nathan — murmurou Kate, enquanto se levantava. — Deixe-nos a sós por algum tempo.

— Não posso, até que tudo seja dito.

— Não quero você em minha casa. — A voz de Sam era perigosamente baixa. — Não quero você em minhas terras.

— Não irei embora enquanto não tiver certeza de que Jo está sã e salva. Porque o homem que assassinou Susan Peters e Ginny Pendleton quer matá-la também.

— Ginny...

Para não cair, Kate teve de segurar o braço de Sam.

— Não tenho qualquer prova em relação a Ginny, mas estou absolutamente convencido. Se quiserem escutar o resto, se me ouvirem, eu irei embora.

— Deixem-no acabar. — Lexy fungou para reprimir as lágrimas e falou numa voz surpreendentemente forte: — Ginny não fugiu. Eu sempre tive certeza disso, no fundo do meu coração, desde o início. Foi como mamãe, não é mesmo, Nathan? E Susan Peters também.

Ela cruzou as mãos no colo para se controlar. Virou-se para Jo.

— Você recebeu as fotos aqui, nesta casa... e as fotos foram tiradas na ilha. Está acontecendo tudo de novo.

— Você é hábil com uma câmera, Nathan. — Os olhos de Brian eram fendas azuis ardentes.

A insinuação doeu, partindo de um homem que fora seu amigo no passado e no presente.

— Vocês não têm qualquer razão para confiar em mim, mas têm todas as razões para me ouvirem.

— Deixe-me tentar explicar, Nathan.

Jo tomou um gole do vinho para esfriar a garganta. Não deixou nada de fora. Relatou tudo, em detalhes, respondeu a todas as perguntas, até chegar às providências que ela e Nathan haviam combinado para descobrir a verdade.

— Portanto, seu falecido pai é responsável por matar nossa mãe — disse Brian, amargurado. — Agora, o irmão morto é responsável pelo resto. Muito conveniente.

— Não sabemos quem é responsável pelo resto. Mas se for o irmão de Nathan, isso não faz com que ele seja culpado. — Jo aproximou-se do irmão. — Existe uma parábola sobre maçãs caindo da árvore que alguém me contou há pouco tempo. E como algumas são bastante fortes para rolar para longe e permanecer íntegras, enquanto outras não.

— Não jogue minhas próprias palavras em cima de mim — disse Brian, furioso. — O pai dele matou nossa mãe, destruiu nossas vidas. Agora, há outra mulher morta, talvez duas. E você espera que nós o afaguemos e declaremos que está tudo perdoado? Não farei isso. E que se danem todos vocês!

Ele saiu, deixando o ar a vibrar em sua esteira.

— Irei atrás dele. — Lexy parou na frente de Nathan e estudou-o por um momento, com os olhos injetados. — Ele é mais velho e talvez a amasse mais, como os meninos amam suas mães. Mas ele está enganado, Nathan. Não temos de perdoar você por qualquer coisa. Você também é uma vítima, como todos nós.

Depois que ela saiu, Kate comentou, com uma admiração surpresa:

— Nunca se espera que seja ela a sensata. — Kate suspirou. — Precisamos de algum tempo aqui, Nathan. Algumas feridas devem ser cuidadas em particular.

— Irei com você — declarou Jo.

Mas Nathan sacudiu a cabeça.

— Não. Fique com sua família. Todos nós precisamos de tempo. — Ele virou-se para Sam. — Se tem mais alguma coisa a me dizer...

— Saberei onde encontrá-lo.

Com um aceno de cabeça, Nathan deixou-os a sós.

— Papai...

— Não tenho nada para lhe dizer neste momento, Jo Ellen. É uma mulher adulta, mas está vivendo sob meu teto. Peço que vá para seu quarto por enquanto e me deixe sozinho.

— Está bem. Sei como se sente e quanto dói. Precisa de tempo para lidar com isso. — Ela fitava o pai nos olhos. — Mas depois que tiver esse tempo sozinho, eu me sentiria envergonhada se ainda mantivesse essa posição... envergonhada por você culpar o filho pelas ações do pai.

Sem dizer mais nada, Sam passou por ela e deixou a sala.

— Vá para o seu quarto, Jo. — Kate pôs a mão no ombro tenso dela. — Verei o que posso fazer.

— Você também o culpa, Kate?

— Não consigo decidir ainda o que penso e sinto. Sei que o garoto está sofrendo, Jo, mas Sam também está. E minha primeira lealdade é com Sam. Vá agora. Não me pressione mais com perguntas para as quais ainda não tenho respostas.

Kate encontrou Sam na varanda da frente, junto da grade, olhando para a noite. As nuvens haviam chegado, ocultando a lua e as estrelas. Ela deixou a luz da varanda apagada e foi se postar ao lado de Sam.

— Tenho de lamentar de novo. — Ele passava as mãos para um lado e outro da grade. — Não é certo que eu tenha de lamentá-la de novo.

— Não, não é.

— Encontro algum conforto por saber que ela nunca teve a intenção de nos deixar? Por saber que ela não fugiu e nos esqueceu? E como posso retirar todos os pensamentos terríveis que tive ao longo dos anos, todas as noites em que a amaldiçoei por ser egoísta, indiferente e insensível?

— Não pode ser culpado pelos pensamentos duros que teve, Sam. Acreditou no que lhe foi apresentado. E acreditar numa mentira não faz com que esteja errado. É a mentira que está errada.

Ele se empertigou.

— Se veio até aqui para defender aquele garoto, pode fazer a volta e entrar.

— Não foi por isso que saí. Mas a verdade é que você não é culpado pelo que acreditava em relação a Belle tanto quanto Nathan não era por acreditar no pai. Agora você descobriu que estava enganado naquela convicção, mas é ele quem tem de aceitar que o pai era egocêntrico e brutal.

— Eu disse que você podia voltar.

— Você é teimoso e obstinado como uma mula. Pois pode ficar aqui sozinho, espojando-se em seu sofrimento, acalentando os pensamentos mais sombrios.

Kate virou-se e espantou-se quando Sam pegou sua mão.

— Não vá embora. — As palavras ardiam na garganta de Sam como se fossem lágrimas. — Não me deixe sozinho.

— Quando o deixei? — murmurou ela, com um suspiro. — Sam, não sei o que fazer por você, por qualquer de vocês. Detesto ver as pessoas que eu amo magoadas dessa maneira, sem saber o que fazer para aliviá-las.

— Não posso mais lamentá-la como deveria, Kate. Vinte anos é muito tempo. Não sou mais o mesmo que era quando a perdi.

— Você a amava.

— Sempre a amei. Mesmo quando pensava o pior, continuava a amá-la. Você lembra como ela era exuberante, Kate.

— Sempre invejei a maneira com que ela iluminava a tudo e todos ao seu redor.

— Uma luz suave também tem sua atração.

Sam olhou para as mãos entrelaçadas e não percebeu o sobressalto que aflorou nos olhos de Kate.

— Você sempre manteve essa luz firme — acrescentou ele, com todo cuidado. — Ela ficaria agradecida por como você cuidou das crianças, resolveu os problemas. Eu já deveria ter-lhe dito que me sinto muito grato.

— Comecei a fazer as coisas por ela e continuei por mim mesma. E não creio que Belle gostaria que você lamentasse tudo de novo, Sam. Nunca soube que ela acalentasse uma mágoa ou se apegasse a um ressentimento. E tenho certeza de que Belle não culparia um menino de dez anos por o que o pai era.

— Estou dividido nesse ponto, Kate. Lembro que David Delaney participou da busca quando Belle desapareceu. — Sam teve de fechar os olhos, porque a raiva o dominava outra vez. — O filho-da-puta procurou por toda a ilha comigo. Depois de tê-la assassinado. Sua esposa apareceu e levou as crianças para o chalé. Eu me senti grato a ele, que Deus me perdoe por isso. Eu me senti grato.

— Ele enganou você, Sam. E também enganou a própria família.

— Não deixou transparecer qualquer coisa. Mas não posso voltar àquele dia, sabendo o que sei agora, e fazê-lo pagar pelo que fez.

— Em vez disso, fará o filho pagar?

— Não sei.

— E se eles estiverem certos, Sam? E se alguém quiser fazer com Jo o que foi feito com Annabelle? Precisamos proteger o que nos restou... usar tudo o que tivermos para proteger o que nos restou. E se sou capaz de julgar alguém, diria que Nathan Delaney é capaz de se lançar na frente de um trem em movimento para manter Jo sã e salva.

— Posso cuidar dos meus desta vez. Agora estou preparado.

A BEIRA DO BOSQUE, NUMA NOITE SEM LUAR, ERA UM EXCElente ponto de observação. Mas ele não fora capaz de resistir a uma maior aproximação, aproveitando a escuridão para esconder seus movimentos.

Era emocionante ficar tão perto da casa, ouvir com tanta nitidez as palavras do velho. Tudo fora revelado, o que era outro motivo de excitamento. Eles pensavam que sabiam de tudo, compreendiam tudo. Provavelmente pensavam também que estariam seguros por esse conhecimento prévio.

Não poderiam estar mais enganados.

Ele apalpou a arma que guardara na bota, ao estilo dos comandos. Poderia usá-la agora, se quisesse, liquidar os dois. Seria a coisa mais fácil do mundo. Isso deixaria as duas mulheres sozinhas na casa, já que Brian saíra num acesso de raiva.

Ele poderia ter as duas filhas de Annabelle, uma depois da outra. Um maravilhoso *ménage à trois.*

Ainda assim, isso seria um desvio do plano principal. E o plano servira-o muito bem até agora. Mantê-lo provaria sua disciplina, sua capacidade de conceber e executar. E se queria mesmo duplicar a experiência de Annabelle, teria de ser paciente por mais algum tempo.

Mas isso não significava que não poderia agitar um pouco as coisas enquanto esperava. Os coelhos assustados, refletiu ele, eram muito mais fáceis de ser apanhados.

Ele se embrenhou no meio das árvores e passou uma hora das mais agradáveis contemplando a luz na janela de Jo.

Capítulo Vinte e Nove

Kirby corria pela praia, absorvida em sua solidão. O céu a leste, com o amanhecer, exibia várias tonalidades selvagens, gloriosas, violentas, de vermelho. Ela pensou que, se o adágio antigo era verdadeiro, os marinheiros deveriam considerar a cena como uma advertência. Mas ela só podia pensar na beleza daquela manhã, com o céu furioso e os ventos cada vez mais fortes.

Talvez fossem atingidos por Carla, no final das contas, pensou ela, enquanto os pés batiam na areia compacta. Podia ser emocionante e afastaria a mente de Brian de seus problemas por algum tempo.

Ela gostaria de saber o que lhe dizer, como ajudá-lo. A única coisa que pudera fazer quando ele entrara, turbulento, em seu chalé, na noite anterior, fora escutar, como antes escutara Jo. Mas quando tentara confortá-lo, como confortara Jo, descobrira que as palavras suaves e tranqüilizadoras não eram o que ele queria. Por isso, dera-lhe calor, abraçando-o com firmeza, enquanto ele tentava aliviar seu desespero no sexo.

Não fora capaz de convencê-lo a ficar e dormir depois do amanhecer. Brian levantara e partira antes de o sol espiar por cima do horizonte. Mas pelo menos ele a abraçara, pelo menos a amara. E Kirby sabia que o fortalecera para o retorno a Sanctuary.

Agora, ela queria desanuviar a cabeça. Se o homem que amava estava com problemas, se fora dominado pela angústia, o mesmo acontecia com ela. Tinha de se preparar para apoiá-lo, ampará-lo, talvez guiá-lo até alguma paz.

E de repente ela avistou Nathan, parado na praia, olhando para as ondas que rebentavam, ruidosas. A lealdade batalhou com a razão quando ela diminuiu a velocidade. Mas, no final, a necessidade de ajudar, de curar, prevaleceu sobre todo o resto. Kirby não era capaz de virar as costas ao sofrimento.

— Uma manhã e tanto. — Ela teve de elevar a voz acima do barulho do vento e das ondas. Um pouco ofegante, parou ao lado de Nathan. — As férias estão correspondendo às suas expectativas?

Ele riu. Não pôde evitar.

— Claro. É a viagem de uma vida inteira.

— Precisa de um café. Como médica, eu deveria dizer que a cafeína não faz bem à saúde. Mas sei também que muitas vezes faz milagres.

— Está me oferecendo?

— Estou.

— Eu agradeço, Kirby, mas ambos sabemos que sou uma *persona non grata*. Brian não gostaria se partilhasse um café de manhã comigo. E não posso culpá-lo.

— Tenho um pensamento próprio, formo as minhas próprias impressões. É por esse motivo que ele é louco por mim.

Ela pôs a mão no braço dele. Era verdade, não podia virar as costas ao sofrimento. Até mesmo o ar em torno de Nathan vibrava em angústia.

— Vamos até minha casa. Pense em mim como sua gentil médica da ilha. Exponha sua alma. — Kirby sorriu. — Posso até cobrar uma consulta, se você quiser.

— Negócio fechado. — Ele soltou um longo suspiro. — Bem que estou precisando de um café... e de um ouvido receptivo.

— Posso oferecer as duas coisas. Vamos embora. — Ela passou o braço pelo de Nathan. Começaram a deixar a praia. — Quer dizer que os Hathaway fizeram-no passar por maus momentos.

— Não sei... Mas, somando tudo, até que eles foram indulgentes. A hospitalidade sulista. Meu pai estuprou e assassinou a mãe deles. Dei a notícia e ninguém tentou me linchar.

— Nathan... — Ela parou na base dos degraus. — É uma confusão infernal, uma tragédia terrível. Mas nenhum deles continuará a culpá-lo depois de refletir um pouco.

— Jo pensa assim. De todos, é a mais vulnerável pelo que está acontecendo. Mas não se comporta como os outros.

— Ela o ama.

— Jo ainda pode superar isso. Lexy foi diferente. Fitou-me nos olhos, o rosto ainda molhado de lágrimas, e disse que nada daquilo era responsabilidade minha.

— Lexy usa a simulação e a aparente insensatez com a maior habilidade. Com isso, pode avaliar as situações e ir ao fundo dos problemas mais depressa do que a maioria das pessoas. — Kirby abriu a porta e virou-se para ele. — E nada do que aconteceu, Nathan, foi ou é sua responsabilidade.

— Sei disso, em termos intelectuais. E quase me convenci, em termos emocionais também... queria que fosse assim porque queria Jo. Mas não acabou, Kirby. Pelo menos outra mulher também foi assassinada. Portanto, não acabou.

Ela acenou com a cabeça e segurou a porta aberta para ele entrar.

— Conversaremos sobre isso também.

CARLA RASPOU PELA COSTA SUDESTE DA FLÓRIDA, DANDO UM beijo rápido e violento em Key Biscayne, antes de se deslocar para o norte. À sua maneira caprichosa, dançou um tango com Fort Lauderdale, destruiu alguns trailers, afugentou turistas e matou umas poucas pessoas. Mas não parecia propensa a ficar.

Seu olho era frio e enorme, a respiração acelerada e ansiosa. Fora tornando-se mais forte e mais impetuosa desde o seu nascimento, nas águas das Índias Ocidentais.

Como uma prostituta vingativa, desviou-se para o mar, castigando com saltos altos as estreitas ilhas ao longo da costa.

LEXY SEGUIU APRESSADA PARA O QUARTO DE HÓSPEDES, ONDE Jo ajeitava a colcha na cama de nogueira. Os raios de sol, quentes e brilhantes, entravam pelas portas abertas da varanda, iluminando as olheiras de Jo, sinais de uma noite insone.

— Carla acaba de atingir St. Simons — anunciou Lexy, um pouco ofegante de subir dois lances de escada quase correndo.

— St. Simons? Pensei que estivesse se deslocando para oeste.

— Ela mudou de idéia. Segue agora para o norte, Jo. O último boletim dizia que, se mantiver o curso e a velocidade, chegará aqui antes do anoitecer.

— Qual a força?

— Subiu para a categoria três.

— Ventos de mais de cento e cinqüenta quilômetros horários. Precisamos proteger as portas e janelas com tábuas.

— Vamos evacuar os turistas antes que o mar se torne encapelado demais para a travessia da barca. Kate quer que você ajude no fechamento das contas. Vou me encontrar com Giff. Começaremos a cobrir as janelas e portas com tábuas.

— Está bem. Descerei num instante. E vamos torcer para que Carla se desvie para o mar antes de chegar aqui.

— Papai está no rádio, recebendo as últimas informações. Brian foi verificar se a lancha tem combustível e está preparada se precisarmos deixar a ilha.

— Papai não irá embora. Enfrentará a tempestade nem que tenha de se amarrar a uma árvore.

— Mas você vai partir. — Lexy aproximou-se da irmã. — Passei por seu quarto e vi as malas abertas, quase prontas.

— Tenho mais motivos para ir embora do que para ficar.

— Você está enganada, Jo. Há mais motivos para ficar, pelo menos até encontrarmos uma maneira de acertar as contas para todo mundo. E precisamos sepultar mamãe.

— Por Deus, Lexy!

Jo cobriu o rosto. Ficou imóvel, os dedos comprimidos contra os olhos.

— Não o seu corpo. Mas precisamos pôr uma lápide no cemitério e devemos nos despedir. Ela nos amava. Durante a maior parte de minha vida pensei que não, e que talvez fosse por minha causa.

Como a voz da irmã tremesse agora, Jo baixou as mãos.

— Por que pensou isso?

— Eu era a caçula. Pensei que ela não queria ter outra criança... que não me queria. Por isso, passei a maior parte da vida fazendo o maior esforço para que as pessoas me amassem, para que as pessoas me quisessem. Seria qualquer coisa que achasse que as pessoas mais apreciavam. Seria estúpida ou inteligente. Seria desamparada ou esperta. E sempre dava um jeito de me afastar primeiro.

Lexy foi fechar as portas da varanda.

— Fiz uma porção de coisas horríveis. E é provável que ainda faça muitas outras. Mas saber a verdade mudou alguma coisa dentro de mim. Tenho de me despedir de mamãe. Todos nós temos de fazer isso.

— Eu me sinto envergonhada por não ter pensado nisso. Mas se eu partir antes que tudo seja acertado, prometo que voltarei. — Jo abaixou-se para recolher os lençóis e fronhas que acabara de tirar da cama. — Apesar de tudo, estou contente por ter voltado desta vez. Estou contente porque nosso relacionamento mudou.

— Eu também. — Lexy sorriu. — Talvez agora você possa copiar algumas fotos em que apareço e tirar outras. Eu poderia usálas em meu portfólio. Os diretores de elenco devem ficar impressionados com fotos tiradas por uma das maiores fotógrafas do país.

— Se escaparmos de Carla, teremos uma sessão de fotos que deixará todos os diretores de elenco de Nova York de queixo caído.

— É mesmo? Seria maravilhoso! — Ela olhou para o céu, franzindo o rosto. — Maldito furacão. Algo sempre acontece para adiar as coisas boas. Talvez possamos tirar as fotos em Savannah. Alugaríamos um estúdio por dois ou três dias e...

— Lexy...

— Está bem, está bem... — Lexy acenou com as mãos. — Mas pensar a respeito é muito mais divertido do que pensar em pregar placas de madeira compensada. Mas talvez Giff ache que sou inútil para isso. Neste caso, eu poderia voltar e examinar meu guarda-roupa para escolher as coisas certas. Quero fotos sensuais e sedutoras. Poderíamos usar um ventilador grande para...

— Lexy... — murmurou Jo de novo, com uma risada exasperada.

— Já vou. Tenho um longo incrível que comprei direto na confecção. — Lexy encaminhou-se para a porta. — Ficaria ainda melhor se eu pudesse convencer Kate a me emprestar as pérolas de vovó Pendleton.

Jo riu de novo, enquanto Lexy se afastava pelo corredor, ainda falando. As coisas não podiam mudar muito depressa, refletiu ela, nem demais. Ela arrumou as roupas de cama e levou-as para o tubo inclinado da lavanderia. Através de uma porta aberta, avistou o casal que viera de Toronto, para passar uma semana, arrumando as malas às pressas. Calculou que a maioria dos outros hóspedes fazia a mesma coisa naquele momento.

O registro de saída dos hóspedes, em geral um processo descontraído e jovial, seria frenético.

No instante em que desceu, Jo compreendeu que não exagerara em sua previsão. Já havia bagagem empilhada junto da porta. Havia meia dúzia de hóspedes na sala de estar, alguns parados nas janelas, olhando para o céu, como se esperassem que rachasse a qualquer momento.

Kate estava sentada à mesa, cercada por um mar de papel e pedidos de urgência. Seu sorriso hospitaleiro foi forçado quando levantou os olhos e avistou Jo.

— Não se preocupem. Todos serão levados a tempo para a barca. Temos duas em operação durante o dia inteiro e há sempre uma partida para o continente a cada hora. — Ao fluxo de vozes, com perguntas e exigências, ela ergueu a mão. — Levarei o primeiro grupo. Minha sobrinha cuidará do registro de saída dos outros.

Ela lançou um olhar ligeiramente desesperado para Jo.

— Sr. e Sra. Littleton, podem ir agora para a van com sua família. Sr. e Sra. Parker. Srta. Houston. Podem esperar um instante que já vou sair. E se os outros tiverem um pouco de paciência, minha sobrinha cuidará de tudo.

Como não tinha opção, ela atravessou o mar de corpos e vozes. Foi pegar o braço de Jo.

— Venha comigo por um instante. Juro que parece até que estamos prestes a sofrer um ataque nuclear.

— É bem provável que a maioria nunca tenha enfrentado um furacão antes.

— É por isso que fico contente por ajudá-los a partir. Afinal, esta ilha e tudo o que tem aqui já resistiram a furacões antes e continuarão a resistir.

Como queria alguma privacidade, Kate seguiu para onde poderiam tê-la, o banheiro ao lado do saguão. Com um pequeno grunhido de satisfação, ela trancou a porta.

— Pronto. A tranca deve resistir por dois ou três minutos. Lamento ter de deixá-la sob tamanho assédio.

— Não se preocupe. Posso levar o próximo grupo no Jeep.

— Não. — Kate falou em tom ríspido. Suspirou, virou-se para a pia, molhou o rosto. — Você não deve sair desta casa, Jo Ellen, a menos que esteja acompanhada por um de nós. A última coisa que preciso agora é me preocupar com você.

— Posso trancar as portas do Jeep.

— Não pode sair sozinha, e não admito nenhuma discussão a respeito. Não tenho tempo para isso. Ajudará mais se continuar mantendo as pessoas calmas. Terei de dar uma volta para pegar alguns hóspedes nos chalés. Brian foi buscar as pessoas no camping. Teremos outro fluxo muito em breve.

— Está bem, Kate. Farei o que quiser.

— Seu pai levou o rádio para a cozinha. — Ela pegou os braços de Jo. — Virá no mesmo instante se você chamar. Não corra nenhum risco, está bem?

— Não tenciono. Preciso ligar para Nathan.

— Já fiz isso. Ele não atendeu. Passarei pelo chalé antes de levar o próximo grupo. Eu me sentirei melhor se ele também estiver aqui.

— Obrigada.

— Não me agradeça, querida. Estou prestes a deixá-la com a maior dor de cabeça do mundo.

Kate respirou fundo, empinou os ombros e abriu a porta. Jo estremeceu à balbúrdia de vozes na sala de estar.

— Volte depressa — murmurou ela.

E, com um sorriso contrafeito, Jo se encaminhou para a linha de fogo.

LÁ FORA, GIFF ERGUEU UMA PLACA DE MADEIRA COMPENSADA para o primeiro painel da janela da sala de jantar. Lexy agachou-se ao seu lado e martelou um prego, com habilidade e facilidade, no canto inferior. Ela falava sem parar, mas Giff só ouvia uma em cada três palavras. O vento diminuíra e a luz começava a assumir uma tonalidade amarela ameaçadora.

Estava chegando, pensou ele, e mais depressa do que fora previsto. Sua família estava segura em casa e provavelmente não sofreria nada. Ele incumbira um primo e dois amigos de pôr as placas de madeira compensada nos chalés, começando por sudeste e seguindo para o norte.

Mas precisavam de mais ajuda.

— Alguém já chamou Nathan?

— Não sei. — Lexy tirou outro prego da bolsa. — De qualquer forma, papai não o deixaria ajudar.

— O Sr. Hathaway é um homem sensato, Lexy. Quer que tudo que é seu seja protegido. E teve uma noite inteira para pensar nas coisas.

— Ele é tão teimoso quanto seis mulas com prisão de ventre... e ele e Brian juntos são ainda piores. É a mesma coisa que culpar os bisnetos bastardos de Sherman pelo incêndio de Atlanta.

— Alguns fazem isso — comentou Giff, levantando outra placa de madeira compensada.

— Só os que não têm cinco centavos de cérebro na cabeça. — Os dentes cerrados, Lexy bateu com o martelo no prego. — E seria terrível para mim admitir que meu próprio pai e meu irmão são deficientes no departamento de cérebro. E que eles são quase cegos ainda por cima. Até uma velhinha de oitenta anos sem os óculos poderia ver que aquele homem ama Jo Ellen. É um pecado fazer com que os dois se sintam culpados por isso.

Ela empertigou-se, soprando os cabelos para longe do rosto. Olhou para Giff e franziu o rosto.

— Por que está sorrindo para mim dessa maneira? Meu rosto já está todo sujo e suado?

— Você é a coisa mais linda que já vi em toda a minha vida, Alexa Hathaway. E sempre me surpreende. Mesmo conhecendo-a por dentro e por fora, você ainda me surpreende.

— Ora, querido... — Lexy inclinou a cabeça para o lado e pestanejou. — É essa a minha intenção.

Giff enfiou a mão no bolso e pegou a caixinha que guardara ali.

— Eu tinha outros planos para fazer isso, mas acho que nunca a amei tanto quanto neste momento.

Ele tirou a caixa do bolso, observando os olhos de Lexy se arregalarem enquanto a abria com o polegar. O pequeno diamante engastado no anel de ouro faiscou ao sol.

— Case comigo, Alexa.

Ela sentiu o coração estufar e bater nas costelas. Os olhos ficaram tão enevoados que a luz irradiada pelo diamante deixou-a ofuscada. A mão tremia quando a comprimiu contra a boca.

— Como pode fazer isso? Como pode estragar tudo dessa maneira?

Lexy virou-se bruscamente e bateu com o martelo na beira da madeira compensada.

— Como eu disse, você sempre me surpreende — murmurou Giff. — Quer que eu espere até que tenhamos velas acesas e o luar?

— Não, não e não. — Com um pequeno soluço, ela deu outra martelada na madeira compensada. — Guarde o anel. Sabe que não posso casar com você.

Giff respirou fundo.

— Não sei de nada. Por que não me explica?

Furiosa e deprimida, ela virou-se para fitá-lo.

— Sabe que aceitarei, se continuar a me pedir. Sabe que cederei porque o amo demais. E teria de renunciar a todo o resto. Ficarei nesta ilha desgraçada, não voltarei mais para Nova York, não tentarei outra vez o sucesso no teatro. Ao longo dos anos passarei a odiá-lo e começarei a pensar... se ao menos... se ao menos... Acabarei definhando aqui, sempre a me perguntar se não poderia ter sido outra coisa.

— O que a faz pensar que espero que desista de Nova York e do teatro, que espero que renuncie a todos os seus sonhos? Detestaria pensar que casaria com um homem que deseja menos para sua vida do que você mesma quer. Qualquer coisa que você queira para si, Lexy, eu quero em dobro.

Ela passou a mão pelo rosto.

— Não estou entendendo.

— Estou dizendo que também tenho meus planos, meus sonhos. Não planejo passar o resto da vida martelando em Desire.

Um pouco irritado, Giff tirou o boné e removeu o suor da testa.

— Há coisas que precisam ser construídas em Nova York, não é mesmo? E coisas que precisam ser consertadas, como em qualquer outro lugar.

Lexy baixou as mãos, lentamente. Fitou-o nos olhos. Gostaria de poder ler o que havia ali.

— Está dizendo que iria para Nova York, viveria em Nova York... por mim?

— Não, não é isso o que estou dizendo. — Impaciente, Giff fechou a caixa e tornou a guardá-la no bolso. — Se eu fizesse isso, acabaria ressentido com você e voltaríamos ao ponto em que começamos. Estou dizendo que iria por nós dois. E que, mesmo com o dinheiro que tenho guardado, viveríamos apertados por algum tempo. E que provavelmente teria de fazer alguns cursos se quisesse que Nathan me desse um emprego em sua firma.

— Um emprego com Nathan? Você quer trabalhar em Nova York?

— Sempre quis conhecer a cidade. E também quero vê-la no palco, à luz dos refletores.

— Talvez eu nunca chegue lá.

— Claro que chegará. — As covinhas surgiram nas faces de Giff, os olhos passaram de castanhos sombrios para dourados. — Nunca conheci alguém que fosse capaz de representar mais papéis. Chegará lá, Lexy. Acredito em você.

Lágrimas escorreram dos olhos de Lexy, mesmo enquanto ela ria e se jogava nos braços dele.

— Oh, Giff, como você pode ser tão perfeito? Como pode ser tão certo? — Ela inclinou-se para trás e pegou o rosto de Giff entre as mãos. — Tão absolutamente certo para mim.

— Venho estudando para ser assim durante a maior parte da minha vida.

— Tudo vai dar certo. E trabalharei como garçonete até que você termine a faculdade ou eu tenha uma oportunidade. O que vier primeiro. E agora vamos acabar logo com isso. Depressa. — Lexy estendeu a mão. — Mal posso esperar.

— Comprarei um diamante maior algum dia.

— Não vai não. — Ela ficou emocionada quando Giff enfiou o anel em seu dedo, baixou a cabeça e beijou-a. — Pode me comprar uma porção de brilhantes quando formos ricos. Porque quero ser boa e rica, Giff, e não me envergonho de dizer isso. Mas este anel...

Lexy ergueu a mão. Virou-a um pouco, para um lado e outro, fazendo o pequeno diamante faiscar e dançar à luz.

— Este anel é perfeito.

DEPOIS DE DUAS HORAS, JO SENTIA OS OLHOS TURVOS E A CABEÇA latejando. Kate voltara e partira duas vezes, transportando hóspedes, passando pelos chalés. Brian trouxera uma dúzia de campistas, depois voltara para verificar se ainda havia mais algum. A única notícia que ela tivera de Nathan fora a de que ele estava ajudando a preparar os chalés perto da praia.

Exceto pelas batidas monótonas dos martelos, finalmente havia silêncio na casa. Jo calculou que Kate voltaria em breve com as últimas pessoas nos chalés. As janelas nos lados sul e leste já estavam cobertas por placas de madeira compensada, deixando a casa na escuridão.

Quando ela abriu a porta da frente, o vento entrou, impetuoso. Era bastante frio, o que foi um choque depois do calor sufocante da casa fechada. Ao sul, o céu estava escuro e sinistro. Ela viu os clarões de raios, mas não ouviu as trovoadas que deveriam acompanhá-los.

Ainda muito longe, concluiu Jo. Verificaria dali a pouco qual o curso que estavam prevendo para Carla. E, como precaução, pegaria todas as cópias e negativos no laboratório e guardaria no cofre no escritório de Kate.

Como queria evitar o pai por mais algum tempo, ela subiu pela escada principal. Deu uma olhada nos quartos, automaticamente, para verificar se os hóspedes, apressados, não haviam deixado nada para trás. Apagou todas as luzes e seguiu para a ala da família. O som das marteladas era mais alto agora e ela achou-o confortador. Para nos proteger. Se Carla viesse mesmo, Sanctuary resistiria, como já acontecera antes.

Jo ouviu o som de vozes ao passar pelo escritório de Kate. Uma placa de madeira compensada foi estendida sobre a janela no momento em que ela passou. Ou Brian voltara, refletiu ela, ou seu pai saíra para ajudar Giff.

Ela acendeu as luzes no laboratório e foi ligar o rádio.

— O furacão Carla foi elevado para a categoria três e deve alcançar a ilha de Little Desire, ao largo da costa da Geórgia, por volta de sete horas da noite. Os turistas foram evacuados dessa ilha, de propriedade particular, no arquipélago de Sea Islands. Os habitantes estão sendo aconselhados a deixar a ilha o mais depressa possível. Esperam-se ventos de até duzentos quilômetros horários. Carla deve chegar perto da maré alta.

A confiança anterior abalada, Jo passou as mãos pelos cabelos. Não podia ser pior do que isso, ela sabia. Os chalés seriam destruídos pelo vento ou pela água. As casas derrubadas, as praias cobertas pelas ondas, árvores arrancadas na floresta.

E a rede de segurança de todos encolhia cada vez mais, pensou ela, com um olhar para o relógio. Ia buscar Nathan e Kirby, e todos deixariam a ilha, mesmo que fosse necessário deixar o pai desacordado e carregá-lo.

Ela abriu uma gaveta. Podia deixar as fotos, mas não queria correr o risco de perder todos os negativos. Mas a mão parou de repente, quando a estendeu para pegá-los.

Em cima de suas fichas, organizadas com todo cuidado, havia uma pilha de fotos. Ela ficou atordoada, a pele coberta de suor, quando viu o rosto da mãe. Já vira aquela foto antes, em outro laboratório, no que quase parecia ser outra vida. Por cima do zumbido nos ouvidos, pôde ouvir o próprio gemido quando pegou a foto.

Era real. Podia sentir o papel liso entre os dedos. A respiração rasa, ela virou a foto e leu o título no verso:

MORTE DE UM ANJO

Reprimiu um soluço. Forçou-se a olhar para a foto seguinte. A dor dominou-a por completo, ardendo como picadas de vespas. A pose era quase idêntica, como se o fotógrafo tivesse procurado reproduzir uma da outra. Mas aquela era Ginny, o rosto tão jovial e animado agora flácido e sem brilho, os olhos vazios.

— Sinto muito — murmurou Jo, comprimindo a foto contra o coração. — Sinto muito, mas muito mesmo.

A terceira foto era de Susan Peters.

Jo fechou os olhos, fazendo um esforço para reprimir a vertigem. Gentilmente, pôs a terceira foto de lado. E sentiu que os joelhos viravam água.

A última foto era dela. Tinha os olhos fechados, o rosto sereno, o corpo pálido e nu. Os sons não passaram de sua garganta quando largou a foto e recuou.

Tateou com o braço estendido para trás, à procura da porta. A adrenalina espalhou-se por seu corpo, impulsionando-a a correr. Esbarrou na mesa, num movimento brusco, derrubou o rádio de lado. A música tornou-se estridente, o que a deixou com vontade de gritar.

— Não! — Ela fechou as mãos, cravando as unhas nas palmas, até que a dor prevaleceu sobre o choque. — Não deixarei que aconteça. Não acreditarei. Não permitirei que seja verdade.

Ela fez um esforço para se controlar. Contou as respirações, até a vertigem passar. Sombria e determinada, pegou a foto de novo.

Era mesmo seu rosto. A foto fora tirada antes de Lexy cortar seus cabelos para o luau. Portanto, já tinha várias semanas. O luau acontecera logo no início do verão. Jo levou a foto para a luz. Ordenou-se para examiná-la com sua visão objetiva e treinada.

Só precisou de alguns segundos de análise lúcida para compreender que o rosto podia ser seu, mas o corpo não era. Os seios eram cheios demais, os quadris muito arredondados. Ela pôs a foto de Annabelle ao lado. Era mais assustador, especulou, atordoada, compreender que seu rosto fora acrescentado ao corpo da mãe? O que fazia com que as duas fossem uma só, pensou Jo.

Era o que ele queria desde o início.

* * *

BRIAN GUIAVA O JEEP PELA ESTRADA DE MANUTENÇÃO DO camping. Vários locais de acampamento haviam sido abandonados na maior desordem. Mas como a tempestade se aproximava, pensou ele, isso não teria a menor importância. O vento já zunia mais e mais forte através das árvores. Uma rajada sacudiu o Jeep e fez com que ele apertasse ainda mais as mãos no volante. Pelos seus cálculos, teriam apenas mais uma hora para concluir os preparativos.

Teve de fazer um esforço para não se apressar na verificação. Queria ir logo para o chalé de Kirby e levá-la para a segurança de Sanctuary. Ficaria mais tranqüilo se pudesse despachá-la para o continente, mas sabia que era melhor não desperdiçar seu fôlego e energia na tentativa de convencê-la. Se alguns habitantes permanecessem na ilha, Kirby também ficaria para cuidar de possíveis feridos.

Sanctuary já tinha mais de um século, pensou Brian. Resistiria a mais uma tempestade.

Havia dezenas de outras preocupações. Ficariam com certeza isolados do continente. O rádio ajudaria, mas não haveria telefone, não teriam energia elétrica nem transporte depois que fossem atingidos. Ele abastecera o gerador para que tivessem energia de emergência. E sabia que Kate mantinha um amplo estoque de água mineral.

Tinham comida, tinham abrigo, tinham vários braços fortes. E, depois que Carla fizesse os piores estragos, os braços fortes seriam uma necessidade.

Brian continuou a enumerar mentalmente as tarefas e opções. Foi se sentindo mais e mais calmo à medida que confirmava que não havia pessoas extraviadas na área do camping. Só esperava que não houvesse idiotas escondidos entre as árvores ou arriscando-se na praia, pensando que um furacão era uma aventura de férias.

Ele soltou um grito e pisou no freio, quando alguém surgiu na estrada, na frente do Jeep.

— Jesus Cristo, seu idiota! — Furioso, Brian saltou do veículo. — Quase o atropelei. Não tem juízo suficiente para se afastar do meio da estrada ou procurar um abrigo quando um furacão se aproxima?

— Ouvi a notícia. — O sorriso do homem alargou-se. — Uma oportunidade espantosa.

— É mesmo uma coisa espantosa. — Mais irritado a cada segundo desperdiçado, Brian sacudiu o polegar na direção do Jeep. — Entre. Posso levá-lo até a última barca, mas não resta muito tempo.

— Não é isso que eu quero.

Ainda sorrindo, o homem estendeu o braço que mantinha atrás das costas e disparou a arma.

Brian foi impelido para trás quando a dor explodiu em seu peito. Cambaleou, fazendo um esforço para evitar que o mundo girasse. E, ao cair, viu o riso nos olhos de um amigo de infância.

— Menos um. — Com a ponta da bota, o homem empurrou para o lado o corpo inerte de Brian. — Agradeço a oportunidade de melhorar minhas chances, velho amigo. E pelo empréstimo do Jeep.

Ao embarcar, ele lançou um último olhar para Brian.

— Mas não se preocupe. Eu o levarei de volta a Sanctuary... no final de tudo.

A CHUVA COMEÇAVA A INVESTIR CONTRA AS JANELAS EN-quanto Kirby juntava os equipamentos e suprimentos médicos. Na maior calma, tentava prever todas as possíveis necessidades. Se tivesse de cuidar de vítimas, seria melhor fazê-lo em Sanctuary. Já admitira a possibilidade de o chalé não sobreviver àquela noite.

Sabia que a maioria dos ilhéus seria teimosa demais e não deixaria suas casas. Pela manhã, poderia haver fraturas, concussões. cortes. A casa tremeu, sob uma rajada de vento mais forte, e ela rangeu os dentes. Estaria disponível para tratar de todos os ferimentos.

Levantava uma caixa, a fim de levá-la para seu carro, quando a porta da frente foi aberta. Levou um momento para reconhecer Giff no vulto de capa amarela com capuz.

— Tome aqui. — Ela estendeu a caixa para Giff. — Pegarei a próxima.

— Calculei que você estaria reunindo essas coisas. Mas trate de se apressar. A desgraçada está chegando.

— Já arrumei quase tudo. — Kirby vestiu sua capa. — Onde está Brian?

— Ele foi verificar o camping. Ainda não voltou.

— Já deveria ter voltado.

A preocupação a atormentava enquanto pegava o resto dos suprimentos. O vento empurrou-a de volta no momento em que tentou sair para a varanda. Assoviava em seus ouvidos quando se inclinou para a frente e avançou.

— Está tudo seguro aqui?

Giff gritou acima do barulho das ondas, enquanto tirava a caixa de suas mãos e levava para o Jeep.

— Na medida do possível. Nathan ajudou-me esta manhã. Ele já foi para casa?

— Não. E também não o vi.

— Pelo amor de Deus! — Ela empurrou para trás os cabelos esvoaçando. — O que eles podem estar fazendo? Vamos passar pelo camping, Giff.

— Não temos muito tempo, Kirby.

— Mas temos de fazer isso. Brian pode estar com algum problema. O vento pode ter derrubado algumas árvores. Se Brian não estava em Sanctuary quando você saiu e não passou por ele na vinda para cá, é provável que ainda esteja por lá. E não irei para Sanctuary enquanto não tiver certeza.

Giff abriu a porta do Jeep e empurrou-a para dentro.

— Você é a médica.

* * *

— FILHO-DA-PUTA!

Nathan bateu com a quina da mão no volante. Pusera seus trabalhos e equipamentos mais importantes no Jeep, que agora não queria pegar. Nem ao menos o motor emitia qualquer som.

Furioso, ele saltou. O vento cada vez mais forte lançou a chuva contra seu rosto. Levantou o capô e soltou um grunhido. Não tinha tempo para fingir que podia consertar o que estava errado.

Precisava alcançar Jo e tinha de ser agora. Já fizera todo o resto que podia fazer.

Nathan baixou o capô e seguiu para o rio, abandonando o Jeep. Teria de percorrer uns quatrocentos ou quinhentos metros, rio acima, antes de poder fazer a travessia. A ida até Sanctuary, através da floresta, prometia ser angustiante.

Ele ouvia o rangido agourento de árvores sendo fustigadas e torturadas pelo vento, sentia a pressão em suas costas ao cambalear para a frente. Os relâmpagos explodiam lá em cima, povoando o céu com uma estranha claridade alaranjada.

O vento ardia em seus olhos, turvava a visão. Não percebeu o vulto que saiu de trás de uma árvore até que estava quase em cima dele.

— Cristo! O que está fazendo aqui?

Nathan levou quase dez segundos atordoados para perceber além das mudanças e reconhecer o rosto.

— Kyle! — O horror prevaleceu sobre o choque. — Ó Deus, o que você fez?

— Olá, irmão.

Como se estivessem se encontrando numa tranqüila rua ensolarada, Kyle estendeu a mão. E quando Nathan baixou os olhos, por uma fração de segundo, Kyle bateu com a coronha da arma em sua têmpora.

— Menos dois.

Desta vez, ele inclinou a cabeça para trás e soltou uma gargalhada. A tempestade aumentava sua sensação de poder. A violência deixava-o excitado.

— Não senti que era certo dar um tiro em meu próprio irmão, mesmo ele sendo um filho-da-puta irritante, o que alguns chamariam de sangue-frio. — Ele agachou-se ao lado do corpo e sussurrou, como se Nathan pudesse ouvi-lo: — O rio vai transbordar e as árvores serão derrubadas. O que quer que aconteça, irmão, temos de atribuir ao destino.

Kyle empertigou-se. Deixou o irmão estendido ali, encharcado de sangue e chuva, e partiu para reivindicar a mulher que decidira que lhe pertencia.

Capítulo Trinta

A chuva escorria pelo pára-brisa do Jeep, mais intensa do que os limpadores podiam remover. A estrada estava tão lamacenta que Giff tinha de fazer o maior esforço para cada metro de progresso.

— Vamos voltar — disse ele para Kirby. — Brian tem bom senso suficiente para não ficar na estrada com um tempo como este... e eu também.

— Então volte pelo caminho oeste. — Kirby torcia para que fosse a tempestade que fazia seu coração bater tão forte e deixava-a enregelada até os ossos. — É o caminho que ele deve ter seguido. Neste caso, poderemos ter certeza.

— A estrada do sul é mais rápida.

— Por favor.

Giff abandonou seu melhor julgamento e virou o Jeep para a esquerda.

— Se voltarmos inteiros, Brian vai me esfolar por manter você na tempestade por cinco minutos a mais do que o necessário.

— Não precisaremos mais do que isso, cinco minutos extras. — Kirby inclinou-se para a frente, fazendo um esforço para ver através da cascata que descia pelo pára-brisa. — O que é aquilo? Ali na frente, na beira da estrada.

— Provavelmente algum equipamento que caiu da picape de alguém. As pessoas estavam com pressa de sair daqui antes...

— Pare!

Ela estendeu a mão e puxou o volante, fazendo o Jeep derrapar.

— Jesus Cristo! Está querendo nos jogar numa vala? Ei... — Embora tivesse se esticado para detê-la, Giff só conseguiu segurar a ponta da capa, quando ela saiu para a torrente de chuva. — Essas mulheres são insuportáveis!

Ele fez um esforço para abrir sua porta.

— Volte aqui, Kirby. Este vento vai soprá-la até Savannah.

— Ajude-me, Giff, pelo amor de Deus! É Brian! — As mãos geladas de Kirby já abriam a camisa ensangüentada. — Ele levou um tiro!

— ONDE ELES PODEM ESTAR? — ENQUANTO O VENTO INVESTIA com toda força contra as paredes, Lexy andava de um lado para outro da sala principal. — O que aconteceu? Giff saiu há quase uma hora e Brian há duas.

— Talvez tenham se abrigado em algum lugar. — Kate, encolhida numa cadeira, fazia um esforço para não entrar em pânico. — Podem ter chegado à conclusão de que era melhor não tentarem voltar para cá.

— Giff disse que voltaria. Prometeu.

— Neste caso, ele vai cumprir sua palavra. — Kate cruzou as mãos para não retorcê-las. — Devem chegar a qualquer momento. Estarão cansados, molhados e com frio. Vamos fazer café e guardar em garrafas térmicas, Lexy, antes que a eletricidade seja cortada.

— Como pode pensar em fazer café quando... — Lexy não concluiu a frase. Fechou os olhos, apertando com força. — Está bem. É melhor do que ficar aqui sem fazer nada. Com as janelas tapadas pela madeira compensada não podemos nem espiar a estrada.

— Vamos providenciar comida quente, café quente, roupas secas.

Depois que enumerou as providências práticas, Kate pegou uma lanterna, como precaução, e deixou a sala, acompanhada por Lexy.

Jo levantou-se um momento depois. O pai estava em pé no outro lado da sala, de costas para ela, virado para a janela, como se recorresse a toda a sua força de vontade para divisar alguma coisa através da madeira compensada.

— Papai, ele esteve na casa.

— Como?

— Ele esteve na casa. — Kate manteve a voz calma, enquanto o pai se virava. — Eu não queria dizer nada na presença de Lexy e Kate, pelo menos por enquanto. As duas já estão assustadas demais. Eu esperava que pudessem partir na última barca, mas com Brian ainda lá fora...

O estômago de Sam começou a arder.

— Tem certeza?

— Tenho. Ele deixou... Esteve em meu laboratório em algum momento dos últimos dois dias. Não posso determinar quando.

— Nathan Delaney esteve na casa.

— Não foi Nathan.

Sam manteve o olhar firme e duro.

— Não estou disposto a correr qualquer risco. Vá para a cozinha e fique com Kate e Lexy, enquanto revisto a casa.

— Irei com você.

— Vai fazer o que eu mandar e quero que fique na cozinha. Não dará um único passo para qualquer lugar sem a companhia delas.

— É a mim que ele quer. Se as duas estiverem comigo, também correrão perigo.

— Ninguém vai tocar em qualquer dos meus nesta casa.

Ele pegou o braço de Jo, disposto a arrastá-la para a cozinha, se fosse necessário. Foi nesse instante que a porta da frente abriu, deixando entrar o vento e a chuva.

— Leve-o para cima, Giff.

A respiração acelerada, Kirby deslocou-se para o lado, a fim de manter a pressão sobre o peito de Brian, enquanto Giff cambaleava ao peso.

— Preciso que alguém pegue meu material médico no Jeep — ordenou ela, quando Sam e Jo se adiantaram. — Preciso de lençóis, toalhas, luz. E depressa. Ele perdeu muito sangue.

Kate veio correndo.

— Ó Deus! O que aconteceu?

— Ele levou um tiro. — Kirby acompanhava o ritmo de Giff, jamais desviando os olhos do rosto de Brian. — Fale pelo rádio com o continente. Descubra em quanto tempo podem mandar um helicóptero para cá. Precisamos levá-lo para um hospital e precisamos da polícia. Depressa com os suprimentos. Já perdi tempo demais.

Sem se dar ao trabalho de vestir uma capa, Sam saiu correndo para a tempestade. Já estava cego antes mesmo de chegar ao Jeep, surdo para outros sons que não fossem o estrondo do sangue em seus ouvidos e o uivo do vento. Pegou a primeira caixa e sentiu que Jo passava por ele para pegar a segunda.

Os dois cambalearam ao peso, mas conseguiram voltar juntos para casa.

— Kirby levou-o para a Garden Suite. É a cama mais próxima. — Lexy encostou de costas na porta e conseguiu fechá-la depois que os dois entraram. — Não quer dizer qual é a gravidade do ferimento de Brian. Não quer dizer nada. Kate está no rádio.

Jo apertava a caixa, as articulações esbranquiçadas, enquanto subiam a escada às pressas.

Kirby tirara a capa ensangüentada e jogara-a para o lado. Não ouvia o barulho da chuva nem o uivo do vento. Só tinha um objetivo agora: manter Brian vivo.

— Preciso de mais travesseiros. Temos de manter o tronco e as pernas mais altos do que a cabeça. O local da hemorragia deve ficar elevado. Ele está em choque. Precisa de mais cobertores. A bala atravessou o corpo. Encontrei o ferimento de saída.

Ela comprimiu uma compressa nas costas de Brian, perto do ombro direito. A mão sem luva estava coberta de sangue.

— Não dá para saber quais podem ser as lesões internas. Mas a perda de sangue é a primeira preocupação. A pressão é mínima e a pulsação está muito fraca. Qual é o tipo de sangue de Brian?

— A negativo — respondeu Sam. — O mesmo que o meu.

— Neste caso, tiraremos um pouco de seu sangue para ele. Mas não tenho mãos suficientes. Preciso de alguém para fazer isso. Darei todas as instruções.

— Eu farei — declarou Kate, entrando no quarto. — Não podem nos dizer quando mandarão o helicóptero. Nada pode chegar ou sair da ilha até que Carla se afaste. Nenhum aparelho pode decolar.

Ó Deus! Ela não era cirurgiã. Pela primeira vez na vida, Kirby desejou ter acatado os desejos do pai. O ferimento de entrada era pequeno e podia fechá-lo com facilidade. Mas o ferimento de saída era um buraco nas costas de Brian tão grande quanto o punho dela. E Kirby sentiu o pânico envolvê-la. Fechou os olhos.

— Muito bem. Precisamos mantê-lo estabilizado. Giff, por enquanto faça pressão aqui. Tem de ser uma pressão firme. Se sangrar através da compressa, não a retire. Em vez disso, coloque mais. Use a outra mão para manter este ponto de pressão arterial. Os dedos devem ficar firmes. Kate, pegue minha maleta. Encontrará um tubo de borracha. Vai fazer um torniquete.

Enquanto preparava uma seringa, sua voz tornou-se fria. Escolhera a cura como profissão e, por Deus, haveria de curar. Lançou um olhar demorado para o rosto de Brian.

— Vou mantê-lo comigo, entendeu?

E, no momento em que ela enfiou a agulha, a casa ficou às escuras.

NATHAN FEZ UM ENORME ESFORÇO PARA ALCANÇAR A SUPERfície de uma neblina vermelha, mas tornou a recuar. Parecia vital que aflorasse, embora fosse monstruosa a dor que sentia sempre que se aproximava da superfície tênue e tremeluzente. Estava enregelado até os ossos, com a sensação de que fora mergulhado numa tina de água gelada. Agarrou-se na beira outra vez, sentiu que as brumas vermelhas fechavam e adensavam e deu um salto com toda a sua força para rompê-la.

Descobriu-se num pesadelo, sinistro e ameaçador. O vento uivava como mil demônios à solta, a água jorrava em cima dele, deixando-o engasgado quando abriu a boca para respirar fundo. Com a cabeça girando, virou-se e ficou de quatro. A água do rio transbordando já cobria seus pulsos. Tentou se levantar, mas resvalou para a inconsciência. O choque da água fria em seu rosto, no momento em que bateu no chão, trouxe-o de volta.

Kyle... Fora Kyle, de volta dos mortos. Aquele Kyle tinha cabelos louros compridos em vez de castanhos, um bronzeado quase agressivo em vez da palidez da cidade grande. E uma loucura indescritível nos olhos.

— Jo Ellen...

Nathan sentiu que sufocava quando começou a engatinhar para longe da água do rio. Murmurou o nome como uma oração, enquanto fincava os dedos no tronco molhado de uma árvore para se levantar. E quando começou a correr para Sanctuary, cambaleando, fustigado pelo vento, passou a gritá-lo.

— NÃO VOU PERDÊ-LO — KIRBY FALOU EM TOM DECIDIDO, enquanto trabalhava, à luz de um lampião. A mente mantinha uma calma rígida, reprimindo os medos e dúvidas. — Fique comigo, Brian.

— Vai precisar de mais luz. — Giff passou a mão pelos cabelos de Lexy. — Se puder me dispensar aqui, vou descer para ligar o gerador.

— Quem fez isto... — Lexy apertou a mão de Giff — pode estar em qualquer lugar.

— Fique aqui. — Ele levantou a mão de Lexy para beijá-la. — Kirby pode precisar de ajuda.

Giff foi até a cama, inclinou-se como se estivesse examinando Brian e perguntou baixinho a Sam:

— Você tem uma arma em casa?

Sam continuou a olhar para o tubo pelo qual seu sangue era transferido para o filho.

— Meu quarto, no alto do armário. Uma caixa de metal. Tem um trinta e oito e munição. — Seu olhar deslocou-se por um breve instante, avaliou o homem. — Confiarei a você para usá-lo se for necessário.

Giff acenou com a cabeça. Ofereceu um rápido sorriso.

— Voltarei num instante.

— Há outro lampião e mais velas? — Kirby levantou uma pálpebra de Brian. A pupila estava dilatada pelo choque. — Se eu não conseguir fechar o ferimento da saída da bala, ele perderá mais sangue do que podemos lhe dar.

Kate trouxe uma lanterna. Iluminou a carne dilacerada.

— Não o deixe morrer. — Ela piscou para reprimir as lágrimas. — Não deixe meu menino morrer.

— Vamos mantê-lo conosco.

— Não o perderemos, Kate — murmurou Sam, pegando a mão fechada de Kate.

— Giff pode estar tendo problemas com o gerador. — Jo falou baixinho, pondo a mão no ombro de Lexy. — Descerei para buscar mais luzes de emergência.

— Irei com você.

— Não precisa. Fique aqui. Kirby pode precisar de ajuda. Papai não poderá ajudá-la e Kate não deve agüentar por muito tempo. Voltarei num instante.

Jo apertou o ombro de Lexy. Pegou uma lanterna e saiu do quarto. Tinha de fazer alguma coisa para ajudar a reprimir o medo por Brian, por Nathan. Por todos eles.

E se Nathan também tivesse levado um tiro, estivesse caído em algum lugar, sangrando, morrendo? Não havia nada que pudesse fazer para evitá-lo. E como poderia viver depois se ficasse sem fazer nada?

Ele procurara abrigo em algum lugar, disse Jo a si mesma, enquanto descia a escada, apressada. E assim que a tempestade passasse, ela o encontraria. E levariam Brian para um hospital no continente.

Teve um sobressalto quando ouviu um estrondo e o barulho de vidro quebrado. A mente ficou paralisada, imaginando outra bala, mais carne dilacerada por aço. Mas depois avistou a madeira compensada arrebentada numa janela, a chuva entrando pelo rombo aberto por um galho de árvore.

Levantou a lanterna para verificar os estragos. Teria de procurar Giff. Assim que levasse a luz para Kirby, precisariam pegar mais madeira para tapar o buraco, antes que os danos se tornassem irreparáveis.

Quando virou-se, deparou com o homem.

— Assim é melhor. — Kyle adiantou-se para a luz. — Eu ia subir para buscá-la. Não, não grite.

Ele levantou a arma, para que Jo pudesse vê-la, enquanto acrescentava:

— Matarei qualquer pessoa que descer para saber o que está acontecendo. — Ele sorriu. — Como vai seu irmão?

— Continua a resistir. — Jo baixou a lanterna e as sombras aprofundaram-se. A tempestade entrava pela janela arrebentada e molhava seu rosto. — Já faz muito tempo, Kyle.

— Nem tanto tempo assim, no esquema geral das coisas. E tenho mantido um contato estreito, por assim dizer, há meses. Gostou do meu trabalho?

— É... competente.

— Puta! — A palavra saiu com extrema violência. Ele deu de ombros. — Ora, seja honesta. Tem de admitir que a última foto era ótima, pela criatividade da imagem, a fusão do antigo com o novo. É um dos meus melhores estudos.

— Um clichê, na melhor das hipóteses. Onde está Nathan, Kyle?

— Imagino que continua no lugar em que o deixei. — Ele estendeu a mão, rápido como uma serpente, e agarrou-a pelos cabelos. — Para variar, não vou me preocupar por ficar com as sobras de meu irmão mais velho. Do meu ponto de vista, ele estava apenas... preparando você. Sou muito melhor do que ele, em tudo. Sempre fui.

— Onde ele está?

— Talvez eu lhe mostre. Vamos sair para um pequeno passeio.

— Com esta tempestade? — Jo simulou resistência, enquanto ele a arrastava para a porta. Queria tirá-lo dali, levá-lo para longe de Sanctuary, qualquer que fosse o custo. — Você só pode ser louco para sair num furacão de categoria três.

— O que eu sou, querida Jo, é forte. — Kyle roçou os lábios pela têmpora dela. — E poderoso. Não se preocupe. Não deixarei que nada lhe aconteça até que tudo esteja perfeito. Planejei com o maior cuidado. Abra a porta.

As luzes acenderam. Jo aproveitou a fração de segundo de distração para golpear para trás com a lanterna. O alvo era a virilha, mas acertou na coxa. Ainda assim, surpreso, ele soltou um grito de dor e afrouxou a pegada em seus cabelos. Ela se desvencilhou, abriu a porta e saiu para a fúria da tempestade.

— Se quer me pegar, seu filho-da-puta, venha me buscar.

No instante em que ele passou pela porta, Jo saiu correndo no vento, num esforço para afastá-lo de Sanctuary.

A escuridão tragou os dois.

Menos de um minuto depois, Giff subiu do porão. Sentiu a rajada de vento no instante em que entrou no corredor. A porta da frente estava escancarada para a chuva. Com o sangue gelado, tirou a arma da cintura dos jeans, puxou a trava de segurança e avançou. O dedo em torno do gatilho tremeu um pouco, a uma fração da pressão total, quando Nathan passou pela porta.

— Onde está Jo Ellen?

— O que aconteceu com você?

Giff continuou a apontar a arma, enquanto se adiantava, odiando a si mesmo por isso, mas não querendo correr qualquer risco.

— Eu vinha para cá quando meu irmão... — Ele cambaleou. Passou a mão pelo ferimento na têmpora, enquanto a visão se tornava turva. — Era meu irmão.

— Pensei que havia dito que ele estava morto.

— Não está. — Nathan sacudiu a cabeça para desanuviá-la. Olhou para a arma. E repetiu: — Não está. E Jo?

— Ela está bem e segura... e vai continuar assim. Brian foi baleado.

— Ó Deus! Ele morreu?

— Kirby está cuidando dele. Afaste-se da porta, Nathan. E feche-a. Mantenha as mãos onde eu possa vê-las.

— Essa não! — Foi nesse instante que ele ouviu o grito. O sangue que subira à cabeça, para fazê-la latejar e deixá-lo ofuscado, esvaiu-se de repente. — É Jo. Ela está lá fora.

— Se fizer qualquer movimento, terei de atirar.

— Ele vai matá-la. Não permitirei que isso aconteça... não permitirei que aconteça de novo. Pelo amor de Deus, Giff, ajude-me a encontrá-la antes dele.

Era uma opção entre instinto e cautela. Giff torceu para que sua opção fosse a certa ao estender a arma pela coronha.

— Vamos encontrá-la. Ele é seu irmão. Faça o que tiver de fazer.

JO REPRIMIU OUTRO GRITO QUANDO UM GALHO, GROSSO como o tronco de um homem, caiu a seus pés. A escuridão turbilhonava, o barulho cada vez mais estrondoso, o vento impetuoso. Fragmentos de musgo passavam como balas por seu rosto. As palmeiras chocalhavam. Ela lutou para avançar mais um passo, depois outro, enquanto o vento a sacudia.

Finalmente, caiu de joelhos. Passou os braços em torno de um tronco, com medo de ser dilacerada pela força do vento.

Levara-o para longe, afastara-o de Sanctuary, mas agora se descobria perdida. A floresta estremecia sob a violência implacável. A chuva a atingia como se fossem facas cravadas em sua carne. Não podia ouvir a própria respiração agora, embora soubesse que devia ser estridente e acelerada, porque os pulmões pareciam pegar fogo.

Tinha de voltar, tinha de chegar em casa antes que ele desistisse da busca. Se Kyle voltasse antes, mataria todos ali. Como matara Nathan. Ela começou a rastejar, soluçando, fincando as mãos na lama para arrastar o corpo com a maior dificuldade, palmo a palmo.

EM SANCTUARY, KIRBY FECHOU O TUBO QUE TRANSFERIA O sangue de Sam para Brian. Não podia se arriscar a tirar mais enquanto Sam não descansasse.

— Sam precisa de líquidos e proteínas. A transfusão drenou suas energias. Deve tomar suco.

Ela esticou as costas, cansada, antes de estender a mão para verificar o pulso de Brian. Quando os dedos dele bateram nos seus, Kirby olhou para seu rosto. Percebeu um tênue pestanejar.

— Ele está recuperando os sentidos. Brian, abra os olhos. Volte agora. Concentre-se em abrir os olhos.

— Ele está melhor? Vai ficar bom?

Lexy chegou mais perto, esbarrando no ombro de Kirby.

— A pulsação está um pouco mais forte. Pegue o aparelho de pressão. Brian, abra os olhos agora. É assim que se faz. — Kirby sentiu a garganta arder ao observar os olhos se abrirem, fazerem um esforço para entrar em foco. — Vá com calma. Não se precipite. Não quero que se mexa. Apenas tente focalizar meu rosto. Pode me ver?

— Posso.

A dor era terrível, um inferno em seu peito. Vagamente, ele teve a impressão de ouvir o choro de alguém. Mas os olhos de Kirby mantinham-se secos.

— Ótimo. — A mão tremia um pouco, mas ela firmou-a para projetar o facho de uma pequena lanterna em seus olhos. — Mas continue imóvel. Deixe-me examiná-lo.

— O que aconteceu?

— Você foi ferido, meu bem. — Num choro incontrolável, Kate pegou a mão de Brian e baixou o rosto ao seu encontro. — Kirby está cuidando de você.

— Tudo é vago.

Brian virou a cabeça, apreensivo. Viu o rosto do pai, pálido e exausto, depois o tubo que os ligava.

— Dói um bocado.

Espantado, ele viu Sam cobrir o rosto com as mãos, enquanto o corpo era sacudido por soluços.

— Mas o que aconteceu?

Ele arriou de volta na cama, fraco como um bebê, sob as mãos firmes de Kirby.

— Eu disse para ficar quieto. Não deixarei que estrague todo o meu trabalho. Darei uma coisa para a dor dentro de um minuto. A pressão continua a melhorar. Ele está estabilizando.

— Posso tomar água ou alguma outra coisa? Tenho a sensação de que fui...

A voz definhou quando ele se lembrou. O vulto na estrada, o brilho de uma arma, a explosão em seu peito.

— Um tiro. Levei um tiro.

— Kirby e Giff o encontraram — informou Lexy, inclinando-se para pegar a outra mão do irmão. — Trouxeram-no para casa. Ela salvou sua vida.

— Foi Kyle... Kyle Delaney. — A dor vinha em ondas agora, deixando-o sem fôlego. — Eu o reconheci. Pelos olhos. Ele usava óculos escuros antes. Era ele... no dia em que cortei a mão. Foi Kyle quem esteve com você no consultório.

— O artista? — Kirby baixou a seringa que preparara. — O vagabundo da praia?

— Era Kyle Delaney. Estava aqui o tempo todo.

— Fique quieto. Mantenha-o imóvel, Lexy. Mas que droga, Brian! — Assustada com os esforços que ele fazia para se erguer, Kirby aplicou a injeção com mais pressa do que delicadeza. —

Assim vai começar a sangrar de novo. Dê-me uma ajuda, Kate, para que ele não se machuque antes que a droga faça efeito.

Kate comprimiu a mão contra o ombro de Brian, enquanto corria os olhos pelo quarto.

— Onde está Jo? Onde está Jo Ellen?

PERDIDA, PERDIDA NO ESCURO E NO FRIO. ESPECULOU SE O vento diminuíra mesmo de intensidade ou se apenas ficara tão acostumada com as rajadas ameaçadoras que não sentia mais que tentavam matá-la. Fez um esforço para se imaginar a levantar e correr. Queria ter a força de vontade para tentar, mas sentia-se muito fraca e cansada para fazer mais do que rastejar.

Perdera todo o senso de direção. Tinha medo de rastejar na direção do rio e morrer afogada. Mas não pararia, não podia parar, enquanto tivesse uma chance de chegar a Sanctuary.

E se ela estava perdida, ele também devia estar perdido. Outra árvore caiu, em algum lugar por trás dela, com tanto impacto que o solo tremeu. Pensou que ouvia alguém gritar seu nome, mas o vento dispersou o som. Era de esperar que ele a chamasse, pensou Jo, enquanto os dentes começavam a bater. E faria isso na expectativa de que ela revelasse onde se encontrava, para poder matá-la, como fizera com as outras. Como o pai dele matara sua mãe.

Ela sentia-se quase cansada o bastante para deixar que isso acontecesse. Mais do que tudo, porém, queria vê-lo morto.

Por sua mãe, pensou Jo, arrastando-se por mais meio metro. Por Ginny, por Susan Peters. Ela rangeu os dentes e continuou a se arrastar. E por Nathan.

Avistou a luz, apenas um facho estreito, e enroscou-se numa bola, por trás de uma árvore. Mas a luz manteve-se firme, não mudou de direção como aconteceria com uma lanterna ou lampião na mão de um homem.

Sanctuary, ela compreendeu. Comprimiu as mãos enlameadas contra a boca, para reprimir um soluço. Aquele facho de luz estreito projetava-se da sala, passando pela janela destruída. Jo recorreu a toda a sua força para conseguir se levantar. Teve de estender a mão para se apoiar na árvore até a cabeça parar de girar. Mas concentrou-se na luz, em pôr um pé na frente do outro.

E, quando alcançou a beira das árvores, começou a correr.

— Eu sabia que você voltaria. — Kyle surgiu na sua frente. Encostou o cano da arma em seu pescoço. — Venho a estudando há tempo suficiente para saber como pensa.

Jo não pôde conter as lágrimas desta vez.

— Por que está fazendo isso? Não é suficiente o que seu pai fez?

— Ele nunca achou que eu era bastante bom. Não tão bom quanto ele. Nem quanto o filho dileto. Mas eu só precisava da inspiração certa. — Kyle sorriu, enquanto a chuva escorria pelo rosto e os cabelos esvoaçavam. — Teremos de limpá-la um pouco. Mas não é problema. Podemos encontrar tudo o que é necessário no camping. Banheiro dos homens, lembra?

— Claro que lembro.

— Adoro brincadeiras. Venho fazendo brincadeiras com Nathan durante todo o tempo. Ele nunca soube. O gato fugiu? Não. O gato mergulhou no rio. Dentro de um saco de plástico. Ora, Nathan, como pôde ser tão descuidado para tapar todos os buracos no vidro cheio de vaga-lumes com seu romance de aventuras? — Com uma risada, Kyle sacudiu a cabeça. — Eu costumava levá-lo à loucura com essas coisas... sem que ele conseguisse entender como pudera acontecer.

Kyle gesticulou com a arma.

— O Jeep está no começo da estrada... o que restou da estrada. Teremos de seguir a pé até lá.

— Você o odiava.

— Claro que sim. — Ele cutucou-a, sorrindo, para fazê-la andar. — Meu pai sempre o favoreceu. Mas também meu pai não era o homem que sempre pensamos. Foi uma revelação surpreendente. O pequeno segredo de David Delaney. Ele era bom, mas eu sou melhor. E você é minha obra-prima, Jo Ellen, como Annabelle foi a dele. E culparão Nathan por isso também. O que é maravilhosamente satisfatório. Ele será preso se sobreviver.

Jo cambaleou, mas logo recuperou o equilíbrio.

— Nathan está vivo?

— É possível. Ele começará a gritar sobre o irmão morto. Mais cedo ou mais tarde revistarão seu chalé. E tive o cuidado de deixar algumas fotos lá. De todos os ângulos. Uma pena que eu não posso acrescentar algumas fotos suas.

Ele pode estar vivo, pensou Jo. Por isso ela lutaria para permanecer viva. Virou-se, empurrando os cabelos molhados para trás. Estava certa. A tempestade começava a diminuir. Podia enfrentá-la. E enfrentar Kyle.

— O problema, Kyle, é que seu pai era um fotógrafo de primeira classe. Seu estilo talvez fosse um pouco conservador, em alguns casos até prosaico. Mas você é, no máximo, de terceira classe. Sua composição é falha, e a disciplina, deficiente. E não tem a menor noção de boa iluminação.

Quando ele desferiu o golpe, Jo estava preparada. Abaixou-se e projetou-se para a frente, acertando uma cabeçada em Kyle. Ele cambaleou para trás e caiu de joelhos. Jo segurou seu pulso e tentou se apoderar da arma. Mas ele passou o braço pelas pernas de Jo e derrubou-a.

— Sua desgraçada! Pensa que vou suportar seus insultos? Pensa que permitirei que estrague meus planos depois de todo o trabalho que tive?

Ele estendeu a mão para agarrá-la pelos cabelos, mas Jo tornou a se esquivar e usou o pé para derrubá-lo de novo. As conchas cortaram suas mãos quando engatinhou para trás, fazendo um esforço para se levantar.

Viu-o apontar a arma.

— Kyle.

A atenção de Kyle, junto com a arma, foi desviada para a direita.

— Nathan.

Um sorriso entreabriu os lábios de Kyle, sangrando da cabeçada que Jo acertara em seu queixo.

— Muito interessante. Sei que não vai usar isso. — Ele acenou com a cabeça para a arma que Nathan apontava. — Não tem coragem para matar. Nunca teve.

— Largue essa arma, Kyle. Acabou.

— Errado de novo. Nosso pai começou, mas eu acabarei. — Kyle levantou-se, lentamente. — Eu acabarei, Nathan, de uma maneira que ele não podia ter sequer imaginado. Meu momento decisivo, meu triunfo. Ele só plantou as sementes. Eu faço a colheita.

Kyle deu um passo à frente, com todo cuidado, o sorriso jamais vacilando.

— Estou colhendo, Nathan. Fazendo com que tudo seja meu. Pense em quanto ele ficaria orgulhoso do que realizei, não apenas seguindo seus passos, mas ampliando-os.

— É verdade. — Apesar do frio na pele, Nathan sentia uma náusea cada vez mais intensa. — Você conseguiu superá-lo, Kyle.

— Já era tempo de você admitir. — Kyle inclinou a cabeça para o lado. — Isto é o que se chama de impasse mexicano. Você atira em mim ou eu atiro em você.

Ele soltou uma súbita gargalhada, que deixou Nathan atordoado.

— Como sei que você não tem coragem, já conheço a resposta. Mas sempre posso alterar o jogo, mudar as regras, como fazia quando éramos pequenos. E atirar nela primeiro.

No momento em que ele desviou a arma para Jo, Nathan puxou o gatilho. Kyle deu um salto para trás, a boca entreaberta. Comprimiu a mão contra o peito. Quando a levantou, estava toda ensangüentada.

— Você me matou. Você me matou por uma mulher.

Nathan baixou a arma, enquanto o irmão caía.

— Você já estava morto — murmurou ele.

E encaminhou-se para Jo, que se levantava. Abraçou-a e reiterou:

— Ele já estava morto.

— Estamos todos bem. — Ela comprimiu o rosto contra o ombro de Nathan. — Estamos todos bem agora.

Giff veio correndo pela estrada lamacenta. Os olhos endureceram quando ele viu o corpo no chão. Olhou para Nathan.

— Leve-a para dentro. Você precisa levá-la para dentro.

Nathan transferiu Jo para o seu lado. Abraçados, seguiram para Sanctuary, através da tempestade que perdia a intensidade.

Epílogo

— Os helicópteros estão a caminho. Um deles traz a polícia. O outro o levará para o continente.

— Não quero ir para o hospital.

Kirby foi até a cama. Levantou o pulso de Brian para verificá-lo, mais uma vez.

— Você não está em condições de discutir com sua médica.

— O que podem fazer ali que você já não fez?

— Muito mais do que meu curativo de emergência. — Ela examinou as ataduras, satisfeita ao constatar que não havia sinais de uma nova hemorragia. — Terá algumas enfermeiras bonitas e drogas de luxo. Dentro de poucos dias, estará em pé e pronto para voltar para casa.

Brian pensou um pouco.

— As enfermeiras são mesmo bonitas?

— Tenho certeza que sim...

A voz dela tremeu. Embora ela se apressasse em virar o rosto, Brian percebeu o brilho das lágrimas.

— Ei, era só brincadeira! — Ele procurou a mão de Kirby. — Não vou nem olhar para elas.

— Desculpe. Pensei que tinha o controle. — Ela se virou e ficou de joelhos no lado da cama, encostando a cabeça na beira. — Fiquei apavorada. Você sangrava demais. E sua pulsação parecia escapulir entre minhas mãos.

— Mas você não deixou escapulir. — Ele afagou os cabelos de Kirby. — Trouxe-me de volta. Ficou comigo. E olhe para você.

Brian fez pressão até que ela levantou o rosto.

— Não dormiu nem um pouco.

— Dormirei mais tarde. — Ela comprimiu os lábios contra a mão de Brian, várias vezes. — Dormirei por vários dias.

— Pode usar sua influência para partilhar meu quarto no hospital.

— É possível.

— E quando eu voltasse para cá, partilharia meu quarto durante a convalescença.

— Acho que posso dar um jeito.

— E depois que eu me recuperar, poderia partilhar o resto da minha vida.

Kirby removeu uma lágrima.

— Se isso é um pedido de casamento, deveria fazê-lo de joelhos.

— Você é uma mulher agressiva.

— Tem razão. — Ela virou o rosto na mão de Brian. — E como me sinto responsável pelo menos em parte por você ter o resto de sua vida, parece certo que concorde em partilhá-lo.

— OS JARDINS ESTÃO DESTRUÍDOS. — JO OLHOU PARA AS flores murchas e encharcadas na lama. — Levará semanas para limpar tudo, salvar o que puder ser salvo e começar de novo.

— É isso o que você quer fazer? — perguntou Nathan. — Salvar o que puder ser salvo e começar de novo?

Ela o fitou. O curativo que Kirby fizera em sua têmpora era de um branco chocante em contraste com a pele. As olheiras escuras indicavam que ele continuava exausto.

Jo passou os braços em torno de seu corpo e virou-se, numa volta lenta. O sol era radiante, o ar muito fresco. Podia ver os destroços, as árvores derrubadas, os fragmentos de cerâmica do pequeno chafariz, o defumadouro agora sem teto. Galhos, folhas e cacos de vidro espalhados pelo pátio.

Por cima deles, Giff e Lexy removiam as placas protetoras de madeira compensada e abriam as janelas para o sol. Jo avistou o pai e Kate à beira das árvores. Ficou espantada quando o viu passar o braço pelos ombros de Kate.

— É sim. Eu gostaria de ficar mais um pouco e ajudá-los a recuperar tudo. Não será exatamente como antes, mas pode até se tornar melhor.

Ela protegeu os olhos do sol com a mão, a fim de poder vê-lo direito.

— Brian pediu para falar com você.

— Estive com ele antes de sair. Pusemos as coisas de volta nos lugares. Talvez não fiquem como antes. — Nathan sorriu. — Mas podem até ser melhores.

— E também conversou com papai.

— Conversei. Ele se sente muito contente porque seus filhos estão sãos e salvos. — Nathan enfiou as mãos nos bolsos. Não a tocara desde a noite anterior, quando Kate levara-a para um banho quente, um chá com uísque e cama. — Ele acha que precisei ter coragem para matar meu irmão.

— Precisou ter muita coragem para salvar minha vida.

— Nada teve a ver com coragem. — Ele afastou-se de Jo, pelo caminho enlameado. — Não senti nada quando puxei o gatilho. Kyle já havia morrido para mim. Foi um alívio acabar com tudo.

— Não diga que não precisou ter coragem. Estava ferido, por todos os meios pelos quais alguém pode ficar ferido. E lutou para enfrentar a tempestade por mim. Enfrentou o que ninguém jamais deveria enfrentar e fez o que ninguém jamais deveria ter de fazer. Quando a polícia chegar aqui, direi que você é um herói.

Ela pôs a mão no braço de Nathan.

— Devo a você minha vida, a vida de todas as pessoas de minha família e a memória de minha mãe.

— Mesmo assim, ele era meu pai. E Kyle era meu irmão. — Nathan tinha os olhos sombrios ao confrontá-la com essa verdade. — Não posso mudar isso.

— Não, não pode. Mas agora eles não existem mais.

Jo levantou os olhos ao ouvir o zumbido distante de um helicóptero. Queria que tudo fosse dito e resolvido antes que a parte feia voltasse. Antes que a polícia chegasse, com suas perguntas e investigações.

— Você disse que me amava.

— E amo, mais do que qualquer outra coisa.

— E isso não é o que chamaria de uma base? Eu diria que um homem com os seus conhecimentos saberia o que é preciso escavar, o que pode ser reconstruído, o que deve ser reforçado para permanecer em pé. Você quer salvar o que pode ser salvo, Nathan, e começar de novo?

— Quero. — Ele deu um passo à frente. — Mais do que qualquer outra coisa.

Jo estendeu a mão.

— Então por que não começamos agora o resto de nossas vidas?

Impresso no Brasil pelo
Sistema Cameron da Divisão Gráfica da
DISTRIBUIDORA RECORD DE SERVIÇOS DE IMPRENSA S.A.
Rua Argentina 171 – Rio de Janeiro, RJ – 20921-380 – Tel.: 2585-2000